D0708351

Chaos

ESCOBER

Chaos

Rothschild & Bach, Amsterdam 2006

Eerste druk, september 2006
Tweede druk, oktober 2006

Omslagontwerp: René Abbühl, Amsterdam
Foto omslag: © Diego Lema
Foto achterzijde: © ESCOBER

ISBN 978 90 499 5041 5
NUR 332
www.rothschildenbach.nl
www.escober.nl

Rothschild & Bach is een imprint van Foreign Media Books bv,
onderdeel van Foreign Media Group

When this began/I had nothing to say
And I'd get lost in the nothingness inside of me
I was confused/And I let it all out to find
That I'm not the only person with these things in mind

Linkin Park, 'Somewhere I belong' (*Meteora*)

SAN SEBASTIÁN

I cry/when angels deserve to die

System of a Down, 'Chop Suey' (*Toxicity*)

Angela stuurt de glanzende BMW tussen de loodsen door. Verroest damwandprofiel op beton, grotesk en verlaten. Ze rijzen op in de schemering als verteerde monumenten.

Twee kraaien fladderen traag voor de wielen vandaan.

'Waar gaat dit over?'

Ze kijkt me kort aan. 'Ik moet dit doen, Alex... Tien minuten. Dan kunnen we weg.'

'Ik vraag wat we hier doen.'

Ze houdt mijn blik vast, heel even, indringend, richt zich dan weer op de weg.

'Drugs?' zeg ik. 'Verdomme, is het drugs?'

Ze schudt haar hoofd. Haar gezichtshuid staat strak van de spanning en trekt bleek weg. 'Dat kloteweer. Het lijkt wel nacht,' sist ze. Stapvoets rijdt ze verder.

Recht voor ons doemt een hangar op. Op elf uur staat een vrachtwagen geparkeerd, een meter of veertig van de roestige schuifdeur af.

Ik leg mijn hand op de hendel. 'Zet me er hier uit.'

Ze reageert niet. Parkeert de BMW op ruime afstand naast de vrachtwagen. Er zit een vent in, zie ik. Donker type, foute kop. Hij staart voor zich uit en lijkt op iets te kauwen. Ik kijk hem strak aan. Geen reactie.

Voor ons schuift de loodsdeur open. Twee kerels. Een in zwarte spijkerbroek met een leren jasje en zijn hand op zijn broekband. Naast hem een vent met een rode doek om zijn gehavende kop, als een zeerover. Een Skorpion in zijn linkervuist. Een vz.61, Tsjechische makelij. Die beugels van de klapkolf herken ik uit duizenden. Klein volautomatisch vuurwapen, dertig centimeter lang, nog geen twee kilo met vol magazijn. Makkelijk te verbergen, het kan binnen een minuut een hele zooi .380 ACP's uitspugen, of 9mm Lugers, of .32 ACP's; mogelijkheden te over. Een zeer geliefd terroristenwapen.

'Godverdomme, Angela!' Ik grijp haar arm vast.

Ze blijft stil zitten, verslagen bijna. Mijn greep verslapt.

'Geef me tien minuten,' zegt ze zacht, zonder me aan te kijken. Ze richt haar hoofd op en staart door de voorruit. Haar donkere ogen lijken wel vloeibaar. 'Ik moet dit doen.' Het is bijna een fluistering, een mantra.

'Móet?'

Ze knikt kort en bijt op haar onderlip. Ik laat haar arm los maar trek de sleutels uit het contact.

'Geef ze aan mij,' zegt ze.

'*No way*.'

Ik werp een snelle blik op de vent in de vrachtwagen naast ons. Die staart nog steeds voor zich uit alsof hij autistisch is. De twee mannen bij de hangar hebben evenmin bewogen.

Angela buigt zich naar me toe. Ze legt haar slanke hand op de mijne. Ik grijp de sleutels steviger vast. Ze kijkt me nog eens aan. Een blik die alles kan betekenen, maar niets vrijgeeft. 'Niet weggaan, oké? Beloof je dat?'

Ik negeer haar vraag. Vanuit mijn ooghoek zie ik een donker silhouet. Zwarte kleding, een meter tachtig of iets kleiner. Hij staat rechts van de BMW en kijkt me recht aan. De loop van zijn Glock is gericht op mijn hoofd. Dan doet hij een paar passen terug en blijft staan. Het is duidelijk wat hij wil zeggen: ik heb je in de gaten, geen gekke dingen doen.

Ik klem mijn kaken op elkaar. Wat ik ook wilde doen, het is nu te laat.

'Tien minuten,' fluistert ze.

Ze stapt uit, opent de kofferbak en loopt naar de hangar.

Rustig, stap voor stap. Een koffer in haar rechterhand. Haar lange donkere krullen waaien op door de wind.

Ik ben me bewust van mijn hartslag, het bloed dat door mijn lichaam pompt, mijn ademhaling. Mijn ledematen gevoelloos, kil, alsof ze er niet meer bij horen, geen deel meer van me uitmaken. Waarom reageer ik niet? Waarom doe ik niets? Waarom blijf ik hier als een *fucking* zombie zitten?

Ze heeft twintig meter gelopen, in een rechte lijn van de auto af. Nu staat ze stil. De contouren van haar frêle lijf en smalle taille tekenen zich af tegen het oranje licht dat boven de loodsdeur brandt. Ze zet de koffer op de grond.

Uit de hangar komt een kerel naar buiten. Maatpak, kort donker haar, dikke nek, type *made in Zagreb*.

Geen drugs? *Ik moet dit doen?* Sodemieter op!

Tien minuten? Verdomme, nee. Gelul.

Ik wil weg. Gewoon weg. Langzaam beginnen mijn ledematen te reageren op mijn aansturing. Ik wurm mezelf achter het stuur van de BMW en steek houterig de sleutels in het contact.

De vent met de Glock staat ineens voor de motorkap. Hij is niet blij met mijn stoelendans, tilt opgefokt zijn kin op en wijst weer met zijn wapen naar me.

Ik steek mijn handen op om hem te sussen. Ze trillen.

Bij de hangar loopt de vent in het pak naar Angela. Zijn bodyguards volgen hem op de voet, als getrainde Duitse herdershonden. Ze kijken om zich heen, alert, scherp. De zeerover kijkt me een seconde lang strak aan, scant dan verder. De een doet de linkerkant, de ander de rechter. Ze hebben dit vaker gedaan. Veel vaker.

Klotezooi. Ik had een uur geleden al moeten ingrijpen, toen Angela met die glanzende statusbak voor kwam rijden. Ik had moeten weten dat er geen zak van klopte. Waar zaten mijn hersens?

Angela legt de koffer op haar onderarm en toont de inhoud. Het pak maakt een armgebaar en wisselt een blik van verstandhouding met de vrachtwagenchauffeur links van me.

Een oorverdovend geknetter verscheurt de stille avond. Uit het niets knalt een kogel van een onzichtbare schutter door de gelagerde zijruit van de vrachtwagen. Als in slow motion zie ik de chauffeur voorover zakken. De claxon die hij met zijn dood gewicht activeert, begeleidt de schoten die elkaar opvolgen alsof er oorlog is uitgebroken. Ze lijken van alle kanten te komen.

Mijn persoonlijke bewaker wordt geveld door een kogel die dwars door zijn nek slaat, een zwart gat achterlaat dat bloed spuwt. Daarna een in zijn borst. Een fontein van bloed spat over de voorruit als hij met een zware bonk op de motorkap klapt.

Op twee uur komt een Fiat met een noodgang het terrein op gescheurd. Zeerover reageert razendsnel, houdt zijn onderarm horizontaal en spuwt salvo's uit. De vuurmond van de Skorpion vonkt in de schemer. Zijn collega laat zich op het beton vallen, rolt om en schiet het magazijn van zijn pistool leeg op de nieuwkomers.

De vent in het pak ligt op de grond. Opgekruld, bewegingloos.

Ik kan amper ademen. Mijn zintuigen proberen me iets duidelijk te maken, maar mijn hersenen verhinderen elke aansporing.

Weg, weg, weg.

Ik draai de contactsleutel om, breek hem bijna, ram de pook in drive en geef plankgas. Mijn voormalige bewaker schuift van de kap.

Rechts voor me rollen twee gedaanten uit de Fiat en openen vanachter hun portierdeuren het vuur op de bodyguards.

In een flits zie ik Angela mijn richting uit rennen, gebukt, half struikelend over haar voeten. Nog meer schoten. Gericht, op mij, van links. Ik probeer niet te denken, niet te blokkeren, alleen maar te handelen, zo snel mogelijk rechts van haar te komen, tussen haar en de Fiat-schutters, zodat die verdomde Duitse degelijkheid op wielen als buffer kan dienen.

De claxon van de vrachtwagen galmt nog steeds als een luchtalarm over het terrein.

Nog een meter of tien, dan ben ik bij haar.

Even lijkt alle geluid weggevallen, de tijd stil te staan. Ik zie alleen nog het blauw gepolijst staal, dat zacht glanst in Angela's hand. De kogel – háár kogel – suist door mijn open raam. Ik voel de luchtverplaatsing langs mijn gezicht gaan. Hoor de inslag in de hoofdsteun naast me. Ik hoor, ik zie, ik voel, maar ik geloof het niet. Ik kan gewoonweg niet geloven wat mijn zintuigen me zo ongenadig hard duidelijk willen maken. De tweede kogel vlamt uit haar wapen en brengt me terug naar het hier en nu. Ik gooi het stuur om, de achterkant breekt uit maar hervindt snel grip.

Angela duikt voor me op, recht voor de BMW. Het pistool, de loop in mijn richting, daarachter haar gezicht, een vaag masker van spieren, huid en zwarte ogen.

Ik geef weer een ruk aan het stuur en rij frontaal op haar in. Ze legt aan, verbeten. Ik knijp mijn ogen een fractie van een seconde dicht, bij de misselijkmakende bonk op de kap. Als ik ze open, waaiert donker, krullend haar uit over de voorruit. Ik trek de automaat in reverse, zonder te kijken waar ik heen ga. De achterruit verbrijzelt en weer boort een stuk lood zich in de hoofdsteun naast me. Ik duw de pook in drive en trap het gaspedaal in. De motor giert.

De geur van kruit en brandend rubber vult mijn neusgaten terwijl ik met de snelheid van het licht het terrein afrijd.

COZUMEL

een week eerder

It's easier to run/Replacing this pain with something numb
It's so much easier to go/Than face all this pain here all alone

Linkin Park, 'Easier to run' *(Meteora)*

I

Ik werd wakker in de wetenschap dat ik niets te verliezen had. Het zou een goed gevoel moeten geven, maar dat deed het niet. Ik knipperde met mijn ogen tegen het zonlicht, dat door de glazen schuifpui van de lemen hut naar binnen viel. Rekte me uit op het harde tweepersoonsbed. Staarde naar de plafondventilator, die traag zijn mechanische rondjes draaide en geruststellende, schriekende geluiden maakte. Luisterde naar het ruisen van de zee.

Dichterbij, op de geplaveide looppaden, klonk het geluid van ratelende karretjes, voortgeduwd door Mexicaanse vrouwen in smetteloos witte bedrijfskleding. Luide, wervelende conversaties in rap Spaans. Door het glas van de schuifpui was de hemel zichtbaar. Strakblauw, geen wolk te zien. Het moest buiten rond de dertig graden zijn, zoals bijna elke dag. Binnen hield de zacht zoemende airconditioning de temperatuur zo'n tien graden koeler.

Ik wreef met mijn handpalmen over mijn gezicht. Ik moest me scheren. Daarvoor zou ik moeten opstaan.

Zoals ik me nu voelde, zou het al een olympische prestatie zijn om naar het toilet te kruipen.

Ik sloeg het laken van me af en zette mijn voeten naast het bed. De beweging veroorzaakte deining in mijn hoofd, alsof ik op een schip zat dat slagzij maakte. Ik sloot mijn ogen en hoestte zwaar. Schuifelde vervolgens naar de badkamer. Terwijl ik me met een hand tegen de witbetegelde muur staande hield en mijn blaas leegde, flakkerde diep in me een bewustzijn wakker. Ik voelde me misselijk en dat kon twee dingen betekenen: of ik had te veel gedronken gisteren of ik was ziek aan het worden. Ik ploegde in mijn geheugen maar kon me niet herinneren hoe ik gisteravond in mijn hut terechtgekomen was. Vreemd.

Ik was vierendertig jaar en tot enkele jaren geleden was er geen moment geweest dat ik iets was vergeten. Me iets niet herinnerde. Niet door drank, niet door vermoeidheid. Nooit.

Sharp as a knife.

Tot de black-outs mijn leven gingen beheersen.

Ik keek op mijn horloge. Half drie.

Ik werd altijd om negen uur wakker. Half drie was laat. Veel te laat. Zowel het ontbijt als de lunch gemist.

Ik draaide de kraan open en boog me over de wastafel. Gebruikte een witte handdoek om mijn gezicht te drogen en streek met gespreide vingers mijn haar naar achteren. Ik leek niet eens meer op de foto in mijn paspoort, de bleke kerel die ik had achtergelaten in Engeland. Mijn huid begon de kleur van de *locals* aan te nemen. Daar hield de gelijkenis wel mee op. Ik was bijna dertig centimeter langer dan de gemiddelde Mexicaan en bovendien blond.

Van de badkamervloer griste ik een witte driekwartbroek en trok hem aan. Stak mijn voeten in leren teenslippers en trok een mouwloos T-shirt over mijn hoofd.

Ik liep naar buiten en nam de korte route naar de zee. Die was hier nooit ver weg.

Cozumel ligt een kilometer of veertig buiten de Mexicaanse oostkust, midden in een turquoise plas zout water die de Caribische Zee wordt genoemd, vol koraalriffen, barracuda's en joekels van zeeschildpadden. Geen dag minder dan dertig graden en een constante bries.

De korte wandeling voerde over een geplaveid, perfect onderhouden pad tussen de palmbomen en bananenbomen, langs huizenhoge subtropische planten die in bloei stonden. Een leguaan rekte zich lui uit op een dikke tak. Hij knipoogde naar me terwijl hij zijn benige tenen strekte en zich opwarmde in de zinderende zon.

Ik kwam aan op het strand, hield de zee aan mijn linkerhand en kuierde een kleine kilometer door, langs de duikschool van het vakantieresort en een roestig scheepswrak dat zo te zien lang geleden was aangespoeld en om onbekende reden op het strand was blijven liggen. Stak zo nu en dan afwezig mijn hand op als iemand van het personeel me begroette.

Glimlachen ging me moeilijker af. Ik voelde me hondsberoerd.

Drie weken geleden was ik hier terechtgekomen met de bedoeling om een maand lang helemaal niets te doen, mijn kop leeg te maken. Om vervolgens na te kunnen denken over mijn volgende stap. Te beslissen wat ik verder moest met mijn leven, nu alles waar ik in had geloofd en alles waar ik voor had geleefd, naar de kloten was.

De weken waren voorbijgegaan maar mijn hoofd raakte niet leeg.

John had de tent open.

De witgeschilderde houten barak besloeg dertig vierkante meter strand en was bijna tegen de jungle aan gebouwd. Ervoor stonden witte plastic tuinmeubelsets met blauwe parasols. Binnen een houten bar, zes barkrukken. Er hing de vertrouwde geur van verschaald bier, sigarettenrook en iets zoetigs. Een onbewerkte houten vloer, grijs uitgeslagen van vocht en zout. In de hoek, aan een van de witgeschilderde tafeltjes, zat een jong stel koffie te drinken. Achter de bar kraakte een transistorradio.

Ik schoof op een barkruk.

John, eigenaar en uitbater van de strandtent, was een magere Brit van rond de zestig. Lang, grijs haar werd in zijn nek bijeengehouden met een bruin elastiekje. Hij droeg een zwart, veel te ruim hemd met het logo van Jack Daniel's erop en een korte witte broek die zijn knokige benen tot ver boven de knie toonde. John hield het midden tussen een ex-rocker en een ex-hippie. Iemand die nooit een keuze heeft kunnen maken en van alle tijdperken en stromingen waarvan hij deelgenoot was geweest iets had overgehouden. De jaren tekenden zich af op zijn gezicht.

Zonder de bestelling af te wachten schoof hij een flesje Dos Equis en een bierglas over de bar naar me toe.

'Vandaag niet, John. Doe maar iets met vitaminen.'

Met een scheve grijns plantte John een schijf citroen op de rand.

Ik schoof het glas resoluut weg. 'Heb je iets te eten in dit rothok? En vruchtensap?'

'Zijn ze in staking in dat Hilton van je?'

Ik probeerde te glimlachen, maar stopte de poging toen ik mijn maag voelde draaien. 'Wel tussen drie en zes.'

'Ik maak iets voor je.'

John had geen lunchkaart, hij rommelde maar wat aan. Niemand scheen daar ooit een punt van te maken. Het hield in elk geval de veeleisende Amerikanen buiten de deur, en dat was waarschijnlijk de reden dat hij het zo liet. John scharrelde rond in de belendende ruimte. Door een kier van de gammele deur zag ik hem jongleren met twee eieren. Hij gooide er een achter zijn rug langs en ving hem in een snelle beweging op. Hij was verdomd lenig voor zijn leeftijd. Er school een circusartiest in die kromme Brit. Een clown.

Ik draaide me een kwartslag en hoestte kort. Mijn blik gleed over een witte omgebouwde vissersboot, die een meter of honderd verderop parallel aan de kustlijn voer en schitterde in het zonlicht. Op de achtersteven hingen beugels met zuurstoftanks en zat een groep mensen in zwarte duikkleding. Een troep meeuwen zwermde om de boot.

Ik had al ruim een week niet meer gedoken. Eigenlijk had ik weinig anders gedaan dan drinken, eten, slapen en een beetje rondhangen. Vegeteren.

Niet mijn stijl.

'Zeg, die meid van gisteren,' riep John me toe vanuit zijn krappe keuken, 'heeft ze je gesloopt? Of sliep je al voor je het bed raakte?'

Meid? Ik probeerde Johns blik te vangen, maar hij keek me niet aan.

'Die vrouw met wie je vannacht wegging,' verduidelijkte hij. John verscheen met een bord in de deuropening.

Ik reageerde niet.

'Donker type. Klein, zo'n een meter zestig. Alles op de goede plek. Vooral op die plekken waar je je handen had liggen.' Hij produceerde een glimlach en nu pas viel me op dat de Brit nodig een tandarts moest bezoeken.

Ik probeerde te achterhalen of John een geintje maakte, maar het was niet te zeggen. Hij had een vreemde gloed in zijn ogen, misschien had hij zelf graag ergens zijn handen op gelegd.

'Ik heb geen idee waar je het over hebt,' zei ik, naar waarheid. Ik had met een griet staan praten, maar als ik mijn handen op haar had gehad, zou ik me dat toch moeten herinneren.

John wuifde geïrriteerd. 'Zoals je wilt.'

Werktuiglijk begon ik te eten. Omelet met bacon en kaas. Het smaakte vandaag nergens naar.

Het zat me niet lekker.

Ik had in de afgelopen tien, twaalf jaar wel meer dingen weggeblokt. Apart gezet op de biologische harde schijf. Afgedekt, ingevroren. Vervelende dingen. Er was meer dan genoeg om te vergeten, om weg te stoppen.

Maar vrouwelijk gezelschap met alles op de goede plek viel niet in die categorie.

'Het gaat niet over, weet je,' zei John ineens.

Ik keek op. 'Wat?'

'Dat waarvoor je op de vlucht bent. Het gaat niet over.'

'Ik ben niet op de vlucht.'

'We zijn allemaal op de vlucht.'

Ik zweeg.

'Inbraken.' John boog zich samenzweerderig voorover. 'Ze pakten me er op zes. Zes van de god weet hoeveel. Ik ben de tel kwijtgeraakt. Op het laatst werd ik slordig. Had het spul in mijn eigen huis laten liggen. Stom, toegegeven.'

Ik reageerde nog steeds niet en groef in mijn geheugen naar de laatste herinneringen van gisteravond.

'Weet je wat het probleem met Engeland is?' hoorde ik John zeggen. 'Alles is zo verrekte duur geworden dat je van een normale baan niet kunt rondkomen. We zijn weer honderd jaar terug in de tijd. Rijk of arm, niets ertussen. *Blokes* die elk jaar een nieuwe DB kopen, en een onderlaag die de huur van hun *shitty* appartement niet eens kan opbrengen. Het is een verrot land, dat zeg ik je. Het rot van binnenuit en ze laten het gewoon gebeuren. Dus wat moet je? Je verhandelt eens wat links en rechts, je zorgt dat je aan geld komt. Koopt nieuwe kleren, schoenen, meubels, een nieuwe auto. Gaat uit eten. Je geeft je geld uit. De staat laat het toe, gedoogbeleid, weet je... Ze pakken er toch wel de btw van. Vat je hem? Maar één keer in de zoveel tijd pikken ze er iemand tussenuit. Voor de statistieken. Begrijp je? Om de indruk te wekken dat ze toch wel iets doen. Die statistiek was ik. Na een halfjaar werd ik vrijgelaten en bij mijn huis opgewacht. De *Old Bill* hadden een clubje opgerold met lui aan wie ik weleens spul leverde, een week nadat ze mij hadden opgepakt. En dus dachten ze dat ik hen verlinkt had. Logisch, vanuit die blokes gedacht dan, maar dat was niet zo. Ik heb niks losgelaten. Maar die gasten waren uit op bloed en ik wilde de executie niet bijwonen.' Hij kauwde nerveus op zijn duimnagel. 'En nog zit ik me hier dagelijks af te vragen of niet elk moment een van die gasten binnen kan komen stappen. Als je mensen wilt ontlopen, dan is de wereld ineens verrekte klein, weet je.'

Hij haalde een doek over de bar. Het hout was vuil en vochtig, verzadigd van het bier en water, en Johns halfslachtige poging om het schoon te maken bracht daar geen verandering in. 'Het wemelt hier van de mensen zoals ik,' ging hij verder. 'We zijn allemaal op de vlucht. Jij ook. Net zo goed. Ik zie het. Shit, ik ruik het, man. Hoelang zit je hier, twee, drie weken of zo? Kom. Je zit hier niet voor je lol. Dat zit niemand hier. Niet langer dan een week, dan heb je het wel weer gezien. Wat heb je gedaan?'

Ik wendde mijn hoofd af.

'Wat doe je hier?' drong John aan. Het leek hem zomaar ineens te interesseren, terwijl hij al die tijd dat ik hier kwam eten of drinken nog geen vraag van betekenis had gesteld.

'Nadenken,' zei ik, ontwijkend.

'In een resort vol met rednecks? Bullshit! Je kunt jezelf er niet eens horen praten, laat staan dénken. Die lui leven in constante doodsangst, in de volle overtuiging dat wanneer ze hun fucking smoel een keer dicht houden, hun hart stopt met kloppen.'

John doelde op de Texanen. Ze konden niet op zijn sympathie rekenen. De Mexicanen ook niet en zijn eigen landgenoten – tevens de mijne – al evenmin.

John was geen tolerant type.

'Misschien ben ik er al uit,' zei ik, om ervan af te zijn.

John staakte zijn nutteloze gepoets. 'Je reist door naar Guatemala?'

Ik fronste mijn wenkbrauwen.

Hij keek me verontrust aan. 'Dat was je toch van plan? Dat zei je me toch?'

Het begon me te dagen. Een week of wat terug had ik hier ook gezeten, op precies dezelfde barkruk, en John verteld dat ik waarschijnlijk via Guatemala verder zuidwaarts zou trekken. Het was februari en in Engeland was het nu koud. Winter. Sombere, grijze luchten, troosteloze vergezichten met regen en hagel en natte sneeuw. Met zulk weer was weinig mis als je een warm thuis had, een lieve vrouw, een labrador aan je voeten en de geur van stoofvlees die uit de keuken komt. Maar het was godvergeten kloteweer dat je linea recta in een depressie trapte als je op jezelf was aangewezen en op een garagezolder je dagen moest zien door te komen.

Ik wilde de confrontatie met mezelf niet aan. Nog niet. Ik had de zon nodig. De drank.

'Je wilde toch naar Guatemala?' herhaalde John.

'Waarschijnlijk wel,' antwoordde ik, mat.

Ik schraapte het laatste beetje voedsel op mijn vork en werkte het naar binnen. Liet me vervolgens van de barkruk glijden. Trok een briefje van tien dollar uit mijn zak, schoof het John over de bar toe en liep het strand op.

'*Take care*,' riep John me na.

De omgebouwde vissersboot was nu niet meer dan een stip aan de horizon. Het gesputter van de dieselmotor was nog nauwelijks hoorbaar.

Gewoontegetrouw liep ik terug naar mijn hut. Leguanen ter grootte van teckels kuierden lui langs het pad, hun lange staarten sleepten over het kort gemaaide gazon. Glansspreeuwen vochten om een stuk afval.

Verscholen tussen het aangeplante groen stonden driehonderd vrijwel identieke hutten. Vanbuiten hutjes van niets. Opgaand in de omgeving met hun donker gebeitste houten veranda's met gifgroene hangmatten en een rond rieten puntdak, maar vanbinnen van alle gemakken voorzien: airconditioning, kabel-tv met CNN en een enkele nieuwsgierige gekko – niet inclusief.

Mijn vluchtoord, een tijdelijke haven. Driemaal daags een maaltijd in een van de vijf restaurants, elke dag schoon beddengoed. Een fitnessruimte. Zon en zee. Een wit strand met doorhangende palmbomen dat op een ansichtkaart of poster niet zou misstaan, ware het niet dat het er wemelde van de Texaanse toeristen op wie John had gedoeld: luidruchtig, overvoed en de uiterste houdbaarheidsdatum ver gepasseerd. Afgezien daarvan waren er pensions te bedenken waar je met minder voorzieningen genoegen moest nemen.

Ik was bijna door mijn geld heen, maar teruggaan was geen

optie. Er zat niemand op me te wachten. Helemaal niemand.

Alles was kapot.

De misselijkheid en het gevoel van deining ebden langzaam weg. Ik had niet echt veel gedronken gisteravond. Niet meer dan anders. Een flesje of tien misschien, waarvan drie tijdens het eten en de andere verspreid over de avond, geteld tot het schimmige moment waarop mijn geheugen me in de steek liet. Bij lange na niet voldoende om me zo beroerd te voelen, en al helemaal niet toereikend om me een manco in mijn geheugen te bezorgen.

Was er gisteren iets gebeurd wat een black-out had *getriggerd*? Vuurwerk? Ik dacht dat ik dat achter me had gelaten.

Ik stapte de veranda op en trok de schuifpui open. Het bed was opgemaakt. Mijn badhanddoek, een oud, verwassen geval van Adidas, was door ervaren vrouwenhanden gekneed in een zwanenvorm en er lagen rozenblaadjes over het bed uitgestrooid. De beloning voor een tip van tien dollar die ik meteen de eerste dag al voor de werksters had achtergelaten. Dat, en de eigenlijke reden van mijn gulheid: een steevast goed gevulde minibar.

Nietsvermoedend liep ik naar binnen en schoof de pui achter me dicht.

Ik bevroor.

De kamer was niet leeg.

Naast mijn bed stonden twee mannen.

2

Twee kerels in Mexicaans politie-uniform; zwart overhemd, zwarte broek en een soort cowboyhoed. Een van hen hield een M16 vast, de loop op mijn borst gericht. Ik had het wapen hier vaker gezien, nonchalant gedragen door politiemannen die in de haven van Playa del Carmen de macho uithingen.

Ik reageerde niet. Bleef staan en probeerde uit alle macht een reden te bedenken waarom ik onder schot gehouden werd. Wat dit te betekenen had.

Ik kon niets verzinnen.

De gewapende kerel deed een stap naar voren en porde met zijn wapen in mijn schouder. Hij stond zo dichtbij dat zijn aftershave mijn slijmvliezen irriteerde. Ik deinsde onwillekeurig naar opzij tot ik de rand van de tv-kast tegen mijn benen voelde.

De situatie was zo misplaatst en onverwacht dat ik een moment lang alleen nog maar kon staren. Naar die man, naar zijn wapen, zijn partner, en weer terug.

Tegelijkertijd kwam een derde vent mijn hut in. Hij zag er verhit uit, alsof hij kilometers had hardgelopen. Donkerblauw kostuum, wit overhemd en een gestreepte stropdas met gouden speld. Ik herkende hem als een van de managers van het resort. Nummer vier en vijf voegden zich bij hem. Een vrouw en een man in bedrijfskleding. Hoger hotelpersoneel.

Ik keek van de een naar de ander. Was nog steeds druk bezig de situatie tot me door te laten dringen, twijfelde zelfs nog even of dit geen zinsbegoocheling was.

Terwijl zijn partner de loop van het automatische geweer onafgebroken op mijn romp gericht hield, greep de ander mijn pols. Vanuit mijn ooghoek zag ik dat hij handboeien vast had. In een reflex trok ik me los. Keek de kerel voor me strak aan, negeerde het vuurwapen. Vreemd genoeg was ik niet bang, alleen verbaasd. Geïrriteerd.

Wat er ook aan de hand was, waarom ze hier ook waren, het moest een vergissing zijn.

Mij neerknallen stond niet op hun agenda. Dat gingen ze echt niet doen, midden op de dag in een viersterrenresort, met een hotelmanager en twee mensen van het hotelpersoneel als getuigen. Het doodschieten van een toerist zou de toeristenindustrie voor ten minste een jaar platleggen. En dat was ik hier, een toerist. Een burger. De kerel die zo'n actie op zijn geweten had, politieagent of niet, zou worden gelyncht.

Buiten hoorde ik kinderen naar elkaar roepen in het Duits. Vanaf het dichtstbijzijnde zwembad klonk 'It's now or never'.

Hierbinnen was het misplaatst stil. Er was nog geen woord gesproken.

De vent met de handboeien verbrak de impasse. Hij graaide in zijn broekzak en haalde er een soort identiteitskaart uit. Duwde die zo'n beetje in mijn gezicht. Een plastic kaartje met een of ander logo erop, een pasfoto en zwarte drukletters. Een onduidelijke handtekening.

Hij propte de kaart weer weg en keek me nijdig aan. '*Policía.*' Zijn adem sloeg in mijn gezicht.

Mijn blik verplaatste zich weer naar het hotelpersoneel, dat er bedremmeld bij stond. De manager wreef onzeker in zijn handen. Vochtige plekken tekenden zich af op zijn borst. De man naast hem leek al net zo nerveus. Heel even ving ik een glimp op van de gezichtsuitdrukking van de vrouw, die ik alleen maar kon interpreteren als minachting.

Wat is dit verdomme voor klucht?

'*You are arrested,*' zei de agent met de MI6 in beroerd Engels.

Er ging een schok door me heen.

'*For what?*' wist ik te zeggen. '*Arrested for what?*'

'*Rape.*'

Verkrachting.

Ik kon mijn verbazing niet verbergen. '*Impossible*,' reageerde ik. Herhaalde het nog eens.

Ik was zo verbluft dat ik mijn polsen vast liet grijpen. Stalen boeien sloten zich eromheen.

De lange wandeling naar de receptie leek op een optocht. De manager voorop, nog heviger zwetend dan zojuist. De politieagent met de identiteitskaart achter hem. Ik, geboeid, op de voet gevolgd door de gewapende gast die op heftig aandringen van de manager zijn M16 aan een draagkoord liet bungelen, met de loop naar de grond gericht. Zijn hand lag op het wapen, maar zijn vinger niet om de trekker. De rij werd gesloten door de twee personeelsleden die mijn bagage droegen.

Veel was het niet. Twee weekendtassen. Een mens heeft niet zo veel nodig.

Het eindpunt was een witte spacewagon die voor de ingang bij de receptie geparkeerd stond, op de lus van de lange oprit in de schaduw van de palmbomen. Nieuw, geen kras te bekennen. Geblindeerde ramen achter. De zijdeur werd opengeschoven.

Er ontstond wat rumoer. Links van ons stond een groep toeristen met hun reisleider onder de rieten overkapping. Ze wachtten klaarblijkelijk op een busje dat hen naar een of andere attractie zou brengen. Nu was ik de attractie.

De manager gebaarde nerveus, er moest haast gemaakt worden. Hij wilde geen klagende Texanen in zijn kantoor. Geen lastige vragen van het hoofdkantoor van Iberostar, geen paniekerige telefoontjes van reisbureaus. De illusie moest in stand worden gehouden. Daar betaalden zijn gasten duizend dollar per week voor.

Ik ook, tot vandaag.

Ik stapte door de zijdeur en ging op de voorste van de twee banken zitten. Een tussenschot van spaanplaat scheidde het achtergedeelte van de Chrysler van de cabine en verspreidde de geur van vers hout. Letterlijk splinternieuw.

De schuifdeur werd gesloten. Even was het aardedonker. Ik schoof op naar het raam, probeerde een beschadiging te vinden in de blindering. Die bleek er niet te zijn.

De auto deinde. De motor werd gestart.

Ik sloeg mijn ogen neer en probeerde de snelheid van de auto in te schatten. Probeerde te onthouden waar de wagen vaart minderde, uitweek, remde en afsloeg. Dat was het enige wat ik nu nog kon doen, de route proberen te visualiseren.

Toch dwaalden mijn gedachten af.

Verkrachting.

Onwillekeurig doemde Johns gezicht voor me op. *Donkere vrouw, klein, alles op de goede plek. Vooral op die plekken waar je je handen had liggen.*

Ik had veel, heel veel dingen gedaan waar ik niet trots op was. Inbraak, waar ze die oude Brit blijkbaar voor hadden opgepakt, was wettelijk en moreel gezien nog het minst verontrustende van de lange lijst. Maar nooit, werkelijk geen seconde, had ik zelfs maar met het idee gespeeld om iets met een vrouw te ondernemen die daar niet voor in was. Zelfkennis was een groot goed. Zelfrespect evenzeer.

Het was maar al te graag, of helemaal niet.

De metalen boeien zaten strak om mijn polsen en als ik probeerde mijn handen eruit te wringen, sneden de randen alleen maar dieper in mijn vlees. Ik voelde me nog steeds belabberd en het geschommel van de Chrysler maakte het er niet beter op.

Na een rit van ruim een uur minderde de auto vaart en sloeg af. De ondergrond veranderde van vlak asfalt naar hobbelig. Onmiskenbaar een onverharde weg, waar de auto overheen deinde als een schip op zee.

Abrupt werd de motor afgezet en de schuifdeur opengetrokken. Het zonlicht schitterde en ik kneep mijn oogleden samen. Ik rook zout, zee, hoorde het ruisen van de golven. De twee gasten stonden aan weerszijden van de schuifdeur. Achter hen een vlakte vol zand en stenen, en een paar doornige struiken die ritselden in de zeewind. De atmosfeer zinderde van de hitte.

Ik veronderstelde dat we waren aanbeland op het absolute zuidpunt van het eiland. Rustig deel. Erg rustig. Geen toeristen. Geen bebouwing.

En geen politiebureau.

De kerel met de M16 gebaarde druk. '*Out, out!*'

Terwijl ik traag van mijn plaats kwam, tintelden mijn handen en pulseerde het bloed in mijn polsen. De boeien sloten de bloedtoevoer af. Nog even en mijn handen waren gevoelloos.

Klootzakken.

'Out, out!'

Ik maakte geen haast. Het volgende moment greep een van hen me ruw bij mijn schouder en slingerde me de auto uit. Ik gunde hen het plezier niet me te zien vallen, ik wist mijn evenwicht te bewaren en haalde nijdig uit met mijn rechtervoet. Die trapte in het luchtledige. Tegelijkertijd kwam de kolf van het machinegeweer in contact met mijn linkernier. Er schoot een doffe pijn door me heen, een misselijkmakende pijn die gal omhoog bracht en me bijna deed kotsen.

Ik kreeg een zet, ze trokken aan me en porden, schreeuwden in het Spaans. Een gerichte trap, tegen mijn knieën. Het lukte niet me staande te houden. Ik klapte naar opzij, kwam op mijn heup en schouder op de droge zandgrond terecht. In een reflex trok ik mijn knieën naar mijn borst en krulde me op. Het leek het startsein waar ze op hadden gewacht.

Ze trapten tegen mijn rug, benen, hoofd, armen, alles wat ze konden raken en in een tempo dat me geen kans gaf de klappen op te vangen. Mijn lichaam werd door de kracht van hun trappen heen en weer geschoven over het zand. De pijn schoot door mijn lijf, was allesoverheersend. Mijn oren suisden. Ik spande mijn spieren. Incasseerde en probeerde me af te sluiten. Me voor te stellen dat ik niet hier was, maar ergens anders. Ik lag op het strand, in de zon, de ruisende zee op een armlengte afstand, een glas Guinness in mijn hand. De pijn was een vriend. Een streling. Ik hield van de pijn. Omhelsde hem. Dat herhaalde ik, bleef het herhalen in mezelf. Misschien schreeuwde ik het wel.

Zo abrupt als ze waren begonnen, hielden ze ermee op. Ik lag in een foetushouding op het zand en ademde zwaar. Opende langzaam mijn ogen, hoestend van het gele stof dat ik inademde. Ik zag alleen nog vlekken. Groot, klein, ze cirkelden op mijn netvlies, botsten tegen elkaar en losten langzaam op.

De twee kerels stonden een tiental passen van me vandaan en staken een sigaret op. Ze wisselden een paar woorden in het Spaans. Keken naar me, opgefokt, hijgend.

Ik slikte. Mijn keel voelde aan als grof schuurpapier. Mijn hele lichaam was gekneusd, maar tegelijkertijd vreemd gevoelloos, met dank aan de adrenaline. Pijn zat erachter, het kon vijf minuten duren, tien als het me gegeven was, voor ik me weer bewust zou worden van alle miljarden vezels en cellen die ze beurs hadden getrapt.

Maar pijn was nu niet het meest urgente probleem.

Een van de mannen kwam mijn richting weer op gelopen. Ik zette me opnieuw schrap, maar een schop bleef uit. Hij grinnikte en liep door. Tussen toegeknepen oogleden door zag ik hem water pakken uit de cabine van de auto, de dop eraf draaien en de fles aan zijn mond zetten. Daarna wierp hij hem naar zijn kameraad, die hem verder leegdronk en vervolgens met een boog in de struiken gooide. Met de rug van zijn hand veegde hij het vocht van zijn lippen.

Ze namen hun tijd. Het feestje van zonet was alleen maar een macho reactie geweest op mijn uitval. Ze zouden me afmaken, hier ter plekke, maar eerst wilden ze nog met me spelen. Ik zag het voor me, als een bizarre fata morgana: een diepe kuil in het witte zand, een graf; ze zouden me volpompen met lood uit hun M16 en mijn lijk afdekken met een halve kuub aarde.

Wat me nog het meest dwarszat, was dat ik het waaróm niet kon vatten. In het verleden had ik heel wat mensen pissig gemaakt, en die zouden zich maar al te graag bij dit tweetal gevoegd hebben. Maar de meesten daarvan waren dood, of zouden niet de moeite hebben genomen om hiernaartoe te komen.

Had het met vannacht te maken? Waren deze twee mannen broers of vrienden van een vrouw die ik 'gemolesteerd' had?

Waarom moest ik nu aan Helen denken?

Grauwe, gezwollen huid. De rechterhelft van haar gezicht in het verband. Met dat ene vrije oog kijkt ze me aan. In haar ogen is geen liefde meer te lezen, geen verbondenheid. De vrouw van wie ik hou, mijn mooie, lieve Helen. Mijn alles. Doodsbang.

Ik drukte de gedachte weg en dwong mezelf te focussen op het hier en nu. De pijn kwam opzetten, samen met het besef dat als ik nu niets deed, het vandaag ophield. Hier, op de zandgrond op een godvergeten toeristisch eiland in de Caribische Zee, terwijl ik niet eens wist wie de beulen waren. En wie hen gestuurd had.

Ik zou niet eens weten waarom.

Na een paar minuten waar geen einde aan leek te komen, kwamen de kerels weer op me aflopen. Ik werd aan mijn haren omhoog getrokken. Wankelend stond ik op. Ik proefde bloed, het stroomde uit mijn neus, en vanuit mijn voorhoofd of slaap. De man met het geweer stond voor me, de M16 op me gericht. De ander rolde een stuk metaalkleurige tape af en maakte aanstalten dat om mijn gezicht te trekken.

De vent met de M16 ging neer door een trap in zijn maag die een minder gespierde gast doormidden had gebroken. Hij maakte een diep buikgeluid, klapte dubbel en stortte in elkaar op de droge grond. Ik draaide me razendsnel om naar nummer twee, mijn hak schampte zijn kaak. Hij dook weg, maar ik was sneller, gaf hem een kopstoot tegen de zijkant van zijn hoofd en trapte met alle agressie en kracht die ik kon mobiliseren naar het neergaande lichaam. Trapte om te raken. Om te breken, te vernietigen, elk bot te versplinteren waarmee mijn hak in aanraking kwam. Nog eens, nu met rechts. Op het moment dat hij vooroverzakte en mijn voet vol in zijn nek neerkwam, hoorde ik een dof, knakkend geluid.

Ik kon mijn evenwicht niet bewaren, schoof onderuit en kwam

snakkend naar adem op mijn knieën weer omhoog, mijn armen als ballast gebonden achter op mijn rug.

Ik sleepte me door het mulle zand naar hen toe. Mijn mond wijd open, hijgend, buiten adem. Slijm liep over mijn kin, vermengd met bloed en zand en snot.

De vent die ik in zijn maag had geraakt lag te kreunen, die was nog wel even bezig, maar veel tijd had ik niet. De ander bewoog niet, lag daar maar, met zijn gezicht in het zand.

Hij kon dood zijn. Het kon me eigenlijk ook niet schelen. Het enige wat me nu nog interesseerde was mezelf uit die kloteboeien bevrijden.

Met mijn polsen onhandig tegen elkaar greep ik de loop van het machinegeweer vast en slingerde het een paar meter weg, in de richting van de auto. Daarna knielde ik neer bij de stille kerel, draaide me ruggelings naar hem toe en werkte mezelf dichterbij. Ik probeerde zo snel mogelijk te bewegen, geen kostbare energie of tijd te verspillen, maar mijn tintelende vingers reageerden sloom op mijn aansturing.

Sleutel.

Het duurde tergend lang voor ik het slot had gevonden, het kleine sleuteltje in de goede positie had gemanoeuvreerd en mezelf los kreeg. Ik wreef over mijn polsen, die paarse banden vertoonden. Strekte en boog mijn vingers. De bloedtoevoer kwam weer op gang.

Ik sprong op, liep wankelend naar het wapen en controleerde het. Geladen. Ik keek om me heen, opgefokt, opgejaagd.

Niets dan een stuk niemandsland in de zinderende Mexicaanse zon. De zee lag er verlaten bij. Geen vissersboten, geen duikers, geen snorkelaars. Niemand.

Mijn blik verplaatste zich naar de mannen. De voormalige eigenaar van de M16 hoestte zwaar, rolde zich om en graaide naar zijn enkel, waar met zwart klittenband een klein kaliber bevestigd was.

Ik keek naar het wapen in mijn handen, voelde het gewicht.

Keek weer terug. Mijn hart bonkte in mijn keel, adrenaline gonsde door mijn hele lichaam. Ik kon niet meer helder denken. Het ging niet meer.

Ik draaide de vuurregelaar door van *safe* naar *auto* en loste zonder verder nog te twijfelen twee salvo's. De gast die net nog verwoede pogingen deed om zijn reservewapen te pakken, kwam even los van de grond en zakte in elkaar. Zijn vuurwapen viel uit zijn levenloze hand. Bloed vloeide uit zijn achterhoofd en schouder en vormde een stroperig zwart spoor in het gortdroge zand. Zijn collega was al dood voor de drie zeventien millimeter lange kogels zijn vlees uiteenscheurden en zijn schedelbot versplinterden.

3

Verdwaasd bleef ik staan kijken naar de roerloze lichamen op de grond. De wind trok aan en bracht nog meer zand en stof mee, dat zich aan hun zwarte kleding hechtte. Ik vocht tegen de instinctieve neiging in de Chrysler te springen en vol gas te geven. Vluchten, voor iemand hier zou verschijnen en me in verband zou brengen met de twee lijken. Ik suste mezelf met de gedachte dat deze gasten zelf ook weinig haast hadden gehad. Het waren zeer waarschijnlijk locals, die dit eiland kenden. Ze zouden echt niet een door toeristen druk bezocht gebied uitgekozen hebben om iemand van kant te maken.

Hoe plausibel dat ook klonk, ik werd er niet kalmer van.

Ik liep naar de zee, boog voorover en gooide water in mijn gezicht. Het zout prikte als de hel en activeerde mijn traanbuizen. Ik schrobde mijn gezicht schoon, waste mijn handen, mijn onderarmen, mijn nek. Ik trok mijn shirt uit en haalde het door het zoute zeewater, spoelde het schoon, wrong het uit en trok het weer aan. Deed hetzelfde met mijn broek. Het dunne katoen zou binnen een uur droog zijn.

De sleutel zat nog in het contact. Er hing een kartonnen kaartje aan, met de naam van een autoverhuurbedrijf. Op de vloer voor de passagiersstoel lagen mijn spullen. In het voorvak van een van de weekendtassen vond ik mijn portefeuille en papieren. Mijn portemonnee was leeg, op wat kleingeld na. Ik trok het handschoenenvak open, rommelde door de inhoud, maar mijn geld zat er niet bij. Dat vond ik in een stoffen tas onder de passagiersstoel. Ruim tweeduizend dollar contant. Het was al het geld dat ik had.

Ik startte de auto en reed het gortdroge pad af. In de achteruitkijkspiegel zag ik een dikke stofwolk, metersbreed en -hoog.

Eenmaal op de verharde weg, met als eindpunt de hoofdstad, stond ik mezelf pas toe na te denken. Dat er iets niet klopte, had ik meteen al vermoed door het interieur van de Chrysler: spaanplaat en plasticfolie, hagelnieuw, alles duidde op een haastig omgebouwde huurauto. Maar ik wist het pas zeker toen de auto de oprit van het resort afreed en links afdraaide, naar het zuiden. Er was maar één politiepost op dit kleine eiland. En die lag vijfentwintig kilometer noordelijk.

De identiteitskaart zei me niets. Die had iedereen met een lamineermachine en een tekstverwerker kunnen maken.

Ik probeerde te begrijpen wat het betekende, wat er in hemelsnaam aan de hand was. Twee mannen, beslist inlanders, die zich voordeden als politieagent, iemand inrekenden, hem naar een verlaten stuk land brachten om het leven uit hem te trappen.

Waarom?

Was de hele show alleen maar opgevoerd om me te beroven? Nee. Onlogisch. Dat hadden ze anders kunnen doen. Makkelijker.

Ik passeerde trage vrachtwagens met open bakken, waarin loonwerkers met stug zwart haar en norse koppen voor zich uit zaten te staren.

Gisteravond. Ik probeerde me elk zeikerig detail voor de geest te halen, omdat ik het idee had dat daar een aanwijzing lag. Alleen mijn geheugen kon me nu nog houvast bieden.

Ik had in het Amerikaanse steakrestaurant gegeten. Het populairste van de vijf restaurants op het resort, wat vrij logisch was met een tachtig procent Amerikaanse bezetting. Gewoontegetrouw was ik aan een tafel in een hoek gaan zitten, zodat ik overzicht had over de hele ruimte. Een gedrongen Mexicaan in blauwwitte bedrijfskleding, een vijftiger, deed de bediening in mijn sectie. Het voorgerecht was een soort bonensoep. Daarna had ik een T-bonesteak naar binnen gewerkt, een ding van driehonderd gram: bijna zwart vanbuiten, rood vanbinnen. Ik at er een zoete, gekookte maïskolf bij en een gepofte aardappel en ik had bier gedronken. Heineken, drie flesjes. Het dessert en de koffie had ik overgeslagen.

Daarna was ik naar John gelopen. Hij hield elke woensdag een karaoke-avond en ik had nog geen zin om te slapen. En ja, misschien was even door mijn hoofd geschoten dat ik niet alleen wilde zijn 's nachts.

Ik miste Helen. Haar afwezigheid vrat aan me, een pijnlijke leegte, een hol, hongerig gevoel dat niet wegging. We hadden hier samen moeten zijn. Dat wilde ze altijd al, naar een warm en ver land, met palmbomen en witte stranden, maar door mij is het daar nooit van gekomen. Dat ik hier was, zonder Helen, was wrang.

Vorige week had ik haar gebeld, tegen beter weten in en in de volle overtuiging dat ze meteen op zou hangen. Maar ze luisterde naar wat ik te zeggen had. Dat ik haar miste. Dat ik spijt had, en meer van die cliché-uitspraken die te algemeen waren om te kunnen uitdrukken wat ik werkelijk voelde. Ze luisterde even. En drukte me toen pas weg.

Bij John's was er geen plaats meer geweest aan de bar. Geen stoel meer vrij. De krappe ruimte was afgeladen met toeristen. Overwegend Amerikanen, een enkele Duitser en een stel Britten uit Manchester. Een paar Nederlanders. Ik bestelde een pilsje, of misschien wel twee tegelijk. Achter de bar werkte een jonge vrouw die John wel vaker inhuurde als het druk was. Een lieve meid, al werd ze chagrijnig als het te rumoerig werd en dat was het gisteravond, dus zei ze niet veel en was haar glimlach geforceerd. Het was aanpoten. Een vent met een kale kop en een oorbel kletste de avond aan elkaar. De ene na de andere toerist maakte zich onsterfelijk belachelijk voor een internationaal publiek dat hij na deze vakantie nooit meer zou zien. De sfeer was los. Het was eigenlijk best gezellig, voor zover zulke avonden gezellig konden zijn als je alleen was.

Ik had met een vrouw gesproken. Ergens achter in de twintig. Ik meende me te herinneren dat ze uit Spanje kwam. Dat was in elk geval wat ze zei. Desondanks sprak ze vloeiend Engels. Ik stond links van de toegangsdeur, mijn rug tegen de muur, zodat ik de hele ruimte kon overzien. Glas bier in de ene hand, de andere in mijn zak. Ik probeerde haar in te schatten. Ze was een echte schoonheid. Prima borsten, ronde heupen. Niet breed, wel vol. Ze was klein, hooguit een meter vijfenzestig, en ze had een getinte huid, een kleine neus en donkere ogen. Krullend zwart haar dat los hing tot halverwege haar rug. Helemaal goed.

Maar het wilde niet vlotten. Ze was getrouwd, vertelde ze. Haar man had een staalbedrijf of zoiets dergelijks met zijn broer samen, en was kampioen thaiboksen. Hij was met vrienden elders zijn vertier aan het zoeken. Nachtduiken, geloof ik dat ze zei. Ze zond tegenstrijdige signalen uit, ze trok aan en stootte af, en ik had niet goed geweten wat ik ermee aan moest. Uiteindelijk haakte ik af omdat ik geen zin had in een hoop gezeik, maar tegen die tijd had ik zeker nog een glas of vier, vijf achterover geslagen en was ik alweer op het strand, een meter of dertig van het terras vandaan, waar het licht van de lampions werd opgeslokt door de donkere nacht. Vanaf daar wist ik het niet meer. Niets meer dan dat ik wakker werd, vanmiddag, op mijn rug in mijn eigen hotelbed. Geen kleren aan, het laken onder me. Het was half drie in de middag geweest. En ik was veertien uur uit mijn geheugen kwijt.

Er klonk een bescheiden waarschuwingssignaal uit het dashboard, kort en duidelijk. In de verte, aan de rechterzijde van de tweebaansweg die naar de hoofdstad en de haven liep, zag ik de Iberostar-vlaggen wapperen. Ik kon het resort laten voor wat het was en gewoon doorrijden naar San Miguel de Cozumel. Daar de veerboot pakken naar Playa del Carmen op het vasteland – er ging er elk halfuur één – en met een taxi in Cancún zien te komen. Vervolgens een vlucht proberen te krijgen die me naar Europa zou brengen, ongeacht welke plaats.

Vanavond nog kon ik weg zijn uit Mexico.

Ik keek naar de benzinemeter. De meeste auto's reden een kilometer of zestig, zeventig door na een eerste waarschuwing. Dat zou betekenen dat ik het tot het stadje makkelijk kon redden, het was hier vijfentwintig kilometer vandaan. Krap een halfuur rijden, iets minder waarschijnlijk. Ik keek op mijn horloge. Tien over zes.

De volgende boot vertrok om half zeven. Ik kon zo opstappen en ervandoor gaan. Dat was het verstandigste. De hotelmanager had me weg zien gaan met die twee Mexicanen, en met hem een stuk of twintig toeristen. Het was altijd vervelend om van moord verdacht te worden, en dat gold nog sterker in een land waar de mensen net zo beroerd Engels spraken als ik Spaans.

Vijftig minuten voor het veer daarop vertrok. Dertig om in de haven te komen.

Twintig minuten speling.

Als dat te optimistisch was, kon ik altijd nog het veer van half acht nemen.

Ik gooide het stuur om en draaide de oprit naar het hotelcomplex op.

4

Halverwege de oprit bevond zich een parkeerplaats waar ik de Chrysler in betrekkelijke anonimiteit achterliet.

Ik klom over de muur die het complex omsloot en liet me zakken tot mijn voeten de zachte, vochtige humus raakten. Er was niemand.

Een smal pad van flagstones slingerde door de aangeplante jungle.

Ik vermeed het pad en bleef langs de muur lopen, gehurkt, zodat ik achter de dichte struiken uit het zicht bleef van eventuele voorbijgangers. Ik volgde de muur in de richting van de zee, naar het noordoosten, tot de begroeiing bij de zwembaden ophield en er geen dekking meer was. Ik zette me schrap en werkte me opnieuw over de muur heen.

Hier was de jungle ongecultiveerd. Lage struiken, bladeren ter grootte van autobanden, scheefgroeiende palmbomen. De weeë geur van rottende planten en zoete bloemen vulde mijn neusgaten. Het wemelde van de insecten en ik stoorde een grijs met zwart gestreepte leguaan tijdens zijn siësta. De zee was nu duidelijk te horen.

De zijkant van John's lag op tweehonderd meter rechts voor me. De aanlandige zeewind droeg stemmen naar me toe. Ik hoorde mensen praten en lachen. Van verder weg klonk gesputter van dieselmotoren op zee.

De lampions die het geïmproviseerde terras markeerden, slingerden aan hun kabels. Er zaten een paar klanten buiten te drinken. Ze droegen zwembroeken en er lag duikuitrusting naast hen op de houten vlonder. John zelf was nergens te bekennen.

Ik liep door totdat Johns strandtent tussen mij en zijn gasten lag, kwam uit de struiken, keek naar links en naar rechts en liep naar het gebouwtje.

John had een achteringang, een verweerde wit houten deur die aan zijn keuken grensde. Er stonden twee overvolle vuilnisbakken naast, onafgedekt. Nijdige wespen zoemden eromheen. Ik opende de deur op een kier. Er was niemand. Ik stapte naar binnen en sloot de deur zacht achter me.

Opengetrokken verpakkingen lagen door de hele ruimte, aangekoekt bruin en zwart vuil op het werkblad en tegen de houten wand. Spetters bakvet op de vloer.

John maakte zich niet druk over kwaliteitscontrole.

Op de grond van de langwerpige, amper zes vierkante meter grote ruimte stonden blikken soep en groente en twee emmers met ontdooiend vlees. Aan de linkerzijde een diepvrieskist en een dubbele koelkast met glazen deuren. Op de formica tafel ernaast stonden een morsig tosti-ijzer en een gasstel. De rechterzijde werd gedomineerd door twee spoelbakken en een werkblad vol vuile vaat. De deur naar de bar was gesloten.

Ik liep ernaartoe en legde mijn oor tegen het hout. Er speelde zacht een nummer van de Eagles en er zaten mensen binnen, ik hoorde ze praten.

Onverwacht werd de deur opengeduwd.

Ik week naar achteren en greep in dezelfde beweging een vleesmes van het werkblad. Een simpel geval met een houten handvat.

John scharrelde naar binnen. Hij zag me niet.

Ik wilde hem geen centimeter ruimte geven, duwde met mijn voet de deur dicht en greep hem bij zijn grijze staart.

De Brit stond als aan de grond genageld. Keek me alleen maar aan, verbijsterd.

'Mond houden.' Ik zette de punt van het lemmet tegen Johns keel, een paar centimeter boven de plaats waar zijn adamsappel nerveus heen en weer bewoog. Mijn andere hand bleef klemvast op zijn plaats, de streng vettig haar stevig om mijn vuist geslagen.

John slikte. Verzette zich niet.

'Vertel op,' zei ik.

John begon te zweten. Zijn ogen flitsten heen en weer. Hij ademde zwaar. Scheen besluiteloos te zijn. Wist niet wat te doen. 'Wat is er?' zei hij, schor. 'Wat doe je hier?'

'Praat.' Ik siste het, en prikte met het mes in zijn huid. Vers bloed droop langs het staal van het lemmet. Het gehoorzaamde de zwaartekracht. Ik zag het over Johns zongelooide huid kruipen, in een dun stroompje omlaag, tussen het grijze borsthaar in zijn zwarte hemd.

Ik rook zijn slechte adem. Bierlucht. Uit zijn mond rook het ranziger dan ooit.

'Vertel op, John, Henry, Chris of hoe je in werkelijkheid ook mag heten, dat interesseert me geen zak. Je criminele achtergrond nog minder. Maar je gaat me nu vertellen wat je weet, of je bent net zo dood als die twee nepagenten die me vanmiddag hebben opgepakt.'

Even trok er een rilling door het magere lijf. Johns ogen werden groter. Er begon hem iets te dagen. 'Fisher,' fluisterde hij. 'Fisher, ik ben een oude man. Ik ben niet hierheen gekomen om problemen te krijgen. Ik probeer ze juist te ontlopen. Komt hier vorige week een of andere bloke aankloppen. Hij biedt me tweehonderd dollar voor informatie. Over jou.'

Ik schrok, maar herstelde me snel. 'Wat voor kerel?'

'Blank, kort blond haar, eenzelfde type als jij, maar kleiner.'

'Hoe oud?'

'Jaar of veertig... denk ik.'

'Naam? Nationaliteit?'

John schudde bijna onzichtbaar zijn hoofd.

Ik wilde dat ik erin kon kijken. 'Waar kwam die vent vandaan? Accent?'

John begon nu te beven. 'Niet... Niet te zeggen. Het zuiden, mogelijk. Maar dat weet ik niet zeker.'

'Een Brit dus?'

Hij slikte. 'Of iemand die lange tijd in Engeland heeft gewoond. Lang genoeg om voor een Brit door te kunnen gaan.'

'Wat wilde hij?'

'Hij vroeg wat je hier deed, hoelang je van plan was te blijven.' John slikte weer. 'Zeg... Wil je dat mes alsjebl—'

'En wat heb je hem verteld?'

'Dat ik het niet wist. En... En dat je me verteld had dat je misschien naar Guatemala ging... zoals je mij had gezegd. Meer niet. Meer wist ik niet.'

Het was niet alles. Dat voelde ik gewoon. 'Ga door.'

John sloeg zijn ogen neer. 'Wil je... wil je dat mes weghalen?'

Ik reageerde door iets meer druk uit te oefenen.

De Brit siste. 'Fisher, *please*...'

'Pas als ik weet wat ik moet weten.'

'Dat wijf met wie je hebt staan praten gisteravond... Ze deed iets in je bier. Ik zag het haar doen.'

Ik zweeg. Het verklaarde het geheugenverlies. Legio middelen kunnen je een poos van de wereld helpen. Een aantal daarvan zijn oraal in te nemen. En vrijwel smaakloos. 'En daar lichtte je me niet over in.'

'Twee... tweehonderd dollar is een hoop geld.'

'Twintig borden gebakken ei met bacon,' merkte ik cynisch op. Ik hield het mes onbeweeglijk op zijn plaats. Kreeg de neiging door te drukken zodat John zijn leugenachtige bek voor altijd zou houden.

Ik kan er slecht tegen als mensen elkaar verraden voor een paar rotcenten. Erg slecht. Het zit waarschijnlijk in de menselijke aard en in dat geval ben ik een uitzondering, een dwaling van moeder natuur.

'Ik moet er hard voor werken hier, Fisher, ik maak ook kosten. Het was snel verdiend. Ik bedoel, hoe goed kennen we elkaar nu?'

'Je bent een rat, John. Een leugenachtige rat. Je had het me kunnen vertellen.'

John vermeed het me aan te kijken.

'Kende je die vrouw?'

'Nee, nooit eerder gezien.'

Ik prikte het mes wat dieper in zijn huid. 'Dat weet je zeker?'

Zijn ogen schoten paniekerig rond in hun kassen. 'Ja, echt, jezus man, rustig. Ik lieg niet, echt niet.'

'Heeft die kerel gezegd wat hij van plan was?'

'Nee.'

Ik geloofde hem.

Twee mensen, een donkere vrouw van eind twintig en een blonde Engelse kerel van rond de veertig. Ze hadden veel moeite gedaan om dit uit te denken en te organiseren. Geld uitgetrokken om mensen voor het hele toneelstuk te betalen.

Het moest belangrijk zijn. Ík moest belangrijk voor ze zijn. Maar het was me nog steeds een raadsel wie 'ze' waren en waarom ze me nodig hadden.

Ik bekeek John. De wond op zijn keel was al opgehouden met bloeden. Er was amper schade aangericht. In elk geval niet iets wat niet met een simpele pleister aan het oog onttrokken kon worden en volgende week al geheeld zou zijn. Geen drama.

'Heb je een adres?' vroeg ik tegen beter weten in. 'Of een telefoonnummer?'

'Nee. Die vent is nog geen tien minuten binnen geweest.'

Ik trok het mes terug. Ik was hier klaar.

Wegwezen nu.

'Ik ben hier niet geweest, John.' Ik keek hem doordringend aan. 'Als hij terugkomt, of wie dan ook, ben ik hier niet geweest. In je eigen belang.'

Ik liep naar buiten, wierp het mes in het voorbijgaan in de vuilnisbak en versnelde mijn pas.

Even, heel even, keek ik over mijn schouder. John had een punt; hoe goed kenden we elkaar nou?

Hij kon zo meteen naar buiten stormen en een vleesmes tussen mijn schouderbladen planten omdat hij zich in zijn mannelijkheid of eer aangetast voelde. Me overhoop schieten met een jachtgeweer dat hij onder de bar had liggen.

Het kon zomaar gebeuren. Mensen hadden allemaal zo hun eigen drijfveren om door te slaan.

De deur bleef gesloten.

5

Vijf voor zeven. Ik had zojuist mijn bagage afgegeven en een stel gedrongen Mexicanen de afgeladen karren zien wegrijden. De koffers en tassen van de passagiers werden in het ruim geladen.

In het schip draaide de airconditioning op volle toeren. Er stonden rijen felblauw gestoffeerde stoelen, zeker tweehonderd zitplaatsen, op blauw gedessineerd tapijt. Ze wezen allemaal in de richting van een groot projectiescherm waarop een film werd vertoond met veiligheidsinstructies in het Spaans en Engels. Tussendoor reclame voor *hot spots* in dit deel van Mexico. Mayacultuur, quadsafari's, snorkeltrips en jungletochten met oude legertrucks.

Stram liep ik door het gangpad naar achteren. Mijn hoofd bonkte. Hoewel mijn hele lijf beurs was, speelden vooral mijn schouders en rug op. Eerst wilde ik het toilet opzoeken om mezelf fatsoenlijk te wassen. Het opgedroogde zeezout uit mijn shirt schuurde op mijn huid en beet in de schaafwonden.

De stoelen waren vrijwel allemaal bezet door Mexicanen. Vrouwen van in de veertig en ouder, stevig gebouwd, met gitzwart haar en sommigen met hun witte bedrijfskleding nog aan. Ze kwebbelden druk met elkaar en ik vermoedde dat ze werkten op het eiland en nu op weg waren naar huis.

Ik dook de toiletten in en bekeek de schade voor het eerst goed. Het viel mee. De snee bij mijn slaap was al gestold, met wat paarse huid eromheen. Ik waste de witte zoutwaas van mijn gezicht, mijn handen en mijn armen. Op sommige plaatsen kleurde mijn broek lichtroze. Daar kon ik nu weinig aan doen. Ik hief mijn hoofd op en bekeek mijn neus in de spiegel. Snoot hem zachtjes schoon en spoelde alles weg.

Als het meezat, kon ik morgenavond fatsoenlijk douchen. Daar zag ik naar uit.

Ik liep de wc uit, naar het open achterdek dat gedomineerd werd door toeristen die elke zonnestraal wilden absorberen. Ik zocht een vrije zitplaats op een van de witte banken. Er hing een losse sfeer, relaxed, met de opgetogenheid die hoorde bij een vakantietrip en het vooruitzicht om op een snelle veerboot naar het Mexicaanse vasteland en zijn culturele schatten te varen.

Ik legde mijn armen over de rugleuning en probeerde me te ontspannen. Zodra ik in Cancún aankwam, zou ik het eerste het beste vliegtuig nemen dat beschikbaar was en me ver van hier kon brengen. Malaga, Fortaleza, Los Angeles, het maakte me op dit moment niet eens uit, zolang het maar ver weg was van Mexico.

De boot zette zich in beweging. Het was geen kinderachtige machine die dit kolossale metalen gevaarte voortstuwde. De zee was diep en de stroming sterk en verraderlijk. De dieselmotoren stampten. Ze maakten een enorm kabaal en de uitlaatgassen kronkelden over het open achterdek. De metalen vloer trilde onder mijn voeten. Ik draaide me om. Keek naar de haven, die steeds kleiner werd. Een breed spoor van wit opspattend schuim markeerde de route. De veerboot deinde op de golven. Meeuwen vlogen krijsend om de boot. Twee backpackers, twintigers met tribaltatoeages, wierpen ze voedsel toe.

Ik voelde me moe worden. De misselijkheid begon terug te komen, mijn hele lichaam voelde als een oorlogsgebied. Ik probeerde mijn benen te strekken, maar ze pasten amper onder de bank voor me. De vaart zou drie kwartier duren. Misschien moest ik maar proberen wat slaap te pakken.

Krap een halfuur later nam de druk op mijn blaas toe. Ik mompelde excuses terwijl ik me tussen de banken en knieën door wurmde en liep het stalen blauw met witte binnenste van de boot in. Er stond een rij wachtenden voor het toilet en ik doodde de tijd door te kijken naar een onderwaterfilm van het koraalrif op het projectiescherm. Onwillekeurig dwaalden mijn ogen af naar de mensenmassa. Honderden achterhoofden, voornamelijk donker. De meesten waren in gesprek of keken verveeld voor zich uit naar de film, waarin duikers afdaalden langs koralen. Waarschijnlijk hadden ze die al tientallen keren gezien.

Het volgende moment stond ik als aan de grond genageld. Tussen twee kalende mannen in zag ik een vrouw even naar me kijken, daarna weer snel voor zich. Ik vergat waarvoor ik in de rij stond en liep door het gangpad naar voren.

Geen vergissing mogelijk. Ze had geen make-up op en de zwarte jurk die ze gisteravond droeg en die een dode man nog tot leven zou wekken, had ze ingeruild voor een spijkerbroek en een simpel T-shirt. Haar donkere haar was losjes opgestoken. Ze keek me kort aan en sloeg meteen haar ogen neer.

Ik wendde mijn blik af, al was het maar om de indruk te wekken dat ik haar niet herkende.

Mijn vermoeidheid was op slag weg. Ik voelde geen pijn meer. Mijn hart bonkte achter mijn ribben.

Ze was hier, de vrouw met wie ik gisteren gesproken had voor het licht uitging. Die iets in mijn bier had gedaan.

Was ze alleen? Ik scande de koppen om haar heen. Ging rij voor rij af. Bekeek vooral de mannen in haar directe omgeving, en verder weg, kerels die langs de wanden stonden, bij de toiletten. Niemand die de indruk wekte op zijn qui-vive te zijn, die mijn blik ontweek of juist vasthield.

Vijf minuten verstreken, waarin ze me zo nu en dan een schichtige blik toewierp en daarna met een onnatuurlijke gezichtsuitdrukking weer voor zich uit staarde, nietsziend naar het scherm. Of ik moest me sterk vergissen, of ze was inderdaad alleen.

Ik verontschuldigde me voor de tweede keer toen ik me een weg baande tussen de rijen stoelen door en daarbij niet al te zachtzinnig te werk ging.

Ze zag me naderen, maar bleef zitten. Keek de andere kant op.

Naast haar zat een Mexicaanse man in een gebreide trui met motieven, die strak om zijn gedrongen torso en flinke buik spande. Ik drong me langs hem heen en ging recht voor haar staan. Haar knieën raakten mijn benen en nog steeds deed ze alsof ze me niet zag. Belachelijk. Ze had haar hoofd vrijwel helemaal naar links gedraaid.

Ik boog me voorover. 'Waar is je man?'

Als reactie bracht ze haar hand naar haar mond en begon zenuwachtig op haar nagels te kauwen. Zei niets.

'Waar is je man?' herhaalde ik.

'Op het eiland.'

Haar stem was warm en zangerig. Ik moest proberen mijn kop erbij te houden. 'Je liegt.'

Ze draaide haar hoofd weg. 'Ik heb jou niets te zeggen.'

Mijn hand schoot naar voren en greep haar kaak vast. Haar buurman ging verzitten. Zijn blik voorspelde weinig goeds. Iemand van het ridderlijke type, die niet zou twijfelen om in te grijpen, dat sprak uit heel zijn houding. Maar hij hoorde niet bij haar, dan had hij heel anders gereageerd.

Veel verder dan dit kon ik niet gaan. Niet hier, wilde ik niet nog zwaarder in de problemen komen.

'Je komt niet uit Europa en je hebt geen man, althans niet één die in de VS een metaalbedrijf heeft samen met zijn broer,' zei ik, op gedempte toon. 'Dus vertel me wat er werkelijk aan de hand is. Ben je ingehuurd?'

Ze maakte aanstalten om op te staan. Dat ging niet, omdat ik haar de weg versperde.

'Mag ik erlangs?' vroeg ze, zonder op te kijken.

Ik verplaatste mijn voeten. De Mexicaan deed zijn benen opzij en keek me nu openlijk vijandig aan. Ik stak mijn hand naar hem op, sussend, om hem te laten denken dat er niets aan de hand was. Gewoon een stel dat ruzie had.

Ze trok zich op aan de rugleuning voor haar en schuifelde zijdelings naar het gangpad. Ik volgde haar. Benen werden opzij gedaan, opgetrokken. Gemompel en zacht gevloek. Tassen werden van de grond gehaald.

Eenmaal in het gangpad liep ze naar het achterdek. Alle plaatsen waren bezet. Daar waar ik mezelf zojuist nog had geïnstalleerd, zaten nu de twee backpackers achterovergeleund in de zon.

Ze draaide zich naar me om. 'Ik werk in Cancún,' zei ze. 'Als danseres.'

Waarom keek ik daar niet van op? Ik glimlachte. Even maar.

Ze leek beledigd. 'Niet zó'n danseres.'

'Oké,' zei ik. 'Danseres. Best.'

'Vorige week zat er een man in de zaal. Na afloop wilde hij me spreken. Ik dacht eerst dat hij meer wilde, dat gebeurt wel vaker, ik krijg bijna elke dag wel een aanbod. Maar zo...' ze keek me nadrukkelijk aan '...ben ik niet. Maar daar ging het hem niet om. Hij deed me een voorstel en ik heb het aangenomen. Ik kon het geld goed gebruiken.'

Dat had ik meer gehoord vandaag. De hele wereld scheen om geld verlegen te zitten. 'En het voorstel was?'

Ze keek weg. 'Een toneelstukje opvoeren. Ongevaarlijk.'

'Iets in mijn bier doen?'

Ze knikte. Sloeg haar ogen neer. 'Sorry.'

'Waarom koos hij jou?'

Ze haalde haar schouders op. Keek me daarna aan. Ze leek het echt niet te weten.

Ik wist het wel. Ik hoefde alleen maar om me heen te kijken om te zien dat werkelijk alle mannen haar aan zaten te staren.

'Ze', wie dat ook waren, wilden op safe spelen. Dus trommelden ze deze vrouw op, een wandelende mannenmagneet, om er zeker van te zijn dat ze mijn aandacht zou trekken. En verdomme, dat had ze gedaan.

'Wat kreeg je ervoor betaald?' vroeg ik. Ze had niet bewogen.

'Duizend dollar.'

'Wanneer krijg je je geld?'

'Heb ik al gehad. Dezelfde avond nog.'

'Groot risico,' merkte ik op, cynisch. 'Je freelancers vooraf betalen.'

'Niet echt. Iedereen weet me te vinden.'

'Weet je waar hij nu is? Die vent?'

Ze schudde haar hoofd. Keek me aan, een beetje treurig.

'Hoe zag hij eruit?'

'Ongeveer zoals jij, blond, blauwe ogen. Maar ouder, en kleiner. Hij had een net pak aan. Duur.'

'Waar kwam hij vandaan?'

Ze haalde haar schouders op. 'Hij sprak Engels.'

Het kwam overeen met de kerel die John had omschreven. Ik ploegde in mijn geheugen naar een Brit van rond de veertig die kleiner was dan ik, blond haar had en blauwe ogen en die ik ooit eens iets had misdaan. Onbegonnen werk. Dat konden er wel honderd zijn. Een duur pak reduceerde de mogelijkheden tot een handjevol, maar die zag ik er geen van allen voor aan om vanuit Europa naar Mexico af te reizen om een fuik op poten te zetten.

De boot maakte aanstalten om aan te meren. Mensen graaiden hun spullen bij elkaar en stonden op. Meeuwen cirkelden boven ons, krijsten klagend.

Ik stond in dubio.

'Waar ga je heen?' vroeg ze.

'Naar Cancún.'

6

Ze hield haar handen op het stuur van haar aftandse Nissan. Het ding had kapotte schokbrekers. Het chassis was bijna doorgerot en ergens in de benzineleiding moest een lek zitten, want de hele auto stonk ernaar. Vanwege de stank en het gebrek aan airconditioning waren allebei de ramen opengedraaid.

Ze heette Angela. *Engel.*

Nu de avond viel, had de zon aan kracht ingeboet. Het oranje licht speelde met haar haren en legde er een gouden glans op. Ik kon niets aan haar ontdekken wat me niet beviel.

'Waar woon je?'

'Aan de rand van Cancún. Niets bijzonders.'

'Hoe heb je zo goed Engels leren praten?'

'Je stelt veel vragen.'

'Ik ben nieuwsgierig.'

Ze remde af voor een vrachtwagen die voor ons het asfalt op stoof. Schakelde terug. 'Mag ik je ook wat vragen stellen?'

'Als je me eerst vertelt waar je zo goed Engels hebt leren praten.'

Ze keek strak voor zich op de weg. 'Ik ben getrouwd geweest met een Schot. We hebben in Alloa gewoond, vlak bij Stirling. Twee jaar.'

'En dat ging niet lekker?'

Ze schakelde weer naar zijn vier. 'Nee. Het was een lul.'

Duidelijk.

Ik keek naar buiten. Straten met half afgebouwde huizen. Hier en daar werd blauw plastic gebruikt bij wijze van dak. Kinderen en honden speelden op de onverharde straten in het stof. Armoede. Welkom in Mexico, het deel dat niet in de vakantiefolders voorkomt.

'Wat doe je hier, in Mexico?'

Ze haalde haar schouders op. 'Ik was Europa beu... Het is hier altijd goed weer en ik heb werk. En waar kom jij vandaan, Vince?'

Ik had haar een valse naam gegeven. Toegegeven, niet galant. Ik was voorzichtig. Zeker nadat ik me gisteren in de luren had laten leggen. Het was een soort slaapmiddel geweest, maar het had net zo goed cyaankali kunnen zijn. 'Engeland,' antwoordde ik.

Ze zweeg even. Daarna vroeg ze: 'En wat doe jij hier?'

Dat had ik mezelf ook meer dan eens afgevraagd in de afgelopen weken. 'Gewoon. Vakantie.'

'Wat doe je voor werk?'

Wat moest ik zeggen? Dat ik geen werk meer had? Of dat ik nog steeds in het Britse leger zat, met het risico dat ze daarop door ging vragen? Daar zat ik al helemaal niet op te wachten. 'Ik ben architect.'

'Ik had iets anders verwacht.'

'Zoals?'

Ze schonk me een glimlach. 'Geheim agent of zo.'

Ik glimlachte terug en peuterde aan een loszittende draad aan mijn broek. 'Had je dat leuk gevonden, dan?'

'Misschien.'

In de verte doemde de toren van de luchthaven op en er ging een lichte steek van teleurstelling door me heen. Mijn lijf had haar de actie van gisteren al vergeven. Ik wilde nog uren doorrijden, naast haar blijven zitten in dat Japanse koekblik en met haar praten, naar haar kijken. Vervolgens dacht ik aan de twee kerels die ik vanmiddag dood had achtergelaten op de zuidpunt van Cozumel.

Blijven was geen optie.

'Ken je die man?' vroeg ze, ineens serieus.

'Welke man?'

'Die vent die achter je aan zit?'

Ik schudde mijn hoofd. 'Nee. Niet dat ik weet.'

'Ben je nu op de vlucht?'
'Daar begint het wel op te lijken.'
'Waar ga je heen?' vroeg ze.
'Ik denk naar Malaga. Als er een vlucht is, tenminste.'
Ze keek me aan en glimlachte. Prachtige mond. 'Malaga?'
'Yep.'
'Waarom?'
Omdat ik van dit continent weg moet en ik nog niet klaar ben voor het grijze en koude Engeland. Daarom. 'Zomaar.'
'Moet je niet werken?'
Fout één. 'Ik heb een paar maanden vrij.'
'Een paar maanden?' Ze trok haar wenkbrauwen op. 'Heb je een eigen zaak of zo?'
'Zoiets.'
Ze zweeg even. 'Ik heb een broer in San Sebastián. Die heb ik al jaren niet meer gezien... Ik kreeg het geld van die kerel en... Nou ja, laat ook maar.'
Mijn ogen lichtten op. 'Ga je naar Spanje?'
'Strikt genomen naar Baskenland. Ik heb twee weken vrijaf genomen.'
'Heb je al een vlucht geboekt?'
'Nee.' Ze schokschouderde. 'Er zijn elke dag vluchten naar Spanje. Als je wacht tot het vliegtuig bijna vertrekt, kun je soms voor een kwart van de prijs mee.'

De tl-verlichting legde de vertrekhal in een groenig schijnsel. Roodverbrande toeristen en gelooide *pensionadas* liepen af en aan, met karren vol koffers. Kinderen huilden en jengelden. Mensen groetten elkaar, namen afscheid. Er waren een paar koffiebars en je kon wat te eten krijgen, de nodige sigaretten, drank, chocola en parfum. Daar hield het wel zo'n beetje mee op. De luchthaven van Cancún was in facilitair opzicht geen wereldplek.
De vliegtuigmaatschappijen bevonden zich in een aparte hal. Ik zette mijn weekendtassen neer bij de eerste de beste balie.

Angela bleef naast me staan. De grondsteward maakte een afwijzend gebaar toen ik vroeg om een vlucht naar Malaga, vanavond nog. Bij de tweede balie was het niet veel beter. Bij de derde – Iberia – had ik beet. Morgenmiddag tien voor half twee, niet eerder, vertrok er een Boeing naar de Spaanse zuidkust. En ja, er was een plek vrij.

Dat betekende dat ik een nacht en een volle ochtend in de vertrekhal moest zien door te brengen. In luchthavens werd meestal niet moeilijk gedaan als je een tukje deed op een bank, maar het leek me niet verstandig om hier langer rond te hangen dan nodig was. Het liefst was ik vanavond al het land uit geweest, ergens op tien kilometer hoogte boven de Atlantische Oceaan.

Ik wist niet wat John na mijn bezoek had gedaan. Het was niet te voorspellen. En de lichamen konden onderhand gevonden zijn.

Ineens kreeg ik haast.

Ik vroeg of er nog een andere mogelijkheid was. De enige bestemming waar vannacht nog op gevlogen werd, was Madrid. De man bleef me strak aankijken. Angela nam mijn hand vast. Het was het eerste contact dat we hadden, echt lichamelijk contact. Het voelde fantastisch. Zachte huid.

'Misschien...' begon ze. 'Nou ja, misschien...'

'Wat?'

Ze keek me aan met een blik die ik niet goed kon plaatsen.

'Ligt Madrid een beetje in de richting van San Sebastian?' vroeg ik in een opwelling.

Haar glimlach verbreedde zich. 'In elk geval dichterbij dan Malaga.'

We kochten twee tickets naar Madrid, ik een enkele reis, zij een retour. Twaalfduizend pesos, ruim duizend dollar samen. Geen korting.

Toen ze haar paspoort neerlegde kon ik het niet laten ernaar te kijken. Het was Spaans.

7

Om ons heen lag iedereen te slapen. Enkele leeslampjes brandden nog. De motoren bromden monotoon, zo nu en dan begeleid door een gedempte kuch.

Ik deed geen oog dicht, bleef maar malen. Iemand had enorm veel moeite gedaan om me klem te zetten en ik kon gewoonweg niet bedenken wie dat geweest moest zijn. De hele dag kwam me surreëel voor, alsof het allemaal niet echt was gebeurd. Maar de pijn in mijn rug en schouders was wel echt. Net als de snee bij mijn wenkbrauw. Ik voelde tenminste nog pijn.

Ik hoopte van harte dat die twee kerels in het dagelijks leven heel nare jongens waren geweest. Geen werkloze vissers die een extra zakcentje goed konden gebruiken.

Ik voelde me klote.

Angela mompelde iets en draaide haar hoofd mijn kant op. Ze opende haar ogen even, slaperig, sloot ze weer. Haar gezicht was zo dichtbij dat ik de neiging moest onderdrukken om haar te kussen en tegen haar aan te kruipen. Met tegenzin legde ik mijn hoofd tegen de vibrerende wand en staarde naar mijn eigen spookachtige reflectie in het raam.

Ik wilde dat ik er honderd procent zeker van kon zijn dat ze niet loog. Dat ze inderdaad Spaanse was, een danseres in Cancún, getrouwd geweest met een Schotse eikel uit Alloa, en dat ze een broer had in San Sebastian.

Het kón. Net zoals ik een architect had kunnen zijn. En Vince had kunnen heten.

Het was al een overwinning op zich dat ik nu kon reizen, dat de paranoia me niet naar de keel had gegrepen bij het laten zien van mijn identiteitsbewijs, en ik zonder hartkloppingen in een vliegtuig was gestapt.

Jarenlang lag mijn paspoort te verstoffen in een la. Geen haar op mijn hoofd die overwoog met identiteitspapieren over straat te gaan. Ik wilde niet traceerbaar zijn, voor niemand. Ik had Helen ermee tot waanzin gedreven. Ze wilde op vakantie, al was het maar een week, ze was de regen en de drukte meer dan beu. Benidorm, Torremolinos, het maakte haar allemaal niets uit, zolang de zon er maar scheen. Maar ik stapte in geen enkel vliegtuig en ging al helemaal niet naar het buitenland. Uiteindelijk hadden we een hotel geboekt in Blackpool. Aan zee, in eigen land, niets aan de hand dus, tot die kerel van het hotel vroeg om een paspoort.

'Waarom?' had ik gevraagd.

Hij had me vanachter zijn glanzende balie aangekeken alsof ik ertegenaan stond te pissen. 'Voorschriften. Voor de verzekering en de politie.'

Helen had haar hand op mijn arm gelegd. Misschien zei ze ook nog iets om de boel te sussen, ik weet het niet meer. Het laatste wat ik me kon herinneren was dat ik die vent achter de balie vandaan trok en hem recht in zijn gezicht schreeuwde dat ik me niet liet *fucken*. Daar had ik het duidelijk niet bij gelaten, alleen kon ik me er verder niks van herinneren. Ik bracht een paar uur in een politiecel door en daarna reden we zwijgend naar huis.

Einde vakantie.

Toen was het paranoïde gedrag, zonder meer. Nu lag het anders. Ik had alle reden om achterdochtig te zijn, op mijn hoede. Een verrekt goede reden. Iemand wilde me te grazen nemen en deed daar veel moeite voor. Wie?

Ik wist niet eens waar ik moest beginnen met zoeken. Voor ik een paar weken geleden Engeland was ontvlucht, had ik acht maanden lang beveiligingswerk gedaan. Simpele klussen, *peanuts*. Mensen observeren, rapporten uitbrengen, taxichauffeur spelen. Geestdodend. Maar hoe simpel het ook was, ik had het voor elkaar gekregen het te verknallen. Was dat het? Had het met Harry te maken, mijn oude baas? Ik kon het me niet voorstellen. Hij zou me nooit meer willen aannemen of me ergens voor nodig hebben.

Ik snoof en probeerde een goede positie te vinden om te gaan slapen, maar het bleef maar malen in mijn hoofd. Shit, ik moest ophouden me druk te maken. Het enige wat telde, was dat ik alweer duizenden kilometers verwijderd was van Mexico en morgen kon verdwijnen in een of ander Europees land. Misschien ging ik inderdaad naar Malaga, zoals ik Angela had gezegd. En misschien ook wel niet – juíst niet.

Ik kon niet weten in hoeverre Angela oprecht was. Sec gezien wist je dat nooit, van niemand. Iemand kan tien jaar lang je beste vriend zijn en je vervolgens aangeven bij de belastingdienst, je vrouw neuken in je eigen bed of je een kogel door je kop jagen – afhankelijk van in welke kringen je verkeert. Het komt allemaal op hetzelfde neer.

Ik vertrouwde niemand meer.

Dat gevoel was afgezwakt in de afgelopen maanden, maar door het gesodemieter in het afgelopen etmaal in volle kracht hersteld.

Ik draaide mijn hoofd naar rechts en liet mijn blik over Angela glijden.

Ze zou een danseres kunnen zijn.

Ik wilde graag dat ze dat was.

8

Regen kletterde van de luifel op de opgestapelde terrasstoelen. In Horas, een van de talloze pubs die we in het voetgangersgebied in het Madrileense centrum waren tegengekomen, hing de geur van bier en sigarettenrook. De ruiten waren beslagen.

Angela zat tegenover me. De vochtige haren die in haar hals kleefden, Spaanse muziek op de achtergrond en een prima glas Guinness binnen handbereik: in een ander leven zou ik mijn gesteldheid als gelukkig hebben omschreven.

'Ben je gelukkig?' Een diepzinnige vraag, die zomaar in me opkwam.

Ze keek me peilend aan. 'Ik denk van wel.'

'Denk je het, of weet je het?'

'Ik heb te eten en onderdak. Ik heb werk. Ik ben goed in dansen en ik doe het graag. Ik hoef niet te poetsen voor mijn geld, en ik verdien genoeg om na mijn optredens gewoon naar huis te kunnen gaan. Veel meisjes hebben die mogelijkheid niet.'

Ik hoefde niet te vragen wat die deden na hun voorstelling. Even vroeg ik me af of...

Zo'n danseres ben ik niet.

'Heb jij...'

Ze keek van me weg. 'Dat gaat je niets aan.'

Oké, duidelijk. Ik nam nog een slok. Het ging me inderdaad niets aan.

Ze trok aan, ze stootte af, dat deed ze al sinds we in Madrid waren geland. Op het eerste gezicht leek ze onschuldig, zachtaardig, betoverend. Maar na zacht gefluister en een stralende glimlach kon ze onverwacht scherp reageren. Er hing een zweem van gevaar om haar heen, iets broeierigs, iets ondefinieerbaars.

Het fascineerde me. Dat was de enige reden dat ik erin had toegestemd samen iets te gaan drinken voor zij naar het noorden en ik zuidwaarts zou trekken, en we elkaar nooit meer zouden zien.

Het kon mijn vertroebelde geest zijn. Of misschien had ik gewoon te lang drooggestaan.

Ik stak mijn hand op. De ober, een student met een bril, keek op vanachter de bar en kwam onze kant op lopen. Ik hief mijn lege glas op en keek Angela aan. Ze knikte en wees met haar kin naar mijn lege glas. 'Dorst?'

'Ik kan wel wat hebben,' reageerde ik. De laatste paar jaar met Helen had ik meer gedronken dan nu. Veel meer.

'Dat geloof ik.'

Weer zo'n blik die me verwarde. Ze had het niet meer over alcohol.

Ik forceerde een glimlach en haalde een hand door mijn haar. Het voelde stug. Caribisch zeezout. Mexico leek zich dan wel in een vorig leven te hebben afgespeeld, het was amper vijftien uur geleden dat de Boeing Quintana Roo vaarwel gekust had.

Ik probeerde er niet aan te denken.

Om ons heen werd het steeds drukker en lawaaiiger. Achter Angela nam een jong gezin plaats. De moeder schoof luidruchtig een houten stoel onder de tafel vandaan en parkeerde een buggy op de vrijgekomen plaats. Echt gelukkig leek ze niet, eerder gestrest. Haar man verdween in de richting van de toiletten. Hun zoontje, een jaar of drie oud, begon meteen tekeningen te maken op de beslagen ruit. Zijn moeder pakte zijn armpje vast en tikte hem op de hand terwijl ze hem in het Spaans verwensingen toebeet.

'Ik ga morgen weer verder,' mompelde ik, terwijl ik speelde met mijn bierviltje.

'Waarnaartoe?'

Ik haalde mijn schouders op. 'Dat zie ik morgen wel.'

Angela draaide het lepeltje in haar kopje rond. Ze keek me niet aan. 'Waarom blijf je niet?'

Ik nam weer een slok. 'Waarom zou ik?'

Er gleed een schaduw over haar gezicht. Ze vouwde haar handen om een servet en keek naar buiten. Een ouder stel dook onder de luifel en kwam de bar in. Hij nam haar jas aan, schudde de druppels ervanaf.

'Oké,' zei ik, om de stilte te verbreken. 'Dus jij gaat morgen naar je broer in San Sebastian.'

Ze knikte.

'Moet je hem niet bellen?'

'Nee. Het is een verrassing.'

'Hij kan weleens niet thuis zijn.'

'Hij is altijd thuis... Hij heeft een bedrijf aan huis.'

'Houden jullie contact?'

Ze knikte. 'We bellen elkaar eens per maand.'

'Wat doet hij?'

'Hij heeft een fabriekje in handgemaakte vloertegels. Terracotta.' Trots brak door in haar stem. De broer was echt. Of misschien was het een goede vriend. 'Hij levert aan keukenzaken en duurdere tegelwinkels door heel Europa.'

'Loopt dat?'

'Ik denk het wel. We hebben het daar nooit over. Hij vraagt steeds hoe het met mij is. Hij is een beetje bezorgd.'

'Een typische oudere broer,' constateerde ik. Maar dat had ik alleen van horen zeggen. Ik had graag een oudere broer gehad. Of gewoon een broer. Of een zus.

Lachrimpeltjes tekenden zich af bij haar ogen. 'Hij is vijf jaar ouder.'

'Is hij getrouwd?'

Ze knikte. 'Hij heeft twee kinderen. Acht en twaalf. Die van twaalf is bij zijn eerste vrouw.'

'Wanneer heb je hem voor het laatst gezien?'

'Een jaar of twee geleden.' Ze pauzeerde even. 'Weet je echt niet waar je naartoe gaat, morgen? Ook naar familie?'

Ik schudde mijn hoofd. Mijn ouders zouden de deur barricaderen en de politie bellen als de vanuit hun perceptie volledig ontspoorde aangenomen zoon na zijn omzwervingen aan de deur zou staan. 'Beetje rondtrekken,' zei ik, terwijl ik naar de vloeibare vitrage buiten keek. 'Naar het zuiden, of zo.'

'Weet je...' Ze keek me indringend aan. 'Je krijgt mensenkennis van het werk dat ik doe.'

Ik zweeg.

'En jij bent niet wie je zegt dat je bent,' ging ze door.

Ik keek haar strak aan en trok een wenkbrauw op. 'Nee?'

'Nee,' zei ze beslist. Zacht voegde ze eraan toe: 'Waarom lieg je?'

De Guinness en koffie werden gebracht.

'Ben je altijd zo rechtstreeks?'

'Alleen als ik iemand leuk vind.'

Ik greep het glas en nam een paar slokken.

'Je geeft geen antwoord,' zei ze.

'Antwoord?'

'Op mijn vraag.'

'Welke vraag?'

'Waarom je liegt. Je bent niet wie je zegt dat je bent.'

Ik snoof en goot de rest van het bier in mijn keelgat.

'Waarom Vince?' drong ze aan.

Ik reageerde niet.

'Je maakt niet de indruk van iemand die voor zijn lol reist,' zei ze. 'Ik heb je in Mexico amper zien lachen. En vandaag ook al niet. Je ziet er rusteloos uit. Niet als...'

'Er valt weinig te lachen, toch?' Ik kon niet voorkomen dat cynisme in mijn woorden doorschemerde. 'Iemand heeft me blijkbaar op zijn prioriteitenlijst gezet en is slim genoeg om me in Mexico op te sporen. Niemand wist dat ik daar was.'

'Sorry.' Haar hand zocht over het tafelblad de mijne. Lange, slanke vingers. 'We hebben een valse start gehad.'

'Het understatement van het jaar. Je hebt me gedrogeerd en laten oppakken door twee sadisten die het licht uit me wilden trappen.'

'Dat laatste wist ik niet.'

'Nee? Dat is niet even door je heen geschoten voor je die rotcenten aannam, dat zoiets zou kunnen gebeuren als je geld geboden wordt om bij iemand iets in zijn drank te doen? Ik had verdomme dood kunnen zijn.'

'Sorry. Ik had—'

'...het geld nodig,' onderbrak ik haar, geïrriteerd. 'Ik weet het. En je kende me niet, dus wat kon het je schelen. Toch?'

Ze wreef nerveus door haar donkere haar. Vanuit mijn ooghoek zag ik een paar mannen onze kant uit kijken. Ze namen Angela goedkeurend op en dat beviel me niet. Het beviel me helemaal niet.

'Ik ben er niet trots op,' zei ze zacht. Haar vingers lagen weer op mijn hand. 'Ik wilde het eigenlijk niet meer doen toen ik eenmaal met je aan de praat was geraakt. Ik vond je echt aardig. En... aantrekkelijk.'

Ik hield mijn adem in.

Haar mondhoek trok licht omhoog en haar ogen werden nog donkerder dan ze al waren. 'Misschien... Misschien kan ik het goedmaken?'

9

Ze bereed me, ze spreidde haar benen boven mijn gezicht, duwde haar billen tegen mijn heupen, kirde, kreunde, zoog, trok, stak haar tong diep in mijn mond, kronkelde onder me als een krolse kat en we bleven de hele dag in een gammel bed van een nog veel gammeler hotel waarvan ik de naam vergeten ben, terwijl de regen bleef neerkletteren uit een loodgrijze lucht.

Ze goot wodka in mijn keel, over mijn borst en buik. De alcohol beet in de schaafwonden. Ik siste en noemde haar een sadistisch kreng, wat ze als een compliment opvatte. Ze glimlachte in elk geval tevreden. Daarna ging ze op haar knieën zitten en likte mijn huid schoon, terwijl haar hand probeerde weer een beetje leven te krijgen in mijn geteisterde lul en ze me bleef fixeren met haar ogen. Ik legde mijn hoofd in mijn nek en staarde naar het psychedelische behang in groen, oranje en bruin, dat zonder twijfel aan het einde van de jaren zestig op de dunne muren was geplakt en sindsdien om onverklaarbare reden stand had gehouden.

Ik had nog nooit iemand ontmoet zoals Angela. Ze zoog het leven uit me, laadde me weer op, ze was onschuldig, compleet gestoord, en ik wist niet of ik met haar wilde trouwen of haar uit het raam moest gooien.

Misschien was ik verliefd geworden. Misschien was ik mezelf kwijtgeraakt. Ik was in elk geval vergeten dat ik naar het zuiden van Spanje wilde.

En ik was dronken.

Er is weinig dat zo dicht tegen volkomen euforie leunt als de roes van spartaanse Oost-Europese alcohol – of wat voor alcohol dan ook – in combinatie met waanzinnige seks. De ervaring van volmaakt geluk, terwijl donkere wolken zich boven Madrid samenpakten, de hemel zich openscheurde om de straten schoon te spoelen en uit belendende kamers gestommel en ritmisch gebonk kwam dat zonder moeite door de muren drong.

Ik griste de fles uit haar hand om hem verder leeg te drinken en liet hem op het versleten bruine tapijt naast het bed vallen. Onder me voelde het matras vochtig.

Angela ging schrijlings op me zitten en haalde haar nagels over mijn borst. Ik strekte mijn handen uit om haar borsten te omvatten, klein en niet helemaal gelijk, met harde bruine tepels die van geen wijken wisten. Volgde de glooiing van haar ribben naar haar middel, strak en gespierd, naar die ongeëvenaarde heupen en billen, die zacht en rond waren. Helemaal goed.

Een glimlach speelde op haar gezicht. Ze hield haar hoofd gebogen, schouders opgetrokken, haar ogen waren deels bedekt met slierten haar, die los hingen en op haar getinte huid kleefden. Haar vingertoppen bevoelden elke centimeter van mijn lichaam en ze dronk me in alsof ik een studieobject was waarover ze straks allerlei ingewikkelde vragen moest beantwoorden.

Wat voor kleur ogen heeft hij?

Hij heeft drie moedervlekken, waar precies?

Hoe lang is zijn pik?

Hoe zou je zijn borsthaar omschrijven?

Heb je vullingen in zijn kiezen kunnen ontdekken?

'Wat kijk je?' vroeg ik.

Haar stem klonk nog maar net uit boven de sirene van een ambulance die onder ons raam door snelde. 'Ik kijk naar jou.'

'Wat is er zo interessant aan me?'

Weer zo'n scheve glimlach. 'Niet veel, eigenlijk. Maar ja. Ik doe het er maar mee.' Daarna, verontschuldigend: 'Je hebt een goed lijf voor iemand die zegt dat ie architect is.'

'Angela?'

Ze trok een been naar achteren, rekte het uit en kwam over me heen hangen. Ze nam mijn lul in haar mond. Haar haren bedekten mijn buik en heupen.

'Ik wil...'

Ze keek op, twee bruine ogen tussen een gordijn van haar. 'Ja?'

Ik probeerde op woorden te komen, maar ik kon me niet meer herinneren wat ik wilde vragen.

Ze giechelde, heel even maar, en boog zich weer voorover.

Ik voelde haar lippen, haar tong. Slikte. Staarde naar het behang. Groene cirkels, bruine cirkels. Oranje lijnen. Ze bewogen. Dansten.

De hele kamer danste om me heen en lachte me uit.

De euforische luchtbel begon langzaam uiteen te spatten. Einde geluksmoment. De muur aan het einde van de verlichte tunnel.

'Even wachten, schat.' Ik duwde haar van me af en probeerde op te staan. De hotelkamer was een op hol geslagen draaimolen en ik zat midden in het epicentrum. Foute boel. Ik zette me af en steunde tegen de muur. Shit. Nu begon de vloer ook al te bewegen. Ik wist me naar de badkamer te slepen en had nog maar net de tegenwoordigheid van geest om de deur op slot te doen. De wodka, port, whisky, Guinness, in die volgorde, verlieten met de snelheid van het licht mijn maag-darmstelsel, innig verstrengeld met de voorverteerde resten van een tapasschotel.

Ik dacht dat ik Angela hoorde giechelen, maar het kon ook iemand in de belendende badkamer zijn.

De kraan van de wastafel zat vrijwel muurvast, maar gaf na enig aandringen schoksgewijs naar chloor ruikend water vrij waarmee ik mijn mond spoelde en mijn gezicht waste. Daarna ging ik even op de grond zitten. Ik werd al wat minder draaierig en haalde een paar keer diep adem. Keek op mijn horloge. Tien uur. Ik moest een andere kamer nemen. Ik kon niet in dezelfde kamer slapen, niet met Angela. Dat ging niet.

Klote.

'Gaat het?' Gegiechel.

Ik mompelde iets bevestigends en haalde nog eens diep adem. Stond op, spoelde mijn mond weer en opende de badkamerdeur.

Angela droeg mijn shirt, dat als een laken om haar smalle

schouders hing. 'Ben je ziek?' Haar ogen lachten. Ze had er lol in.

Ik wreef in mijn ooghoeken. 'Het is al over. Maar ik ga.'

Ze leek te schrikken. 'Waarheen?'

Ik schudde verward mijn hoofd en probeerde mijn kleding terug te vinden. Mijn boxershort lag onder het bed. 'Even naar de receptie.'

'Waarom?'

'Ik blijf hier niet slapen.'

Ik griste mijn broek van de grond, trok hem aan, graaide naar mijn sokken, vond mijn portemonnee en stak hem in mijn kontzak. Struikelde vervolgens over mijn eigen voeten en plofte op bed.

'Je meent het echt.'

Ik keek op. 'Ja. Geef me mijn shirt even.'

Ze maakte geen aanstalten het uit te trekken. 'Maar waarom dan?'

'Omdat het mijn shirt is.'

Ze zond me een donkere blik toe. 'Ik vraag waarom je niet blijft.'

Haar vraag was lastig. Nou ja, de vraag op zich was niet lastig, het was meer het antwoord waar ik moeite mee had. Ik kreeg het niet uit mijn strot. Dit was niet het juiste moment om mijn complete lijst van handicaps en afwijkingen met haar door te nemen. Een ervan kende ze al. Die leek haar niet te storen.

Ze moest mijn beslistheid hebben begrepen, want ze trok het shirt over haar hoofd uit en wierp het me toe. Ik droogde er mijn gezicht mee en trok het aan.

'Ik wil niet dat je weggaat, Vince.'

Ik stond op van het bed, wankelde en hield me staande met een hand tegen de muur. 'Geloof me, dat wil je wel.'

'Wat is het probleem dan?' Ze glimlachte maar er schemerde onzekerheid doorheen.

Mijn rug vond steun tegen de muur. Ik trok haar tegen me aan en begroef mijn gezicht in de holte waar haar schouder overging in haar hals. 'Ik heb een probleem, 's nachts.'

Ze trok haar hoofd weg en keek me ontsteld aan.

Shit, nu was het net of ik in bed piste. Dan was de waarheid toch beter. Maar dan zou mijn architectenhistorie niet meer kloppen.

Het was te vroeg om mijn hele hebben en houden bloot te leggen. Waarschijnlijk bleef het altijd te vroeg. 'Ik wil gewoon alleen slapen, meer niet. Ik zie je morgen. Sorry.'

'Wat, sorry? Wat is er? Jézus, Vince, doe niet zo raar, man.'

Ze vlijde zich tegen me aan en streelde mijn rug.

Ik wilde hier blijven, ondanks het achterlijke behang dat me een kloppende hoofdpijn bezorgde, de geur van vergankelijkheid, de rumoerige buren, elk uur nieuwe. Ik wilde op dat met wodka doordrenkte matras gaan liggen, ouderwets een arm om Angela slaan en wegzakken in een diepe slaap. Samenzijn.

Misschien viel het mee.

En als het niet meevalt, Alex? Wat doe je dan?

Ze kuste me. Een diepe, warme kus. 'Kom,' zei ze. 'Kom even bij me liggen.'

10

There are only so many ambulances/that go round
There are only so many accidents
It's the universe, coming down

Institute, 'Ambulances' *(Distort Yourself)*

Op de dag dat ik die afschuwelijke ontdekking deed, kende ik Izet Bolonic drie maanden. Ik had het idee dat ik hem mijn hele leven al kende. Alsof er nooit iemand anders was geweest met wie ik weleens wat dronk en mijn gedachten deelde. We deden alsof er niets aan de hand was. We voerden lange gesprekken over de toekomst, terwijl de wereld om ons heen verging, de waanzin van de oorlog alles verterend om zich heen sloeg.

Izet was leraar Engels geweest in Gornji Vakuf, waar hij via kennissen zijn vrouw Meliha had ontmoet. Ze trouwden in 1978. Hij had me de foto's laten zien, een paar stonden op de televisie in de woonkamer. Stralende gezichten uit betere tijden. Meliha en Izet kregen twee kinderen, dochters, die veertien en zestien waren toen ik in 1994 voor het eerst een voet over de drempel van hun vrijstaande huis aan de rand van de stad zette. Een eenvoudige woning van grijze blokken, nog niet zo lang geleden gebouwd. De bedoeling was de boel aan de buitenkant nog aan te smeren en het een kleur te geven.

Zo ver is het nooit gekomen.

Het was niet toegestaan ons onder de plaatselijke bevolking te mengen, omdat we als vredestroepen neutraal moesten zijn. Maar met mij waren er behoorlijk veel die daar geen boodschap aan hadden. En dus liep ik met Mark Fairweather, een maat van me, met geladen SA80 door de bevroren modder van de hoofdstraat naar Izets huis – zoals elke woensdagavond als Meliha naar haar moeder was. Het was eerlijk gezegd niet alleen Izet die me naar dat huis dreef. Ik was tweeëntwintig, zes jaar ouder dan Izets oudste dochter Emina en ik vond haar het mooiste wezen dat ik ooit had gezien. Als ik niet kon slapen dan dacht ik aan haar. Als ik wel kon slapen, bleef ik wakker om aan haar te denken. Helen was ver weg, in Liverpool, op een andere planeet. Emina, of in elk geval de gedachte aan haar, trok me door de grauwe en troosteloze winter in een volledig verziekt land waar ik niet wilde zijn. Ze sprak net als haar ouders vrijwel accentloos Engels en ze wilde lerares worden. Ze had veel dromen, Emina, en als ze op een andere plaats en in een andere tijd was geboren, had ze die waarschijnlijk waargemaakt. Alleen had ze de pech zestien te zijn op de verkeerde plaats. En op een ronduit beroerd tijdstip.

Mark en ik vertraagden onze pas toen we het huis zagen. De muren waren zwartgeblakerd bij de gapende gaten waar ramen hadden gezeten. In de tuin lagen kapotte meubels die de laatste keer dat ik ze zag nog heel in de keuken hadden gestaan.

Ik begon sneller te lopen. Ik wilde niet naar binnen, ik moest wel. Twijfel, angst, niet willen geloven, denken dat je droomt, het hele arsenaal ging door me heen terwijl Mark bij me bleef en met mij alle veiligheidsvoorschriften overtrad door als een kip zonder kop het huis in te rennen.

De kast die ze hadden gekregen van een meubelmaker uit het dorp (een oom van Meliha), de handgemaakte kleden, de televisie en radio: weg. De rest was in as gelegd, weggeteerd door het vuur.

Ik rende van kamer naar kamer, Mark in mijn kielzog. Alles was vernield.

Mijn benen leken een kilometer lang te zijn, net als mijn armen. Mijn hart bonkte in mijn keel en in mijn buik, overal, mijn hele lichaam was een groot pulserend hart terwijl ik de trap op stormde en zag wat ik helemaal niet wilde zien, mezelf naar een plek bracht waar ik nooit naartoe had moeten gaan. Een deur stond open en de kamer braakte een geur uit die me deed kokhalzen.

Emina's lichaam lag tegen een kastje dat aan puin was getrapt. Haar kleren hingen gescheurd om haar verder naakte lichaam. Je hoefde geen patholoog-anatoom te zijn om te zien dat ze behoorlijk misbruikt was voor ze haar de keel hadden doorgesneden. Ik zag messteken op heel haar lijf. Emina's zusje lag op bed, in haar eigen ontlasting.

Ik weet nog dat ik bleef kijken, alles in me opnam, elk fucking detail, en er bijna geen emotie bij kon voelen. Alsof het te erg was, iets in me zich afsloot. Ik stond daar verdwaasd te staren, een fluittoon in mijn oren, hijgend, bijtend op mijn vuist, en had nauwelijks in de gaten dat Mark aan mijn schouder stond te trekken en 'Wegwezen!' riep. Ik trok een sprei over Aida en nam een deken die ik over Emina legde, omdat ik niet wilde dat ze zo gevonden zouden worden. Zinloos. Niemand zou zich druk maken over een paar doden meer of minder. Niet hier.

Uiteindelijk liet ik me meetrekken, de trap af.

Ik had gewoon niet moeten gaan kijken. Ik had net als iedereen weg moeten lopen, het niet toe moeten laten, er niets mee moeten doen.

Maar dat kon ik niet.

Ik was tweeëntwintig, en ik kon het gewoonweg niet.

De enige verlichting kwam van buiten, straatlantaarns die een gelig schijnsel uitstraalden.

Angela ademde rustig. Ze sliep. Ik trok mijn arm voorzichtig onder haar schouders vandaan. Ze murmelde iets en legde haar hand op mijn buik. 'Blijf,' fluisterde ze, bijna onhoorbaar.

Ik verstijfde, bleef als bevroren in half opgerichte houding op het matras zitten. Ze mocht niet wakker worden.

Ze sliep door.

Ik wierp een snelle blik op mijn horloge. Kwart over twee. Ik moest in slaap zijn gevallen.

Uit de kamer die grensde aan ons hoofdeind kwam een zwaar, bijna dierlijk gegrom dat ritmisch aanzwol. Een aanmoedigende vrouwenstem in het Spaans.

Ik duwde het laken langzaam weg. Verplaatste mijn benen naar de rand van het bed, zette mijn voeten op de grond. Bedachtzaam, voorzichtig, stond ik op.

Angela trok het laken naar zich toe en draaide zich op haar zij, van me af.

Ik hield mijn adem in en bleef wankel naast het bed staan. Straatgeluiden van buiten. Een scooter, een vrachtwagen. De regen was opgehouden.

Naast onze kamer ging het gegrom gewoon door. Het was me bij binnenkomst al duidelijk geworden dat dit hotel de vierentwintiguurseconomie zo'n beetje had uitgevonden, dus waarschijnlijk was er wel iemand beneden bij de balie die me een andere kamer kon geven.

Iets fluisterde me in een nachttaxi te nemen naar het vliegveld en te vertrekken met het eerste het beste vliegtuig dat beschikbaar was.

Dan was er voor mij geen morgenvroeg in dit hotel. Geen moeilijke vragen, geen confrontaties.

Ik keek neer op de slapende gestalte in het bed. Ze haalde rustig adem en de kamer was zwanger van haar aanwezigheid. Haar geur, haar zachte huid. Ik wilde me erin begraven. Nu, morgen, overmorgen, zolang de chemie voortduurde.

Mijn spieren protesteerden, het bloed gonsde in mijn oren. Helder denken lukte niet. De drank had me gevloerd en zou het zo meteen weer doen als ik niet snel ergens ging liggen en mijn ogen sloot.

Heel zacht maakte ik een kast open en vond een oude sprei en een dikke wollen deken. Ze hadden de muffe hotellucht geabsorbeerd – of misschien was het andersom. Ik nam ze mee naar de kleine badkamer, legde ze op de vloer rondom de wc-pot, deed de deur achter me op slot en krulde me op. Legde mijn hoofd op mijn onderarm bij wijze van kussen en bleef nog minutenlang in het duister voor me uit staren.

Ik moest denken aan Emina en Aida. Aan Izet en Meliha. De kou. De woede. De volslagen ontreddering die ik voelde in de weken die volgden op de gruwelijke ontdekking.

Het was twaalf jaar geleden dat het hele gezin Bolonic was uitgemoord door een stel perverse, door drugs en drank opgehitste Serven. Emina zou nu achtentwintig zijn geweest, ongeveer even oud als Angela. Ze leek zelfs op haar.

Zo werkt het blijkbaar. De een overleeft. De ander niet. En waarom? Dat had ik me al duizenden keren afgevraagd.

Waarom.

In de kamer naast ons hoorde ik de deur open- en dichtgaan. Voetstappen op de gang. Ik hoorde Angela kuchen en hoopte dat ze doorsliep.

Mark vertelde me later dat hij Izet en Meliha in de kamer naast die van Emina en haar zus had zien liggen. Hij had me daar weg weten te krijgen voor ik ermee geconfronteerd werd.

De vier mensen die ik zo goed kende, die iets voor me waren gaan betekenen, ze betekenden geen zak voor de rest van de wereld. Niets meer dan koude cijfers, statistieken in de ochtendkrant, tussen het weerbericht en geroddel over de zoveelste geblondeerde verovering van een of andere overbetaalde voetballer. Na thuiskomst in Liverpool was de aanhoudende regen het gespreksonderwerp geweest. De belasting, de files, hondenstront op de stoep, terwijl er in datzelfde Europa, op nog geen tweeduizend kilometer afstand, mensen werden doodgemarteld, in brand werden gestoken, verkracht, opengesneden, er mafketels vrij rondliepen die een potje voetbal speelden met afgesneden mensenhoofden.

Waanzinnig. Surreëel.

Geen mens die besefte dat de oorlog, die voor hun gevoel zo ver weg was, ook hun schijnveilige wereld binnendrong, via de geesten, dromen en daden van hen die er waren geweest. Journalisten, militairen, fotografen, hulpverleners. Al voor ik na die afschuwelijke zes maanden Balkan terug in Engeland kwam, was ik gaan lijken op de mensen die ik beesten had genoemd. Het ging ongemerkt, als een onzichtbaar, vluchtig gif, een besmettelijke ziekte die door je poriën naar binnen kruipt en langzaam maar zeker je gevoelscentrum lamlegt, zodat je op een gegeven moment helemaal nergens meer mee zit. Volledig afgestompt raakt.

Die verrotte kutoorlog had me geïnfecteerd, zodanig dat ik niet eens meer wakker kon liggen van een dode Mexicaan meer of minder. Ik had ze gewoon neergemaaid, min of meer in een impuls, uit gewoonte. Gewoon, om ervan af te zijn...

Zouden die twee gasten kinderen hebben gehad? Vrouwen? Familieleden en vrienden die hen misten?

Vast wel. Daar maakte ik me geen illusies over. En die mensen, die nabestaanden die voor mij even naamloos en gezichtloos waren als Emina en haar familie voor de rest van de wereld, ze zouden zonder twijfel ook 's nachts wakker liggen, starend naar de muur, zich afvragend: waarom?

Mijn hersens maalden verder, ik kon ze niet meer tot stoppen dwingen. Zou ik het morgen weer doen, als ik in zo'n situatie terechtkwam?

Meteen. Zonder aarzelen.

Ik draaide me om en forceerde mezelf mijn hoofd leeg te maken.

Morgen zou ik het Angela uitleggen.

Misschien.

11

Zo ver kwam het niet. Rond zevenen was ik uit mezelf wakker geworden. Ik had de slaap niet meer kunnen vatten en had mijn provisorische matras in de kast teruggelegd voor Angela er iets van zou merken. Ze lag op dat moment nog steeds in bed, een deken aan haar voeten, haar naakte lichaam uitnodigend in het schrale ochtendlicht, haar benen gespreid, met een hand onder een van de kussens. Ik had mijn gezicht tussen haar benen begraven, met mijn handen haar billen omvat en haar wakker gekust.

Nu, drie uur later, hadden we een ontbijt weggewerkt en liepen we buiten. De straten lagen vol regenplassen die door de hoosbuien van vannacht waren achtergebleven. Het stadsverkeer was op gang gekomen. De Spaanse hoofdstad gonsde van bedrijvigheid.

Ik bleef het onrustige gevoel houden dat ik weg moest. Weg van Angela, weg van Madrid. Gewoon weg.

Op een of andere manier had ik het idee dat ook Angela een interne strijd voerde. Ik wist niet wat ik van haar moest denken, ze was de meest complexe vrouw die ik ooit had ontmoet.

Wat ze had gedaan in Mexico zei een heleboel over haar karakter. Aan de andere kant had ik vanochtend een heel andere Angela te zien gekregen. Gewillig, onderdanig bijna. Ze had jaren jonger geleken dan ze toch al was, terwijl ze zich aan me had vastgeklampt en me zacht had gekust alsof ze net zeventien was geworden, dusdanig overtuigend dat ik me bijna gegeneerd had. Bijna.

Misschien had ik vanochtend het meisje ontmoet dat ze moest zijn geweest voor haar leven om wat voor reden dan ook van de rails was geschoten, een ontsporing die haar ertoe had gebracht geld aan te nemen om mensen te vergiftigen en halfnaakt in nachtclubs te dansen voor bezopen kerels.

Na vannacht was ik er in elk geval vrijwel zeker van dat het bij dat laatste niet was gebleven. Ze sliep met mannen voor geld, of ze had in het meest positieve geval een schrikbarend lange lijst van veeleisende veroveringen op haar naam staan. Ik maakte me absoluut geen illusies over dat punt. Afgelopen nacht had ik haar repertoire ondergaan, haar complete oeuvre, een zinderende medley van haar kunnen.

En ze kon verrekte veel.

Terwijl ik naast haar liep en mijn ogen over de voorbijrijdende auto's en passanten liet dwalen, vroeg ik me af wat er met haar was gebeurd dat ze deze keuzes had gemaakt. Welke gebeurtenis bij haar het omslagpunt was geweest. Iedereen had zo zijn eigen demonen.

Ze kon natuurlijk ook gewoon schizofreen zijn. Ik kende haar amper.

Eigenlijk kende ik haar helemaal niet.

We zeiden niets van betekenis en bleven maar lopen, alsof we door te blijven lopen niet hoefden te praten over zaken die eigenlijk wel besproken zouden moeten worden. Het viel me op hoe moeiteloos ze haar zware rugzak op haar rug droeg, haar handen in de zakken van haar jack.

'Wanneer ga je naar je broer?' vroeg ik.

Ze ontweek een plas en kwam weer naast me lopen. 'Morgen. Of zo.'

'Hoe ga je erheen?'

Ze haalde haar schouders op. 'Met de trein. Of ik huur een auto. Het is niet ver rijden.'

'Wat is niet ver?' In het leger had ik kennisgemaakt met Duitsland, Noord-Ierland en Bosnië, maar de Spaanse landkaart zat niet in mijn hoofd. Natuurlijk, zoals iedereen in mijn oude omgeving had ik eerst met mijn ouders en later met vrienden de zomervakanties doorgebracht in Lloret de Mar, Torremolinos en Benidorm. Met name de latere bezoeken hadden niet bepaald bijgedragen aan een beter inzicht in het land en de mensen, laat staan aan enig topografisch besef. Ze waren van het type gaarkeukenvoer en avondentertainment bestaande uit stomdronken, rood verbrande landgenoten in vrouwenkleren.

'Het is denk ik vier, vijf uur rijden van hier, via Burgos,' hoorde ik haar zeggen. Ze huiverde zichtbaar en bleef staan. Haar handen gleden onder mijn jack en haar koude vingers streken over mijn buik.

Ik rilde onwillekeurig, maar het was niet van de kou.

Ze staarde voor zich uit. 'Ik... Ik heb het idee dat als ik nu wegga, ik je nooit meer zie.'

Ik zweeg.

Angela legde haar hoofd in haar nek om me recht aan te kunnen kijken. 'Ik wil graag dat je bij me bent,' zei ze zacht. 'Raar hè? Dat heb ik nooit eerder gehad.'

'Ook niet met die kerel uit Alloa?'

Er speelde een onzeker glimlachje over haar gezicht. 'Nee. Ook niet met hem. Niet zo sterk als nu.'

We bleven elkaar zwijgend aankijken. In een impuls sloeg ik mijn armen om haar heen. Het voelde goed. Meer dan goed.

Ik legde mijn kin op haar kruin en probeerde de situatie voor mezelf op een rij te krijgen. Was ze te vertrouwen? Geen idee. Wilde ik bij haar blijven? Ja. Was dat verstandig? Waarschijnlijk niet. Wat had ik te verliezen? Niets. Ik had geen baan, geen huis, geen vrouw en kinderen. Geen familie, althans niet een die me miste. Alleen mijn leven, dat op dit punt in tijd en ruimte toch al niet veel voorstelde.

'Zal ik meegaan?' vroeg ik in een opwelling.

Ze keek me niet-begrijpend aan.

'Naar je broer,' verduidelijkte ik. 'Naar San Sebastian.'

'San Sebastián,' verbeterde ze, met een zuivere Spaanse tongval. Haar mondhoeken kropen omhoog.

12

Ik hield de Seat consequent op de linkerbaan. We passeerden honderden vrachtwagencombinaties die al vanaf Madrid een vrijwel ononderbroken lint in noordelijke richting vormden aan de rechterzijde van de weg. Het landschap veranderde steeds. Waar we nu reden moest het 's zomers erg droog zijn. Aan weerszijden van de weg lagen verlaten wijngaarden onder een loodgrijze hemel.

Angela had haar schoenen uitgetrokken. Haar voeten rustten op het dashboard.

'Is je broer Baskisch?' vroeg ik.

Angela schudde haar hoofd. 'Nee.'

Dus was zij het ook niet.

'Vertel me eens wat meer over hem.' Niet dat haar broer me ook maar een moer kon schelen. Het was eerder een omslachtige poging om wat meer over haarzelf te weten te komen.

'Er valt niet zoveel te vertellen, denk ik. Hij heeft een kleine fabriek net buiten de stad. De laatste keer dat ik er was, werkten er vier mensen.'

'Heb je een goede band met hem?'

'Ik denk dat ik het slechter had kunnen treffen. Hij is... Nou ja, vanuit zijn optiek zal hij mij wel als het zwarte schaap zien. Iemand die niet in de pas wil lopen...' Ze keek naar buiten. 'Hij wil dat het goed met me gaat. Hij was het er niet mee eens dat ik met Howard trouwde en naar Schotland ging.'

'Heeft hij geprobeerd je tegen te houden?'

'Wat dacht je! Natuurlijk heeft ie dat gedaan.'

'Hoe?'

Ze haalde haar schouders op. 'Gewoon. Zeuren dat het toch

niets zou worden. Hij is niet eens op de bruiloft geweest.' Ze verzette haar voeten. 'Hij is gewoon fobisch voor buitenlanders. Ik had moeten trouwen met een katholieke Spanjaard. Iemand uit de omgeving, uit een familie die hij kende. Zo'n type.'

'Wat doet hij dan in Baskenland?'

'Werken.'

'Hoe heet hij?'

'Manuel.' Ze staarde nietsziend voor zich uit. 'Vroeger, thuis, noemden we hem Manolo, een koosnaam, maar daar heeft hij altijd een hekel aan gehad.'

'Leven je ouders nog?'

Ze trok de zonneklep naar beneden en klapte het ding weer omhoog. 'Er zit niet eens een spiegel in. Ze zijn dood. Kanker. Allebei.'

Ik wist even niet wat ik moest zeggen.

Ze nam het over. 'En de jouwe?'

Ik had kunnen weten dat er een wedervraag zou volgen. Wat moest ik nu zeggen? De waarheid? Of gewoon doorgaan met *Vince* zijn?

Vince won. 'Ze wonen in Londen, in een verpleegtehuis... Zijn je ouders lang geleden gestorven?'

'Ik was vijftien toen mijn vader overleed, mijn moeder volgde drie jaar later. Hij longkanker, zij borstkanker. Een echte kankerfamilie.' Ze gaapte en haalde een hand door haar krullen, leunde met een elleboog tegen de deurstijl, terwijl haar donkere ogen de onafgebroken rij vrachtwagens scanden.

Ik schraapte mijn keel. 'Wat heb je gedaan nadat je van die Schot was gescheiden?'

'Manuel wilde dat ik terugkwam naar Spanje en bij hem introk. Daar had ik dus geen trek in. Sinds onze ouders zijn overleden denkt hij dat hij me moet beschermen, maar ik kan prima voor mezelf zorgen...' Haar stem haperde even. Ze nam haar dikke haar vast en legde het in een denkbeeldige staart op haar rug. 'In Stirling leerde ik iemand kennen die in Mexico woonde. Dat trok me, de zon en de palmbomen. Mensen praten er Spaans. Het leek me wel makkelijk. Ik ging met hem mee, maar het bleek niet zo'n fijne kerel te zijn en uiteindelijk kwam ik in die nachtclub terecht.'

'Wie was die kerel, die iemand?' reageerde ik.

Ze gaf geen antwoord.

Misschien wilde ik het ook wel niet weten, wie die iemand was. Of eerder nog: wat voor iemand het was. 'Wanneer was dat?'

'Drie jaar geleden.'

'Dus je woont nu drie jaar in Mexico.'

'*Si.*'

'Wanneer ben je voor het laatst in Europa geweest?'

Ze blies wat lucht uit, alsof ze nadacht. 'Een jaar of twee geleden. Om Manuel op te zoeken.'

Dat klopte in elk geval met een eerdere versie die ze me had gegeven van haar familiebezoek. Misschien klopte de rest ook. Mogelijk ook niet. Het kloterige was dat ik niemand meer vertrouwde. Die mogelijkheid had ik gaandeweg verloren. Hoewel, niet iedereen. Helen was een van de weinige uitzonderingen. En wrang genoeg wilde zij mij niet eens meer kennen.

'Heb je een mobiele telefoon?' vroeg ik.

'Nee. Hoezo?'

'Ik moet zo iemand bellen.'

'Wie dan?'

Wat zij kon, kon ik ook. 'Iemand.'

We naderden een pompstation. Splinternieuw, met een modern restaurant en een speeltuin.

Ik keek naar de benzinemeter. 'Ik ga tanken,' zei ik. 'En even bellen.'

De telefoon ging vier keer over.

Ik werd ongeduldig en volgde vanuit mijn ooghoeken Angela, die langs de rijen kant-en-klare broodjes en yoghurt liep.

Dichter bij me, vlak bij de koffieautomaten, stonden ronde

tafels met bladen op borsthoogte waaromheen vrachtwagenchauffeurs druk rokend en koffie lurkend in allerlei discussies verwikkeld waren. Portugezen en Spanjaarden in gebreide v-halstruien.

Zes keer.

Zeven keer.

Angela was al voorbij de kassa. Ze hield twee verpakkingen omhoog en wierp me over de stellingen heen een vragende blik toe. Ik maakte een gebaar met mijn kin in de richting van de auto. Ze liep door de automatische schuifdeuren naar buiten.

Negen keer.

Tien keer.

Antwoordapparaat.

Helen had een antwoordapparaat gekocht. Zonder iets in te spreken verbrak ik de verbinding, liep naar buiten en nam plaats achter het stuur.

Aan Angela's voeten lagen twee halveliterflessen mineraalwater. Ze duwde me een sandwich toe.

Ik scheurde de verpakking ervanaf en gooide die achter me in de auto. Startte de Seat en reed al etend de snelweg weer op.

Volgens een bord langs de weg dat we even later passeerden, was het tot San Sebastián nog ruim honderdvijftig kilometer.

'Zal ik je zo meteen bij je broer afzetten?'

Ze legde haar hand op mijn been. De aanraking schoot dwars door me heen. 'En dan?'

Ja, en dan? Goede vraag. Ik wierp een korte blik opzij en haalde mijn schouders op. Een beweging die stroef ging en nog steeds niet pijnloos. 'Ik weet het niet,' zei ik, naar waarheid.

'Vince...'

Het begon me tegen te staan dat ze me zo noemde. 'Ik kan meegaan naar je broer,' zei ik, 'als je wilt, tenminste.'

Dat was niet het juiste antwoord. Ze haalde haar hand van mijn been. 'Hij is erg katholiek.'

'En dus...?'

Ze gooide haar hoofd in haar nek en klakte met haar tong, alsof ze een behoorlijk lastig probleem op te lossen had. 'Hij zal zich afvragen waarom ik je mee heb genomen. Snap je? Hij voelt zich verantwoordelijk en zal erop staan dat we in afzonderlijke kamers slapen. En er is daar al niet veel ruimte. Het is gewoon nog...'

Te vroeg.

Ik knikte. 'Dat begrijp ik. Dus wat?'

Haar hand lag inmiddels weer op mijn bovenbeen. 'Ik ga morgen wel bij hem langs. Ik heb nog genoeg vrije dagen over.'

Het led-schermpje op het dashboard gaf aan dat het bijna half drie in de middag was. Angela had ineens geen haast meer om bij haar broer te komen. En als ik eerlijk was: ik ook niet.

13

De man die ik moest hebben heette Vedran Petrovic. Izet had me vaker over hem verteld, en ook dat hij bang was dat Petrovic op een dag langs zou komen met zijn mensen. De Balkanoorlog werd gebruikt om oude rekeningen te vereffenen en Izet had ruzie met Petrovic gehad. Het ging over iets lulligs, ik was vergeten wat.

Vedran Petrovic was een zogenaamde 'beschermde burger'. Iemand die de hand boven het hoofd werd gehouden als er stront aan de knikker was. Die voorrang kreeg op normale burgers. Een onaantastbare klootzak met invloed, geld en massa's volgelingen die zich warmden in het aura van zijn bedenkelijke status. Al vrij snel nadat de burgeroorlog was uitgebroken, had Petrovic de exploitatiemogelijkheden van de chaos ingezien. Hij had in noodtempo een privélegertje om zich heen verzameld dat plunderend en verkrachtend door de streek trok.

Maar Petrovic mocht dan wel beschermd burger zijn, hij had geen kogelvrije huid. Hij stond niet boven biologische wetten en was net zo sterfelijk als Emina en haar familie.

Ik wilde hem doden. Voor alles wilde ik hem zien creperen, spartelen, bloed zien ophoesten, hem horen smeken om zijn leven.

En als het uit zou komen, als dat me voor het tribunaal bracht en mijn rang, baan of wat dan ook zou kosten: jammer dan. Dat hele leger was vanaf het begin af aan een grote fout gebleken.

Een week na de afschuwelijke ontdekking had ik er nog met geen woord over gesproken. Ik gooide stukken chocolade over de hekken naar bedelende dorpskinderen, luisterde naar cd's van Metallica, liep wacht, ging mee op patrouille, repareerde hier en daar iets, belde zo nu en dan naar Helen en mijn ouders.

Er was niets aan me te merken.

Twee maanden later wachtte ik Vedran Petrovic op terwijl hij uit een café kwam. Een man van hooguit een meter zeventig, ergens achter in de dertig, gedrongen, een oostblokversie van Napoleon, maar dan in een trui van Nike en een lange, met schapenbont gevoerde leren jas. Hij liep naar zijn auto, zei gedag tegen de groep mannen die hem vergezeld had en die een andere kant uit liep. Ik dook op toen hij zijn portier opende, bedreigde hem door een 9mm tegen zijn vadsige kop te drukken, zodat hij braaf zijn Mercedes startte en ons weg van het dorp reed, het berggebied in.

Ik kreeg het voor elkaar uiterlijk koel te blijven terwijl de adrenaline door me heen gierde en mijn lichaam alleen nog maar uit bloedsomloop leek te bestaan. Ik wist dat ik niet kon schieten. Munitie werd geteld. Ze deden daar op de compound nogal flauw over, om niet te zeggen paranoïde. Een kloterig patroon te weinig bij de telling 's avonds, een die niet kon worden verantwoord, en de hel brak los.

Maar dat wist Petrovic blijkbaar niet. En ik speelde het overtuigend genoeg om hem een geitenpad op te laten rijden tot de auto vast kwam te zitten op de plaats van zijn executie. Petrovic beloofde me geld. Hij beloofde me alles. Toen dat geen effect had, begon hij te dreigen. Fluisterde me in het Duits en daarna in gebroken Engels toe dat hij me zou laten opensnijden en wurgen met mijn eigen darmen.

Er is geen patroon verloren gegaan. Geen enkel.

Vedran Petrovic was de eerste man die ik doodde.

En niemand heeft het ooit geweten.

'Sodemieter op, klootzak!'

Ik schudde mijn hoofd, kneep mijn ogen dicht en sperde ze weer open om te zien dat het donkere gezicht onder me dat van een vrouw was, niet dat van Petrovic. Het wilde niet tot me doordringen waar ik was, of ik droomde of niet, en ik bleef verward naar haar kijken, terwijl mijn bewustzijn langzaam aanflakkerde als een traag reagerende tl-buis. De vrouw staarde me in doodsangst aan, oogwit lichtte op in de schemer. Toen pas trok ik mijn handen van haar keel, verward, ontzet, nog steeds niet helemaal bij bewustzijn. Ze duwde me ruw opzij en sprong uit bed.

En ik wist het weer: San Sebastián. Hotel. Angela. 'Shit...' reageerde ik, schor. 'Sorry, sorry.'

Mijn woordenschat schoot tekort. Ik wreef met mijn handen over mijn gezicht.

Alles werd op slag duidelijk. De geur van gewassen lakens en ons zweet, het pulserende stadslicht dat door een kier van de gordijnen zichtbaar was en een zwak lichtspoor trok over de muur tegenover het bed. En Angela, die nu als een vage schim in de hoek van de hotelkamer stond.

'Sorry, Angela. Het was... Kut, ik...' Ik stond op.

'Blijf waar je bent!'

Ik hief mijn handen op. 'Ik doe niets. Zie je? Ik doe niets, ik ben wakker.'

'Blijf verdomme waar je bent!'

'Oké, oké.' Ik ging weer zitten en focuste me op de tengere gestalte in de hoek. Ze hield haar bovenarmen vast. Ze trilde, ze was geschrokken, maar ze bleef tenminste en rende niet meteen de gang op, krijsend om politieassistentie.

Eén-nul voor Angela.

Ik reikte naast me naar het nachtkastje en vond het metalen koord van het nachtlampje. Het kreng weigerde dienst en ik moest me inhouden niet uit onmacht en frustratie de armatuur van de muur te trekken en door de kamer heen te smijten. Dat zou haar alleen maar banger maken.

Ik kanaliseerde mijn woede in een enkele krachtterm en balde mijn vuisten in de dekens.

'Daarom wilde je niet bij me slapen.' Ze zette een stap in mijn richting, was minder angstig dan ze leek. Of misschien speelde ze dat alleen maar.

'Sorry.'

Haar stem klonk zacht. 'Je wilde me wurgen.'

'Ik weet het.' Ik trok mijn onderlip naar binnen en probeerde na te denken, iets te verzinnen om mezelf hieruit te redden.

Ze was me voor. 'Maar je wilde niet míj wurgen.'

Ik keek op. Op bed blijven zitten was een bezoeking. Ik haalde nog steeds snel adem. Het bloed raasde door mijn aderen, gevoed door adrenaline. Ik had het gevoel dat ik over het hotel heen kon springen, een rijdende auto kon bijhouden, en ik had grote moeite te blijven waar ik was.

'Wie dan wel?' ging ze door. Het leek voor haar helder en duidelijk, terwijl ik wanhopige pogingen deed om mezelf bij elkaar te rapen en mijn gedachten en gevoelens, die als een zwerm razende bijen door mijn hoofd gonsden, te structureren.

Ik wreef over mijn haar, dat vochtig was van het zweet. Mijn hand bleef in mijn nek liggen. Ik had behoefte aan bier. Veel bier.

Ze zette nog een stap naar voren. 'Wie?'

Het werd te persoonlijk. Ik stond op. 'Sorry, nogmaals. Ik neem wel een andere kamer.'

Angela greep mijn arm vast. 'Wie, Vince?' Haar adem streek over mijn gezicht.

'Dat gaat je geen zak aan. Ik zie je morgen wel. Of niet.' Ik trok me los en begon mijn kleren bij elkaar te zoeken. Ze lagen her en der over de grond verspreid. 'Kun je dat fucking licht even aandoen?'

Ze stommelde naar haar kant van het bed en zette de kamer in een fel, onbarmhartig licht.

'Is het zo moeilijk om erover te praten?' zei ze, niet in het minst uit het veld geslagen. Ze had zich zo snel hersteld dat het bijna angstaanjagend was. Het zei meer over haar en de ervaringen die ze opgedaan moest hebben dan ik op dit moment wilde weten.

Ik trok mijn sokken en jeans aan en ontweek haar blik. 'Blijkbaar.'

'Vince...'

Ik keek op. Ze streek over haar hals. Tussen haar vingers door zag ik dat haar huid daar rood was. Ik kon wel wegkruipen van schaamte. 'Sorry,' zei ik nog eens. Het klonk behoorlijk laf. Ik kuchte en werkte me in mijn T-shirt.

'Ik ben niet bang van je.'

'Dat kun je beter wel zijn.'

Ik smeet wat rondslingerende spullen in de openstaande weekendtassen, greep ze aan de hengsels beet en liep naar de deur.

'Vince...' Ze stond vlak achter me. Streelde mijn rug.

Ik kon het niet helpen dat alles in me op die aanraking reageerde. Ik draaide me om. Haar handen gleden langs mijn middel, haar vingers haakten zich achter mijn rug in elkaar. Ze keek naar me op. 'Blijf.' Ze fluisterde het. Smeekte het bijna.

Ik trok mijn gezicht in een onhandige grijns en schudde mijn hoofd. 'Ik zie je morgen. Dit werkt niet. De volgende keer word je wakker in een ziekenhuis. Of helemaal niet meer.'

'Misschien heb ik dat er wel voor over.'

Ik kon mijn oren niet geloven. Ik siste cynisch en trok me van haar los. 'Je bent compleet gestoord, weet je dat?'

'Niet meer dan jij,' hoorde ik haar roepen, nadat ik de deur achter me had dichtgetrokken en de schemerige gang op liep. Even dacht ik dat ze snikte, maar de rondrazende demonen tussen mijn oren overstemden alles.

14

Angela opende de deur van de hotelkamer en liet me zwijgend binnen. Ze deed alsof er niets was gebeurd.

Ik probeerde me staande te houden door me vast te klampen aan de deurpost en vroeg me tegelijkertijd af wat me bezield had om hier terug te komen. Waarom ik mezelf niet gewoon naar een station had gesleept en me ergens in een hoek had opgekruld. Zodat ik de vroege trein naar waar dan ook had kunnen nemen.

In plaats daarvan was ik na de confrontatie met Angela de eerste bar die ik tegenkwam binnengelopen. Na het drinken van een paar biertjes was ik op pure whisky overgegaan. Dat was ik blijven drinken tot de lichten in de bar uit gingen en twee man personeel me voorzichtig naar buiten werkten, waar de koude wind direct tot in mijn botten kroop en ik als een mot naar de verlichte reclamebak van ons hotel aan de overkant van de weg werd getrokken, mijn weekendtassen naast me voortslepend.

Ergens in een schemerige hoek van mijn bewustzijn zag ik Angela vriendelijk knikken naar de nachtportier van het hotel, die me bij de kamer had gebracht. Ze stopte hem een biljet van vijf euro toe. Vaag kreeg ik door dat ze naar hem knipoogde, en ik hoorde de deur achter me in het slot vallen.

Zonder iets te zeggen duwde ze me naar het bed, trok mijn schoenen uit, mijn sokken, jas, trui en broek, en dekte me toe. 'Welterusten,' zei ze. 'Ik slaap vannacht wel in de badkamer, oké?'

Het galmde als een donderslag door mijn hoofd en daarna werd alles zwart en leeg.

Vanochtend werd ik wakker in een lege hotelkamer. Ik trof Angela aan in de claustrofobische eetzaal in de kelder van het hotel waar een paar vertegenwoordigers – althans, die indruk wekten ze, met hun slecht zittende confectiepakken – vette croissants wegspoelden met goedkope jus d'orange.

Ze zat in de verste hoek, bijna onzichtbaar achter een zuil waar een koffiemachine tegenaan leunde, en hield een mok in haar handen. Ze droeg een groen T-shirt en een zwart gebreid vest. Haar ogen lichtten op toen ze me zag binnenkomen.

Voor ik naar het tweepersoonstafeltje liep schonk ik mezelf koffie in, legde wat brood en jamcups op mijn bord en griste een mes mee. Ik had niet echt honger, eten stond me zelfs tegen, maar het leek me niet verkeerd om in elk geval een bodem te leggen. Het was al ruim na tienen en twee serveersters waren druk bezig de boel op te ruimen. Een van hen – een griet van een jaar of twintig met een smoezelig uniform en een acnékin – keek me vijandig aan.

Ik trok een houten stoel naar achteren en ging tegenover Angela zitten.

'Goed geslapen?' vroeg ze.

Ik bromde iets en nam een slok van mijn koffie. Ik voelde me hondsberoerd. Niet zo vreemd, ik had mezelf vannacht bijna een alcoholvergiftiging bezorgd.

'Heb je dit vaker?' Het was geen verwijt. Ze leek oprecht geïnteresseerd.

Ik trok een jamcup open. Dit leek niet eens op jam. Het was eerder een winegum die uit het plastic op mijn bord stuiterde. 'Ik had het goed onder controle,' reageerde ik.

'Het drinken of het vrouwen afslachten?'

Ik keek op. 'Dit is niet leuk, Angela.'

Ze glimlachte. 'Sorry. Ik doelde op het drinken... Heb ik zo'n slechte invloed op je?' Het leek haar te amuseren. Voor haar was het allemaal erg grappig.

Ik schudde mijn hoofd en zei niets. Geen zin in moeilijke

gesprekken, en nu al helemaal niet. Want het was zo verdomde waar: ik had het drinken goed onder controle gekregen. Heel goed zelfs, zonder hulp. Ik kon in elk geval redelijk maat houden en er gingen dagen voorbij dat ik niets dronk, zonder dat ik nerveus of onrustig werd. Maar vannacht had me weer met beide benen op de grond gezet en het nog eens bevestigd: ik was er nog lang niet.

'Ik ga vandaag naar mijn broer,' zei ze. 'Ik heb de hotelkamer een nacht langer gehuurd. Je kunt verder slapen, als je wilt... daar zul je wel behoefte aan hebben.'

En of ik dat had. 'Hoe laat kwam ik terug vannacht?'

'Tegen vijven. Je was ijskoud.'

Ik snoof en nam een hap van het muffe brood die ik mijn slokdarm in dreef met een flinke slok koffie. Mijn keel was gortdroog en mijn maag draaide.

'Ik kom terug,' ging ze verder, en over de tafel zochten haar handen de mijne. Ze keek me recht in de ogen.

'Terug?'

De vertegenwoordigers stonden op en verlieten het eetzaaltje. We waren de laatste gasten en de jonge serveerster wierp me opnieuw een vernietigende blik toe. Misschien was het haar standaard gezichtsuitdrukking.

'Ik blijf niet bij Manuel overnachten. Ik wil hier vanavond slapen. Misschien kun je dan morgen met me mee, naar hem toe. Als je dat wilt, tenminste.'

Geen denken aan dat ik meeging naar die kerel, die Manuel, die me zou behandelen als een bedenkelijke aanstaande zwager, me apart zou nemen en me wel even de les zou lezen over familie-eer en weet ik veel wat die gast zich allemaal in zijn hoofd zou halen als hij me zag.

Ik probeerde te grijnzen. Het kostte me erg veel moeite. 'Ik denk niet dat dat een goed idee is.'

Haar duimen streelden mijn hand. 'Laat maar zitten. We zien wel als ik terugkom. Je blijft toch? Wil je blijven?'

Ik knikte.

Angela glimlachte. 'Geweldig!'

Waarschijnlijk zat ik haar een beetje dommig aan te kijken. Ik begreep haar niet. Ik begreep haar werkelijk niet. Ik had haar bijna gewurgd en het was nu wel fucking duidelijk dat ik met een behoorlijk drankprobleem zat, maar het stootte haar niet af. Integendeel. Waarom zat ze hier verdomme te glunderen alsof ze de vangst van de eeuw had binnengetrokken?

Ja. Er zat een patroon in. Die vent uit Alloa bleek een misrekening. En die 'iemand', die Mexicaan die haar daarna meenam naar Mexico, was dat blijkbaar ook. Daardoor was ze nu danseres in een nachtclub.

Angela viel op foute mannen.

Nou, dan was ze met haar mooie Spaanse neus recht in de boter gevallen.

15

De telefoon ging over. Drie keer. Ze nam op.

'Niet ophangen,' zei ik snel.

Tuut-tuut-tuut.

Ik toetste het nummer nog eens in.

'*Dit is het antwoordapparaat van Helen Thorne. Je kunt je boodschap inspreken na de piep.*'

Ik wreef over mijn mond. Als ik ergens een schurfthekel aan had, was het wel om tegen een machine te moeten praten. Maar de kans was groot dat Helen er gewoon naast stond en ze me kon horen.

'Helen... Neem op. Alsjeblieft.'

Stilte.

De baliemedewerker van het hotel – een kerel op leeftijd in een overhemd en spencer – wierp me een korte blik toe over zijn leesbril. Hij zat een kruiswoordraadsel in te vullen. We waren de enige mensen in de hal van het tweesterrenhotel – niet meer dan een gang met een smoezelige balie van vurenhout.

'Helen, kom op, ik weet dat je er bent. Alsjeblieft...'

Gerommel aan de andere kant. Een schelle fluittoon. 'Verdomme Alex, hou hiermee op, laat me met rust!'

Ik beet op mijn onderlip. 'Helen, ik... Ik hou van je.'

Stilte.

'Ik hou van je, Helen. Ik heb je enorm gemist. Ik mis je elke dag. Het spijt me vreselijk. Er gaat geen dag voorbij of—'

'Ben je in therapie?'

Ik zweeg.

'Dus niet.'

'Nee.'

'Hoe is het met drinken?'

'Ik... Het gaat beter, nu.'

Ik hoorde een baby huilen op de achtergrond. Het klonk gedempt.

'Heb je visite?' vroeg ik.

'Dat gaat je geen ruk aan.'

Er viel een stilte. Ik was bang dat ze zou ophangen. 'Hoe is het met je?'

'Ondanks jouw acties redelijk goed. Beter dan toen je nog hier was.'

Mijn kaken verkrampten bijna. 'Helen, luister naar me. Er is wat gebeurd.'

'Er gebeurt altijd wat met jou.'

'Luister, alsjeblieft. Ik was in Mexico, en er zijn dingen...' Mijn adem stokte.

Nu pas drong het tot me door, drong het werkelijk tot me door waarom ik zo op Helen gefixeerd was. Ik had haar nodig. Zeker nu. Ze was mijn grip op de werkelijkheid, het enige sociale ankerpunt. Iemand die me door en door begreep, aan wie ik niets hoefde uit te leggen. Ik kon nergens anders terecht.

'Ik heb je nodig,' zei ik. 'Ik ben in Spanje nu, ik kan vandaag nog een vliegtuig pakken en naar Liverpool komen.'

Ik hoorde iemand praten op de achtergrond. Sussend. Het babygehuil hield op. Was het een mannenstem?

'Als je dat maar uit je hoofd laat. Je moet niet met mij praten, maar met een fucking psycholoog, Alex. Ik heb het met je gehad. Hoe vaak moet ik het zeggen voor het tot die botte hersens van je doordringt? Het interesseert me geen zak wat je hebt meegemaakt, en ik wil niet met je praten zolang jij niet behandeld bent. Ik probeer een nieuw leven op te bouwen en dat is al moeilijk genoeg zonder dat je me blijft bellen.' Haar stem stokte even. 'En haal het al helemaal niet in je kop om hiernaartoe te komen, want ik bel meteen de politie. *Have a nice life, Alex.*'

Tuut-tuut-tuut.

Ze had opgehangen. Ze had verdomme gewoon opgehangen. Ik sloot mijn ogen. Minutenlang bleef ik luisteren naar de pieptoon.

De baliemedewerker was nog steeds verdiept in zijn puzzel.

Ik krabde over mijn kin en legde de hoorn neer. 'Kun je het op de rekening zetten?'

De man knikte bevestigend, zonder op te kijken.

Ik was behoorlijk opgefokt en liep de straat op, in de richting van de bar. Het was vier uur in de middag. Een paar pilsjes konden geen kwaad.

Aan de bar zaten drie mannen van middelbare leeftijd. Een dronk koffie en voor de andere twee stond een glas met sterkedrank. De vent die de glazen volschonk had zwart krullend haar en droeg een bril. Niet dezelfde kerel als vannacht.

Hij trok zijn wenkbrauwen op.

'Jus d'orange,' zei ik in een opwelling.

De persmachine maakte een enorm kabaal. Ik schoof op een barkruk en liet mijn blik dwalen over de glazen, flessen en spiegels langs de wanden, terwijl ik mezelf probeerde te kalmeren.

Therapie.

Het ergerde me mateloos dat Helen zo veel vertrouwen in die overgewaardeerde beroepsgroep had. Therapie als toverwoord, alsof die psychologen monteurs waren en ik een haperende machine. Alsof die halfzachte zielenknijpers er ook maar iets aan konden veranderen. Geen zak wisten ze ervan, helemaal niets. Opgegroeid binnen een schijnveiligheid van bruine baksteen en gepamperd door hun moeders, ze wisten geen moer. Ze waren nergens geweest, hadden niets meegemaakt. De enige dode mensen die zij met hun eigen ogen hadden gezien, waren keurig glad getrokken in hun zondagse pak in het mortuarium tussen de bloemen gelegd. '*Kijk eens, net of hij slaapt.*'

Boekenwijsheid, definities. Hol geleuter. Verder ging het niet.

Ze hadden nooit iets voor me kunnen doen. Drie had ik er

afgelopen, enerzijds om Helen een plezier te doen maar ook omdat ik besefte dat ik behoorlijk aan het doordraaien was. Zinloze gesprekken in dure kantoren die me op mijn zenuwen werkten.

Twee weken na het laatste gesprek kwam Helen in het ziekenhuis terecht, nog net voor de uiterste betaaldatum van het consult.

Ik dronk het glas jus d'orange op en bestelde er nog een. Ik had echt behoefte aan bier. Misschien moest ik maar niet meer in bars komen voorlopig.

Have a nice life, Alex...

Fuck. Het was over. Echt over. Misschien moest ik juist alleen nog maar in bars komen. Mezelf dood zuipen. Dan had niemand meer last van me, mezelf inbegrepen. Geen nachtmerries meer, geen pijn. Geen holle leegte meer voelen.

Mijn geld raakte op. Ik zou moeten gaan werken. Maar wat kon ik in hemelsnaam doen?

Het was allemaal zo verrekte uitzichtloos. Ik had geen huis, geen baan, geen Helen. Ik had helemaal niets en niemand. De tweede jus d'orange was op. Ik staarde naar een fles whisky die op zijn kop bij de spiegel hing. Tullamore Dew.

Eén?

Nee.

Ik betaalde en liep naar buiten. Terug naar het hotel wilde ik niet, dus sloeg ik rechtsaf en wandelde over het trottoir in oostelijke richting. San Sebastián was een deprimerende stad. Betonnen dozen, hoge, rechthoekige flatgebouwen met grijs gestuukte muren en vierkante ramen die eruitzagen alsof niemand ze ooit opendeed. Woonkazernes. Zelfs Liverpool stak idyllisch af tegen deze verzameling armoedige bouwsels. De wind was guur en trok aan mijn jack.

Wat moest ik met Angela? Ik zou haar graag willen zien als iemand bij wie ik kon uithuilen en met wie ik opnieuw kon beginnen. Haar opgetogenheid vanochtend, toen ik in de ontbijtzaal tegenover haar ging zitten, had me geraakt. Ze was triest genoeg de enige mens op aarde die blij was als ze me zag. Wat had ze gezegd, vannacht, toen ik haar waarschuwde dat ze de volgende keer wakker zou worden in een ziekenhuis, of helemaal niet meer? *Misschien heb ik dat er wel voor over.*

Was ze écht? Zou ze dat gemeend hebben, of was ik onderdeel van een of ander vaag plan? Maar dan nog. Ik kon nog steeds niemand bedenken die zo veel moeite zou doen om me voor zijn karretje te spannen. En wat voor kar zou ik moeten trekken? Iemand omleggen? Kleine moeite om het me te vragen. Van alle oude maten die zichzelf nog niet door hun kop hadden geschoten, een overdosis hadden genomen of waren gestorven aan een agressieve vorm van kanker – veroorzaakt door chemische stoffen waaraan ze waren blootgesteld in Bosnië – vermoedde ik dat minstens de helft nu in dat circuit rondhing. Huurling dus. Ik was er ook al eens voor gevraagd. Het leven is namelijk vrij simpel: je doet waar je goed in bent, meer kun je niet doen. Daar draait het om. En op een gegeven moment heb je niet veel meer te kiezen, omdat al je andere *skills* verloren zijn gegaan en je alleen nog maar goed bent in dat ene waar geen reguliere werkgever een vacature voor heeft.

Dan wordt er voor jou gekozen.

Het kon ook nog zijn dat iemand me gewoon dood wilde hebben. Maar dan had hij wel een verrekte omslachtige manier van werken. Onlogisch.

Wat er dan wel achter zat, en vooral wie: het bleef onduidelijk.

Misschien wist Angela meer, kon ze me meer vertellen. Ik hoopte dat ze het niet wist. Dat ze echt was.

Verdomme, dat wilde ik zo sterk dat het bijna zeer deed.

16

Taste the happiness/While she's hanging out with you
From a shadow/Life comes through
Be ready then
It could be anytime/If they come for you

Institute, 'Wasteland' *(Distort Yourself)*

Rond vieren was ze er weer.

Het duurde even voor ik doorhad dat de vrouw die uit een nieuwe zwarte BMW stapte toch echt Angela was. Ze parkeerde recht voor het hotel, twee wielen op het trottoir.

Ik wierp een briefje van tien euro op de bar en stak de straat over. Niks anders gedronken dan vruchtensap en water, in het hol van de leeuw, verleidingen alom. Ik was trots op mezelf en dat was lang geleden.

Ze draaide zich naar me om en straalde terwijl ze me op mijn mond kuste. 'Je bent er nog.'

Ik keek langs haar heen naar de auto. Glanzend, diepzwart, leren interieur.

Ze volgde mijn blik. 'Ik heb een betere auto voor ons geregeld.'

Ik zweeg. Keek van de auto naar haar en weer terug.

'Hij is van Manuel. Ik vond het een geweldige auto, hij bood meteen aan hem mee te nemen om je te verrassen. En hij heeft ons voor vanavond uitgenodigd. Zijn nieuwe vriendin maakt heerlijke paella. Wel even iets anders dan de toeristenhap die je in een restaurant voorgeschoteld krijgt.'

'Waar is de huurauto?'

'Bij Manuel.' Ze greep me bij mijn arm. 'Kom, we gaan afrekenen.'

Ik liep achter haar aan. Het was duidelijk, dit was de laatste dag met Angela. Geen hotelkamers meer. Mee naar haar broer, paella eten. Ik zou het zoals gewoonlijk verknallen en nog van geluk mogen spreken als ik niet vanavond al buiten gelazerd werd.

Ik haalde de weekendtassen uit de hotelkamer, keek voor de vorm nog eens in de badkamer rond maar alles was leeg.

De baliemedewerker – misschien was het de eigenaar zelf – liet ons tweeënnegentig euro afrekenen en nam niet de moeite een factuur uit te schrijven. Een computer ontbrak.

De knipperlichten van de 5-serie reageerden braaf op de sleutel die ze in haar hand hield.

Ze glunderde. 'Gave bak, hè? Zet je tassen maar op de achterbank.'

Ik mompelde iets en gooide de weekendtassen achterin. Angela zat al achter het stuur en ik dook naast haar in het zwarte leer. Prachtige auto. Hij rook nieuw.

'We gaan zo meteen naar mijn broer,' zei ze. 'Maar eerst moet ik iets anders doen.'

Ik keek haar even vragend aan maar ze ontweek mijn blik.

'Wat dan?'

'Iets ophalen.'

SAN SEBASTIÁN

een uur later

1

De geur van kruit en brandend rubber vult mijn neusgaten terwijl ik met de snelheid van het licht het industrieterrein afrijd. Achter me hoor ik nog steeds schoten, ze resoneren in mijn hoofd. Ik ram het gaspedaal bijna door de bodem van de BMW. De adrenaline spuit door mijn bloedbaan. Ik trek het stuur naar links, schiet net voor een vrachtwagen over de middenberm. De auto zweeft een nanoseconde schuin boven het wegdek en dan raken de vier banden het asfalt van de doorgaande weg. Het chassis kraakt, maar de banden hervinden grip. Een Opel wijkt uit en claxonneert. Ik geef meer gas, zet met trillende vingers het licht aan.

De wielen razen over het wegdek, de kilometerteller geeft aan dat ik honderdveertig rijd. Is het genoeg?

Ik kijk snel in de achteruitkijkspiegel. Alleen koplampen van de auto's die ik zojuist ben gepasseerd. Het helpt niet om rustiger te worden. Ik grijp het stuur steviger vast en probeer de BMW tussen de lijnen op de weg te houden. Het is druk, ik haal de ene na de andere auto in.

Bestuurders claxonneren, wijzen naar hun hoofd. Ik krijg er nauwelijks iets van mee. Het enige wat ik wil, is zo ver mogelijk weg zien te komen van het bedrijventerrein.

Ik haal de hendel van de ruitensproeier naar me toe. De ruitenwissers zwiepen wild heen en weer en verdrijven het bloed dat op de voorruit kleeft naar de zijkanten, verdunnen het. Ik sproei nog een keer. Nog eens.

Ze wilde me neerschieten. De trut wilde me neerschieten.

Simpele stelregel: als iets te mooi lijkt om waar te zijn, is het dat ook. Dat had ik moeten weten. Zeker ik had dat moeten weten. Ik kan er nog steeds niet over uit dat ik me als een lam naar de slachtbank heb laten voeren.

En verdomme, waarom?

Ik werp nog eens een blik in de achteruitkijkspiegel. De weg wordt verlicht door straatlantaarns die een oranje licht verspreiden. Niemand die me volgt.

De achterruit is aan flarden geschoten. Wind circuleert in de BMW en trekt aan mijn haar. Mijn hart bonkt wild achter mijn ribben.

Terwijl ik op hoge snelheid op de linkerbaan blijf rijden, zakt langzaam de adrenalinerush weg en begint de ratio het over te nemen.

Ik val te veel op. De auto is beschoten, dat ziet werkelijk iedereen met meer hersencellen dan een legkip. Bij de eerste de beste politiecontrole pikken ze me eruit.

Ik minder vaart en probeer onder de honderd te blijven. Het kost me onmenselijk veel inspanning. Op borden langs de weg wordt Irún aangegeven. Hendaye. Lasarte. Andoain. Het zegt me allemaal geen fuck.

Weer kijk ik gejaagd in de achteruitkijkspiegel, links van me, rechts.

Ik moet deze auto kwijt. Joost mag weten van wie de BMW is. In elk geval niet van Manuel, Angela's broer. Grote kans dat ze geeneens een broer heeft.

Waarschijnlijk heet ze niet eens Angela.

Klote. Er zijn doden gevallen, die vrachtwagenchauffeur wordt in elk geval niet meer wakker, en hetzelfde geldt ook voor een paar gasten die voor de loods stonden. Angela? Ik durf er geen vergif op in te nemen. Ze maakte een rotsmak op de motorkap.

Ik sta niet te trappelen om met die schietpartij in verband te worden gebracht. Alles in me schreeuwt dat ik die auto moet lozen en zo snel mogelijk uit Spanje weg moet zien te komen. Ik moet een vliegveld vinden, bij voorkeur niet te klein en bij voorkeur niet in Spanje. Vanavond nog.

Ligt San Sebastián niet vlak bij de Franse grens? Is hier ergens een fatsoenlijk vliegveld? Dat zal toch wel?

Verdomme. Ik weet niet eens welke richting ik op rijd. Het kan net zo goed zuidwaarts zijn. De plaatsnamen op de borden zeggen me niets en mijn richtingsgevoel laat me in de steek.

Ik kan niet denken, ik krijg het niet op een rij.

Rustig, rustig.

In de verte zie ik borden boven de weg hangen. Deze weg leidt naar Irún en Frantzia. Is dat Frankrijk? Jawel, dat moet Frankrijk zijn. Dus gaat deze weg naar het noorden. Ik trek een trillende mondhoek op.

Niets aan de hand, Alex. Alles onder controle.

Ik kijk naar de kilometerteller, honderdtwintig. Ik licht mijn voet een stuk op. Het gaat schokkerig. Mijn benen beven onbedaarlijk: de onvermijdelijke adrenalinedip.

2

Een bord heette me even geleden welkom in Navarra. Mijn idee om de auto in Irún achter te laten en de trein te nemen naar de grens heb ik laten varen. Ik heb nog nooit van die hele stad gehoord, maar dat is vast te wijten aan een van de vele gaten die in mijn opvoeding zijn gevallen, want echt klein kan die niet zijn. In de donkere verte doemden de stadslichten op als een immense oranje lichtkoepel.

Mocht de schietpartij vanavond in het nieuws komen, dan hebben talloze getuigen een zwarte BMW met een kapotte achterruit en mogelijk kogelgaten vanuit San Sebastián in noordelijke richting op de linkerbaan zien laagvliegen. Er zat een zongebruinde kerel in van ongeveer een meter vijfentachtig, met tamelijk lang, blond haar. Het lijkt me niet verstandig om in die herkenbare combinatie een drukbevolkte stad in te rijden. Mensen zullen me zien weglopen van de auto, anderen zullen onthouden welke trein ik neem.

Zojuist ben ik van de doorgaande weg afgedraaid en heb ik een dorpje achter me gelaten met een onuitspreekbare naam. Ook nooit van gehoord, maar dat zal niemand me kwalijk kunnen nemen: ik had nog geen twee minuten nodig om erdoorheen te rijden. De weg is smal en ik lijk de enige levende ziel in de omgeving. Er staan geen borden meer, alsof dit weggetje nergens naartoe leidt. Naar niemandsland.

De wind cirkelt rond in de BMW en zuigt koude buitenlucht de cabine in. Ik zet de verwarming nog eens hoger maar het helpt geen zier. Ik haat kou. Ik haat het gewoon. En het is begonnen te gaan regenen.

Ik moet hier ergens stoppen, het is ver genoeg van de stad, maar ik zie nergens een zijweg of een karrenspoor waar ik de auto verdekt kan wegzetten. Het kreng hier ergens in de berm achterlaten is geen optie: ik moet langs deze weg teruglopen naar bewoond gebied. Elke toevallige passant zal me associëren met de verlaten BMW.

De ruitenwissers zwiepen heen en weer en de weg voor me kronkelt zich door steeds onherbergzamer ogende heuvels. Rotsen doemen rechts van me op en de weg begint te dalen.

Dat wordt een leuke wandeltocht. Helemaal geweldig.

Een onderbreking in de rotswand, tussen dichte laurierstruiken en naaldbomen. Ik keek er bijna overheen, maar weet op tijd te remmen en stuur het pad op. Het is deels onverhard en hobbelt steil de berg omhoog. Rechts van me verlichten de xenonlampen de hoekige rotswand, links kale takken van een verwilderd bos. Het pad is overwoekerd met mos, onkruid en resten van herfstbladeren. Geen verse bandensporen, niets wat wijst op regelmatig gebruik.

Ik zet de motor uit, leg mijn hoofd in mijn nek en sluit een moment mijn ogen.

Regen klettert op het dak en de voorruit en slaat door de verbrijzelde achterruit naar binnen.

Ik kijk op mijn horloge: negen uur. Ik schat dat Irún een kilometer of tien achter me ligt. Daar aangekomen moet ik nog een station zien te vinden. Ik moet uitgaan van zeker twee uur lopen, wat zou betekenen dat ik rond elf uur op het station kan zijn. En ik twijfel eraan of er rond die tijd nog een trein naar Frankrijk vertrekt.

Maar hier kan ik ook niet blijven rondhangen.

De oranje cabineverlichting dooft langzaam. Dan is het donker. Echt donker. Ik zie geen hand meer voor ogen. Ik weet dat het tijdelijk is, over een paar minuten ben ik eraan gewend.

Toch zou een zaklamp wel handig zijn. Het zou me verdomd slecht uitkomen als ik langs het steile pad naar beneden een misstap maak en mijn enkel verzwik. Ik rommel door het handschoenenvak, maar het is op een kleine map na leeg. Ik doorzoek de opbergplaatsen in de portieren en schuif vakjes open en dicht. In de cabine ligt in elk geval geen zaklamp.

Ik stap uit. De regen slaat in mijn gezicht en de wind rukt aan mijn kleren. Meteen zakken de zolen van mijn bergschoenen in de volgezogen, zachte grond. Het is nog een wonder dat ik de auto zonder problemen hierboven heb gekregen. Ik houd mijn hand boven mijn ogen om de regen uit mijn gezicht te houden en kijk met samengeknepen oogleden om me heen. Dikke druppels banen zich een weg langs de opstaande kraag van mijn jack en verspreiden zich over mijn rug.

Ik huiver. Het is niet alleen de kou. Ik heb het gevoel dat er iemand naar me kijkt.

Automatisch duik ik naar beneden, zodat mijn silhouet niet boven de auto uitsteekt. De hoosbui overstemt alle geluiden die iemand zou kunnen maken en het bos is aardedonker. Ik zie amper mijn voeten. Maar voor iemand met een fatsoenlijke nachtkijker ben ik een makkelijk doelwit. Ik hurk bij de achterzijde van de auto, terwijl ik probeer de omgeving in me op te nemen.

Er kan niemand zijn. Dat is zo goed als onmogelijk, zegt het weinige verstand dat ik kan mobiliseren. Niemand heeft me kunnen volgen, daar heb ik op gelet. Dit is een verlaten pad, en als ik moet afgaan op de begroeiing en hoe diep de banden in de grond afgetekend staan, wordt het al lang niet meer gebruikt.

Een stroper die zich in het bos heeft verschanst? Waarom ben ik gealarmeerd? Niet omdat ik iets hoorde. Het was meer een gevoel.

Verdomme, de paranoia is terug. Alles is terug. De nervositeit, de paniek.

Het is de plek. Alles hier doet me denken aan die avond met Petrovic. Het bos. Het weer. De rotswand. Het klimmende pad. Het lijkt er te veel op.

Ik hoef niet eens mijn ogen dicht te doen om de beelden voorbij te zien flitsen, de geur van zijn bloed te ruiken dat zijn buik en mijn handen bedekte en aan mijn veldmes plakte toen ik het terugtrok. Ik had het lemmet tot aan het handvat in zijn zij geramd, schuin omhoog, en de punt naar me toe getrokken zodat ik zeker wist dat ik iets vitaals zou raken. En ik wilde hem pijn doen. Heel veel pijn. Petrovic had het pad naar de doorgaande weg onmogelijk af kunnen lopen, hij bloedde te erg, er was een slagader geraakt. Ik zag het niet, het was te donker. Ik rook het, de zoete ijzergeur die de auto vulde. Warm vocht gutste over mijn handen.

Ik heb hem niet de kans gegeven dood te bloeden. Ik was razend op het monster dat Emina en haar familie had afgeslacht. Doodbloeden was een te mooie dood, ik gunde hem het langzaam wegglijden niet.

Ik zie weer het stuiptrekken van Petrovic, terwijl ik de elektriciteitsdraad om zijn dikke nek snoerde en het leven uit hem trok tot zijn ogen bijna uit hun kassen knalden, zijn pokdalige kop donkerrood aanliep, zijn gespartel steeds zwakker werd en hij uiteindelijk als dood gewicht achter het stuur van zijn eigen Mercedes ineenzakte.

Voel weer mijn gejaagdheid, de razernij die langzaam wegebde.

Ik schud mijn hoofd en wrijf over mijn gezicht, kijk dan naar mijn handen omdat ik in een angstig, irreëel moment bang ben dat ik niet in Baskenland ben, maar in Bosnië, twaalf jaar terug in de tijd. Terug in de hel.

Mijn handen zijn nat. Het is van de regen, het moet van de regen zijn. Ik doe een uiterste poging om mezelf tot de orde te roepen. Geen bloed, Alex. Water. Het is water. Je bent hier alleen.

Ik ben hier alleen.

Mijn ogen zijn gewend aan het donker, maar nog zie ik niet veel. Maanlicht laat het afweten, de bewolking is te dik om licht door te laten.

Ik ga staan en trek de achterklep open. Zwakke interieurverlichting toont een lege achterbak. In de klep zit een sluiting, ik schroef hem open en een klein kunststof plateau valt horizontaal uit zijn behuizing. Gereedschap. Sleutels. Reserveonderdelen. Ik trek de bekleding van de kofferbak opzij, klap die dubbel en tast rond in de ruimte rondom het reservewiel. Leeg.

Langs de rotswand loop ik terug naar voren en pak het mapje uit het handschoenenkastje.

Kopieën van autopapieren.

Ik vouw ze open. Het is een kentekenbewijs, op naam van een bedrijf. Het witte papier zuigt zich vol druppels die van mijn haar en jas vallen.

ALTUNA ISARO S.L.

Nooit van gehoord.

Ik prop het papier in mijn binnenzak. Twijfel even. Die auto zit vol met mijn sporen, met vingerafdrukken. Even speel ik met het idee een shirt in de tank te proppen en het boeltje in de hens te steken. Afgebrande auto's tonen geen sporen.

Beneden, tussen de bomen door, zie ik een auto over de doorgaande weg rijden. Een gele lichtbundel klieft door de regenachtige avond en verlicht spookachtig de kale boomtakken.

Nee. De brand kan snel worden opgemerkt, mogelijk nog voor ik in Irún ben. Ze kunnen me zo van de weg plukken; een eenzame wandelaar in de februariregen die bagage met zich meedraagt.

Mijn weekendtassen glinsteren van de nattigheid en glasscherven. Ik neem ze van de achterbank, sluit het portier en begin te lopen.

3

De laatste trein naar Frankrijk is om 23:12 uur weggereden.

Ik heb hem net niet kunnen uitzwaaien: het is vier minuten later en ik sta op het betreffende perron van *Estación de Irún - Renfe Irún*, met blaren op mijn voeten en opengetrapte hielen. Klappertandend. Mijn kleding volledig doorweekt. Als ik de tassen op de grond zet, weigeren mijn vingers de hengsels los te laten. Ze zijn rood en ijskoud en tintelen als ik ze strek en buig.

In de beschutting van de overkapping langs het spoor zie ik menselijke resten tegen elkaar aan kruipen. Sommigen liggen met hun hoofd op hun bezittingen in plunjebalen en plastic zakken. Mannen met onverzorgde baarden en uitgemergelde gezichten, veel te ruime legerjassen en gerafelde, vuile jeans. Anderen zitten rechtop tegen de betegelde muur. Tussen hen in scharrelen een paar magere herdershonden rond. Een paar vrouwen die amper als zodanig herkenbaar zijn, met een huid die als een zak over hun botten ligt. Ze staren me aan met een holle blik.

Disneyland voor heroïnedealers.

In hun ogen zie ik mezelf weerspiegeld. De uitzichtloosheid van alles. Voortgejaagd worden door dierlijk instinct in plaats van gedreven zijn om een doel te bereiken.

Ik moet hier weg. Ik moet onderdak zien te vinden. Even schiet de gedachte aan thuis door me heen. Geen hotels meer, geen huurauto's, niet meer wegvluchten. Maar thuis is in mijn geval een zolderetage boven een garage in Bury. Een metalen trap langs de oprit die me naar een ruimte brengt van vijf bij zeven meter met een douche en een keukenblok. De zus van mijn moeder stond de garagezolder af toen het met Helen uit de hand was gelopen. Hij stond toch leeg. Ik hoefde geen huur te betalen als ik de verdieping wilde opknappen, haar tuin en klusjes deed en haar hielp met de vele nesten honden die ze fokte; Welsh terriers en teckels. Tante Pattie woonde alleen en ik was haar hulpje dat boven de garage woonde. Niet bepaald iets om trots op te zijn, maar het functioneerde in elk geval prima als uitvalsbasis in de tijd dat ik bezig was mijn leven op orde te krijgen.

Alleen is dat leven nooit op orde gekomen. En het wordt alleen maar een grotere teringzooi. Ik kan niets anders constateren: ik heb geen thuis. Ik heb niemand.

Vanaf Bosnië is alles anders geworden. Niet meteen. In het begin leek er weinig aan de hand. Niemand sprak nog over Gornji Vakuf. Dat deed je gewoon niet, je ging gewoon door, keek niet achterom. Het was ons wérk geweest en dat het helemaal verknald was, er tienduizenden mensen min of meer onder onze ogen waren afgeslacht, dat kon niemand óns, de uitvoerders, verwijten. Wij waren niet meer dan radertjes in een massaal, bar slecht georganiseerd en totaal verrot geheel. Het draaide om politiek. Dat wisten we allemaal wel, rationeel. Maar het voelde heel anders. Niemand van ons liep met zijn gevoelens te koop – voor zover die nog intact waren, want ik geloof niet dat iemand nog hetzelfde was als voor de uitzending.

In de jaren erna ben ik niet meer uitgezonden geweest. We deden ons ding, gingen op oefening, trainden jaar in jaar uit voor een volgende confrontatie die niet kwam. Inwendig heeft de druk zich opgebouwd, tot de onvermijdelijke kortsluiting volgde. Die eerste keer zal ik nooit meer vergeten, al is het alleen maar omdat dat ene moment, die ene handeling, bepalend is geweest voor de toekomst waarin ik nu sta.

Het was zomer en niets wees erop dat er die dag iets vreselijks zou gebeuren. Helemaal niets. Dat is ook iets wat ik heb geleerd: onheil overkomt je niet tijdens onweer en storm, maar op zonovergoten dagen. Het geluid van een laag overvliegende helikopter bracht me terug in Gornji Vakuf. Ik had het niet eens gemerkt. Helen had me op de schouder getikt, of mijn bovenarm vastgepakt. Zoiets. Ik had haar in elk geval niet aan horen komen. Haar niet gezien. Ik was niet in Liverpool, ik was in Bosnië. En ik reageerde onmiddellijk zoals ik daar gereageerd had op een onverwachte benadering: door haar vol in haar gezicht te stompen.

Dat was de eerste keer.

Helen moet veel van me gehouden hebben. Er volgden nog drie incidenten.

Bij het laatste had ook Helen, met alle liefde en begrip die ze voordien nog had kunnen opbrengen, geen veerkracht meer, geen moed, geen vechtlust. Ze vocht niet tegen mij, had ze steeds gezegd, want van mij hield ze. Ze vocht tegen een onzichtbare, volstrekt onvoorspelbare ziekte. Ze kon het niet meer opbrengen. Ze kon het gewoonweg niet meer. Ik had haar emotioneel uitgeput.

Daarna is mijn leven vol van de rails geschoten. Eerst vluchtte ik in het werk, de oefeningen, tot duidelijk werd dat ik ook in het leger niet meer functioneel was. Vervolgens vluchtte ik in drank. Daarna vluchtte ik letterlijk: weg van Helen, weg uit Liverpool, weg uit Engeland. En zelfs in Mexico wist ik het voor elkaar te krijgen er zo'n bende van te maken dat ik ervandoor moest. Nu, hier op het winderige station in Irún, sta ik opnieuw te wachten op een trein die me naar een ander land brengt, weg uit Spanje.

Ik heb de problemen niet zelf opgezocht, niet actief, maar maakt dat wat uit? De uitkomst is hetzelfde. Voor de uitzending naar Bosnië dachten we in onze naïviteit dat we iets goeds gingen doen: de vrede bewaren, burgers beschermen. We zouden het daar wel even op gaan lossen. Niemand van ons was voorbereid op wat we er aantroffen, niemand kon ook maar het geringste vermoeden hebben gehad hoe volledig doorgedraaid en getraumatiseerd we uit die hel zouden terugkomen. Dat ik Petrovic te grazen heb genomen, is iets góeds. Daar ben ik nog steeds van overtuigd, dat het verdomme mijn beste bijdrage is geweest aan die hele verrotte missie: één klootzak minder, waarmee ik tientallen nieuwe slachtoffers had weten te voorkomen. In Mexico wilde ik alleen maar rust, nadenken, verder niets. Ik heb er niet naar gesolliciteerd om opgepikt te worden door twee sadistische macho's. Wat hen overkwam was een logisch gevolg van hun handelen, niet het mijne. Net zomin heb ik erom gevraagd om besodemieterd te worden door Angela, de trut, de doortrapte bitch. Ik was zelfs om haar gaan geven, eikel die ik ben.

Wat is er verdomme over van de jarenlange training, de ervaring? De scherpte? Ik heb geleerd om aan te vallen, dat is erin gehamerd. Aanvallen, niet afwachten. Bij dreiging keihard terugslaan.

Ik kijk naar de junks die me met holle ogen aanstaren. Ze peilen me, ze bekijken mijn doorweekte kleding, mijn verfomfaaide tassen en mijn warrige haar. Ik zie ze denken: ben ik een van hen? Of een prooi? Gaan ze me zo bespringen in een wanhopige poging aan kleingeld te komen voor de volgende fix? Hun ogen lijken kwaadaardig te glinsteren in het groenige tl-licht op het perron, als die van hyena's die om hun prooi cirkelen.

Wat doe ik hier nog?

Ik draai me om en loop het perron af. Elke stap doet zeer maar ik merk het amper. Het is de laatste keer dat ik wegloop, spreek ik met mezelf af. De laatste keer.

Terwijl ik de kleine centrale hal in loop, trek ik de kopie uit mijn binnenzak. Ik vouw het vochtige A4'tje open en kijk opnieuw naar de bedrijfsnaam en het postbusadres in San Sebastián. Geen aansluiting, er flitst daarboven niets aan.

Toch zou het me iets moeten zeggen. Ik neem aan dat de BMW van degene is die me dood wil hebben: Angela zelf, of haar broer of een vriend. Wie dan ook.

Ik snuif en prop het papier terug in mijn binnenzak. Wrijf met duim en wijsvinger over het bovenste stuk van mijn neus en knijp mijn ogen even dicht. Het zou verhelderend kunnen werken als ik probeer dat bedrijf te vinden. Kijken of ik er meer over te weten kan komen, en over de eigenaar of eigenaars ervan.

Maar dan moet ik eerst nog even iets essentieels regelen.

4

De schuifdeuren maken een sissend geluid en koude nachtlucht blaast me tegemoet. Wat ik heb geleerd in de jaren dat ik uitgezonden ben geweest is dit: als je iets illegaals nodig hebt in een vreemde stad, ongeacht wat, dan kun je altijd terecht bij twee beroepsgroepen: hoeren en taxichauffeurs. In Gibraltar regelde Mark Fairweather op die manier onze wiet. En hij kreeg veel meer aangeboden dan dat alleen. Vrouwen, tieners, cocaïne – waarvoor wij vriendelijk bedankten.

Dat junkiereservaat hier op het perron heb ik net mogen bezichtigen, en ik heb er weinig trek in om de vrouwelijke helft daarvan delicate vragen te stellen.

Er ligt een plein voor het station, niet veel meer dan een langwerpige lus waar passagiers kunnen worden afgezet. In het midden is een rij populieren aangeplant, hun bladerloze takken wiegen zacht heen en weer in de wind.

Twee taxi's staan schuin voor het station, op het zwarte glinsterende asfalt. Hun binnenverlichting brandt. Ik aarzel. Waarschijnlijk zie ik er te desperaat uit in deze drijfnatte kleren. Elke geestelijk gezonde taxichauffeur zal wel drie keer nadenken voor hij me aan een vage kennis introduceert die me kan leveren wat ik nodig heb.

Maar als ik nu niets doe, dan doet een ander het, en ben ik te laat. Niets te verliezen.

Ik grijp de hengsels van de weekendtassen beet en loop naar de voorste taxi. Een spierwitte Volkswagen Passat, nieuw model. Ik trek het portier open en steek mijn hoofd naar binnen.

Een korte, gedrongen vent met grijzend haar neemt me op met twee donkere, dicht bij elkaar staande ogen. Ik schat hem een jaar of vijfenveertig. Hij draagt een ribbroek en een overhemd met een verfrommeld colbertjasje. Op het dashboard hangt een taxivergunning: een pasfoto van een onwennig in de lens kijkende, zeker vijf jaar jongere Javier Salvador Ecenarro.

'Is deze taxi vrij?'

Hij knikt.

Ik zet de weekendtassen op de achterbank en schuif aan. Ecenarro zet de meter op het starttarief en kijkt me vragend aan in de binnenspiegel.

'Begin maar te rijden,' zeg ik.

'Waarheen?'

Goede vraag. 'Ik heb iets nodig.'

Hij reageert niet.

Ik klem mijn kiezen op elkaar. Hij moet het maar begrijpen en anders probeer ik het zo bij zijn collega.

'Iets?' vraagt hij uiteindelijk.

Ik knik. 'Ja, iets.'

'Vrouwen, marihuana?'

Hij begint het door te krijgen. 'Een wapen.'

Ecenarro sist en schudt zijn hoofd. 'Wapen...' herkauwt hij, alsof hij zich verbaast over de steeds veeleisender clientèle in zijn Passat.

In een ingeving rits ik mijn weekendtas open en trek er een biljet van honderd euro uit, dat ik tussen de voorstoelen op de middenconsole leg.

Ecenarro kijkt ernaar, zwijgt nog een paar tergend lange seconden en stopt het dan weg in de binnenzak van zijn colbert.

'Wat voor wapen?' vraagt hij, terwijl hij voor zich uit over het natte wegdek staart.

Ik zak opgelucht achterover, maar voel mijn hartslag versnellen. 'Een pistool.'

Hij trekt even een wenkbrauw op en meldt dan zijn rit in de mobilofoon. Ik heb geen idee wat hij zegt en kan alleen maar hopen dat hij zo corrupt is als hij eruitziet en handelt.

Ecenarro is een man van weinig woorden. Hij stuurt de taxi van de standplaats weg, rijdt via een wirwar van eenrichtingsstraten naar de hoofdstraat, die Colón heet of in elk geval dat woord in zich draagt, buigt dan af en verliest zich al snel in scherp bochtenwerk door smalle straatjes. Links, rechts, weer rechts, een heel stuk rechtdoor. Er moet iets politieks gaande zijn, er hangen overal witte spandoeken onder de ramen en aan verpauperde balkons waarop in krachtige zwarte letters TANATORIO EZ/NO staat.

Ik probeer te onthouden waar de rit heen voert, want mijn chauffeur weet dat ik contant geld bij me heb, en meer dan een paar tientjes. Niemand gaat een vuurwapen kopen zonder geld op zak. Dus mag ik de mogelijkheid niet uitsluiten dat ik hem zojuist op het onfrisse idee heb gebracht me naar zijn vriendjes te brengen die me van mijn laatste geld beroven. En in dat geval is het verrekte handig als ik ongeveer weet waar ik ben.

Het regent al minder hard. De Passat rijdt door plassen water langs de stoepranden. Er zijn weinig mensen op de been. Op het blauwe lcd-schermpje op het dashboard staat dat het twee graden is, tien minuten voor middernacht. De meter staat op acht euro.

Rechts, links, weer links. Een paar straten terug ben ik de tel kwijtgeraakt. Ik heb geen idee waar ik nu zit, het is ook niet bepaald een logische route die hij neemt. Mijn richtingsgevoel zegt dat we rondjes rijden, haken slaan, en dat er een veel kortere weg moet zijn naar waar hij me ook gaat brengen. Waarschijnlijk doet hij het niet alleen maar om de ritprijs op te drijven; ook drugsdealers, wapenhandelaartjes en hoeren hebben een protocol. Mogelijk is Javier Ecenarro al net zo nerveus als ik, en wil hij voorkomen dat ik me de route kan herinneren. Dit soort zaken gaan op vertrouwensbasis, en vertrouwen kun je nou eenmaal niemand. Zeker niet iemand die je vijf minuten geleden ontmoet hebt en je heeft gevraagd om een vuurwapen. Ik kan wel een stille zijn, een concurrent. Of een psychopaat. En vertrouwen kun je ook geen taxichauffeur in nachtelijk Irún, die honderd euro aanneemt om je te introduceren in zijn schimmige criminele netwerkje.

In elk geval sta ik op scherp. Mijn voeten voel ik niet eens meer.

De taxi stopt abrupt bij een stoeprand. Ecenarro laat de motor draaien en stapt uit, hij maakt een handgebaar dat me op mijn plaats moet houden.

Ik zie hem aanbellen bij een sjofel pand, drie smalle, afgebladderde deuren naast elkaar. Hij kijkt zenuwachtig de straat rond. Wipt van zijn ene op zijn andere been. Dan buigt hij zich voorover en begint te praten, door de gesloten deur heen. Kijkt vervolgens weer nerveus de straat in. Zegt weer wat. Het lijkt een eeuwigheid te duren.

Achter ons komt een auto aangereden. Ik duik weg, uit gewoonte, maar het licht dooft. Hij is achter ons komen staan. Ecenarro komt terug in de taxi, neemt plaats op de bestuurdersstoel en draait zich naar me om. 'Drieëntwintig euro voor de rit.'

Ik graai in mijn weekendtas en geef hem een biljet van twintig en één van vijf.

Hij neemt ze aan en doet geen moeite me het wisselgeld te geven. 'Je moet in die auto hierachter stappen, die brengt je verder.'

Ik kijk door de achterruit naar mijn nieuwe vervoer. Een Renault, twee donkere silhouetten. Twee kerels.

Ecenarro wordt ongeduldig. 'Hé man, luister eens, ik heb niet de hele nacht, ik heb meer te doen.'

Ik knik, brom iets, gris de tassen van de achterbank en loop over de stoep naar de Renault.

Terwijl ik de taxi hoor wegrijden, stapt een kerel aan de trottoirkant uit en maakt me duidelijk dat ik mijn tassen neer moet zetten. De ander komt nu ook uit de auto en houdt me in de gaten. Kerel één – lang zwart haar, jeans, bomberjack en een rode sjaal rond zijn nek – ritst mijn tassen open en doorzoekt de inhoud. Meer dan wat vuil ondergoed, papieren, een toilettas en nog meer kleding vindt hij niet. Hij ritst de tassen dicht en kijkt me langdurig aan met zijn grote, waterige ogen. Zijn wenkbrauwen lopen door tot over zijn neusrug.

Ik kijk terug zonder te knipperen. Hij heeft het geld gemist. Het zit in een binnenvak dat hij over het hoofd heeft gezien.

Kerel twee, de chauffeur – zelfde bomberjack, maar met korter haar en een jaar of zes ouder dan zijn vriend – komt bij ons staan en zegt kortaf: 'Armen wijd.'

Dit hele gedoe begint me behoorlijk te irriteren. Ik kauw op mijn wang en kijk beide mannen aan. Er is geen moment dat ik eraan twijfel of ze bewapend zijn. Het spreekt uit hun routinematige en koele houding. Langzaam doe ik mijn armen omhoog.

Nummer twee voelt in mijn zakken, onder mijn jas, laat zijn ijskoude handen langs mijn ribben en borst gaan, zakt dan op zijn knieën en glijdt snel met beide handen langs mijn ene, en dan mijn andere been. Ze zoeken naar een zender. Of een wapen.

Het fouilleren zit erop. Nummer twee trekt het achterportier voor me open.

Ik gooi de tassen op de achterbank. Zodra ik plaatsneem, schuift kerel één bij me aan. Heel gezellig allemaal.

De hele rit duurt niet langer dan vijf minuten. We stoppen in een steeg tussen hoge muren, met alleen een paar houten garagedeuren waar borden op gespijkerd zitten die je duidelijk maken dat je er niets te zoeken hebt. Sombere gebouwen, raamloos, rijzen links en rechts boven ons op. Geen verlichting.

Kerel twee stapt uit en de procedure lijkt zich te herhalen. Ik zie hem praten tegen een garagedeur. Hij kijkt onze kant op en knikt. Nummer één stapt nu ook uit en maakt een ongeduldig gebaar hem te volgen.

Ik wil mijn tassen meenemen, maar dat is duidelijk niet de bedoeling.

'Laten liggen.' Hij spreekt Engels met een verschrikkelijk zwaar accent en kijkt me indringend aan van onder zijn wenkbrauwbalkon.

Ik twijfel. Mijn hele hebben en houden zit in die twee tassen. Paspoort, bankpas, alles. 'De tassen gaan mee,' besluit ik. Hij kan mijn rug op.

Mogelijk heb ik voldoende dominantie in mijn stem en houding gelegd, want hij laat het erbij.

Met de weekendtassen loop ik naar kerel twee, op de voet gevolgd door nummer één. In het bruine houtwerk wordt een loopdeur geopend. Mijn twee nieuwe vrienden duwen me zo'n beetje naar binnen. Ik maak een fel afwerend gebaar met mijn schouder. Ze voelen zichzelf heel wat, maar ze moeten het niet overdrijven.

Ik ben behoorlijk gespannen. Het lijken me allemaal wel standaardprocedures, maar wat weet ik ervan? Ik doe niet dagelijks zaken met foute types. Niet eens maandelijks.

We komen uit in een fel verlichte ruimte ter grootte van een gemiddelde woonkamer. Op de vloer ligt beton, het plafond bestaat uit doorhangend zachtboard met tl's en de wanden zijn slordig geschilderde gasbetonblokken. Achterin zit een stalen deur. De vaalwitte verflaag is zwaar beschadigd.

Verder is de ruimte leeg, op een mannetje van een jaar of vijfentwintig na dat amper tot mijn schouders komt. Ik schat hem een meter vijfenzestig en hij ziet eruit als een latino die te veel naar MTV kijkt: bakkebaarden die dunne lijnen vormen naar een baard die de naam amper mag dragen. Gouden oorring, zijn haar is langs de oorlijn naar boven in kunstige strepen geschoren en de rest van zijn zwarte haar draagt hij naar achteren in een staart.

Hij gluurt naar me alsof er roze tentakels uit mijn oren kronkelen. Mijn wapenhandelaar maakt op zijn zachtst gezegd een nerveuze indruk en straalt een onrustige energie uit die bijna voelbaar is. Een knetterende brok dynamiet met een levensgevaarlijk kort lontje.

Ik ben bij een drugsdealer terechtgekomen die zelf zijn beste klant is. Eén van de experimenterende soort. Fijn. Maar wat had ik dan verwacht in deze steeg? *Guns "R" Us*?

Wapens en drugs gaan samen. De *core business* is hier duidelijk drugs. In het meest positieve geval heeft hij een paar tweedehands pistolen liggen, die hij heeft geruild voor coke. Vuurwapens die hij liever omzet in geld. Zoiets. Veel bijzonders zal het niet zijn.

Opperjunk spreekt. 'Heb je geld?'

Ik knik.

Zijn donkere ogen flitsen naar mijn jas, mijn bagage. 'Waar? Hoeveel?'

'Eerst een wapen.' Ik probeer rustig te blijven. 'Eerlijk oversteken.'

Hij ratelt iets onverstaanbaars naar mijn pas verworven vrienden. Ze staan een beetje bedremmeld naar hem te kijken. Nummer twee haalt schaapachtig zijn schouders op.

Opperjunk zoekt iets in de binnenzak van zijn jas.

Ik verstar onmiddellijk.

Het volgende moment trekt hij een pakje Fortuna te voorschijn en steekt een sigaret aan met trillende vingers. Hij houdt hem vast tussen duim- en wijsvinger, neemt nerveus een paar trekken en kijkt me weer wezenloos aan. Ik heb het gevoel dat hij elk moment kan ontploffen. Zelden heb ik iemand gezien die zo gespannen is. En ik heb heel wat gespannen mensen gezien in mijn leven.

'Oké,' zegt hij uiteindelijk in het Engels. 'Wat zoek je?'

'Een pistool.'

Hij wrijft over zijn gezicht, kijkt me fel aan en tikt as van zijn sigaret die er niet op zit. 'Dat kost je twaalfhonderd euro. Laat eerst het geld zien.'

Ik kijk naar mijn chauffeur. Nummer één en twee zijn niet op hun gemak. Ze zijn bang van hem, ze hebben geen idee wat hij gaat doen. In elk geval zijn deze drie mensen niet op elkaar ingespeeld en is eventueel ontploffingsgevaar alleen te verwachten van de kant van Opperjunk.

Ik probeer zo rustig mogelijk te spreken. 'Ik wil zien wat ik koop. Twaalfhonderd is de prijs voor een Browning of een Beretta.'

Opperjunk barst bijna uit zijn vel, begint te schelden en te gebaren naar nummer één en twee, die in onverstaanbaar Spaans – of Baskisch? – sussend op hem inpraten.

Naast me komt nummer één in beweging. 'Laat hem je geld zien, man.'

Omdat ik vermoed dat Opperjunk zonder aarzeling een vuurwapen trekt als hij alleen maar het idee heeft dat ik een onvoorziene beweging maak, zeg ik: 'Het zit in één van de tassen.' Met mijn handen wijd kijk ik Opperjunk aan. 'Ik pak het geld, oké?'

Terwijl ik met mijn lichaam het zicht op de inhoud afdek, rits ik een tas open en vind mijn geld in een vochtig binnenvak. Ik tel de briefjes af, vloek binnensmonds omdat mijn handen trillen als een gek, en trek er uiteindelijk zeven uit. Eén briefje van honderd voor de taxichauffeur, zeven voor het wapen. Achthonderd euro. Dat lijkt me het dubbele van de waarde van het wapen dat deze gast me gaat aanbieden – als hij me al een wapen aanbiedt en geen 9mm door mijn achterhoofd jaagt.

Ik houd de briefjes in mijn rechterhand voor me uit, steek ze hem toe. 'Zevenhonderd,' bluf ik. 'Meer heb ik niet. Wat heb je voor me, voor zevenhonderd?'

Opperjunk grist de briefjes uit mijn hand, werpt de brandende sigarettenpeuk van zich af, draait zich abrupt om en verdwijnt door de metalen deur uit het zicht.

Nummer twee snuift en begint op gedempte toon te praten met zijn collega. Ik krijg er geen woord van mee. Het wordt nooit wat met dat Verenigd Europa, schiet door me heen. Al die landen met hun eigen talen, dialecten, streektalen, straattalen. Je moet fucking hoogbegaafd zijn om ze allemaal te kunnen volgen.

Inmiddels ril ik. Het is niet alleen de stress die in mijn systeem rondraast. Mijn kleding begint op te drogen en het is verschrikkelijk koud in dit hok. Ik adem witte condenswolken uit. Mijn voeten zijn nog steeds gevoelloos.

Net als ik denk dat Opperjunk wacht tot we doodgevroren zijn, gaat de deur weer open en komt hij binnen. Hij reikt me een zwart pistool aan, met de pistoolgreep in mijn richting.

Een HS2000, 9mm. Joegoslavische – herstel: Kroatische – makelij. Deels van kunststof, een hoekig zwart ding met een lengte van een centimeter of achttien. Houdt het midden tussen een Glock en een Sig Sauer, single action, en doet waar het voor gemaakt is. Helemaal geen verkeerd wapen. Ik probeer of er speling zit op de slede en haal het magazijn eruit. Leeg. Het is verre van nieuw, wat betekent dat het heet kan zijn – er dus iemand mee is vermoord of neergeschoten. Meer specifiek brengt dit Kroatisch stuk speelgoed me in de problemen als ik ermee word gepakt.

Maar er valt weinig te kiezen, vanavond. Ik moet dus maar zorgen dat ik buiten beeld van de autoriteiten blijf. Vandaag ben ik al onvoorzichtig genoeg geweest door zo ver door te rijden met een beschoten auto. Achteraf gezien gekkenwerk. Ik moet een goede beschermengel hebben. Of een heel leger.

Net als ik opkijk om te vragen of hij munitie heeft, duwt Opperjunk me een doosje 9mm's toe. Hij maakt een arrogant kingebaar naar mijn vrienden en verdwijnt weer naar achteren.

Nummer één maakt de deur voor me open en zijn vriend loodst me naar buiten.

Tien minuten later sta ik weer voor Renfe Irún. Als ik op mijn horloge kijk, blijkt het tien over half een te zijn.

5

Het internetcafé aan het begin van de winkelpromenade in San Sebastián lijkt me een prima locatie om een zoektocht te starten in een land waar ik niemand ken, de taal niet van spreek en niet op wil vallen. Ik ben in elk geval niet de enige buitenlander, afgaande op het knauwend Amerikaans tot hard Duits dat ik om me heen hoor.

Nadat ik een hete douche had genomen en vervolgens als een beer had geslapen in een creditcardhotel zonder toezicht, heb ik vanmiddag in Irún een witte Opel Corsa gehuurd en ben ermee naar San Sebastián gereden. Onderweg heb ik de kopie van het BMW-kenteken verscheurd en weggegooid in een container bij een van de duizenden woonkazernes waar ze in deze streek zo dol op zijn. Mijn weekendtassen liggen nu in een kamer van een goedkoop pension op nog geen tweehonderd meter lopen van het internetcafé. Het ligt precies aan de andere kant van de baai als waar Angela en ik hebben geslapen. Dat lijkt me beter. Echt prettig voel ik me niet in deze stad. Mijn instinct zegt me dat Angela hier al lang niet meer is, maar San Sebastián is wat mij betreft besmet. Behoorlijk besmet.

Ik voel me nog steeds wat licht in mijn hoofd. Mijn voeten liggen open van de oncomfortabele tocht van vannacht en zijn een hechte fusie aangegaan met de vezels van mijn sokken.

Ik tik de bedrijfsnaam in de zoekmachine en laat het glasvezelnetwerk en de nullen en enen de rest doen.

Geen vermelding. Niet één.

Ik neem nog een slok van de sterke koffie, gooi de laatste M&M's die ik uit de automaat scoorde in mijn keelgat en staar naar de openingspagina van Google. Het zou ook al te simpel zijn geweest: een bestaand bedrijf, met naam en adres, inclusief routebeschrijving onder één muisklik. Nou ja. Het was te proberen.

Ik hoor iemand binnenkomen en draai me onwillekeurig om. Het is een jongen van een jaar of zestien met een ijzerwinkel aan zijn onderlip. Terwijl ik me weer op het scherm concentreer, dwaalt mijn blik af naar de camera's. Ze hangen verdekt opgesteld tussen de felle plafondverlichting. Ik zag ze al bij binnenkomst, de glanzende halve bollen, een bij de ingang en balie en een in het midden van de ruimte. Ze hangen hier, daarvan ben ik overtuigd, omdat terroristen internetcafés gebruiken om met elkaar contact te leggen, maar ik betwijfel of er daadwerkelijk iets wordt gedaan met al die tienduizenden uren beeldmateriaal die in heel Europa worden opgenomen. En camera's of niet, het maakt niet uit. Er is geen link meer: ik ben nu een van de toeristen in koud San Sebastián.

Bovendien heb ik vannacht nog mijn haar, dat zo lang was geworden dat ik het bijna in een staart had kunnen dragen, voor de veiligheid kort geschoren. Ik herkende mezelf nog amper. Het riep herinneringen op aan de periode dat kortgeschoren regel was. Meer specifiek riep het herinneringen op aan het moment dat ik voor het eerst mijn haar afschoor, voor de spiegel in mijn ouderlijk huis in Liverpool.

Tweede zondag in maart, drie uur voor de trein vertrok naar Pirbright, Surrey. In de kleine badkamer drong nauwelijks licht door, dat werd, zolang als ik me kon herinneren, succesvol verhinderd door de fabriek aan de overkant van de straat. De twintig meter hoge kolos van bruine baksteen en dichtgekalkte ruiten was de afgelopen zeventien jaar het uitzicht uit mijn slaapkamer geweest.

Vandaag ging dat veranderen.

Ik zette de tondeuse in mijn nek en boog mijn hoofd boven de wasbak. Terwijl mijn haar in plukken op het mosgroene keramiek viel, hoorde ik mijn vader beneden overdreven hard kuchen. Als bij afspraak gooide mijn moeder de keukendeur te hard dicht. Ik reageerde er niet eens meer op. De boodschap was duidelijk en eigenlijk al jarenlang dezelfde: ze waren het niet met me eens. Dat was iets structureels in het gezin waar ik in opgroeide. We hadden de pech tot elkaar veroordeeld te zijn.

Toen ik acht maanden oud was, plukten mijn ouders me uit een weeshuis vandaan. De volgende zestien jaren hielden ze hun mond stijf dicht over mijn afkomst en probeerden ze mijn gedrag in hun banen te leiden, zodat de – met het jaar duidelijker wordende – enorme karakterverschillen niet zo opvielen.

Mijn pleegouders zijn mensen die je godvruchtig kunt noemen. In elk geval gingen ze elke week naar de kerk, en zonder twijfel doen ze dat nu nog steeds. Zorgzaam, rechtlijnig, kleurloos. Brave mensen, zonder meer. Maar met een absoluut onrealistische kijk op de wereld in het algemeen en jongeren in het bijzonder.

Overal was strijd over. Kleding. Muziek. Haardracht. Drugs (waar volgens hen bier al onder viel). Uitgaan. Meisjes. En de vijandelijkheden begonnen niet op mijn dertiende of veertiende, wat het draaglijker had gemaakt, of begrijpelijker misschien, maar al veel eerder.

Ze hebben hun best gedaan, dat geloof ik echt. En ik geloof ook dat ik het veel slechter had kunnen treffen, omdat ik voorbeelden daarvan dagelijks om me heen zag. Maar ik voelde me thuis net zo op mijn gemak als een hardrocker op een jazzfestival.

Dat ik niet hun biologische kind was, werd me een paar maanden voor mijn zeventiende verjaardag medegedeeld door mijn vader. Hij had moeite me aan te kijken en trok zenuwachtig aan de flossen van het tafelkleed. Op hetzelfde moment zat mijn moeder in de keuken aardappels te schillen en deed haar uiterste best om niet hardop te huilen.

Ik hoorde mijn vader met een koortsachtig enthousiasme aan. De energie knalde door me heen, ik had moeite om te blijven zitten, terwijl hij hortend, stotend en tergend langzaam zijn verhaal deed. Iemand had me te vondeling gelegd, op de stoep bij het weeshuis in Manchester. En dat was het dan.

Alle puzzelstukken vielen op hun plek. De onrust, het gevoel nergens bij te horen: niet bij deze mensen, niet bij deze straat of zelfs maar deze stad. Het werd gevoed door een steeds sterker wordend besef van incompleetheid, dat er al was zover mijn herinneringen teruggingen.

Door te tekenen voor het leger dacht ik in één klap een aantal problemen op te lossen. Ik hoefde niet meer bij mijn ouders of zelfs in Liverpool te blijven wonen, ik ging wat zien van de wereld, nieuwe mensen leren kennen uit andere regio's en landen, met andere opvattingen en achtergronden. Er was iets wat op me wachtte, daarbuiten. Ik wist niet wat, maar ik was ervan overtuigd dat ik er vanzelf wel zou achterkomen. Tegelijkertijd werd voor eten gezorgd, een opleiding en een dak boven mijn hoofd. Dat ik een beetje in een tank zou mogen rondrijden en de vrede bewaken in arme landen, gesalarieerd en wel, leek een groot avontuur. *The dogs bollocks* – geweldig.

Het was de tweede zondag in maart, ik was achttien en kon officieel beginnen aan de rest van mijn leven. Nu was ik het die bepaalde wat er ging gebeuren.

Niet dus.

De koffiebeker ligt aan gruzelementen. Gedachteloos heb ik het plastic aan stukken zitten trekken. De zielige resten liggen naast het toetsenbord.

Eigenlijk heb ik nu nog maar een paar aanknopingspunten. In Baskenland zal vast wel een Kamer van Koophandel zijn, waar ik navraag kan doen. Alleen heb ik geen verhaal. Ik kan me wel voordoen als iemand die zaken met dit bedrijf wil doen, ik weet niet eens wat ze als dekmantel hebben. Auto's? Kopieermachines? Het kan van alles zijn, van kappersbenodigdheden tot een transportbedrijf.

Er moet een andere mogelijkheid zijn.

Ik haal me het nummer van de postbus nog eens voor de geest. Nummer 56. Ergens in deze betonnen stad moet een postkantoor zijn met een afgeschermde hal of buitenmuur vol met postbussen, waarvan een er nummer 56 heeft. En die nummer 56 wordt dagelijks, om de dag of ten minste wekelijks door iemand geleegd. Iemand die wél weet wat Altuna Isaro S.L. fabriceert, verkoopt, verhuurt of verhandelt. Officieel en onofficieel. Tenminste, dat lijkt me logisch.

Ik denk aan de HS2000 op mijn hotelkamer. De training die ik heb gehad. Ik kijk nog eens naar het computerscherm, dat nu in drie talen aangeeft dat ik geld in de kast ernaast moet gooien als ik online wil blijven.

Laat maar. Ik heb hier niets meer te zoeken.

6

Maybe your mind is playing tricks/You sense, and suddenly eyes fix
On dancing shadows from behind

Iron Maiden, 'Fear Of The Dark' (*Fear Of The Dark*)

Eergisteren, direct nadat ik het internetcafé had verlaten, heb ik de plaatselijke vvv opgezocht en een stratenplan gescoord. Systematisch was ik de wijken af gaan zoeken naar postkantoren. Die heten hier Correos en alle gebouwen en auto's die ze gebruiken zijn uitgedost in geel met een blauw logo: een ouderwetse posthoorn met een kroon erboven.

Al snel dwong de pijn in mijn voeten me een paar naadloze sportsokken, pleisters en sneakers aan te schaffen. Daarna ging het beter. Ik had alle postkantoren die ik had gecontroleerd afgestreept. Enige logica kon ik in het postbussensysteem niet ontdekken en daarbij waren de openingstijden beperkt zodat ik veel tijd verdeed met rondlummelen, wachten tot ik naar binnen kon. Ik doodde de tijd met een ansichtkaart voor Helen uitzoeken in een souvenirwinkel. Met één oog gericht op het postkantoor dacht ik na over wat ik haar zou schrijven, en besloot uiteindelijk tot een simpel '*luv you*'. Niet de meest briljante tekst ooit maar dat was nu eenmaal wat we tegen elkaar zeiden in betere tijden. De kaart, achteraf bezien al net zo lullig als wat ik op de achterkant had geschreven – zes foto's van het oude centrum van San Sebastián – belandde gisteren in een brievenbus richting Engeland.

Het postkantoor waar ik gisteravond postbus 56 in aantrof, ligt in een verkeersluwe zijstraat. Een eenrichtingsweg met brede betonnen trottoirs en een stopverbod. Schuin ertegenover was een portiek in een leegstaand pand, een ideale uitkijkpost. Op de valreep kon ik nog een legerjack kopen in een dumpzaak en een paar plastic tasjes scoren van Eroski, een plaatselijke supermarkt, die ik vulde met wat rotzooi uit een vuilcontainer en twee blikken bier.

Hopelijk kan ik ermee door als zwerver. Er zijn er genoeg hier, alleen dragen ze hun haar meestal niet zo kort.

Vanochtend om zes uur installeerde ik me in het portiek. Rond zevenen kwamen de eerste postbodes op fietsen en scooters naar hun werk, laadden hun kanariegele busjes of de zadeltassen en koffers van hun dienstscooters en vertrokken naar hun wijken. Tegen twaalven kwamen ze weer terug, om na de lunch tegen drieën opnieuw uit te rukken.

Vanaf hier kan ik de postbussen zien. Het enige wat me nog te doen staat is wachten tot er iemand komt om nummer 56 te legen.

Voor de zoveelste keer controleer ik mijn wapen. De HS2000 steekt achter mijn broekband, aan het oog onttrokken door mijn sweater en jas.

Er is weinig beweging bij het postkantoor. Te weinig naar mijn zin. De uren kruipen voorbij.

Ik hoop op een doorbraak, want ik ben deze klotestad meer dan beu. Ik kan niet begrijpen wat toeristen in San Sebastián, *Donostia* in het Baskisch, komen zoeken. Mogelijk ligt het aan mijn inktzwarte perceptie, aan de tijd van het jaar of een combinatie daarvan, maar de stad maakt op mij de indruk alsof vrijwel alle historische gebouwen die er logischerwijze ooit moeten hebben gestaan, in de jaren zestig en zeventig zijn neergehaald om er fantasieloze, grimmige flatgebouwen voor in de plaats te zetten. Zelfs langs de Calle de Mari, die uitkijkt over de baai waar eeuwenlang walvissen de stad in werden gesleept, wordt het beeld bepaald door bedaagde, smoezelige constructies in wit geschilderd beton en aangetast metaal. En ze zijn het allemaal nog lang niet beu, want overal in de stad steken hijskranen boven de gebouwen uit en worden nieuwe generaties troosteloos beton geplant. Ik vraag me ook af hoe al die toeristen hier hun weg vinden en contacten opdoen. In de meeste openbare gelegenheden wordt alles in twee talen aangegeven: Baskisch en Spaans, maar regelmatig wordt het Spaans achterwege gelaten en dan zijn er helemaal geen ijkpunten meer. Ik voel me volledig misplaatst, ontheemd. Ik wil alleen maar weg.

Er gebeurt niets. De hele ochtend is er geen hond post wezen halen, de hele middag lang heb ik maar twee mensen bij de postbussen gezien en nu, om bijna zes uur in de namiddag, gaat het erop lijken dat mijn man of vrouw gewoon niet komt. Niet vandaag in elk geval. Het is donker geworden en de straatverlichting is zojuist aangegaan.

Ik moet er serieus rekening mee houden dat postbus 56 eens per week wordt geleegd, of nog minder frequent. Misschien wordt de post doorgestuurd naar een ander adres, een andere postbus – een ander land?

Shit. In het internetcafé leek het nog een goed plan. Misschien omdat het het enige plan was. Nu lijkt het nergens meer op.

Op het trottoir rechts van het postkantoor loopt een kerel. Ik had hem al veel eerder moeten spotten, maar hij valt me nu pas op omdat hij vanuit een normaal wandeltempo versnelt en schuin de straat oversteekt. In een rechte lijn komt hij op me aflopen.

Ik kijk om me heen. Fout. Helemaal fout. Nog een kerel, van achter me. Twee mannen: bivakmutsen, donkere kleding. Ze bewegen snel en doelgericht en er is geen twijfel over mogelijk dat ze mij moeten hebben.

Ik spring op en ren naar de straathoek, naar de hoofdstraat waar verkeer is, waar mensen zijn, winkels, felle straatverlichting, maar tegelijkertijd komt vanuit een portiek nog een gast mijn richting op, in looppas, alsof hij dwars door me heen wil beuken.

Ik wijk uit, maar het is zinloos. Van alle kanten word ik ingesloten. Drie, vier kerels. Koortsachtig kijk ik om me heen, probeer een opening te vinden, maak schijnbewegingen. Elke ontsnappingsrichting wordt geblokkeerd. Vier mannen met dezelfde outfit: één team, ze sluiten me binnen enkele seconden in.

In een wanhopige poging om ze af te schudden trap ik met gestrekt been in de richting van de degene die het dichtstbij is. Iets kleiner dan ik, ik zou hem moeten kunnen hebben, maar de kneuzingen, kou en vermoeidheid hebben me traag gemaakt. Een hand grijpt in mijn nek. Een trap vol in mijn gezicht ontneemt me abrupt mijn zicht, een stomp in mijn maag laat me vooroverklappen. Lichtflitsen schieten door me heen. Ik zak op het asfalt neer en word meteen omhooggetrokken. Aan mijn arm, mijn jas, mijn broek. Een vuurmond drukt hard tegen mijn schedel. Er wordt niets gezegd, niet geschreeuwd, alles voltrekt zich in absolute stilte en razendsnel.

Ergens vanuit een zwak functionerend centrum diep in mijn brein registreer ik het geluid van een zes- of achtcilinder. Het motorgeronk komt dichterbij en resoneert tussen de muren van de smalle straat. De auto die door de zware motor wordt voortgestuwd, knalt met een klap de stoep op alsof hij iedereen overhoop wil rijden.

Blauwe lak. Mercedes-velgen.

Het volgende moment valt alles stil.

7

De opdringerige geur die ik opsnuif voert me vijfentwintig jaar terug in de tijd. Naar de altijd veel te korte lentevakanties die we doorbrachten bij een oom van mijn vader, op zijn boerderij in Wales.

De geur van gier. Hooi en stro. Natte klei. Dieselolie van de tractor. De vochtige vachten van de koeien, snuivend met hun natte, zachte neuzen, kalm herkauwend in de stallen die uitkeken op het modderige erf. Gerinkel van de kettingen waar de koeien aan vast stonden.

Ik ruik ze niet, maar ik zie de bloeiende meidoornstruiken die de weilanden omzoomden. Onwaarschijnlijk groen en uitgestrekt: heuvels vol grazende schapen en heggen en bloemen, donkere schuren met hooi en spinnenwebben, lemen zwaluwnesten op de balken en schichtige jonge katten die alle kanten op schoten als ik ze wilde vangen. Ondiepe beken met snelstromend, kristalhelder water. Een sprookjeslandschap. Dat was het voor een stadskind als ik.

De geur is er, onmiskenbaar. Maar ik ben niet in Wales.

Mijn kop bonkt. Mijn handen doen zeer. Nee, niet mijn handen: mijn polsen. En mijn schouders.

Ik open mijn ogen.

Wales is nog nooit zo ver weg geweest.

Ik hang aan mijn polsen in een grote houten schuur. Het is schemerig. Ik ruik stro, vers gezaagd hout. Vochtige aarde. Vaag een dierlijke geur. Mijn voeten komen nauwelijks tot de grond. Ik strek me, en raak met de ballen van mijn voeten zandgrond. Geen schoenen, geen sokken. Geen kleding. Niets.

De klootzakken hebben me uitgekleed.

Er is nog iets. Ik haal oppervlakkig adem en elke ademstoot lijkt te branden. Het kan niets anders zijn dan gekneusde ribben.

Tegelijkertijd met mijn bewustzijn dienen de rillingen zich aan. Het getril trekt door mijn hele lijf. Het is verdomme erbarmelijk koud. Ik begin ongecontroleerd te klappertanden.

Dwars door een waas van pijn, versuftheid en desoriëntatie heen probeer ik te begrijpen waar ik ben. Geluiden op te vangen, afmetingen in te schatten. Buiten giert de wind om het gebouw. Ik hoor geen verkeer, geen stemmen. Niets dan wind. Ik probeer me te concentreren, knijp mijn ogen dicht en verbijt de pijn die door me heen golft en me misselijk maakt.

Ik heb geen idee waar ik ben en ik begin steeds sneller te ademen. Dat is niet goed. Helemaal niet goed. Ik mag niet in paniek raken.

Paniek doodt.

De pijn belemmert mijn denken. Belemmert alles, is allesoverheersend.

Ik trek mijn polsen dichter bij elkaar. Het kost onmenselijk veel inspanning. Metaal drukt in mijn polsen, de pezen in mijn schouders, nek en armen verzetten zich. Ik leg mijn hoofd in mijn nek en kijk omhoog. Mijn hele gewicht hangt aan twee metalen kettingen. Een dwarsbalk tekent zich af als een donkergrijze baan tegen een inktzwart niets, het dak ligt zo hoog dat ik de onderzijde ervan in de schemer niet kan zien. Door de veranderde positie raken mijn voetzolen bodem. Zanderig. Vuil. Voorzichtig zet ik mijn hakken neer, maar het vergt zo veel kracht dat mijn armspieren heviger beginnen te trillen en te schokken. Ik hijg als een dampig paard.

Niet in paniek raken. Niet doen. Paniek doodt, weet je nog? Paniek doodt. Denk, verdomme, *denk na*. Verzin iets.

De waarheid is dat ik bijna doodga van angst.

8

Ik knipper tegen het zonlicht. Het doorklieft de stoffige ruimte als laserstralen vanuit kleine gaten in het dak. Zachter licht dringt binnen door spleten in het houtwerk en openingen langs de schuurdeuren die op een meter of zeven afstand recht voor me liggen, en valt naar beneden uit doorzichtige rechthoeken in het dak, hoog boven me.

Het moet ochtend zijn. Of middag. Ik weet het niet, ik ben elk besef van tijd kwijt.

'*Kajsjo Carl. Nola zara*?' Gegrinnik.

Vlak voor me staan twee mannen. Ze dragen bivakmutsen die hun ogen en mond vrijlaten. Ik probeer te focussen op hun oogkleur, probeer hun kenmerken in me op te slaan. Het lukt nauwelijks. Ze dragen zwarte jacks, zwarte broeken en de kerel rechts heeft een gebreide das om zijn nek gedraaid. Hun adem condenseert van de kou.

Ze zijn kleiner dan ik. Dat kan schijn zijn, ik raak de grond amper en zij staan er stevig op.

'Goedemorgen,' zegt de ander in het Engels.

Ik sla mijn ogen neer en staar naar een vast punt voor me in het zand. Ademhalen doet nog steeds zeer, maar het kan me op dit moment in tijd en ruimte eigenlijk al niet veel meer schelen. Ik heb geen idee hoelang ik hier heb gehangen, het is in elk geval lang genoeg geweest om elke vorm van heldhaftigheid in de kiem te smoren.

Ik heb het gevoel dat mijn armen zijn afgeschreven. Er stroomt geen bloed meer doorheen. In de afgelopen uren zijn ze eerst gaan tintelen als een gek en daarna geleidelijk volledig gevoelloos geworden. Het zijn alleen nog stukken vlees en bot die vastzitten aan kettingen.

Het is nog steeds koud, maar het lijkt of ik eraan gewend ben geraakt. Het rillen is opgehouden.

Geleidelijk zak ik weer terug in een donkere leegte die me liefdevol omarmt, mijn ogen vallen dicht, de pijn trekt weg.

Een felle stoot in mijn ribben brengt me in een flits bij mijn positieven. Ik stoot een kreet uit en sper mijn ogen een moment open. Baal tegelijkertijd van het teken van zwakte, de schreeuw die in zijn rauwheid mijn diepste angsten prijsgeeft.

De vent die schuin links van me staat, wrijft met zijn hand over zijn linkervuist en glimlacht tevreden. Hij zegt iets waar ik geen hout van versta. Het klinkt niet als Engels, niet als Spaans, en ik weet niet of het aan mij gericht was of aan zijn vriend.

De kerel rechts steekt een sigaret op. Ik herken het logo op het pakje, Marlboro. Er is een film naar genoemd. *Harley Davidson and the Marlboro Man*. De cowboy inhaleert gewichtig en blaast de rook langzaam en treiterig in mijn gezicht. Ik hoest en draai mijn hoofd weg.

Ze lachen nerveus. Dolle pret.

'Oké,' zegt de niet-roker in het Engels. 'We snappen iets niet. Leg even uit waarom je ons voor schut zet.'

Ik kijk op. Mijn oogleden gehoorzamen traag. Ze moeten gezwollen zijn, ik kan nauwelijks focussen. De vent heeft bruine ogen, zie ik nu. Bruine, bloeddoorlopen ogen en vormeloze wenkbrauwen. Door de rimpels en de niet zo strakke huid schat ik hem in de veertig.

'Ik heb geen idee waar je het over hebt.' Ik hoest opnieuw. De kou, de pijn en de angst hebben een vreemde invloed op mijn stem. Die klinkt nasaal en dof en lijkt niet uit mijn keel te komen.

Terwijl Cowboy van me wegkijkt, stoot de niet-roker opnieuw toe. Ik weet een schreeuw te onderdrukken, maar kan niet voorkomen dat ik kreun. De kettingen boven me kraken en zwaaien heen en weer. Mijn lichaam deint mee.

'Dat was het verkeerde antwoord, Carl.'

Carl? Ik schud mijn hoofd. 'Ik heet geen Carl.'

De klootzak ramt precies op dezelfde plaats als zojuist in mijn ribben. Het doet verschrikkelijk veel pijn, maar ik voel me bijna euforisch onder het besef dat ik incasseer zonder geluid te maken. Zonder zelfs maar met mijn ogen te knipperen. Mijn kleine overwinning. Ik kan een glimlach niet onderdrukken.

'Stoer hoor,' hoor ik Cowboy zeggen.

'*Look who's talking*,' fluister ik. Mijn lippen moeten gebarsten zijn van de kou. Ik proef de zoete ijzersmaak van bloed op mijn droge tong.

De niet-roker zet een stap naar voren. Hij brengt zijn gezicht heel dichtbij, kijkt me onderzoekend aan en zegt, met een vreselijk Spaans accent: 'Hé, lul. De tweehonderduizend-euro-vraag-van-vandaag is: waar?'

Ik heb geen idee waar hij het over heeft. Hij kan doodvallen. 'Waarheen, waarvoor... Goede vraag.'

Bám. Zijn vuist landt vol op mijn gezicht. 'Fout antwoord.'

Mijn oren fluiten en mijn neus voelt doof. Onmiddellijk worden mijn lippen en kin warm, er stroomt vloeistof overheen.

In een flits schiet door me heen dat het niets uitmaakt wat ik zeg: ze geloven me niet en het zal ook niet gaan gebeuren. Wat overblijft is proberen buiten mezelf te treden, doen alsof ik er niet ben, als het even kan knock-out gaan, zodat ik geen foute antwoorden meer kan geven op onbegrijpelijke vragen en geen pijn hoef te voelen. En hopen, verdomme, met alles wat ik in me heb hopen dat ze simpelweg op mijn gezicht en in mijn ribben blijven stompen en niet creatiever worden.

Laat ze alsjeblieft niet creatief worden.

Want dit is pas het begin. Dat is zo duidelijk als wat. Ik weet niet of ik het vol kan houden als hun interesse zich verplaatst naar andere lichaamsdelen en er gereedschap aan te pas gaat komen. Of ik dan niet ga schreeuwen als een varken, janken als een kind, smeek om mijn moeder, om genade.

Niet aan denken.

Ondanks de kou begin ik te zweten.

'Je hebt de verkeerde.' Terwijl ik spreek, komen kleine felrode druppels terecht op het gezicht van de niet-roker.

Hij likt met zijn tong langs zijn lippen. Het is een vaag, pervers gebaar en ik wend mijn hoofd af.

Ik voel zijn ogen in me prikken. 'Verkeerde...' bauwt hij na.

'Ik heet geen Carl.'

Cowboy snuift en schiet zijn sigaret tussen duim en wijsvinger weg. Hij doet een paar stappen achteruit. 'Dus we hebben de verkeerde?!' Dramatisch draait hij zich om, op één hak, terwijl hij zijn armen wijd uitsteekt. 'De verkéérde!'

Niet-roker springt ineens naar voren en grijpt mijn kaak vast. 'Met wie denk je goddomme dat je te maken hebt?'

Cowboy staat in een beweging naast hem. Ik kan de gesprongen bloedvaatjes in zijn ogen zien en ruiken wat hij heeft gegeten. 'Eerst probeer je ons samen met die hoer van je te rippen, en nu hang je hier de zielige kloothommel uit. Denk je verdomme dat we áchterlijk zijn?'

'Dénk je dat?' De klanken die Niet-roker uitstoot houden het midden tussen een schaterlach en een schreeuw. 'Nou?'

Met een ruk draait Cowboy zich van me weg. Hij stoot de ene na de andere krachtterm uit, onverstaanbaar, loopt een paar passen weg, komt terug, loopt weer weg, komt weer terug.

Niet-roker heeft zich niet bewogen. Hij staart naar me met een blik vol haat. De moordlust brandt in zijn ogen en zijn aderen bollen op de zichtbare delen van zijn gezicht.

Ik reageer niet. Blijf voor me kijken alsof ik autistisch ben. Het maakt geen zak uit. Alles wat ik doe of zeg is fout.

Cowboy trekt een pistool achter zijn broekband vandaan.

Dit was het dan, gaat het door me heen. Hier eindigt het. Ik sluit mijn ogen en wacht op het verlossende schot.

Er gebeurt niets.

De stilte wordt opgeheven door een opgewonden dialoog. Ze werpen elkaar van alles en nog wat voor de voeten, opgefokt, druk.

In de daverende stilte die volgt, open ik voorzichtig mijn ogen om te zien dat ze weglopen en de schuurdeur achter zich sluiten.

Mijn kin valt als vanzelf naar mijn borst en ik adem langzaam uit.

Met de lucht uit mijn longen ontsnapt een gesmoorde kreun.

9

Het kan dezelfde dag zijn, of twee dagen later. Ik ben al het besef van tijd kwijt. Het is donker, dus het moet avond zijn, of nacht. Ik heb surrealistische wanen, waarin ik mezelf zie. Gemummificeerd, hangend aan kettingen in deze schuur, jaren later. Bruine, geloogde huid die als leer om mijn botten ligt, holle oogkassen en een opengevallen kaak, gestold in een stille schreeuw.

Er komt niemand. Ze laten me hier creperen, doodgaan en uitteren. De wind giert om de schuur, geklapper van de dakplaten.

Helder denken, hopen op redding, een ingeving, wat dan ook, het lukt niet meer. Ik voel dat ik wegzak, dat ik het ga verliezen.

Dit was het dan. Ik werd vierendertig jaar. Heb mijn biologische ouders nooit gekend. Geen kinderen, geen vrouw die taart voor me bakt, geen labrador aan mijn voeten. Niemand zal huilen als ik er niet meer ben en er is niets te verdelen na mijn dood. Ik heb geen bezittingen vergaard, niets opgebouwd. Cijfers: ik neukte zeven vrouwen en ik hield er maar van één. Vermoordde vijf mannen, misschien een paar meer, nutteloze klootzakken, allemaal. Mensen van wie de wereld vergeven is.

Mensen zoals ik.

Mijn leven was nutteloos. Volstrekt overbodig. Niemand kan het ook maar ene fuck schelen als ik er niet meer ben.

Niemand.

Een warm gevoel komt over me heen. Het omarmt en wiegt me, donker en stil en vredig. Berusting. Het besef dat het mijzelf niet eens meer kan schelen of ik leef of niet. Dat doodgaan niet eens zo'n beroerd kortetermijnperspectief is.

Ik voel geen angst meer. Geen pijn, alleen nog maar leegte. En spijt.

Spijt om momenten die er niet zijn geweest. Kansen die me werden aangereikt en die ik niet heb aangegrepen.

Vreemd genoeg denk ik terug aan mijn moeder. Ze waste mijn haar in de lichtblauwe plastic tobbe in de badkamer in Liverpool, een gospel neuriënd. Droogde me af met een ruwe handdoek en trok mijn kleding aan, die ze zelf maakte van stof die ze met zorg 's woensdags op de markt uitzocht. Op mijn vijfde verjaardag kreeg ik een oranje shirt met een blauwe 5 erop. Vijf rode kaarsjes op de chocoladetaart. Ik zie de jongens uit de straat die erbij mochten zijn alsof ik ze aan kan raken. De kinderlijke, hoopvolle glans in hun ogen. Ik voel weer mijn moeders vlezige, veilige armen die zich om me sloten als ik ziek was, me verdrietig voelde, als de wereld te overweldigend en onbegrijpelijk werd en alleen twee moederarmen nog beschutting konden bieden.

Ik hoor mijn moeders warme stem. 'Alex, mijn god, Alex.'

De stem lijkt door een lange buis te komen.

Ik word gedragen, zweef in het oneindige, daar waar geen pijn meer is. Waar helemaal niets meer is.

Jawel, toch: stemmen. Mannenstemmen, fluisteringen, weerkaatsend tegen onzichtbare muren. En een zachte vrouwenstem, helder en bekend, vertrouwd.

Ik zie schimmen boven me, naast me, transparante gedaanten die me dragen door het duister. Me optillen, meenemen. Koele wind strijkt over mijn lichaam, dan een warmte die me overvalt.

'Alex, ik ben het. Zeg iets tegen me.'

Mijn moeder. Het kan alleen mijn moeder zijn. Of is het Helen? Ja, het moet haar wel zijn.

Ik probeer te glimlachen, haar gerust te stellen, te zeggen dat ik in orde ben, maar ik val weg in een bodemloze zwarte leegte.

10

‘Alex?’

Het is niet mijn moeders stem, niet die van Helen. Het is een stem die ik nooit meer had verwacht te horen. Een stem die aan iemand toebehoort die ik dood waande. Het kan niet anders of ik moet in de hel zijn terechtgekomen. Het hiernamaals bestaat. Mijn ouders hebben altijd al gelijk gehad.

Een hand op mijn wang. ‘Alex... Je bent veilig.’

Ik hoest. Warm vocht op mijn gezicht. Het bijt. Geluid van water, vlakbij.

‘Ze hebben je goed te pakken gehad.’

Ik knipper met mijn ogen tegen het felle licht.

Angela doopt een doek in een kom water en dept mijn borst en gezicht. Ze glimlacht. ‘Fijn dat je er weer bent.’

Ik draai mijn hoofd van links naar rechts. Een kleine kamer – hooguit drie bij drie – met witte muren en een gesloten bruine deur. Er hangt een messing kruis boven de deuropening. Achter Angela staat een smalle houten tafel. Ik hoor gedempt een televisietoestel of een radio spelen in een belendende ruimte. ‘Waar ben ik?’

‘In Biarritz, Frans Baskenland.’

Ik probeer diep in te ademen maar dat doet te veel pijn. Ik herinner me de klappen tegen mijn ribbenkast. Mijn lippen zijn gebarsten. De spieren in mijn armen, schouders en rug moeten zijn gescheurd of uitgerekt, of weet ik veel wat, het veroorzaakt een gevoel van extreme spierpijn, zenuwpijn bijna. Mijn gezicht doet ook zeer. Vooral mijn neus. Ik kan alleen door mijn mond ademen.

Maar ik leef.

‘Hoor je de zee?’ hoor ik Angela zeggen. ‘Vanuit het raam kun je hem zien.’

Ik kijk in de richting van het raam. Tussen de half opengedraaide houten luxaflex is blauwe lucht zichtbaar.

Angela draagt een spijkerbroek en een zwart T-shirt met lange mouwen. Ze heeft haar dikke haar in een staart gebonden. Weerbarstige krullen omlijsten haar gezicht en camoufleren de beurse plekken langs haar haarlijn.

'Je was dood,' fluister ik.

'Net zo dood als jij.'

'Ik heb je...'

'Sst.' Ze brengt een glas aan mijn lippen en ondersteunt mijn hoofd met een hand. 'Neem een paar slokken.'

Terwijl ik mijn kin naar mijn borst breng om te drinken, zie ik een infuus dat in mijn linkerhand steekt. Een pleister houdt het ding op zijn plek. Een slangetje kronkelt naar een infuuszak die aan een spijker in de muur hangt.

'Die kan er zo wel vanaf,' zegt ze. 'Dit is al de zesde zak. Je was zo goed als uitgedroogd.'

De kamer ruikt naar bloemen, naar zee, het bed is zacht. Angela's blik is vol medeleven, haar amandelvormige bruine ogen stralen.

Het is te onwezenlijk. Ik twijfel aan mijn zintuigen. 'Dit is geen ziekenhuis.'

'Nee, maar ik ben wel verpleegster geweest. Lang geleden.' Ze zet het glas op een tafel achter zich. '*Lucky you*. Als we je iets later hadden gevonden, was je er niet meer geweest. Ze hebben je goed te grazen genomen. Nou ja, wij hen uiteindelijk ook.'

'Wat is...'

'Heb je het gevoel in je armen en handen alweer een beetje terug?' Ze laat haar vingers over mijn onderarm glijden, masseert de muis van mijn vrije hand. Ik voel haar nagels prikken in mijn huid. 'Probeer een vuist te maken.'

Het lukt. Mijn polsen zien paars en zijn gezwollen.

Ze glimlacht weer. 'Mooi. Nog even en je bent weer als nieuw. Wat hebben ze gedaan, Alex?'

Alex. Ineens weet ik het weer. Alex... Dat kan ze niet weten. Ze weet niet hoe ik heet.

Ik zwijg.

'Vertel het me maar,' dringt ze aan. Ze blijft onophoudelijk mijn hand masseren. Het voelt niet onprettig. Angela ruikt naar shampoo en iets ondefinieerbaar vrouwelijks. 'Wat wilden ze van je?'

'Dat weet jij beter dan ik.' Ik verlies mezelf in een hoestbui die gemeen pijn doet. Mijn ribben lijken te branden.

Ze schudt haar hoofd ongelovig. 'Hoe kan ik dat weten?'

'Je hebt me gevonden. Het was een schuur in niemandsland.'

Ze recht haar rug. 'Je hebt gezien waar ze je heen brachten?'

'Nee. Maar er was geen verkeer, geen weg in de buurt. Het moest ergens in de bergen zijn geweest. Een oude schuur, niet meer in gebruik, bij een boerderij.'

Een scheve glimlach. 'Dat klopt.'

'Hoe heb je me gevonden?'

'Ik wist waar ik moest zoeken. Of kon gaan zoeken. De vierde locatie was prijs.'

'Hoe wist je dat ik gevangengenomen was?'

'Ogen en oren.'

Beelden van de schietpartij in San Sebastián flitsen langs. Angela die ik schepte op de motorkap van de BMW. De ploeg die me ophaalde bij het postkantoor. De ondervraging door Nietroker en Cowboy.

Hallo Carl. Eerst probeer je ons samen met die hoer van je te rippen, en nu hang je hier de zielige kloothommel uit.

Even kijk ik haar recht aan. 'Wie is Carl?'

Ik zie haar gezicht betrekken.

'Wie, Angela?'

'Later.' Ze kust me op mijn voorhoofd. 'Je moet nu slapen. Aansterken, beter worden. Je hebt te veel klappen gehad.'

'Hoe weet je dat ik Alex heet?'

Ze staat op. 'Ik ben in de kamer hiernaast. Roep me als je iets wilt drinken of eten.'

11

'Wat vroegen ze, Alex?'

Het is avond. Angela heeft het licht aangedaan en het infuus verwijderd. Ik wilde zojuist uit bed stappen, maar zakte bijna in elkaar zodra mijn voeten de grond raakten, alsof mijn spieren en evenwichtsorganen niet meer functioneerden. Vermoeidheid, constateerde Angela, uitputting zelfs. Mijn lichaam had het zwaar te verduren gehad en had rust nodig om aan te sterken. Ook ik moet toegeven dat ik me weleens beter heb gevoeld.

Ik neem een slok zoete, hete thee. Duizend gram paracetamol zwerft door mijn lichaam en legt mijn zenuwuiteinden het zwijgen op. De pijn trekt geleidelijk weg. 'Wat ze vroegen?'

Ze blijft me aankijken. Rustig, geduldig. 'Ja.'

Ik neem nog een slok. 'Ik geloof dat ze tweehonderdduizend euro kwijt zijn.'

Angela knikt, bijna onzichtbaar. 'En verder?'

'Ze noemden me Carl.'

'Wat heb je ze gezegd?'

'Dat ze zich vergisten.'

Angela staat op en loopt naar het raam. Ze spreidt de jaloezieen, kijkt naar buiten, verliest haar interesse en draait zich om. 'Dat was het? Ze vroegen naar tweehonderdduizend euro en zagen je aan voor een ander?'

'Ja. Wie is Carl?'

Ze negeert mijn vraag. 'Geloofden ze je?'

'Hoe moet ik dat weten?'

'Je zou het uit hun reactie kunnen opmaken. Hoe reageerden ze toen je zei dat ze zich vergisten?'

Ik grijns. 'Ze begonnen op me in te beuken.'

Angela glimlacht en trekt het laken dat over mijn borst ligt naar mijn heupen toe. Buigt voorover en likt de huid in mijn hals, kust en likt zich een weg naar beneden.

Ik huiver.

'Hier?' vraagt ze, fluisterend. Haar adem strijkt over mijn huid. Dan haar tong. Heel zacht. 'Sloegen ze hier?'

'Onder andere.'

'Stouterds.' Heel voorzichtig trekt ze een spoor van lichte kussen naar mijn buik. 'En hier?'

Ik schud mijn hoofd. Mijn hele lichaam, hoewel beurs en pijnlijk, reageert op haar. Het is onmogelijk niet op haar te reageren.

Ze legt haar wang tegen mijn buik, haar hand glijdt onder het laken, masseert de binnenkant van mijn been, vindt haar weg naar boven. Een fluistering: 'Hier zijn ze toch niet geweest?'

Er trekt een rilling door me heen. 'Nee.'

'Het heeft iets erotisch,' fluistert ze, meer tegen zichzelf dan tegen mij. 'De blauwe plekken... dat bloed.' Ze gaat verder, schuift met haar neus de lakens verder naar beneden. Haar hand ligt nu tussen mijn benen. Ze masseert mijn ballen tussen haar lenige vingers en handpalm en ik voel haar mond op mijn lul, die een eigen leven leidt en opspringt onder haar zachte aanraking.

Het voelt verschrikkelijk verkeerd.

Ik reik naar Angela's haar, probeer het vast te grijpen en haar hoofd weg te trekken, maar mijn armen reageren schokkerig en in slow motion. Pijnscheuten flitsen door me heen. Elke beweging is een martelgang. 'Ik heb liever niet dat je dat doet.'

Ze kijkt op. Haar ogen worden donkerder. 'Waarom niet? Je hebt het verdiend.'

'Rot op, Angela.'

'Wat?'

'Je hoorde me. Hoe weet je dat ik Alex heet?'

Abrupt wijkt ze terug, gaat rechtop staan en kijkt teleurgesteld op me neer. Loopt dan naar het raam en kijkt opnieuw door de half gesloten jaloezieën naar buiten. Haar stem klinkt ineens weer zakelijk. Scherp bijna. 'Ik weet bijna alles over je. Je naam, waar je gewoond hebt. Je laatste adres in Engeland.'

Ik schiet omhoog en sis van de pijn. Zak langzaam en schokkerig weer terug in het kussen.

'Maar zo ingewikkeld is het niet om je naam te achterhalen,' gaat ze door. 'Je zult het misschien wel fijn vinden om te weten dat ik je spullen heb kunnen meenemen.'

'Spullen?'

'Je bagage. Kleding. Alles is gewassen en opgevouwen. Je paspoort. Je heet Alex. Dat staat ook in je pas. Je zei me dat je Vince heette.' Ze klinkt bijna teleurgesteld.

'Zo noemen vrienden me.'

'Dan zal ik je weer Vince noemen.'

'Vrienden richten geen pistolen op elkaar.' Mijn beginnende erectie slinkt. 'Je schoot op me, Angela.'

'Het is niet wat je denkt. Echt niet. Ik zal het je nog uitleggen. Maar niet nu.'

'Ik wil het nu weten.'

'Morgen, of overmorgen. Niet nu. Je kunt amper op je benen staan.'

Ik maak aanstalten om uit bed te stappen. 'Bekijk het maar.'

Ze houdt me tegen, drukt met beide handen zacht tegen mijn borst. 'Ik wil graag dat je blijft,' fluistert ze. 'Bovendien moet je aansterken. Als je nu weggaat, kom je niet ver.'

Ik kijk haar langdurig aan.

Ze knippert niet eens met haar ogen, gaat op het bed zitten en schikt haar paardenstaart. 'Oké, Vince. Ik wil graag dat je mijn vriend bent. Je kunt me vertrouwen, ook al denk je nu van niet. Dat begrijp ik. Maar bedenk dat ik je heb gevonden en je daar heb weggehaald. Ik heb mijn nek voor je uitgestoken. Het had heel anders kunnen aflopen, niet alleen voor jou, ook voor mij. Misschien geeft het je een beter gevoel als je weet dat de mannen die je ondervraagd hebben, zijn achtergelaten met gaten in hun achterhoofd. Hun verdiende loon. Ze zouden je vermoord hebben. Dat was al bijna gebeurd.'

'Je deed het niet alleen,' constateer ik. Stilzwijgend wacht ik op nadere uitleg, maar die blijft uit. 'Ik wil weten wat er aan de hand is, Angela.'

Ze klemt haar kaken op elkaar. 'Dat begrijp ik. Maar het is gecompliceerd. Alles hangt met elkaar samen.'

'Ik heb alle tijd.' Ik wil mijn armen achter mijn nek leggen maar mijn spieren of pezen of wat het ook zijn, protesteren.

'Binnenkort. Oké? Zodra het kan, zal ik het je uitleggen. Ik zal het je niet alleen uitleggen, ik zal het je laten zien.' Ze zucht diep. 'Ik móet het je laten zien, anders geloof je me niet. Wil je nog iets eten?'

Ik schud mijn hoofd. 'Nee.'

Ze staat op. 'Ik sluit je deur zo meteen af. Ik hoop dat je respecteert dat ik het doe voor mijn eigen gemoedsrust. Je vertrouwt me niet. Nog niet. Dus moet ik ervan uitgaan dat ik jou nu evenmin kan vertrouwen.'

Als ze de deur op slot wil doen, is dat alleen maar omdat er verder niemand is. 'Waar zijn je vrienden nu?'

'Vrienden?'

'De mensen die je hielpen me daar weg te krijgen.'

'Dat waren geen vrienden. Ik heb ze ingehuurd.' Ze draait zich naar de deur. 'Niemand weet dat je hier bent. Het lijkt me verstandig om dat zo te houden tot we hier weg kunnen. Probeer te slapen. Geloof me, dat is echt beter.'

'Is Angela je echte naam?'

Met haar hand op de deurklink draait ze zich even naar me om. 'Ik heet Angelina, maar iedereen noemt me Angela.'

'En verder?'

'García. Nu moet je gaan slapen.'

De Spaanse tv staat al urenlang uit en slechts af en toe hoor ik een auto voorbijrijden. Het moet nacht zijn. Voorzichtig kruip ik uit bed en loop onvast en houterig naar het raam. Dat zit niet op slot, maar dat hoeft ook niet. Het appartement ligt naar schatting op de vijfde verdieping en een balkon ontbreekt. Via het raam kan ik niet weg.

Het gebouw kijkt uit op een ander appartementencomplex. Beige met kleine, vierkante balkons. Rechts ervan zie ik de glinstering van een nachtelijke zee in het maanlicht. Witte koppen van golven breken op kleine rotsen die uit zee oprijzen. Lantaarnpalen markeren een smalle promenade die grillig langs de rotsachtige kust slingert. Er staan auto's geparkeerd met witte kentekenplaten, maar ik kan van deze afstand niet zien of ze Frans of Spaans zijn.

Ik vraag me af wat ik moet doen. Hier blijven?

Dat standaardslot op de slaapkamerdeur is een lachertje. Ik zou weg kunnen gaan. Mijn armen zijn beperkt bruikbaar en ik heb beslist betere momenten gekend, maar dan nog houdt zo'n hardboarddeur me niet tegen. En dan? De straat op? De kou in? Ik houd mezelf staande tegen de muur, adem oppervlakkig en voel me met de seconde zwakker worden.

Misschien kan ik beter gebruikmaken van de wapenstilstand of wat het ook is om op krachten te komen. Ik zou mezelf zwakker kunnen voorwenden dan ik me voel, simpelweg wachten op het juiste moment. Dat is het nu duidelijk nog niet.

Voorzichtig, de muur als steun gebruikend, loop ik terug naar bed. Zodra ik het matras raak draait de kamer om me heen als een kermisattractie.

Prompt val ik in slaap.

12

Vijf dagen en zes nachten hang ik al rond in deze slaapkamer aan de Franse zuidwestkust. Ik heb de tijd doorgebracht met slapen en diep nadenken. Dat eerste gaat me nog het beste af. De irritatie heeft mijn verwardheid verdrongen. Ik heb het hier helemaal gehad en ik maak me met de minuut kwader om de situatie.

Angela werpt zich op als een *madre*. Ze bakt biefstukken, propt me vol groenten en fruit, antibiotica en pijnstillers. Ze smeert smerig ruikende zalf op de plaatsen waar ze inwendige beschadigingen vermoedt, en het helpt. Misschien is ze inderdaad verpleegster geweest.

Ik hoor elke beweging die ze maakt in de kamer hiernaast en weet dus dat ze niet eens weggaat om boodschappen te doen. Angela is vierentwintig uur per dag bij me in de buurt. Ik vermoed dat iemand haar boodschappen brengt. Zo nu en dan gaat de deurbel en hoor ik haar praten in een voor mij onbekende taal.

Tegen mij is ze minder spraakzaam en eigenlijk heb ik op nog geen enkele cruciale vraag een fatsoenlijk antwoord gehad. Ze heeft ook geen verleidingstactieken meer op me uitgeprobeerd.

Vandaag voel ik me goed, ik heb me aangekleed en ben aan het ijsberen. Zojuist ondernam ik een poging om weer een beetje terug in conditie te komen. Opdrukken, series van tien, drie keer achter elkaar. Dat was het plan. Maar al bij de eerste poging werd me duidelijk dat ik alles zou forceren als ik ermee door zou gaan, en dat de dagen van herstel dan voor niets zouden zijn geweest. Ik moet geduld hebben. En dat heb ik niet.

Angela komt binnen met een dienblad. Ze laat de deur achter zich open. Een televisie- of een radiozender staat afgestemd op een Spaans programma.

'Ik wil je bedanken voor je gastvrijheid,' zeg ik, koel. 'Maar ik ga er nu vandoor.'

Haar bruine ogen flitsen over mijn gezicht. 'Waarheen?'

'Gewoon, weg.' Ik zet een paar passen naar de deur.

Angela kijkt me ongelovig aan. Haar mond staat een beetje open. Ze zet het dienblad op de tafel. 'Je meent het.'

'Ja,' zeg ik. Toch blijf ik staan en ik begrijp niet waarom. Het is maar twee passen naar de deur.

'Wil je niet weten wat er aan de hand is? Wie Carl is?'

Ik heb me niet bewogen. Mijn aarzeling lijkt op het mechanisme dat je bij wilde dieren ziet die worden vrijgelaten nadat ze lange tijd opgesloten zijn geweest. Ze lijken gehecht te zijn geraakt aan die kooi, aan dat beperkte territorium, zo sterk dat ze bang zijn geworden voor de vrijheid. Het komt er niet zelden op neer dat ze uiteindelijk de natuur in moeten worden gejaagd. Hetzelfde mechanisme gaat op voor heel veel mensen die ik heb ontmoet. Hoe rottig de omstandigheden ook zijn waarin ze leven, het zijn omstandigheden die ze kennen, het is vertrouwd. Dus blijven ze precies waar ze zijn.

'Je hebt vijf dagen lang je bek gehouden,' weet ik uit te brengen. 'Dus ik zie niet in waarom je nu ineens wel gaat praten. En weet je wat?' Ik kijk haar donker aan. Ze vertrekt geen spier. 'Inmiddels boeit het me niet eens meer wie Carl is, waarom ik ben opgepikt, wat ik hier doe en wie jij bent. Ik heb er verdomme geen zak mee te maken.'

'Je hebt er alles mee te maken, Alex.'

Ik loop door de deuropening en kom uit in een kleine vierkante woonkamer. De muren zijn wit en er staat een tv in een hoek met een tweezitsbank van groen skai ertegenover. Kale boel. Het maakt niet de indruk van een ruimte die iemand als zijn of haar thuis beschouwt. Er ligt nergens opengescheurde post, er hangt geen foto aan de muur, er staan geen bloemen. Ik pak de klink van een deur vast die waarschijnlijk naar de gang leidt.

'Blijf.' Angela's stem klinkt vlak achter me.

Ik voel de dreiging die van haar zachte stem uitgaat, stop abrupt en draai me om.

Angela staat in de kamer en strijkt nerveus over haar bovenarmen. Ik had durven zweren dat iemand die zo veel zekerheid in een stem legt, een vuurwapen vast had.

Ze zet een pas in mijn richting. Blijft dan staan, houdt afstand, alsof ik ervandoor ga als ze dichterbij komt, en weer dringt het beeld van een wild dier zich aan me op.

'Je loopt te veel in de gaten, Alex. Je wordt zo weer van straat geplukt.'

Nog meer raadsels. Ik klem mijn kaken op elkaar. Even komt de gedachte bij me op om haar aan eenzelfde ondervraging te onderwerpen als waaraan Cowboy en Niet-roker me hebben blootgesteld. Ze is ongewapend en ik voel me met elke seconde sterker worden. Sterker en kwader.

Maar de drang om ervandoor te gaan wint het.

Ik loop door naar een claustrofobisch kleine hal waar drie deuren op uitkomen. Eén ervan staat open, een slaapkamer. Onmiskenbaar slaapt Angela hier. De hele ruimte ademt haar aanwezigheid uit. Mijn weekendtassen staan tussen een tweepersoonsbed met een effen rood dekbedovertrek en een notenhouten kledingkast in. Ik grijp de hengsels beet. Een pijnscheut schiet door mijn arm als mijn spieren het gewicht moeten dragen, alsof iemand een ijspriem in mijn schouder boort. Ik sis en laat de hengsels los. De tassen vallen met een plof op de vloer.

'Ik wil je graag uitleggen hoe het zit,' hoor ik haar zeggen. Ze staat vlak bij me.

Ik draai me naar haar toe. 'Vertel me dan gódverdomme wat er aan de hand is!' Uit frustratie trap ik tegen het bed aan. Het notenhout kraakt en splintert onder mijn schoen.

'*Olé*,' zegt ze, zacht. Bewogen heeft ze niet.

Ik grijp mijn bovenarmen vast en probeer uit alle macht mezelf in toom te houden.

'Ik geef om je, Alex.'

Ik snuif. 'O, ja?'

Ze knikt zacht. 'Kom, we gaan. Je bent sterk genoeg, nu.'

'Sterk genoeg voor wat?'

'Om met me mee te gaan.'

'Waarheen?'

'Dat zie je zo.'

'Ik ga nergens meer heen met jou. De laatste keer dat ik me door jou mee liet nemen, is me namelijk niet zo goed bevallen.'

'Grappig hoor.'

'Zo is het niet bedoeld.'

In een paar passen staat ze bij me. Ze vlijt zich tegen me aan en haar vingers kroelen in mijn nek.

In een reflex sla ik haar hand weg.

Angela wijkt terug. 'Ik begrijp niet dat je me nu nog steeds niet vertrouwt.' Ze lijkt oprecht gekwetst.

Wat zou ik haar graag geloven, nog steeds. Ze heeft een dubbele agenda, zoveel is duidelijk. Maar ze is ook lief voor me geweest. Heeft me verzorgd, me verdomme weggehaald uit die schuur. Als een schooljongen bijt ik op mijn onderlip en sluit mijn ogen. Dan open ik ze weer en kijk haar van onder mijn wenkbrauwen strak aan. 'Als je me naait, Angela, vermoord ik je. Hoor je wat ik zeg? Ik vermoord je met mijn blote handen als je me besodemietert. Het kan een dag duren. Een week, een maand, tien jaar, maar ik weet je te vinden en ik druk die leugenachtige strot van je dicht.'

Ze glimlacht en drukt een kus op mijn voorhoofd. '*I love it when you talk dirty*.'

Angela stuurt haar Golf zuidwaarts over de kustweg, langs rotsen, zand- en kiezelstranden en stukken braakliggend land. Zo nu en dan passeren we een dorp met houten huizen, kleinschalige hotels en winkels, en pompstations die eruitzien alsof ze in de jaren vijftig of zestig moeten zijn neergezet. De zon schijnt fel en de lucht is strakblauw. Dit stuk land lijkt in de verste verte niet op het grauwe San Sebastián of Irún, die hier hemelsbreed nog geen dertig kilometer vandaan liggen. Het doet me eerder denken aan Zuid-Engeland.

Na enkele kilometers slaat ze af in oostelijke richting, rijdt een smalle weg op die door een dennenbos leidt en vervolgens parallel verder loopt langs een nieuw uitziende snelweg. Op de snelweg zie ik rijen auto's en vrachtwagens wachten voor een soort grenspost – of zijn het tolpoorten? – waar politiemannen en douaniers rondhangen met zware machinegeweren. Het machismo dat ze uitstralen lijkt op dat van de politie in Mexico, met het verschil dat de wapens die ze hier dragen groter en moderner zijn. De politie rijdt rond in legerkleurige terreinwagens waar in witte letters GUARDIA CIVIL op staat. Met een heleboel machtsvertoon worden passanten gecontroleerd. We rijden er ongehinderd langs, op nog geen twintig meter afstand, alleen gescheiden door een dubbele vangrail.

Ik herinner me een verhaal dat mijn vader me eens verteld heeft over het Spanje ten tijde van Franco: hoe ongenadig hard de Guardia Civil optrad tegen vakantievierende landgenoten met een paar glazen sangria te veel achter de kiezen. De Spaanse politie had geen geduld met overmoedig geworden toeristen. Ze sloegen ze eenvoudigweg in elkaar tot ze bloed zagen en lieten ze halfdood achter op een verlaten stuk strand.

'Dat was de Spaanse grens,' zegt Angela. De spanning klinkt door in haar stem. 'Duim voor me. We zijn er nog niet.'

De weg buigt in westelijke richting af en we rijden een plaats in die Hendaye heet en onmiskenbaar Frans is. Ze stuurt de Golf behoedzaam door smalle straten, zigzagt door het drukke verkeer in een hoofdstraat en duikt dan een brug over. Aan deze kant van het water is de voertaal niet langer Frans. Op winkelpuien en verkeersborden staan Spaanse en Baskische aanwijzingen en bedrijfsnamen. Ik kijk nog eens achter me. Geen grenspost, niets.

'Gelukt.' Angela glimlacht. 'We zijn in Spaans Baskenland.'

13

De blauwe lucht heeft plaatsgemaakt voor zware bewolking die alles in matte grijstinten dompelt. Ver uit de kust varen een paar gigantische containerschepen en dichterbij wat vissersboten. Ze zijn nauwelijks te onderscheiden in de heiige atmosfeer. Meeuwen zwermen boven ons en tekenen zich als witte stippen af tegen het grijze wolkendek. Tientallen meters lager beuken de golven van de Atlantische Oceaan aanhoudend tegen de rotsen. De natuur is allesoverheersend en het uitzicht op deze klif is adembenemend.

De wind rukt aan mijn jack en aan Angela's haar.

Het was een hele klim om hier te komen, dwars door een dichtbegroeid bos vol naaldbomen en bloeiende heesters. Angela liep voor me. Ze sprong soepel over half verzonken muren, ontweek rotsblokken en klom over met graffiti bespoten en onkruid overwoekerde bunkers. Ze heeft een bereconditie.

De hele klim werd er geen woord gesproken. Ik was op mijn hoede en ben dat nog steeds. Ik blijf om me heen kijken, op alles voorbereid.

Angela heeft haar handen in haar rode jack gestoken en kijkt uit over zee. Plukken haar spelen over haar gezicht. Ze kijkt ernstig en haar blik is mijlenver weg.

'Ik kom hier graag,' zegt ze, als ik naast haar kom staan.

De oceaan ruist, kolkt en beukt, en ik moet moeite doen haar te kunnen verstaan.

'Als het me te veel wordt,' gaat ze verder, zonder me aan te kijken, 'als ik het niet meer weet, ga ik hiernaartoe. Dit is mijn rustpunt. Ik stel mezelf graag voor dat hier nog nooit iemand is geweest.'

Ik slik een sarcastische opmerking in en besluit ver van de rand te blijven, in elk geval Angela tussen mij en die duizelingwekkend diepe afgrond te houden. Even vraag ik me af waarom ik hier sta en twijfel aan mijn geestelijke gezondheid dat ik het zo ver heb laten komen, dat zij opnieuw de touwtjes in handen heeft. Ik moet suïcidaal zijn. Of gewoon naïef. 'Waarom moest ik dood?' vraag ik.

'Als ik je had willen doden, was je dood geweest.'

Ik kijk haar zwijgend aan. De scène op het industrieterrein heeft zich genesteld tussen tientallen andere niet zo fraaie herinneringen die ik graag weg zou laten snijden. Ze schoot op me. Niet één keer. Twee keer. Ze ging er helemaal voor staan, in schiethouding, haar voeten een beetje uit elkaar. Ik herken een schutter op kilometers afstand en ze mikte om te raken. 'Sodemieter op,' roep ik boven het natuurgeweld uit. 'Het was bijna donker, het was een chaos. Het zou een wonder zijn geweest als je me geraakt had. Maar je deed verdomme wel je uiterste best.'

Als antwoord steekt ze haar hand achter haar rug. Alle bloed trekt uit mijn gezicht als ik zie wat ze vast heeft.

Een pistool, zilverkleurig. Nogal lange loop.

'Rustig nu,' zegt ze snel. Voor ik ook maar kan reageren, duwt ze me met haar elleboog opzij, zodat ik achter haar kom te staan. In een vloeiende beweging richt ze het wapen schuin omhoog, ondersteunt haar schiethand met de muis van haar linkerhand en knijpt haar ogen een beetje dicht. Ik volg haar blik, maar begrijp niet goed waar ze op richt. Dan zie ik het. Hoog langs de hemel zweeft een eenzame meeuw voorbij. Niet meer dan een onduidelijke, lichte vlek tegen het grijze hemelgewelf. Het schot klinkt als een zweepslag en legt mijn gehoor voor een moment lam. De vogel dwarrelt naar beneden en meteen daarop volgt nog een schot dat me in elkaar doet duiken. De kogel slaat een stuk uit het vallende meeuwenlijk, doet het schokken en van koers veranderen. Het gehavende dier klapt op nog geen twintig meter van ons vandaan op de rotsen. Eén vleugel steekt omhoog en flappert heen en weer door de aantrekkende wind. Het lijfje is besmeurd met bloed en de kop is vrijwel volledig weggeslagen.

Ik sta als aan de grond genageld. Onvoorstelbaar zuivere schoten. Zonder statief, op een bewegend doelwit, klein, op verre afstand, met deze windkracht. Niet met een scherpschuttersgeweer, maar met een pistool. Onvoorstelbaar.

Ik loop een paar passen in de richting van de vogel en draai me dan ineens om, omdat ik besef waar ik ben en dat Angela met haar dodelijke talenten een al even dodelijk wapen in haar hand heeft.

Ze vergrendelt haar pistool en steekt het terug. Haar rode jas bolt op als ze naar de vogel loopt, hem vastpakt aan zijn vleugel en van zich afwerpt, in zee. Nog steeds van slag volg ik met mijn ogen het kadaver de diepte in, helder rood, wit en grijs, tot het door de kolkende witte massa aan de voet van de rots wordt opgeslokt.

Angela houdt haar krullen met één hand vast om haar gezicht vrij te houden en kijkt me lang en doordringend aan. 'Ik had het je kunnen vertellen, je had me niet geloofd... Je was op slag dood geweest als ik dat had gewild, Alex.'

Ik heb tijd nodig om dit te verwerken. Kijk in de diepte en speur de golven af naar de meeuw. Ik kan hem nergens meer ontdekken.

Na een lange stilte vraag ik: 'Waar heb je dit geleerd?'

'Mijn vader was militair. Hij vond het leren omgaan met wapens en munitie minstens zo belangrijk als zindelijk worden en met twee woorden leren spreken. Ik kreeg mijn eerste geweer op mijn vijfde. We schoten elke dag minstens een halfuur.'

Ik vraag maar niet waarop ze schoten, want na haar bloederige demo vermoed ik dat de verfijnde scherpschuttertechnieken van de familie García werden gepraktiseerd op alles wat bewoog. 'Bestaat je broer? Die met die tegelfabriek?'

Ze schudt haar hoofd. 'Ik heb drie broers, alle drie ouder dan ik. Een ervan heet Manuel. Maar ze wonen geen van drieën nog in Spanje. Sorry.'

Tijd voor de hamvraag. 'Wie is Carl?'

De wind wakkert aan en neemt regendruppels mee. Ze moet

haar woorden met nog meer kracht uitspreken om zich verstaanbaar te maken. 'Kom, we gaan een kop koffie drinken. Of iets sterkers.'

De regen slaat tegen de smoezelige ruiten van een onooglijk café dat de naam niet eens mag dragen maar dat toch doet, in een gehucht met een onuitspreekbare naam. Achter de bar staat een radio irritant hard te krassen en de sfeerverlichting wordt verzorgd door twee rijen tl-bakken. De clientèle bestaat uit drie kerels. Twee ervan zitten verdiept in een krant aan een kop koffie en een derde kijkt herkauwend naar een kleine kleurentelevisie die achter de bar op een hoge koelkast geparkeerd staat.

'Het is veilig hier,' verklaart Angela.

Ik loop naar het meisje achter de bar, bestel twee koffie en uit gewoonte een bier. Het meisje kijkt me niet-begrijpend aan.

Angela ratelt haar iets toe en neemt me aan mijn arm mee naar een tafeltje in een hoek.

'Dat was Frans,' zeg ik, gedempt.

'*Oui*.'

'Je spreekt Frans?'

'Frans, Baskisch, Spaans, Engels.'

Ik trek mijn wenkbrauwen op. Ze spreekt vloeiend Engels en dat is niet haar moedertaal. Ik begrijp dat ze de andere even goed moet beheersen. Of beter. Indrukwekkend.

'Ben je Baskisch?'

'Nee.' Angela's huid kleurt nog steeds roze van de kou. Ze ziet er werkelijk onweerstaanbaar uit. 'Mijn eerste vriendje kwam uit Zarautz, dat ligt vlak bij San Sebastián, aan de kust. Voor hem leerde ik Baskisch. Het is niet zo moeilijk als je eenmaal de basis beheerst.'

'Carl,' onderbreek ik haar, om haar terug te brengen naar de kern.

Ze pakt mijn handen over de tafel vast en buigt zich naar me toe. 'Carl Fernandez is een drugshandelaar die sprekend op jou lijkt. Ik werk voor hem.'

Ik heb opeens behoefte aan bier. Eén glas is te weinig.

'Hij draagt zijn haar meestal langer,' zegt ze. 'In een staart. Zijn gezicht is wat smaller en zijn ogen staan dichter bij elkaar. Maar het zijn minieme verschillen.'

'Fernandez klinkt Spaans, donker.'

'Hij is blond en heeft blauwe ogen, net als jij, maar zijn haar is iets lichter. Misschien door de zon en het zeewater. Carl houdt van zwemmen en hij duikt graag. Het zijn echt kleine verschillen. Ik geloof niet dat iemand die Carl oppervlakkig kent het verschil ziet als hij jou tegenkomt.'

'Ik heb een dubbelganger,' zeg ik, meer tegen mezelf dan tegen haar. Terwijl ik op het woord kauw moet ik onwillekeurig aan Charlie Chaplin denken. Ik zag ooit in een documentaire dat in de tijd van de stomme film in Amerika een Chaplin lookalikewedstrijd werd gehouden, waarin de acteur zelf voor de grap meedeed. Hij werd derde. Ik weet niet of het verhaal waar is, maar het zou zomaar kunnen. Op Cozumel had ik Elvis-imitators zien rondlopen die meevoeren op een Amerikaans cruiseschip. Ze werden omsingeld door kuddes Texaanse huisvrouwen van in de vijftig en zestig, die in hen een tweede kans zagen een King te scoren. Er zijn castingbureaus die zich specialiseren in het verhuren van lookalikes voor televisieprogramma's en evenementen.

'Jullie hebben bizar veel overeenkomsten,' gaat ze verder. 'Ik ken hem erg goed, maar ik moet mezelf continu voorhouden dat jij Carl niet bent, door me te concentreren op de verschillen.' Ze lijkt zich te generen. Het komt maar heel even aan de oppervlakte maar ik pik het op, alsof we op elkaar zijn afgestemd en ik haar gedachten kan lezen. Ze heeft hem geneukt. Niet één keer, heel vaak. Het verklaart waarom ze zo vreemd deed, de eerste keer dat we in bed waren beland. Ze had me ontleed in dat acheneb-bisj-hotel in Madrid, elke centimeter van me ingedronken alsof het belangrijk was om te weten waar littekens zaten en plooien en oneffenheden.

Nu weet ik waarom. Het was pure nieuwsgierigheid. Sensatiezucht. Het wond haar op.

De barvrouw zet twee espresso en een lauw bier zonder schuimkraag op tafel. Het geschreven bonnetje steekt in een plastic bakje. Ze blijft staan met één hand op het tafelblad en ratelt iets naar een van de kerels aan de bar.

Angela trekt haar portemonnee en legt vijf euro neer.

De vrouw verdwijnt.

'We kwamen je bij toeval op het spoor,' vervolgt Angela, terwijl ze de inhoud van een zakje suiker in haar koffie strooit. 'Een van ons, Graham, moest voor zaken naar Cancún en zat in hetzelfde vliegtuig als jij. Hij heeft een foto van je gemaakt met zijn mobiel en die doorgestuurd naar Carl. Ik was bij hem toen hij je foto ontving. Carl reageerde nogal opgewonden. Ik ook, trouwens. Ik geloofde mijn ogen niet, ik dacht eerst nog dat Graham ons liep te fucken. Maar daar is hij het type niet voor.' Angela neemt een slok van haar koffie en kijkt me recht aan. 'Carl heeft vijanden gemaakt. Hij wil verdwijnen, Alex. Hij is niet bepaald geliefd. In dit... vak ben je nooit lang aan de top. Niemand wordt oud. Op een dag loop je tegen een kogel aan, of een autobom of wat dan ook – zeker als je mensen flikt wat Carl hen flikte. De enige mogelijkheid om te overleven is om er op tijd uit te stappen en Carl is dat stadium al lang gepasseerd. Hij ligt onder vuur, hij heeft te veel mensen tegen zich in het harnas gejaagd. We keken voor elke rit onder de auto's, namen steeds andere routes. Hij bleef nooit langer dan twee dagen op dezelfde plek, omringde zich continu met twee, soms drie bodyguards die hij vertrouwde en de screening van mensen met wie hij zaken deed, werd steeds zwaarder en geavanceerder. Dat is mijn taak in de organisatie: research. Ik spreek mijn talen, weet om te gaan met internet en met mensen en kan dus in combinatie met Carls geld relatief makkelijk aan inlichtingen komen. Er zitten genoeg mensen bij overheidsdiensten die zich onderbetaald voelen, weet je. Toen we die foto van jou onder ogen kregen, ontstond het idee om dit op te zetten. Het was het proberen waard.'

De rest kan ik zelf wel invullen, maar ik laat haar praten.

'Carl gaf Graham opdracht je te volgen, je paspoortgegevens te achterhalen en ik deed de rest. Zo wisten we hoe je heette, waar je vandaan kwam, dat je in het leger hebt gezeten en dat je op Cozumel een hotel had geboekt. Graham heeft een hut op hetzelfde resort genomen en hield je in de gaten.'

Ik moet terugdenken aan het 'gesprek' dat ik op het eiland had met John. Hij had na enig aandringen verteld dat er een kerel bij hem was geweest die hem geld had gegeven in ruil voor informatie over mij. Engels, blank, blond haar, kleiner dan ik, een jaar of veertig.

'Is die vent toevallig blank, ongeveer veertig jaar? Een Brit?'

Angela knikt. 'Hij zal twee, drieënveertig zijn. Graham werkt al bijna twintig jaar met Carl samen. We konden weinig doen tot je terug was in Europa. Dus checkte ik je boeking en wist ik dat je vier weken zou blijven. Graham bleef in de buurt om je te volgen en je zo nodig uit de problemen te houden. Het zou zonde zijn als jou iets overkwam.' Angela trekt scheuren in het geopende suikerzakje. 'Het was de opzet dat jij doodgeschoten zou worden bij die ripdeal in San Sebastián, zodat zowel zijn vijanden als de autoriteiten zouden denken dat Carl dood was. Die BMW was een van zijn favoriete auto's. Die staat op naam van een van zijn bedrijven.'

Ik schrik op van iets nats wat tegen mijn hand drukt. Het is de neus van een schurftige cockerspaniël die me kwispelend staat aan te staren. Eén oog is ondoorzichtig grijs. De barvrouw schreeuwt een commando en de hond loopt schuldbewust onder de saloondeurtjes door naar een achterkamer.

'Die deal stond al gepland,' zegt Angela. 'De locatie was perfect. Alles leek prima te gaan, tot de datum door omstandigheden naar voren moest worden gehaald en Graham er kort erna achterkwam dat je plannen had om door te reizen naar Guatemala. Dat zette alles op scherp. Het kon nog wel maanden duren voor er een nieuwe mogelijkheid kwam en Carl geloofde niet dat die maanden hem nog gegund waren.'

John was de enige aan wie ik had verteld dat ik met de gedachte speelde naar Guatemala te gaan. Ik weet niet eens meer waarom ik het had gezegd, want helemaal zeker was ik er niet van geweest en bovendien was mijn geld bijna op. Waarschijnlijk had ik hardop zitten denken. Ik drink mijn glas in een paar teugen leeg en zet het met een klap op tafel.

'Dus moesten we iets verzinnen om je terug in Europa te krijgen,' zegt ze. 'Bij voorkeur dezelfde week nog.'

'Jij werd ingevlogen als versterking.'

Angela ontwijkt mijn blik. 'Ja,' zegt ze zacht. 'Dat was mijn idee. Het was in eerste instantie de bedoeling dat ik je gewoon zou versieren en mee zou nemen naar San Sebastián. Ik dacht dat me dat wel zou lukken...'

Het was haar gelukt. Zonder twijfel. Dus... 'Waarom die poppenkast, Angela? Die twee mannen, die zogenaamde politieagenten, die—'

'...waren door Graham ingehuurd. Ze trainden bij een sportschool in Playa en konden wel wat zakgeld gebruiken. We huurden een auto, bouwden hem om en—'

'Waarom was jij niet genoeg? Waarom drogeren, waarom—'

'Carl wilde geen risico nemen. We kenden je niet. Je boeking liep nog, het zou zo kunnen zijn dat je niet met me meeging.'

Geen risico? Ik kan mijn verbazing niet verbergen. 'Die M16 was geladen en hij lag in handen van twee idioten. Sadisten. Het had niet veel gescheeld of ik was er verdomme niet meer geweest.'

'Ze kregen niets betaald als ze je zouden doden,' zegt ze, gedecideerd. 'Dat niet alleen: als je iets zou overkomen waardoor je niet meer kon reizen, zouden ze met een gaatje in hun achterhoofd in een steeg in Cancún worden gedumpt. Dat is vrij duidelijk gecommuniceerd. Ze moesten je bang maken, zo bang dat je meteen zou vertrekken. En met jouw legerachtergrond moesten we er rekening mee houden dat je niet zo snel bang te maken was.'

Ik was niet meteen vertrokken na de confrontatie met die twee Mexicanen. Voor ik het eiland verliet, had ik John nog opgezocht voor een goed gesprek. Ik had net zo goed kunnen besluiten nog een dag te blijven. Of actief problemen op kunnen zoeken. Angela zat op dezelfde boot als ik en dat veer naar Playa del Carmen gaat elk halfuur. Ik schud mijn hoofd, ongelovig. 'Wat je zegt klopt niet. Hoe kon je weten dat ik precies op die tijd op die boot zou zitten?'

Ze stoot een vreugdeloze lach uit. 'Dat veer is de enige mogelijkheid om van dat eiland te vertrekken, lieverd. Graham en ik hebben de hele middag op de kade rondgehangen, tot ik je 's avonds aan zag komen rijden. Toen sprongen wij ook op de boot.'

Ik probeer de mensen die ik op het veer heb gezien voor de geest te halen. Die kerel, die Graham, had me toch moeten opvallen. Shit. Er waren honderden passagiers. Locals, toeristen... Hij moet verrekte goed weten hoe hij in een menigte kan opgaan.

'Uiteindelijk hebben die twee goed werk verricht,' zei ze. 'Je vertrok nog dezelfde dag.'

'Ik heb ze vermoord,' stoot ik uit. Wanhoop breekt door in mijn stem. 'Ze moesten me bang maken en ik had—'

'Dat weet ik,' onderbreekt ze me. 'Die dingen gebeuren. Het spijt me. Ze hebben het misschien ook een beetje aan zichzelf te danken gehad, denk je niet?' Ze neemt opnieuw een slok van haar koffie en kijkt langs me heen naar buiten.

Ik kan geen woord uitbrengen. Opnieuw zie ik voor me hoe ik de kerels afschoot met hun eigen automatische wapen, alsof het beesten waren, en hun lichamen achterliet in de brandende Mexicaanse zon. *Die dingen gebeuren.* De vrouw tegenover me is iemand die voldoende intelligent is om vier talen vloeiend te spreken, sociaal zo vaardig dat ze mensen van overheidsdiensten illegale handelingen kan laten verrichten, en ongevoelig genoeg om de dood van twee van haar freelancers als *collateral damage* te beschouwen.

Ze moet psychopathisch zijn. Of zo verrekte afgehard dat niets haar meer van haar stuk brengt.

Angela kijkt me aan. De afkeer moet op mijn gezicht te lezen staan. 'Sorry.' Haar stem klinkt ineens zacht en breekbaar. 'Ik heb te lang in de verkeerde kringen rondgehangen. Gevoelens en emoties zijn geen eigenschappen die je verder helpen in die wereld, ze staan je alleen maar in de weg. Ik ben opgegroeid met drie oudere broers en... Nou ja. Ik heb het denk ik afgeleerd om...' Haar blik wordt onzeker.

'Je schoot niet raak,' zeg ik. 'Het was jouw taak me neer te leggen, maar je miste.' De volle omvang van dit hele relaas dringt nu pas tot me door.

Ze heeft me niet geraakt. Met opzet niet. Ondanks alle voorbereidingen moet ze op een bepaald moment hebben besloten dat ze me niet dood wilde hebben. Waarom?

Haar ogen worden vochtig. Abrupt staat ze op. 'Ik ga even naar het toilet.'

Ze loopt naar een deur zonder opschrift en verdwijnt uit het zicht.

Beduusd staar ik voor me uit.

Een van de kerels aan de bar kijkt naar me alsof ik iets onfatsoenlijks heb geroepen, of me onbehoorlijk gedraag. De blik van een xenofobische local. Die oogopslag heb ik maar al te goed leren kennen in Bosnië. Ik wend mijn hoofd af, wil een slok van mijn bier nemen maar het glas is al leeg. Ik giet de laatste druppels in mijn keelgat en wenk de vrouw achter de bar. Wijs naar mijn glas. Ze heeft het begrepen maar maakt geen aanstalten me snel uit mijn lijden te verlossen. De term onthaasten zal haar ongetwijfeld vreemd zijn, maar ze beheerst hem tot in de finesses. En ze heeft gelijk. Ik moet niet drinken. Als ik er nu nog een neem, blijft het daar niet bij.

Even later rijden we terug naar Biarritz. Angela stuurt de zwarte Volkswagen Golf soepel door de smalle straten. Het kenteken was me eerder al opgevallen. Het is Spaans en begint met ss. Je hoeft geen hersenchirurg te zijn om daaruit op te maken dat het kenteken in San Sebastián geregistreerd moet zijn.

'Waar woon je?'

'Waarom vraag je dat?'

'Je woont niet in Biarritz, niet in dat appartement in elk geval. Dat is een doorgangshuis.'

'Goed opgemerkt, Sherlock.'

'Dus waar woon je echt?'

'San Sebastián. Ik heb een appartement aan de Calle de Mari, met uitzicht over de baai. Maar ik ben er niet veel.'

'Betaalt Carl alles voor je? Je huis, je...'

'Ik werk ervoor,' zegt ze, kortaf.

Ik kijk naar buiten in een poging mijn gedachten op een rij te krijgen, maar blijf steken in het simpelweg opnemen van de omgeving. Het is opgehouden met regenen. De Atlantische Oceaan ligt links van ons te glinsteren in een bleke februarizon. Uit het donkerblauwe water steken rotsen op als ruwe sculpturen. Ze bieden een zitplaats aan talloze zeevogels.

'Van wie is die flat in Biarritz?' vraag ik.

'Van Carl.'

Ik kan mijn verbazing niet onderdrukken.

'Hij komt er nooit,' reageert ze op mijn onuitgesproken vraag. 'Hij heeft een hekel aan Frankrijk. Carl heeft hier nooit mensen ontvangen, ik denk niet dat iemand weet dat het van hem is.'

'Waarom heeft hij hier dan een appartement?'

Ze haalt haar schouders op. 'Hij heeft overal in Europa huizen, chalets, appartementen, noem maar op. En een jacht. Dat ligt nu in Marbella, denk ik.' Ze spreekt Marbella prachtig uit.

'Dit is jouw eigen auto,' merk ik op.

'Klopt.'

'En die heb je gewoon voor Carls appartement geparkeerd?'

Het scheelt niet veel of ze rolt met haar ogen. 'Hij heeft in de garage gestaan.'

Ze parkeert de Volkswagen langs de stoeprand en haalt de contactsleutel uit het slot. 'Pak je spullen. We komen hier niet meer terug.'

Ineens is het 'we' geworden. Ergens tussen een klif bij San Sebastián en in mondain Biarritz. Ik leg een hand op de hendel van het portier en stap uit.

14

Veel in te pakken is er niet. Mijn weekendtassen staan nog steeds in de slaapkamer en een korte inspectie leert me dat iemand er behoorlijk in heeft zitten rommelen, maar dat alles nog wel redelijk compleet is – op mijn geld na. Het had me pas echt verbaasd als dat er nog in had gezeten. Ik moet zo meteen langs een pinautomaat, zien of er nog wat geld op mijn rekening is gestort. Veel kan het niet zijn. Ik leef van een uitkering en mijn laatste spaargeld heeft de kas van het reisbureau en de Mexicaanse toeristenindustrie gespekt. Wat ik ook kwijt ben, is mijn horloge. En mijn wapen.

Maar ik leef.

Angela heeft meer tijd nodig. Ik kijk toe hoe ze haar spullen bij elkaar scharrelt en in een koffer probeert te proppen.

'Gaan we naar jouw huis?' vraag ik.

'Nee, ik kan niet meer naar huis. Voorlopig niet.'

'Waarom niet?'

'Omdat ik ervan uitga dat ze mijn appartement in de gaten houden. Dat van mij en dat van Graham.'

'Waar is Carl?'

Ze zwijgt.

'Wat vindt hij ervan dat je hier bent? Bij mij?'

Ze staakt het inpakken abrupt en staart me ongelovig aan, een spijkerjack hangt als bevroren in haar handen. 'Hoe kom je erbij dat hij dat weet?'

Ik haal mijn schouders op.

'Er zijn een heleboel doden gevallen, Alex. Dat was allemaal niet zo erg geweest als jij daarbij had gezeten. Want dan had Carl simpelweg de schuld gekregen, wat het oorspronkelijke plan was, en je kunt iemand niet nog doder maken dan hij al is. Maar jij ging ervandoor. Hoe blij denk je dat Carl daarmee was? Nou?'

Verbaal ben ik nooit sterk geweest en nu weet ik helemaal niet wat ik moet zeggen.

Geërgerd duwt ze op haar koffer. 'Die gaat goddomme niet dicht.'

'Pak dan een tas. Of gooi het los in de auto.' Ik klink als een getrouwde kerel.

Ze blaast een lok uit haar verhitte gezicht en zet een arm in haar zij. Sluit even haar ogen alsof ze tot tien telt. Misschien doet ze dat ook. Uiteindelijk herhaalt ze: 'Hoe blij denk je dat Carl daarmee was? Dat ik ernaast schoot? Denk je dat hij me om mijn nek is gevlogen en "volgende keer beter, lieverd" in mijn oor heeft gefluisterd? Komt het door die hangsessie, heeft die je brein aangetast of zo?'

Nee, die niet, schiet door me heen. Misschien was het de drank, een fles Jack Daniel's per dag, de vaten bier, die niet hebben bijgedragen aan een helder denkvermogen. Misschien waren het de verbrande en rottende lijken die zich in mijn hersens hebben genesteld en die me nog vrijwel elke nacht bezoeken, of Emina's ontzielde lichaam en dat van haar zus. Al die doden die hadden moeten blijven leven, mensen zoals ik. Nee, mensen die béter waren dan ik. Veel beter. Positiever. Vreedzaam, liefdevol. Dood.

Ik wrijf over mijn gezicht. Mijn hersens reageren als een geïnfecteerde harde schijf, vol bugs, half gewiste programma's die onderling conflicteren, fouten. Een nieuw hoofd zou prettig zijn om weer gestructureerd te kunnen denken.

Ben je in therapie?

'Hij was laaiend,' hoor ik Angela zeggen. 'Ik kreeg amper de kans bij te komen van de klap.' Ze grijpt met twee handen de onderzijde van haar trui beet en trekt de stof omhoog, zodat haar taille en buik zichtbaar zijn.

Ik ben niet voorbereid en schrik. Ze zit onder de blauwe plekken. Ze zijn aan het helen, maar het is duidelijk hoe ze er oorspronkelijk uit hebben gezien. Angela draait zich om en toont haar onderrug. Nog meer beurse plekken.

Mijn woorden blijven steken in mijn keel.

'Ik had er al een paar van de aanrijding. Carl heeft voor de rest gezorgd. Hij weet waar je moet slaan.' Ze schikt haar trui en haar. 'Niet op zichtbare plaatsen. Geen gezicht, handen, armen. Met een dichtgeslagen oog of een gebarsten lip is het lastig socializen.'

'Gewoonte van hem?' zeg ik, uiteindelijk.

Ze heft haar kin en kijkt me uitdagend aan. 'Ik zei je dat hij paranoïde is. Carl hangt te veel met zijn neus in zijn eigen handel, daarom ziet hij in iedereen een verrader. Er is verdomme een réden dat ik hier ben.' Ze schudt geïrriteerd haar hoofd en wendt haar blik af. 'Ongelooflijk dat ik je dit moet uitleggen. Onvoorstelbaar dat je dat zelf niet snapt. Wat dóe ik hier?'

Ik voel me behoorlijk debiel maar ik weet nog steeds niet wat ik moet zeggen, hoe ik moet reageren. Ik mag Carl niet, dat staat vast. We zullen geen kroegmaten worden.

Maar die kans was toch al nihil.

'Een chaos, Alex,' fluistert ze. 'Een regelrechte chaos.' Ze loopt op me af en gaat tegen me aan staan. Ik voel haar zachte borsten tegen mijn ribben duwen. Niet onprettig.

Ik sla mijn armen voorzichtig om haar heen, bang haar pijn te doen.

'De Basken gaan net zo lang door met zoeken tot ze Carl hebben gevonden. Hem, en het geld. Hij heeft tweehonderdduizend euro achterovergedrukt. Als ze hem niet vinden, pakken ze mij. Zo werkt het. Zo werkt het al sinds mensenheugenis.'

Ik leg mijn kin op haar hoofd en woel met mijn vingers door het zachte haar in haar nek. 'Je bent bij hem weggelopen.'

'Dat is wat hij denkt. Ik ben de eerste nacht bij hem gebleven, in een hotel in Zaragossa. Ik moest wel. Maar ik kon niet slapen, geen minuut. Ik moest aan jou denken. Je had geen idee wat er aan de hand was. Ik hoopte dat je kon vluchten, maar ik wist tegelijkertijd dat je gepakt zou worden. Ze zouden je opsporen.'

'Hoe wist je dat?'

Ik voel haar lippen in mijn hals. Warm en zacht. 'Mikel, een van Carls loopjongens. Ik ben de volgende ochtend naar hem toe gereden en heb hem gevraagd die gasten in de gaten te houden. Daarna ben ik naar hier doorgereden om na te denken, uit te huilen. Ik wist dat ze je zouden vermoorden, Alex. En ik wist ook dat het niet snel en pijnloos zou gaan. Je zou niet eens weten waarom. Met dat idee kon ik niet leven. En toen belde Mikel dat hij had gehoord dat je van de straat was geplukt.'

'Hoe wist die Mikel dat?' Ik weet niet veel van georganiseerde criminelen, hun manier van leven en werken. Een beetje kennis heb ik opgedaan in Bosnië en thuis, in Liverpool. Kruimeldieven zoals John en psychopathische moordenaars en verkrachters, daar ben ik op afgestudeerd. Maar de drugshandel ken ik alleen van het straatwerk en via verhalen, niet uit eigen ervaring. Dat had ik liever zo gehouden.

'Het is een kleine wereld,' zegt ze. 'Iedereen kent elkaar. Onder aan de ladder is het nog vele malen harder dan bovenin. Alle levens zijn inwisselbaar. En alles heeft een prijs.'

'Hij kocht iemand om,' constateer ik.

'Er is altijd wel iemand die geld nodig heeft of zijn baas een hak wil zetten. Het zijn altijd dezelfde types. Hoe denk je dat ik aan mijn informatie kom? Het is vaak beangstigend makkelijk. Ze hadden Carl te pakken, zo ging het rond. Mikel gaf me een aantal adressen, maar kon me niet vertellen op welk je werd vastgehouden. In wezen heb ik nog geluk gehad, want als je niet op een van die plekken was geweest, dan had ik echt niets meer kunnen doen. Dan was het over en sluiten.' Ze kijkt me indringend aan.

Ik neem haar gezicht in mijn handen en kus haar. Een taal die ik ken, die ik spreek, die ik beheers. Haar warme mond op de mijne.

Ze kreunt zacht. 'We moeten weg, Alex. We zijn hier al zes dagen. Dat is te lang. Er zijn mensen die weten dat ik hier zit en ik durf er niet op te rekenen dat die discreet blijven.'

'Want alles heeft een prijs,' kopieer ik.

'Je doet me denken aan mijn eerste hond,' zegt ze zacht. 'Een rottweiler. Trage leerling, maar wat hij eenmaal wist, onthield hij.'

Ik haal mijn lippen en handen met tegenzin van haar af. 'Was het een goede hond?'

'Een lastpak. Maar hij was wel lief.'

15

We waren op oefening in het noorden van de Black Mountains in Wales en dronken een biertje met een paar kerels. Een van hen kwam uit Essex, kan ik me nog herinneren. Types die zo nu en dan vage opdrachten uitvoerden voor MI6 of particuliere klanten – dat werd me niet duidelijk. Ze deden met opzet wazig. Snoefden over de mogelijkheden die ze hadden zichzelf volledig onherkenbaar te maken, zelfs voor hun eigen vrouw of vriendin. Ze vertelden ons dat pruiken, snorren en kleurlenzen handig waren als aanvulling, maar dat je pas serieus een andere identiteit aan kon nemen met een gebit en opvulling voor in je wangen. Je hele gezichtsvorm veranderde er dusdanig van dat een bril en meer van die onzin vrijwel overbodig werden. Alles wat je nodig had, was vrij te koop in winkels met rekwisieten en kostuums voor het toneel en televisie. Die gast uit Essex had zich weleens als vrouw voorgedaan, en zoals hij het deed voorkomen was het een doorslaand succes. Hij demonstreerde een loopje met een paar passen en boog daarna diep, de grapjas. Een magere kerel met een Iers uiterlijk, ik mocht hem meteen al niet.

Ik deed hun verkleedpartijen af als aanstellerij. Verwijfd gedoe. Het had niets te maken met militair zijn. Met het echte werk. De enige kleuren schmink die op mijn gezicht kwamen, waren zwart en groen.

Ze keken me meewarig aan. Het was overduidelijk dat ze me op basis van mijn uiterlijk, aangevuld met een Liverpools accent en een paar ongenuanceerde uitspraken, hadden ingedeeld bij het ongeletterde kanonnenvoer, waar zij behoorlijk ver boven stonden.

Ik was nog niet zo lang terug uit Bosnië, ik voelde me een

waardeloze boerenlul dat ik niets wezenlijks had kunnen doen voor die mensen daar. Helen zat me op mijn huid. Ik sliep slecht, was prikkelbaar. Dat soort dingen.

Dus reageerde ik mijn gevoel van minderwaardigheid en frustratie af door ze een beetje te sarren. Ik had te veel gedronken en was actief problemen aan het opzoeken. Behoorlijk kinderachtig allemaal.

De nacht eindigde in een cel.

Maar die kerels, ze hebben gelijk gehad.

Mijn huid is nog steeds bruin van de Mexicaanse zon en mijn korte haar neigt naar zwart. Twee lichtbruine ogen staren naar me terug in de spiegel boven de wastafel. Kleurlenzen. *Johnson & Johnson Vision Care, chestnut*. Tweeëntwintig euro bij een opticien in een buitenwijk van Pamplona.

Toch lijk ik nog te veel op mezelf.

Angela staat achter me. Ze trekt haar doorzichtige plastic handschoenen uit en gooit ze in de wasbak. Ze zitten vol met de haarverf die ze op mijn hoofd heeft gesmeerd.

Ik zie eruit alsof ik met mijn kop in een emmer beits heb gehangen. Resten verf kleuren mijn nek, een deel van mijn oren en slapen paars.

'Meer kan ik nu niet doen.' Ze pakt een fles remover en watten en begint de kleurstof van mijn huid te poetsen.

'Ik moet een gebit hebben,' zeg ik.

'Wat jij nodig hebt, kun je niet zomaar kopen. Zulke gebitten maken ze op maat.'

Ik blijf in de spiegel kijken en duw mijn tong in mijn wang. 'Of van die dingen die je tandarts in je wangen duwt. Dit werkt niet.'

Ze reageert niet.

'Een snor,' opper ik. 'Of een baard.'

Ze werpt de proppen vuile watten in de wasbak en duwt me de fles en verpakking in mijn handen. 'Dit kun je zelf ook. Het is al vervaagd, als je nog een paar keer poetst zie je de verkleuring niet meer. Vergeet je nek niet.'

Angela loopt het badkamertje uit. Ik spuit de remover over een prop watten en ga verder waar zij gestopt was.

Even later verschijnt ze in de deuropening. Ze heeft een sleutelbos vast. Er hangt een nieuwe sleutel aan, van een auto die we eerder vandaag huurden in de stad, een zilverkleurige Astra. Die staat voor dit goedkope hotel in Pamplona geparkeerd.

Haar Golf hebben we achtergelaten in een woonwijk, een kilometer of twee van het hotel af. Het leek haar beter die niet meer te gebruiken en ik kan haar geen ongelijk geven.

'Ik ga even naar de stad,' zegt ze. 'Hopelijk hebben ze wat ik zoek.'

'Wat wil je halen?'

'Dat weet ik nog niet precies, ik zie wel wat ik te pakken kan krijgen. Doe je de deur achter me op slot?'

'Wees voorzichtig,' zeg ik tegen een dichtvallende deur.

Ik loop naar het raam en trek het gordijn wat opzij. Een kleine vrouw met een zwart mantelpak en kort rood haar met een bijpassende bril. Angela ziet eruit als een salesmanager op oorlogspad. Ze stapt in de huurauto en rijdt uit beeld.

Ik kan overal naartoe. Ik kan de deur uitlopen en doen alsof er niets is gebeurd. Er staat negenhonderd pond op mijn bankrekening, genoeg om het een paar weken mee uit te zingen, een maand of langer nog, als het echt moet. Ik kan liften naar Calais of Boulogne, en een vrachtwagenchauffeur opsnorren die me meeneemt op een van de ferry's naar Engeland. Ik kan terug naar tante Pattie en haar terriërs en teckels. Alles proberen te vergeten.

Angela, die twee gasten in Mexico, de Basken.

Vergeten dat er een dubbelganger is die Carl heet en veel moeite heeft gedaan zijn stand-in om zeep te helpen, zodat hij als rijke stinkerd van negentig in zijn slaap kan sterven.

Vergeten. Ik ben bang dat het niet meer kan. Ik zit er te diep in.

Het hele gesodemieter met die Carl moet worden opgelost voor ik ook maar kan denken aan teruggaan.

Ik blaas zacht adem uit en laat me op het hotelbed vallen, trek een kussen onder mijn hoofd en staar naar het plafond. Even sluit ik mijn ogen en dwing mezelf krampachtig aan mooie dingen te denken. Net als vroeger, toen ik nog een jochie van zeven, acht jaar was.

Aan mooie dingen denken, zei mijn moeder altijd voor ik ging slapen. Dan streelde ze me over mijn voorhoofd, knipte het licht uit en sloot de deur. Vervolgens lag ik nog uren wakker, te staren naar schaduwen op de muur. Te luisteren naar onbekende geluiden. Er zaten monsters onder mijn bed, in de kast en in de muur. Toen al. Ik kon ze verdrijven door in slaap te vallen. Dat gaat nu niet meer.

Mooie dingen.

Ik draai me naar het nachtkastje en grijp de telefoon. Er ligt een geplastificeerd A4'tje naast. Eerst een code intoetsen, dan het nummer. De telefoon gaat drie keer over. Vier keer.

'Met de oppas van Helen Thorne?'

Oppas?

Ik schraap mijn keel. Nog een keer. Er zit iets achter in mijn strot en ik heb moeite mijn stem te hervinden.

'Vince Fairweather,' lieg ik. 'Helen is er niet?'

'Nee, sorry. Ze is op haar werk.'

'Wanneer is ze weer thuis?'

'Vanavond rond achten.' De stem klinkt niet veel ouder dan een jaar of vijftien. 'Kan ik een boodschap aannemen, of vragen of ze u terugbelt?'

Oppas...

In een opwelling zeg ik: 'Is alles goed met de kleine?'

'O, ja hoor. Hij doet het erg goed.' Een glimlach klinkt door in haar stem.

Ik voel me ineens verdoofd. Ik val volledig stil.

'Ik heb al vaker opgepast,' klinkt het, onzeker nu.

Ken ik die stem? Nee.

'Meneer?'

Ik schraap mijn keel weer. 'Sorry, ik heb last van mijn keel.'

Weer een lach. 'Het heerst.'

'Ja, ik weet het. Je hoeft niets tegen Helen te zeggen, ik bel haar vanavond nog wel een keer.'

'Oké, doei.'

'Bye.'

Ik blijf als versteend met de telefoonhoorn in mijn hand zitten.

Helen heeft een kind.

16

Als ik zie wat Angela uit de plastic zak haalt, denk ik eerst dat het een geintje is. Ze kijkt er echter bloedserieus bij.

'Een rastapruik,' constateer ik.

'Het verandert de vorm van je hoofd en je kunt het langs je gezicht en over je voorhoofd dragen. Het is het enige wat ik kon vinden dat niet verschrikkelijk nep leek.'

Ik neem het ding van haar over en bekijk het van alle kanten. Gemêleerd bruin en rommelig. Dreads schijnen populair te zijn onder bepaalde bevolkingsgroepen. Onder meer bij de talloze zwervers die ik op de kade in San Sebastián heb zien rondhangen.

'Doe hem eens op.'

Ik houd de pruik van me af alsof het een dode kat is. 'Ik weet niet eens wat de fucking voorkant is.'

'Ga zitten.'

Ik val op bed neer.

Angela zet de rand van de pruik tegen mijn haargrens en sjort het strakke ding over mijn hoofd naar achteren. Ze hurkt voor me, met een frons tussen haar wenkbrauwen. Trekt aan de rechterkant van de pruik. Dan weer links. 'Zo moet het kunnen. Kijk eens in de spiegel.'

Gedwee loop ik naar de badkamer, knip het licht aan en bekijk mijn spiegelbeeld. Ik zie eruit als een breedgekaakte bastaardzoon van Bob Marley op een *bad hair day*. Als de situatie niet zo kritiek was, had ik erom kunnen lachen.

Angela kijkt naar me met haar armen over elkaar, een geamuseerde trek rond haar mondhoeken. 'Geweldig. Ik heb nog wat voor je.'

Ze loopt de kamer in en komt terug met een bundel kleren. Eenzelfde soort legerjas als ik in San Sebastián heb gekocht en die ik niet terugvond in de weekendtassen, een vaalzwart T-shirt met een vredesteken erop, en smerige legerkisten. 'Dit hoort erbij. Een oude spijkerbroek heb je zelf wel, zag ik.'

Zwijgend trek ik de kleren aan. Ze stinken alsof ze jarenlang in kratten in een vochtig depot hebben gelegen. Terwijl ik bezig ben draait Angela gekleurde touwtjes rond mijn pols bij wijze van alternatieve entourage.

De kleren, de pruik, de lenzen: het verschil is opmerkelijk.

'Je kunt je baard laten staan,' merkt ze op. 'Het is alleen niet zo sexy.'

'Jij bent er ook niet echt op vooruitgegaan.'

Ze strijkt onzeker door haar korte rode haar. Het kleurt bijna oranje en is plukkerig. 'Ik vind het afschuwelijk,' zegt ze zacht. 'Ik zeg steeds tegen mezelf dat het vanzelf weer aangroeit, maar ik schrik elke keer als ik in een spiegel kijk.'

'Ik neem aan dat Carl ook niet dol is op dreads en vrede?' vraag ik.

'Hij zou zo nog niet dood gevonden willen worden.'

Ik kijk nog eens in de spiegel en begrijp Carl volkomen.

We eten tortilla's op bed en drinken er water bij en ananassap uit een pak, dat Angela in een supermarkt heeft gekocht. Koffie moet wachten tot we weer op weg zijn en een pompstation tegenkomen.

Angela frommelt de lege verpakkingen in een plastic zak, trekt er een knoop in en werpt de zak in een hoek. Voor iemand die zo vrouwelijk is als zij heeft ze behoorlijk wat mannelijke trekken.

'Het gaat me eigenlijk niet aan,' zegt ze, 'maar hoe is je financiële situatie?'

Ik frons. 'Niet best, hoezo?'

'Je werkt niet meer, toch?'

Ik schud mijn hoofd.

'Waarom niet?'

De waarheid is dat ik ontslagen ben, en ik het ontslag en de vrijgekomen tijd heb aangegrepen om dingen voor mezelf op een rij te zetten. Tot dusver is dat niet bepaald gelukt. 'Ik vind het voorlopig prima zo. Ik heb een uitkering en er is toch geen werk voor mensen zoals ik.'

Ze lacht. 'Dat ligt eraan wat voor werk je zoekt.'

'Het gaat er niet om wat je zoekt. Het gaat om je cv. Mijn keuzes zijn verrekte beperkt, Angela. Ik kan achter de lopende band gaan staan, toiletten schoonmaken of bij McDonald's gaan werken. Ik kan natuurlijk voor een beter betaalde optie kiezen. Een aanbod aannemen van een of ander wazig internationaal bedrijf of een semi-overheidsinstelling, en in Rusland of Zuid-Amerika gebouwen op gaan blazen of hun concurrenten omleggen. Of voor een of andere regering in een brandhaard in Afrika of het Midden-Oosten problemen oplossen die te gevoelig liggen onder eigen vlag. Want daar komt het in grote lijnen op neer. Waar ze me voor zouden willen inlijven is voor gelegenheidsformaties, die de rotzooi achter hun leugenachtige reet opruimen. Als het uit de klauwen loopt, dan zijn het jongens geweest die "op eigen initiatief cowboytje spelen", *thrillseekers* of doorgeslagen veteranen... dan laten ze je gewoon wegrotten in een cel in een of ander apenland en sturen ze een verse ploeg.' Ik draai me naar haar toe. Ze luistert aandachtig. 'Ik zou natuurlijk nog een criminele loopbaan kunnen overwegen. Het verschil met wat ik hiervoor heb gedaan is misschien niet zo heel erg groot.' Dat laatste is een sneer.

Ze begrijpt hem en gaat er niet op in. 'Je zou de beveiligingssector in kunnen.'

Ik neem een laatste hap van mijn tortilla. Ei en aardappel. Het vult goed. '*Have the T-shirt*. Als je je huiswerk hebt gedaan, moet je dat weten. Dat was mijn laatste baan.'

'Je werkte voor Harry Smith in Liverpool. Harry is een oud-militair, was onder meer paratrooper en startte zijn beveiligingsbedrijf zes jaar geleden. Hij heeft zeven man fulltime in dienst, allemaal ex-leger, en een onbekend aantal oproepkrachten voor specialistische klussen. Je hebt er acht maanden gewerkt en vorige maand plotseling de zak gekregen. We konden niet achterhalen waarom.'

'Indrukwekkend,' zeg ik, doelend op de hoeveelheid informatie die ze heeft losgepeuterd. Er zitten blijkbaar heel wat onderbetaalde lui bij overheidsinstanties. Want ik weet zeker dat Harry of een van de anderen nooit informatie zou verstrekken aan onbekenden. Dat zit niet in hun aard, ze zijn van nature wantrouwig en gesloten naar mensen die ze niet tot hun eigen kring rekenen.

In stilte vraag ik me af of dit het enige is wat ze heeft achterhaald. Hoeveel informatie heeft een crimineel nodig om zaken te kunnen doen? Hoe diep heeft ze in mijn leven zitten wroeten?

'Waarom ben je ontslagen, Alex?'

'Vrouwen werden wild als ze me zagen. Ze trokken de kleren van mijn lijf en Harry werd jaloers.'

'Flauw.'

'Het was niets bijzonders.'

'Heb je een klant geslagen?'

'Nee. Ik heb trouwens geen zin om erover te praten. Het is gebeurd.'

Het was een simpele klus geweest: haal klokslag negen uur meneer A op bij locatie B en zet hem veilig af op locatie C. Ik hield me de dag ervoor bezig met de verkenning van de locaties en de te rijden route. Er was geen hoog risicoprofiel afgegeven voor A, maar ik nam het serieus. Rampen ontstaan meestal omdat iemand zijn taak onderschat. B bleek een overzichtelijk hotel, niet ver van de Mersey. Drie in- en uitgangen. A zat op de vierde verdieping. We zouden om veiligheidsredenen de trap nemen naar de parkeerkelder onder het hotel, waar een van ons klaar zou staan met een beveiligde auto. Die auto was overdreven, maar Harry kon op deze manier zijn factuur wat opdrijven. Harry's broer verhuurde limo's en meer van dat soort bakken, en hij tipte ons als de gepantserde Mercedes een dag stilstond. Dan kreeg een laagrisicoklant een mooi verhaal voorgeschoteld dat het toch echt verstandiger was te kiezen voor absolute veiligheid. De meesten vonden het alleen maar interessant, ze hoefden het toch niet zelf te betalen. Locatie C was een overheidsgebouw op krap twintig minuten rijden als er geen verkeersopstoppingen waren, dus ik ging uit van dertig, veertig op zijn hoogst. Mijn taak zat erop zodra A zijn voetjes droog over de drempel van locatie C had gezet. Kortom een simpel ABC'tje. Niets aan de hand.

Na de verkenning wilde ik wat gaan drinken en kwam ik Lennard Thomson tegen, een oude dienstmaat waarmee ik in Noord-Ierland had samengewerkt. Ik struikelde letterlijk over hem. Hij belandde voor me op de stoep voor een kroeg door toedoen van twee uitsmijters en grijnsde toen hij me zag, ik hielp hem overeind en we wisselden de gebruikelijke beledigingen uit. Het vele bier deed de rest. Het moet rond zes uur in de ochtend zijn geweest dat ik met mijn hoofd zo'n beetje in een wc-pot in slaap gevallen ben, in een etagewoning van een vriendin van Len die niet thuis was. Er waren heel veel andere mensen, een paar gasten kende ik vaag.

Vijf uur later kwam ik enigszins bij mijn positieven. Mijn hoofd bonkte, ik zag eruit als een lijk dat al even in het water had gelegen en ik trilde over mijn hele lijf. Het kon zijn dat ik drugs gebruikt had. Zo'n nacht was het, ik geloof niet dat iemand wist wat hij deed. In mijn mobiel vond ik talloze oproepen van Harry. Een halfuur later stond ik voor zijn bureau. Ik kon hem niet in de ogen kijken.

Mijn baas ventileerde zijn volledige assortiment krachttermen. Klant A bleek door Harry pas om half tien, nadat duidelijk was geworden dat ik niet kwam opdagen, persoonlijk van B naar C te zijn geëscorteerd.

Het was niet de eerste keer dat ik te laat kwam. Klopt. Hij had me al veel kansen gegeven. Klopt. Dit gedrag was volstrekt onacceptabel. Klopt. Ik bezoedelde zijn goede naam. Klopt. Allemaal waar.

Mijn baan was ik kwijt.

Kort erna verliet ik Engeland.

'Wat ben je nu van plan te gaan doen?' vraagt ze. 'Als dit voorbij is?'

'Het zal een beetje afhangen van hoe dingen lopen.' *Ik kan morgen wel dood zijn*, wil ik eraan toevoegen maar ik slik het op tijd in. Je hoort mensen dat te pas en te onpas zeggen, in mijn geval is het geen theoretisch gezever. Ik heb al een poos het onheilspellende gevoel dat ik in reservetijd leef. Het zweeft door me heen, als een donkere schaduw. Een angstaanjagend besef dat ik zo goed en zo kwaad als het kan wegdruk.

'Je weet het echt niet,' zegt ze.

Ik schud mijn hoofd en laat me op mijn rug op bed zakken, mijn armen achter mijn hoofd als steun. 'Nee.'

Ze buigt zich over me heen. Kijkt me recht in mijn ogen, kust me en zegt: 'Ik weet het wel. Maar voor ik het voorstel, wil ik weten waar we staan.'

'Waar we staan?'

Ze laat zich naast me in het kussen zakken en staart naar het plafond. 'Ik wil niet terug naar Carl. Op het moment dat we naar het industrieterrein reden, wist ik het zeker. Ik wist toen al dat ik niet ging doen wat Carl had gepland, omdat...' Haar stem stokt.

Ik draai mijn hoofd naar haar toe. 'Omdat wat?'

Ze neemt me op. Haar hele gezicht verraadt spanning. 'Je lijkt op Carl. Maar vanbinnen ben je... zo anders dan hij.'

Een vrachtwagen dendert voorbij en de ramen trillen.

'Ik ben om je gaan geven,' fluistert ze schor. 'En ik heb mijn eigen plan getrokken. Ik wil bij hem weg. Ik wil echt bij hem weg. 's Ochtends als hij wakker wordt, neemt hij twee lijntjes.

Nog geen uur later weer twee. Hij loopt de godganse dag coke naar binnen te werken. Ik word er kotsmisselijk van. Het heeft hem paranoïde gemaakt, nerveus. Midden in de nacht schudt hij me wakker en begint tegen me te schreeuwen; dat ik een hoer ben, dat ik hem verraad en dat hij zeker weet dat ik overgelopen ben en op zijn geld uit ben, dat hij me zou moeten vermoorden. Op een dag gaat hij dat inderdaad doen, daar maak ik me geen illusies over. Ik heb hem zien veranderen en ik geloof er niet meer in dat hij ooit nog de oude wordt. Hij is te ver heen.'

'Misschien lost het probleem zichzelf dan wel op, een dezer dagen.'

'Doel je op een overdosis?'

Ik knik. 'Zoiets.'

'Carl is geen straatgebruiker, Alex. Hij is een expert. Weet je hoe het zit met coke? Heb je weleens gebruikt?'

'Een paar keer. In een ver en grijs verleden.'

'De meeste mensen komen op de eerste hulp terecht als ze gewend zijn aan versneden coke en ineens in aanraking komen met onversneden coke. Gasten die bijvoorbeeld de "coke" gewend zijn in Londen of Madrid, die grotendeels uit aspirine, lidocaïne, manitol of borax bestaat, en dan voor het eerst van hun leven tachtig, vijfentachtig procent zuivere coke snuiven in Colombia, Bolivia, Mexico of Californië. Dat komt aan. Of als je rotzooi koopt, als de coke versneden is met troep. Atropine of zo.'

'Dat kan toch weleens een keer gebeuren?'

Ze lacht vreugdeloos. 'Carl heeft de beschikking over ladingen met betrouwbaar spul. Rechtstreeks uit Galicia, van een solide importeur. Al jaren. Maar dan nog test hij elke zending uitentreuren. Hij laat niets aan het toeval over, dat kun je niet in deze handel. Er is te veel geld mee gemoeid. Er lopen te veel mafketels in rond.'

'Dus hij proeft de coke niet?'

'Natuurlijk niet. Dat is te link. Hij is niet achterlijk.'

Ik denk aan de tv-series en speelfilms waarin een rechercheur een onderschepte lading test door er wat van op zijn tandvlees te smeren of het op de tong te leggen, en ben weer een illusie armer. 'Hoe test hij het dan?'

'Coke smelt op exact 262 graden,' doceert ze. 'Carl heeft er een *hot box* voor, een speciale testkoffer met een verwarmingselement en een thermometer. Als het smeltpunt afwijkt, is de coke versneden. Soms kan hij uit het smeltpunt opmaken waarmee. Versneden met speed geeft bijvoorbeeld een lager smeltpunt. Maar omdat er slimme jongens tussen zitten die coke aanlengen met spul dat in de juiste verhouding evengoed rond dat smeltpunt zit, is die test pas het begin. Je kunt een beetje coke bijvoorbeeld op zilverfolie leggen en met een aansteker verwarmen: zuivere coke wordt vloeibaar en kleurt rood, terwijl troep gaat knetteren en zwart verbrandt...' Ze zucht en laat zich op haar rug rollen, haar onderarm tegen haar voorhoofd. 'Vervolgens gaat er een mespunt in een longdrinkglas, in een bepaalde verhouding bleekmiddel en water. Elke stof gedraagt zich anders. Het poeder kan imploderen, snel naar de bodem zinken of op tweederde blijven hangen en weer omhoog komen, zich vastzetten op het glas, sliertjes geven in een bepaalde vorm of kleur, ga zo maar door... Wil je nog meer horen?'

Ik schud mijn hoofd.

Angela draait zich naar me toe en streelt afwezig met haar vingertoppen over mijn kin. '*The bottom line is*: Carl gaat niet dood van de coke, Alex.'

Het komt er heel zacht en onschuldig uit, maar ik weet precies waar ze op aanstuurt en het ergert me. 'Jij hebt mij niet nodig als hitman. Je bent capabel genoeg om je eigen doden te creëren.'

Ze glimlacht, maar haar ogen lachen niet mee.

'Lopen er bij die Basken van jou alleen maar testosterongedreven holenberen rond?'

Ze fronst haar wenkbrauwen. 'Hoezo?'

'Ik ben Carl niet. Dat moeten die gasten toch ook kunnen

begrijpen, dat ze de verkeerde te grazen hebben genomen. Jij weet waar ze zitten. Ik kan naar ze toe gaan en het verhaal uitleggen.'

Ze zakt terug in de kussens met een ongelovige kreun. 'Uitleggen? Wat wil je doen? Ze je paspoort laten zien? Carl heeft er zeven. En dan nog, als je hen al weet te overtuigen voor ze je leeg laten bloeden, hoe blij denk je dat ze zijn met die slachtpartij?'

'Slachtpartij?'

'Die mannen die je ondervraagd hebben en twee andere kerels en een vrouw die we daar in die boerderij aantroffen.'

Ik klem mijn kaken op elkaar.

'Wat wil je ze allemaal vertellen?' hoor ik Angela zeggen. 'Dat heb ik niet gedaan, maar Angela García... en ik kén haar niet eens?' Ze schudt nog eens haar hoofd en kijkt nietsziend naar het plafond. Stoot dan een vreugdeloze lach uit. 'O, ja, toch wel. Ik naaide haar in Madrid, want we zaten toevallig in hetzelfde vliegtuig. Verder weet ik niet wie ze is, toch heeft ze me daar weggehaald, ik weet ook niet waarom. Laat je nakijken. Die gasten zijn ziedend, Alex. Ze willen bloed zien. Maar vooral geld. Ze geloven je niet en ze leggen je op de pijnbank tot je zo ver heen bent dat je ze bekent dat je moeder een olifant is en je vader president van Amerika. En dan, omdat je geen informatie kunt geven, castreren ze je en laten je langzaam doodbloeden.'

Ze heeft een punt. Ik heb tijd nodig om het op me in te laten werken. Ik probeer een helikopterview erop los te laten, maar ik zit er te dicht op. Het lukt niet. Angela heeft er langer over nagedacht dan ik, zoveel is duidelijk. 'Dus?' zeg ik uiteindelijk.

Ze kijkt me indringend aan. 'Ik heb een plan, Alex. Ik heb het aan alle kanten tegen het licht gehouden. Als het werkt, en het móet werken, dan zijn we binnen. Voor de rest van ons leven. Maar ik kan het niet alleen. Ik heb het nodig om te weten dat... dat...'

Ik trek haar over me heen en begin haar te kussen. Duw mijn

tong tussen haar lippen. Ze smaakt naar tortilla en ananas. Haar tong reageert meteen en draait trage, diepe cirkels in mijn mond. Ik voel haar hand tussen onze lichamen en trek mijn buik in om het haar makkelijker te maken. Haar vingers sluiten zich om mijn ballen en maken knedende bewegingen.

'Wat wilde je weten?' weet ik uit te brengen.

Ze gaat met haar tong over mijn lippen en begint oppervlakkig te ademen als ik een van haar borsten ontbloot en haar tepel vind. 'Ik wil weten of je...'

'Of ik bij je blijf? Wat denk je zelf?'

Ze spreidt haar benen, trekt haar slipje ongeduldig opzij en schuift langzaam over me heen. 'Ik weet niet wat je wilt.' Ze begint te bewegen, tergend langzaam.

Ik sluit mijn ogen. 'Zolang je dit effect op me hebt,' fluister ik, 'wil ik je in mijn buurt. Is dat voldoende?'

17

'Een plan,' zeg ik.

Ze schurkt loom tegen me aan en meer dan ooit lijkt ze op een kat, terwijl ze haar nagels over mijn borst laat zwerven. 'Carl moet dood.'

'Dat deel van het plan is bekend,' zeg ik schor.

'Het moet gebeuren terwijl de kopers er met hun neus bovenop staan. Zodat iedereen het met zijn eigen ogen ziet gebeuren. Zien is geloven. Zo simpel is het.'

'In plaats van de stand-in legt de dealer zelf het loodje.'

'Niet helemaal...' Er valt een stilte. Ze kijkt me aan. Lange donkere wimpers, ogen die twijfel uitdrukken. 'Het idee dat ik heb, is risicovol. Voor ons allebei. Maar als het lukt, is het meer dan de moeite waard geweest.'

'Vertel.'

Ze bijt zacht op haar onderlip. 'Carl heeft contact met een stel Joegoslaven.'

Joegoslaven. Mijn hartslag neemt toe. Ik laat niets merken. Het woord alleen al voert me in een nanoseconde terug naar Gornji Vakuf. Het is verdomme als een deur van een voorraadkast die maar niet dicht wil, wat je ook probeert. Steeds als je denkt dat je hem goed hebt afgesloten, je met je schouder ertegenaan hebt geramd, duidelijk een klik hebt gehoord en ervan wegloopt, opgelucht dat het achter de rug is, laat de kleinste trilling het kreng weer openklappen. Wagenwijd open. En alle opgestapelde rotzooi lazert erachter vandaan. Glas, plastic zakken met troep van jaren tuimelen naar beneden, als een waterval van rommel die zich over de zojuist schoongeboende vloer uitspreidt. *Skeletons in the closet.* Ze verrekken het zich weg te laten stoppen. Ze lachen me uit, springen op mijn rug bij de minste aanleiding.

Petrovic was dood. Ik leefde. De lange tocht terug naar de compound, naar de barakken en mijn bed, was een stuk van vijftien kilometer maar het leken er die avond wel vijftienduizend te zijn. Ik kon niet in de berm lopen, geen gebruik maken van de natuurlijke dekking. Er waren landmijnen geplaatst en elke stap kon je laatste zijn. Dat was geen overdreven gedachte.

Vlak bij de compound, niet meer dan een verzameling stalen containers waarin het stonk naar opgedroogd zweet, wapenolie en muf beddengoed, was een vallei waar een vijftal paarden had staan grazen toen we ons er net hadden geïnstalleerd. Met hun zachte monden trokken ze het schrale gras uit de klei, zetten de ene hoef voor de andere, denkbeeldige insecten verjagend met hun dunne staarten. En een voor een hadden we ze voor onze ogen zien exploderen. De hele vallei was een *no go area*. En dat gold in wezen voor alle ondergrond die niet stevig was geasfalteerd.

Ik moest over de weg terug, een weg die in de gaten gehouden kon worden door scherpschutters en waarop je elk moment in een fuik kon lopen, een hinderlaag. Serven of moslims, je wist nooit precies wie je tegenover je had. Ze doemden op uit het niets, drukten een pistool of automatisch legergeweer tegen je slaap en namen je alles af wat ze konden gebruiken of gewoon wilden hebben: je legerkisten, je jas, je sigaretten. En je trots. Je gevoel voor rechtvaardigheid. Alles waar je in geloofde. Ze namen je alles af. En er was niets wat we ertegen konden doen. Vredestroepen hadden geen rechten, geen mandaat om serieus op te treden. Die kerels, ze lachten ons gewoon uit, treiterden, solden met ons.

Het was meer mazzel dan wijsheid dat ik die vijftien kilometer zonder noemenswaardig oponthoud heb kunnen overbruggen. Ik sloop de compound op. De gasten die wachtliepen op de westelijke zijde zagen me, herkenden me, maar ze wisten niet beter of ik had een van de vele hoeren bezocht die door hun pooiers – soms gastjes van amper zeventien jaar – aan de poort werden aangeboden. Ze knipoogden, maakten schunnige opmerkingen, maar ik wist dat ze er geen melding van zouden maken. Ik liep stug door, in een roes, alsof ik op de maan liep, gewichtloos was.

Ik deelde mijn container met Mark Fairweather. Hij lag al op bed en trok een wenkbrauw op toen ik afgepeigerd op mijn brits viel. Het zweet parelde op mijn voorhoofd. Ik trok de slaapzak dicht om me heen en staarde naar de vuile muur. Mijn hart bonkte nog steeds als een bezetene en mijn tong voelde aan als een lap kurk.

'Jij hebt wat geflikt,' klonk het.

'Bek houden.'

Het bleef minutenlang stil. In gedachten beleefde ik de moord keer op keer. De geur van de ontlasting die Petrovic liet lopen toen ik de elektriciteitsdraad strakker om zijn dikke nek snoerde. Het bloed. Mijn vastbeslotenheid hem te vermoorden. De gedachten die door me heen knalden toen hij uiteindelijk als een zak aardappelen, volledig bewegingloos, tegen het stuur van zijn eigen auto hing. Vermoorden was niet genoeg. Ik wilde hem verminken, die pokdalige dode rotkop van zijn romp snijden en in een ravijn trappen, de diepte in. Zijn lichaam ophangen langs de weg, zodat elke passant kon zien hoe ongelooflijk dóód die klootzak was. Ik had met hem willen doen wat ik al die gestoorde lui in dat godvergeten kutland met hun voormalige buren en kennissen had zien doen.

Zo werkte het dus. Haat als drijfveer. Haat die van mensen beesten maakt, seriemoordenaars, kampbeulen.

En ik begon te janken. Ik was tweeëntwintig en had in geen tien jaar meer gejankt.

Mark kwam naast me zitten, trok me tegen zich aan. Onwennig, zich geen raad wetend met de situatie. En ik vertelde hem alles. De woorden stroomden uit mijn mond. Hoe ik Petrovic had gespot. Hoe ik hem bij zijn auto had overmeesterd en hem naar zijn eigen executieplaats had laten rijden. Hoe ik hem had gestoken, gewurgd. Hoe geweldig ik me voelde dat hij dood was, maar snel daarna vond dat hij er nog te goed vanaf was gekomen. Dat ik hem doder dan dood had willen hebben, omdat hij direct verantwoordelijk was voor de verkrachting en dood van Emina. Mijn enige lichtpuntje in deze verrotte hel.

'Ik zou hetzelfde gedaan hebben,' fluisterde hij. 'Had het verdomme gezegd, man. Ik was met je meegegaan.'

Na die ene nacht is er niet meer over gesproken. Mark heeft al die jaren zijn mond dichtgehouden. Ook toen we werden verhoord, terug in Engeland, heeft hij niets gezegd.

Helemaal niets.

'Die Joego's lopen al een poos om Carl heen te dansen,' dringt Angela's stem tot mijn binnenwereld door. 'Ze zijn ruim een jaar geleden begonnen met kleine hoeveelheden kopen bij een van onze distributeurs, maar ze willen steeds meer en het ook goedkoper hebben. Ze kunnen meer afzetten dan hun contact ze kan leveren. Binnenkort gaat Carl ze voor het eerst zelf aanleveren. Een test. Als de deal doorgaat, en ik vermoed van wel, zou het gaan om vijftig kilo. Dat is ruim anderhalf miljoen euro. Na versnijden een uiteindelijke straatwaarde van rond de acht miljoen.'

'Anderhalf miljoen,' herhaal ik.

'Als dat goed gaat, wordt de levering daarna verdubbeld.'

'Misdaad loont.'

'Dat lijkt alleen maar zo. Er komt logistiek gezien wat meer bij kijken dan bij een container schoenen uit China. Carl maakt kosten om het spul te krijgen. Inkoop, smeergeld, de distributie, bewapening, beveiliging. En zo nu en dan wordt er een zending onderschept en is alles voor niets geweest.'

'*It comes with the territory*,' fluister ik.

'Er is geen opleiding voor, Alex.' Het klinkt belerend. 'Geen recherche of commissie waar je je tot kunt wenden als iemand valsspeelt. Je begrijpt het spel van nature, of je begrijpt het niet.

Als je de regels niet volgt of niet snapt, ga je niet door naar het volgende level. Dan ben je dood. Simpel. Er wordt aan drie kanten druk op je uitgeoefend. Je moet buiten beeld van de autoriteiten zien te blijven en er tegelijkertijd serieus rekening mee houden dat je concurrenten jou bij voorkeur met een gat in je achterhoofd in een kanaal zien drijven. En je weet nooit of je klanten wel klanten zijn. Elke deal, elke confrontatie kan de laatste zijn. Begrijp je dat?'

Ik luister al niet meer. In Bosnië maakte de vijand – je wist nooit precies wie dat was, ze droegen geen clubshirts – er een gewoonte van om boobytraps achter te laten. Een kinderpop in een afgebrand huis. Een helm langs de weg, zogenaamd achteloos achtergelaten op een paaltje. Je tilt hem op, gedachteloos, gewoon, omdat je er bent en het nu eenmaal menselijk is om dingen aan te raken, op te pakken. Je ziet er een souvenir in, of die pop herinnert je aan je dochter of zoon die je al maanden niet meer hebt gezien. *Bam.* Weg arm, weg benen. Weg leven. Niet op afgesproken tijdstippen, maar elke verrotte seconde buiten de compound moest je op je qui-vive zijn, als je tenminste in leven wilde blijven. Die verrekte landmijnen maakten het feest helemaal compleet. Net voor je weer naar huis mag, wil je nog een foto maken van de jongens op de tank, leuk voor thuis. Iedereen grijnzend op dat ding, jij zet met je camera een stap naar achteren in de berm om iedereen in beeld te krijgen. *Bam.* Het gebeurde gewoon.

Elk jaar opnieuw staan er weer duizenden jongens te trappelen om zich achter de vijandelijke linies te laten dumpen. En waarvoor? In elk geval niet voor anderhalf miljoen euro.

'Alex?'

Ik frons. Knipper met mijn ogen.

Ze leunt op een elleboog en brengt haar gezicht boven me. 'Luister je wel?'

'Ga verder,' zeg ik.

'Als je me zegt waar ik was gebleven.'

'Confrontatie, druk,' herhaal ik. 'Dat het leven van een crimineel gevaarlijk en zwaar is. Daar was je. Ga verder.'

Ze zucht en draait zich een kwartslag, zodat ze naast me komt te liggen. 'Ongelooflijk.'

'Wat?'

'Ik... Nou ja.'

Ik draai mijn hoofd naar haar toe. 'Wát?'

'Laat maar.'

Ik blijf haar zwijgend aankijken.

'Verdómme, ik ben je iets aan het vertellen waar jouw en mijn leven van af kan hangen en jij valt bijna in slaap.'

'Ik sliep niet.'

'Ik zei bijna,' sist ze.

'Ook niet bijna.' Mijn hersenen lijken na enige inspanning weer redelijk te functioneren. 'Je wil dat Carl neergelegd wordt bij de eerstvolgende overdracht, onder de ogen van een stel Joego's, zodat die hun narcovriendjes kunnen vertellen dat hij dood is. Of misschien laten ze wel een persbericht uitgaan naar het internationale vakblad voor coke- en heroïnedealers. Dat was je plan. En lieve schat, daar heb je mij niet voor nodig. Daar moet ik zelfs helemaal niet bij zijn.'

'Waarom niet?'

'Omdat je dat gewoon zelf kunt doen, waar ze bij staan. Dan weten ze gelijk aan welke kant je staat en laten ze je daarna met rust. Of was je van plan de rest van je leven met kort rood haar en een rare bril rond te lopen, hopend dat niemand je herkent? Ik neem aan dat als Carl uit de wereld is, ze jou niet laten lopen.'

Ze rolt met haar ogen. 'Ik zal me sowieso moeten laten verbouwen, Alex. Wat er ook gebeurt. Daarvoor heb ik dat geld nodig. Ik heb het allemaal allang geregeld. Zodra ik het geld heb, ga ik naar Brazilië, Rio. Daar zitten de besten. Ze stellen je geen vragen, zolang je maar betaalt. Ik krijg implantaten in mijn kin en jukbeenderen, mijn neus wordt verkleind, mijn ogen gelift. Alles. Ik word onherkenbaar.'

'Als je daar nou eens eerder aan had gedacht, had je meteen die Carl van jou mee naar Rio kunnen nemen. Dan had ik ook gewoon verder gekund met mijn leven.'

Ze gaat rechtop zitten en kijkt me donker aan. 'Denk je nou echt dat je de primeur hebt met dit idee? We zijn samen in Rio geweest, Carl en ik. Die arts, een Duitser, heeft alles met hem doorgenomen. Maar de lafaard durfde niet. Carl kan heel goed tegen bloed, behalve als het van hemzelf is. Drie keer heb ik een afspraak gemaakt. De eerste keer was hij zogenaamd ziek en kon hij de reis niet aan, de tweede keer werd hij voor zaken weggeroepen en bij de derde keer, een week voor de geplande behandeling, stuurde Graham die foto van jou door. Dus ja, toen werd alles daarop gegooid.'

'Dan ben je me nu dus gewoon kwijtgeraakt. Het is lullig, maar ik ben verdwenen, opgegaan in de massa. Jammer maar helaas. Terug naar plan A.' Ik schiet omhoog, trek nijdig de dekens opzij, loop naar de badkamer en leeg mijn blaas. Het dringt nu pas echt tot me door hoe ver dit gaat. Ik kan er niet uitstappen. Nooit. Of Carl zich laat verbouwen, doodgeschoten wordt of rond blijft lopen, het maakt niet eens meer uit: ik leef in reservetijd zolang ik mijn eigen hoofd heb. Het is vierendertig jaar goed gegaan, maar als ik op een dag op de verkeerde tijd op de verkeerde plaats ben, kan het zomaar over zijn. Mijn kop is zo besmet als de neten vanwege die fucking Carl Fernandez. Als ik dit hele circus overleef, en wil blijven leven, kom ik uiteindelijk toch op de snijtafel van een of andere corrupte chirurg terecht, en loop ik de rest van mijn leven met plastic in mijn bek rond. Vooropgesteld dat ik het zou kunnen betalen.

Angela staat ineens achter me. Ze legt haar hand op mijn schouder.

'Sodemieter op,' zeg ik, net iets te hard.

'Ik ben bang van hem, Alex. Hij vermoordt me. Een keer slaat hij te ver door en vermoordt hij me.'

'Schiet die vent van je neer bij die deal.' Mijn stem resoneert door de kale ruimte. 'Je was hem beu. Klaar. Je geeft die coke aan de gasten, pakt het geld, iedereen blij naar huis.'

'Zo simpel is het niet.'

Ik trek het toilet door. 'Zo simpel kan het zijn. Schiet die eikel het licht uit zijn ogen, maak er voor mijn part een hele show van. Daar zijn die Joego's dol op, kan ik je vertellen. Maar val mij er verder niet meer mee lastig.'

Ze blokkeert de deuropening, armen stijf over elkaar. 'Ik heb iemand nodig die ik kan vertrouwen en noem me naïef, maar ik dacht dat ik zo iemand in jou had gevonden.'

Ik kijk haar zwijgend aan.

'Daarom wilde ik weten waar je stond,' gaat ze verder. 'Waar wij staan. Want ik heb dus een beter plan en daarvoor heb ik jou nodig.'

Ik wrijf over mijn gezicht. 'Heb je enig idee waar Carl nu uithangt?'

'Hij kan overal zijn. Hij heeft een jacht, zo'n wit strijkijzer met een heleboel sprieten erop. Hij kan in de buurt van Turkije zitten, Griekenland, Italië, Marokko. Misschien op de Canarische Eilanden.'

'Kun je hem bereiken?'

'Dat kan ik proberen.'

'Hoe groot is de kans dat je hem te pakken krijgt? Reëel?'

Ze loopt terug naar de slaapkamer. Ik volg haar.

'Vrij groot,' zegt ze.

'Dan kun je dus achterhalen waar hij zit en met hem afspreken dat je hem ergens treft. Ja, toch?'

'Ja.'

'Als jij dan niet komt opdagen, maar wel die Basken tipt, dan kun je hun het vuile werk laten opknappen.'

'Dat zou ik kunnen doen,' reageert ze lauw. 'Maar dat doe ik niet.'

'Want...?'

'Ik ga voor het geld, Alex. Dat heb ik nodig. Voor de operaties, voor mezelf. Voor een nieuw leven. Zoals ik al zei: ik heb het plan goed overdacht. Ik weet waar ik mee bezig ben. Ik wil die anderhalf miljoen van die deal achterover drukken en zonder jou kan ik dat vergeten.' Ze loopt op me af en slaat haar armen om me heen. 'De helft is voor jou, lieverd. Zevenenhalve ton. Ik vroeg je niet voor niets wat je hierna zou willen doen, en hoe je financiële situatie eruitzag. We delen de buit.'

Allerlei gedachten en mogelijkheden schieten door mijn hoofd, maar overwegend het gevoel dat ik goed bezien niet veel keus heb. Wat moet ik anders? Ik ben bijna door mijn geld heen. Dus of ik vind op korte termijn werk, en die kans is vrijwel nihil, of ik moet met hangende pootjes terug naar tante Pattie en haar teckels. Dat, of de kans om hier met zevenenhalve ton uit te komen. Het klinkt niet verkeerd. Ja, het kan mislopen. *So what?* Alles is toch al naar de kloten. 'Oké,' zeg ik. Mijn stem klinkt vreemd vervormd. 'Ik doe mee.'

Ze glimlacht, trekt een mobiele telefoon uit haar zak en legt haar wijsvinger tegen mijn lippen. Toetst dan een nummer in. 'Daar gaan we dan,' fluistert ze.

18

Hoe dichter we bij Barcelona komen, hoe droger het landschap wordt. Het roept associaties op met oude westerns. Gele heuvels en bergen met stekelige struiken. Effen zwarte en roodbruine runderen met klodders klei in hun dikke wintervachten. Alleen de kale wijngaarden en olijfboomgaarden doen Spaans aan.

Carl is in Barcelona. Dat heeft hij vanmiddag tegen Angela gezegd. Hij heeft haar gevraagd naar de Catalaanse hoofdstad te komen en daar te wachten tot hij contact met haar opneemt. Dat kon vandaag al zijn, maar ook morgen of volgende week. Angela wist zeker dat hij dat deed om haar te straffen. Ze was zomaar van hem weggelopen, had hem alleen gelaten in dat hotel na de deal in San Sebastián. Dit was zijn manier om haar te laten boeten, zei ze. Hij wist dat ze afhankelijk van hem was, ze zonder hem geen geld had om van te leven.

Angela zit naast me en neemt het landschap in zich op. 'Wat ga je doen met het geld?'

'Ik weet het niet. Ik zou in elk geval in een warm land gaan wonen. En jij?'

'Iets wat ik al heel lang wil. Een flamencobar openen, in Barcelona, midden op de Ramblas, of in Malaga. Een tent met tapas, gitaarmuziek en dansers. Zo'n bar waar je graag komt en nooit meer weg wil.'

'Ik had al zo'n vermoeden dat het niet een stichting tot behoud van de Atlantische zeemeeuw zou worden.'

Ze hapt niet. 'Carl heeft vaak beloofd zo'n bar voor me op te zetten, maar het is er nooit van gekomen.'

De geluidsboxen braken ruis uit. Angela duwt op de toetsen van de radio om een andere zender te zoeken. Ik haal een vrachtwagen in.

'Wat heb jij met flamenco?'

'Ik ben ermee opgegroeid. Mijn moeder komt uit Andalusië, uit Jaén. Haar moeder was in die tijd een bekende flamencozangeres.'

Flamenco. Het roept associaties op met gitaren en zigeuners. 'Was je moeder zigeunerin?'

'Nee, een *payo*. Het is een fabel dat je zigeuner moet zijn om ermee bezig te zijn. In veel dorpen in het zuiden van Spanje is flamenco een *way of life*, een manier om je emoties te uiten en om verbondenheid te tonen en voelen met je vrienden, je familie.'

Ik kijk even opzij. Ze is mijlenver weg.

'En dus werd je verpleegster?' probeer ik.

Ze knikt berustend. '*Si.*'

'Want?'

'Dat leek mijn vader een beter beroep. Hij vond het geen prettig idee dat zijn enige dochter bij nacht en ontij in allerlei clubs en bars met haar heupen draaide.'

'Hoe ben je bij Carl terechtgekomen?'

Ze glimlacht schuchter. 'Zes jaar geleden was ik op vakantie met een vriendin, een collega uit het ziekenhuis. We gingen stappen in een club in Barcelona. Carl viel me meteen op. In eerste instantie niet zozeer door zijn uiterlijk, het was eerder de manier waarop mensen op hem reageerden. Ik vroeg me af of ik hem moest kennen, van tv of film, of misschien uit de politiek. Zo'n indruk maakte hij. Heel zelfverzekerd, iedereen leek respect voor hem te hebben. Bovendien was hij blond, en in die club kwamen voornamelijk Catalanen, dus viel hij extra op.'

In de verte zie ik een asfaltkassa. De zoveelste. De snelweg naar Barcelona is een aaneenschakeling van loketten waar betaald moet worden voor elke etappe. Ik minder vaart en trek alvast mijn portemonnee uit mijn kontzak. Voor we vertrokken uit Pamplona heb ik tweehonderd euro gepind.

'Ik trok zijn aandacht,' gaat ze verder. 'Hij nodigde ons uit in de nis waar hij de hele avond al zat. Liet een fles champagne aanrukken en maakte ons aan het lachen. Later op de avond nodigde hij me uit om de dag erna op zijn jacht langs te komen. Ik heb de uitnodiging aangenomen en ben er gebleven. Mijn vriendin is alleen teruggegaan.'

'Wat vonden je ouders daarvan?'

Ze haalt haar schouders op. 'Mijn ouders waren toen al dood. Ik was eenentwintig. Carls wereld trok me meer dan werken in een ziekenhuis. Het was spannend, elke dag was anders. Hij nam me overal mee naartoe. Zuid-Amerika, Mexico, en naar Andalusië, waar ik geboren ben.'

'Wist je hoe hij aan zijn geld kwam?'

'Dat vertelde hij me pas na een paar maanden, maar ik had het natuurlijk al eerder door.' Ze peutert aan haar duimnagel. Bijt erop. 'Het maakte me niets uit, nu nog steeds niet. Alcohol en sigaretten zijn net zo verslavend en slecht voor je gezondheid, maar die zijn vrij te koop op elke straathoek en de regeringen vullen er wereldwijd hun zakken mee. Hypocriet gedoe. Ik heb nooit begrepen waarom er zo spastisch gedaan wordt over drugs. Als mensen uit hun dak willen gaan, moeten ze dat zelf weten. Het is hun geld, hun lichaam.'

Op de vluchtstrook staat een familie met kinderen, uit de motorkap van hun stationwagen kringelt witte rook. Ik raas er met honderdveertig kilometer per uur voorbij.

'Mensen kunnen onder invloed van drugs dingen doen waar ze later spijt van krijgen,' merk ik op.

'Onder invloed van drank net zo goed. Veel meer nog, als je het mij vraagt.'

Fijne opmerking. 'Dus je had het naar je zin met Carl.' Ik krijg het amper uit mijn strot. Ze had me verteld dat ze voor hem werkte, ik had daar zelf bij bedacht dat ze een paar keer met hem het bed had gedeeld. Nu blijkt ze ineens zijn liefje te zijn geweest.

'Ik hield van dat ongeregelde leven, de ultieme vrijheid. Er was altijd geld genoeg, we gingen naar feesten of organiseerden ze zelf. Carl had over de hele wereld vrienden en we werden er ontvangen als filmsterren. Hij had de eigenschap om alles luchtig op te pakken. Het woord problemen leek hij niet te kennen, hij noemde het uitdagingen. Of misschien leek dat alleen maar zo, destijds.'

Ik rem af voor een tolpoort en laat mijn raam zakken. Overhandig vijf euro-nog-wat en rijd door. 'Want het bleef niet zo?'

'Mijn taak was mooi zijn en glimlachen. Winkelen, een beetje socializen, aan het zwembad hangen, veel praten maar niets zeggen. Hij hield me expres dom. Dat ging me steeds meer irriteren. Als er zaken gedaan werden, werd ik daarvan weggehouden. Sommige vrouwen in dat wereldje waren echt stomvervelend, en daar zat ik dan soms twee dagen mee opgescheept in een of andere haciënda in Midden-Amerika. Dan was Carl met zo'n kerel ergens in de rimboe een plantage aan het bezoeken. Dat leven houd je niet lang vol als je gewend bent voor jezelf te denken.' Ze zucht diep en kijkt nog steeds verveeld naar buiten. 'Carl werkt met vaste leveranciers, maar de afzetkanalen veranderen vaak en daar moet je mee oppassen. Hij maakte zich er zorgen over. Ripdeals kwamen steeds vaker voor, en een klant kan ook een stille zijn. Omdat ik me toch te pletter verveelde, ben ik die mensen gaan natrekken. Ik ben begonnen met het opbouwen van een netwerk in Spanje, daarna in andere landen. Duitsland, Engeland, Nederland.'

Ik herinner me dat ze me zei inlichtingen te kopen bij overheidsdiensten. 'Over wat voor contacten heb je het?'

'Werknemers die toegang hebben tot persoonsinformatie, maar tegelijkertijd een niet te hoge functie hebben. Mensen met weinig verantwoordelijkheid. Die zijn gevoelig voor geld. Ik kan kentekens natrekken, sofi-nummers achterhalen, checken of iemand een strafblad heeft, een uitkering ontvangt, dat soort dingen. En of iemand misschien een andere naam gebruikt dan hij in werkelijkheid heeft. Of veel in het nieuws is geweest. *High profile* klanten geven een hoger risico. Het lukt niet altijd en overal, en het is nooit helemaal waterdicht, maar het screenen gaf Carl meer rust en mij wat nuttigs te doen.'

'Wat ben je over mij te weten gekomen?'

'Niet meer dan wat ik je eerder al heb verteld. Dat je in het leger hebt gezeten en er een paar jaar geleden bent uitgestapt, of ontslagen, dat kon ik niet achterhalen. Je laatste baan. En de hoogte van je uitkering.'

'Informatie van de sociale verzekering,' concludeer ik.

'Precies.'

De temperatuurmeter in de Opel geeft aan dat het hier dertien graden is, veel warmer dan het aan de westkust was. Links van ons rijzen de Pyreneeën op. Besneeuwde bergtoppen van het bergmassief steken helder wit af tegen de strakblauwe hemel.

Ik kijk haar even aan. 'Omvat die informatie misschien ook adressen?'

'Ben je bang voor Helen?'

Mijn mond wordt op slag droog. 'Wat weet je van Helen?'

'Niet zo veel. Haar meisjesnaam is Thorne en ze woont in Liverpool. Je hebt haar na de scheiding het huis nagelaten in plaats van alimentatie, zodat ze daar kon blijven wonen. Heel ridderlijk van je.'

'Hoe weet je dit?'

'Het meeste via de sociale verzekeringsbank. En ik heb haar naam gegoogeld. Ik vond haar foto op een site van de verzekeringsmaatschappij waar ze werkt. Verkoop binnendienst. Mooie vrouw. Je moet veel van haar gehouden hebben.'

Nog steeds.

'Mag ik weten waarom het fout is gelopen? Zag je haar voor iemand anders aan, net als mij die nacht in Madrid?'

Beelden van de hotelkamer in Madrid flitsen voorbij. Mijn handen om Angela's nek. Oogwit dat oplichtte in het donker. Ze gaan naadloos over in Helens ogen. Dat ene onbedekte oog waarmee ze me aanstaarde.

'Ze heeft een week in het ziekenhuis gelegen,' weet ik uit te brengen. 'Alles bij elkaar.'

'Wil je me vertellen wat er is gebeurd?'

'Liever niet.'

'Je hebt een strafblad,' zegt ze. 'Losse handjes. Openbare dronkenschap.'

Ik snuif en kijk naar buiten.

'Ben je uitgezonden geweest? Wil je erover vertellen?'

Ik schakel terug naar de vierde versnelling, kijk in de buitenspiegel en haal een vrachtwagencombinatie in.

'Niet dus?' dringt ze aan.

'Ik praat er niet graag over,' antwoord ik, en schakel naar z'n vijf. Wat heeft het voor zin hierover met Angela te praten? Wat heeft het überhaupt voor zin om er met wie dan ook over te praten die daar niet is geweest, die niet heeft gezien wat wij hebben gezien? Ik heb Helen een paar dingen verteld maar ik ben dichtgeslagen omdat ik merkte dat ze ervan overstuur raakte en me ging zien als een freak. De media vertelden namelijk heel andere dingen. De militairen hadden goed werk verricht, dat was de boodschap die naar buiten werd gebracht. Massagraven en etnische zuiveringen bestonden alleen in de verbeelding van een paar getormenteerde journalisten en doorgedraaide militairen. Het had niet plaatsgevonden. Pas nu, in de afgelopen jaren, komt de waarheid aan het licht. Te laat voor mijn huwelijk. Helen kon mijn verhalen geen plaats geven. Dat gold voor mij net zo goed.

Lijken die langs de weg lagen te rotten, bedekt met natte sneeuw. Mannen die aan hun enkels in de deuropening van hun eigen huis hingen. Sommigen misten hun ogen, hun benen. Vingers. Hun hoofd. We wilden ze daar weghalen, ze begraven, maar dat kon niet. Elk lijk kon een boobytrap zijn.

Tussen de doden zwierven radeloze mensen in lompen, sommigen stamelend of volkomen apathisch, anderen nog strijdbaar, alles in het werk stellend om mensen te helpen die er nog erger aan toe waren dan zijzelf. Peuters van amper twee, drie jaar oud krijsten om hun moeder die er niet meer was. Architecten, boeren, onderwijzers, verpleegsters, mensen die tot voor kort nog een leven hadden gehad, een huis, dromen en idealen. Ze waren uit hun huizen gejaagd, ze hadden geen bezittingen meer, soms geeneens meer schoenen aan hun voeten. Ze strompelden uitgeput langs de weg en smeekten ons om wat eten. Het waren verdomme ménsen, geen cijfers, geen statistieken, en ik kreeg het niet voor elkaar het van me af te zetten, me 'professioneel' op te stellen. Het lukte me niet. Toen niet. Nu niet. Nooit.

'Ook goed,' zegt ze, in reactie op mijn stilzwijgen. 'Wil je wat drinken?' Ze draait een fles cola open.

Ik pak de fles aan, zet hem aan mijn mond en neem een paar slokken. Als ik hem teruggeef, vraag ik: 'Aan wie heb je die informatie gegeven?'

'Welke informatie?'

'Over Helen.'

'Aan Carl.'

'Zijn er meer die het weten?'

'Graham misschien. Maar ik vraag me af of het hem interesseert. Het zijn lijsten met cijfers. Data. Niet zo heel boeiend, als je niet weet waar je op moet letten... Je geeft nog steeds om haar, hè?'

Ik houd mijn blik strak op de weg gericht. 'Helen is verleden tijd, Angela. Voltooid verleden tijd.'

19

As I returned across the fields I'd known
I recognized the walls that I once made
I had to stop in my tracks for fear
Of walking on the mines I'd laid
And if I built this fortress around your heart
Encircled you in trenches and barbed wire
Then let me build a bridge

Sting, 'Fortress Around Your Heart' (*Dream Of The Blue Turtles*)

De auto staat in een ondergrondse parkeergarage, onder een immens plein dat eruitziet alsof de hele wereld er samenkomt: Placa de Catalunya, een onder architectuur aangelegd park met glanzend plaveisel en bomen in het centrum van een enorme rotonde, waar talloze winkelstraten en doorgaande wegen uit ontspringen. Na het ruige en verlaten berglandschap dat de bijna vier uur durende trip vanaf Pamplona kenmerkte, waren de kleuren, geuren en stadsgeluiden me tegemoet geknald. Historische en moderne gebouwen, palmbomen, warenhuizen en restaurants, opzichtige geel met zwarte taxi's, massa's toeristen, winkels, marktkraampjes, geüniformeerde Guardia Urbana, straatmuzikanten en een nietaflatende stroom verkeer. Bewoonde wereld.

Ons onderkomen ligt zo'n vijfhonderd meter van Placa de Catalunya, in een doodlopende nauwe steeg. Het appartement bevindt zich op de tweede etage van een zes verdiepingen hoog gebouw, en is bereikbaar via een eeuwenoud, donker trappenhuis met Moorse tegels.

In het appartement zelf is alles wit. De muren, de bedden, de moderne tweezitsbank in de raamloze woonkamer, de eettafel en stoelen, de keuken, de douche, de wc. Alles, op de transparant gelakte grenen vloer na.

Alleen de slaapkamer heeft ramen, grenzend aan de steeg. Ik zet de weekendtassen neer, open de dunne houten luiken die aan de binnenzijde van de vensters zitten en trek de ramen open. Een paar duiven kijkt taxerend op, maar blijft op de stenen richel zitten. Tegelijkertijd met de frisse lucht stromen stadsgeluiden het appartement in.

Angela had het woord gedaan. Een Catalaanse vrouw op leeftijd liet ons het appartement zien, de plaats van de stofzuiger, ze legde uit hoe de tv werkte en de wasmachine. Ze was nog lang niet klaar met haar gedetailleerde rondleiding op deze vijfentwintig vierkante meter, maar Angela stopte haar duizend euro contant toe en werkte haar vriendelijk de deur uit.

Ik trek mijn rastapruik af en gooi hem op de witte sprei. Ik doe de kleurlenzen uit en leg ze op het nachtkastje. Mijn ogen beginnen spontaan te tranen.

'Wanneer ga je hem weer bellen?' vraag ik Angela als ze in de deuropening verschijnt.

'Over een uurtje. Ik wil eerst iets eten. Er zit een McDonald's om de hoek, zal ik wat halen?'

Ik knik. 'Neem maar een BigMac-menu mee. En twee bier.'

Ik hoor de deur in het slot vallen en buig me voorover uit het raam om haar de steeg uit te zien lopen. De overburen zitten zo dichtbij dat ik de gevel met gestrekte vingers bijna kan aanraken. SAUNA staat op de rode lichtreclame boven de ingang beneden. Volgens Angela is het een homotent.

Ik trek het mobieltje uit mijn zak. Cadeau van Angela. Splinternieuw, met vijftig euro beltegoed. Ik draai het metaalkleurige plastic ding rond in mijn hand en toets de code in.

Daarna ga ik op het bed zitten. Staar naar het oranje oplichtende schermpje. Er lijken dagen voorbij te zijn gegaan voor mijn vingers het nummer intoetsen.

'Helen Thorne?'

De verbinding is zuiver. Geen ruis. 'Helen, met mij. Alex.'

Ze zwijgt.

'Niet ophangen, alsjeblieft.'

'Ik hang niet op.'

'Heb je mijn kaart gehad?'

'Ja.'

'Je oppas zei dat je... een baby had.'

Opnieuw stilte. Ik concentreer me op achtergrondgeluiden, maar het lijkt erop dat ze alleen is.

'Haal je niets in je hoofd, Alex.' De scherpte is uit haar stem.

Ik ga verzitten. 'Dat doe ik wel. Ik kan tellen.'

'Alex, ik...'

Gerommel aan de andere kant van de lijn. Iemand neemt de hoorn over. 'Alex?'

De stem van mijn schoonmoeder. Ex-schoonmoeder. Ik sluit mijn ogen en slik. 'Ja.'

'Je moet Helen met rust laten.'

Tuut-tuut-tuut.

Ik duw op de rode toets en laat de mobiel uit mijn hand op het bed glijden.

Vorig jaar, eerste week van april. Een van de eerste echte lentedagen. Ik parkeerde mijn verroeste Civic langs het trottoir in Eaton Road North, West Derby en nam het huis op waar ik met Helen gewoond had. Een simpel rijtjeshuis van rode baksteen met een witte erker. Het was ons thuis geweest.

Nu woonde ze er alleen.

Helen had me eerder op de dag aangegeven dat ik langs kon komen om mijn laatste spullen op te halen. Een oude gitaar, een paar dozen boeken en nog meer rotzooi waar ik al in geen jaren naar had omgekeken. Ik had die dingen helemaal niet nodig.

De buurman, Benny Burley, een gepensioneerde buschauffeur met dun wit haar, zat in zijn leunstoel achter de vitrage naar buiten te loeren. Terwijl ik uitstapte, zag ik hem iets roepen naar iemand achter hem. Kort erna verscheen het gezicht van mevrouw Burley. Ze hield haar hand voor haar mond. Twee bleke gezichten staarden me door de vitrage aan terwijl ik het pad naar de voordeur op liep.

Op het verweerde plastic plaatje naast de deurbel stond nog steeds ALEX & HELEN FISHER. Dat viel niet tegen.

Helen hield de deur voor me open en wees zwijgend naar een paar dozen die in de hal waren opgestapeld. De radio in de woonkamer speelde een nummer van Sting, 'Fortress Around Your Heart'.

'Daar staat het.' Ze veegde een blonde lok uit haar gezicht en keek me niet aan. 'Ik heb vanmiddag alles naar beneden gesjouwd.'

'Dat had ik ook kunnen doen. Hoe is het met je?'

Ze fixeerde haar blik op de dozen in de gang. 'Goed. Best.'

'Ik mis je,' zei ik, zacht. Sloot de deur achter me.

Langzaam haakte haar blik zich vast in de mijne. 'Het werkt niet, Alex. Neem je spullen mee en—'

'Ik mis je, echt. Het spijt me. Alles.'

Haar groene ogen werden vloeibaar van de tranen. Met een nijdig gebaar streek ze ze weg. Haalde haar neus op. 'Pak je spullen nou maar.'

Ik zette een stap naar voren en legde mijn hand op haar rug. Uiterst voorzichtig, ze kon elk moment gaan schreeuwen dat ik moest oprotten. En daar had ze alle recht toe. Maar ze week niet achteruit. 'Sorry,' fluisterde ik. 'Je weet dat ik...'

'Het is niet jij tegen wie ik vecht, Alex. Was het maar gewoon jij. Dat had ik aangekund.'

'Ik wil niet vechten.'

Ze keek naar me alsof ze iets zocht, naar iets wat ze vermoedde dat er moest zijn. Iets wat ze in me wilde zien. 'Ik wil... Ik wil de oude Alex terug. Daar denk ik veel aan, momenteel. Zoals je was, aan vroeger.'

Als ik nou maar een greintje fatsoen in mijn lijf had gehad, dan had ik die verrotte dozen gepakt, was in mijn auto gesprongen en had haar met rust gelaten.

Maar dat deed ik niet. Het voelde te goed. Helen voelde te goed.

Ik kon de impuls niet bedwingen en kuste haar. Het had nooit eerder zo geweldig gevoeld. Ze smaakte zout, nam mijn gezicht tussen haar handen. Tranen stroomden over haar gezicht en kleurden de huid rond haar ogen roze. Ze wilde iets zeggen, maar kwam niet uit haar woorden en kuste me opnieuw.

'Ik heb je gemist,' fluisterde ik weer.

Nog geen minuut later belandden we in bed.

'Je huilt,' merkte ze op, toen ik in haar kwam. 'Ik heb je nog nooit zien huilen.'

Vier dagen later vertrok ik, op de achterbank van een politieauto. De colporteur die ik had aangezien voor een Servische soldaat verdween in tegenovergestelde richting in een ambulance.

De dozen stonden nog in de hal.

20

Angela heeft zichzelf amper de tijd gegund om te eten. De resten van haar hamburger en kip liggen koud in hun open verpakkingen op de witte salontafel. Het hele appartement ruikt naar gesneden uien en bakvet.

Ze kijkt op haar horloge. 'Ik kan nu beter gaan.'

Ik frons. 'Nú?'

'Carl belde me toen ik hier de steeg in liep. Hij heeft een speedboot geregeld die me naar het jacht brengt. Ik moet hem niet laten wachten. En als het te donker wordt, ga ik ongelukken maken.'

'Hoezo?'

'Ik ben nachtblind.'

Ik knijp in de plastic beker waar net nog bier in zat.

'Luister, ik neem contact op zodra het kan.' Ze loopt in de richting van de keuken. 'Ik heb in elk geval een paar dagen nodig om Carls vertrouwen terug te winnen. Misschien meer. Hij zal me geen seconde alleen laten. Als je over zeven dagen nog niets van me hebt gehoord, kun je ervan uitgaan dat ik in de problemen zit.'

'Ben je niet bang?'

Ze blijft staan, de verfrommelde zak in haar hand. 'Bang, nee. Een beetje nerveus misschien.'

'Het kan je dood worden.'

'Ik weet wat ik doe, Alex. Ik ken Carl. Dat scheelt.' Ze zucht diep. 'Hoe dan ook, jij kunt het beste hier blijven. Ik heb voor twee weken vooruit betaald, maar als je over een week nog niets van me hebt gehoord, moet je hier weggaan, dan is het niet meer veilig. Zorg in elk geval dat je niet herkenbaar bent als je naar buiten gaat, probeer niet in de problemen te komen. En hou je mobiel opgeladen... Alsjeblieft.'

Ik knik.

'Ik probeer zo snel mogelijk het een en ander op de rails te zetten met die Joego's. Zodra het kan, bel ik je, oké?'

'Het bevalt me niet.'

Ze buigt zich voorover en wrijft haar neus langs de mijne. 'Binnen een maand of wat zijn we rijk. Anderhalf miljoen euro. Probeer daaraan te denken. Een tweede kans, Alex. Een nieuw leven... Wacht je op me?'

Kort erna hang ik opnieuw uit het raam. Haar koffers maken een ratelend geluid op de keien. Ze kijkt niet om.

Een halfuur later sta ik nog steeds bewegingloos naar buiten te staren. De koude februarilucht prikt in mijn gezicht en mijn benen beginnen te slapen. Mijn innerlijke dialoog is volledig op hol geslagen. Herinneringen struikelen over elkaar door mijn hoofd: flarden van gesprekken, gezichtsuitdrukkingen, handelingen.

Er is iets ongelooflijk mis met dit hele verhaal. Maar wat, verdomme?

Ik masseer mijn neusbrug tussen duim en wijsvinger. Tot helder denken ben ik niet in staat, ik kom er niet uit. Het lukt gewoon niet. Ik vraag niet graag om hulp, maar ik heb echt behoefte aan iemand die ik kan vertrouwen. Iemand die de hele situatie afstandelijk kan bekijken, en vanuit de objectieve, rationele gedachtegang van een buitenstaander kan bevestigen wat mijn intuïtie me al dagenlang toeschreeuwt. Of me er in elk geval van kan overtuigen dat ik niet paranoïde ben geworden.

Uiteindelijk ruk ik me los van het venster. In de badkamer trek ik de pruik over mijn hoofd en zet mijn zonnebril op. De kleurlenzen laat ik voor wat ze zijn. Ik pak mijn weekendtassen, sluit de deur achter me en neem de trap met drie treden tegelijk. Op de Portal de l'Angel sla ik rechtsaf, in de richting van Placa de Catalunya, en trek de helft van mijn rekeningtegoed uit de geldautomaat van een BBVA-bank.

BARCELONA

7 dagen later

1

You need fast hands/to deal with all the liars.
Bullet-proof skin to keep you alive

Institute, 'Bullet-Proof Skin' (*Distort Yourself*)

Angela schuift een foto over het tafelblad naar me toe. 'Dit is Graham.'

Ik bekijk de foto. Graham is een veertiger met vlaskleurig kort haar, en ogen van een onbestemde kleur. Zo te zien in goede conditie. Op de foto beklimt hij een bergwand, zijn armen zijn pezig en gebruind.

'Het is de enige foto die ik van hem kon vinden zonder zonnebril. Hij draagt er bijna altijd een. Dan weet je dat.'

Ik zou hem van gezicht moeten kennen, die Graham die me daar breed grijnzend aanstaart vanaf glanzend fotopapier. Hij heeft een uur of tien bij me in het vliegtuig gezeten, in dezelfde rij gestaan voor de douane in Cancún. In hetzelfde resort rondgehangen en waarschijnlijk meer dan eens in hetzelfde restaurant als ik gegeten. Dit is de kerel met wie John heeft gebabbeld, die hem geld heeft toegestopt voor inlichtingen.

Maar er gaan geen bellen rinkelen. Hij heeft een alledaags gezicht, geen specifieke kenmerken die je zouden kunnen opvallen. Mensen zoals Graham vallen niemand op. Daarom kunnen ze zich overal ter wereld bewegen zonder gezien te worden en doen wat ze willen. Dat kan ik niet zeggen van de gast die op de tweede foto staat.

'José,' zegt ze. 'Een van Carls vaste oproepkrachten.'

De foto toont een kerel, ergens midden twintig, met zulke brede kaken dat het bijna een misvorming is. Een laag voorhoofd, diepliggende ogen en uitstekende jukbeenderen. Zijn haar is kortgeknipt, stekelig en staat van zijn hoofd af.

'King Kong,' reageer ik.

Angela grinnikt. 'Laat hem het maar niet horen... José gaat altijd mee als we gesodemieter verwachten. Het is op de foto niet te zien, maar hij is een meter negentig. Dat maakt indruk. Carl is erg op hem gesteld.'

'Hij was er niet bij in San Sebastián.'

Een scheve glimlach. 'Die Basken waren vaste klanten. We verwachtten toen geen gesodemieter.'

Ik kijk op. 'Nu wel dan?'

Ze heft haar handen op en laat haar handpalmen zien. 'Joego's, eerste rechtstreekse levering en meteen een heleboel geld. *Safety first.*'

Meteen schuift ze de derde foto naar voren. Een man van halverwege de dertig. Onverzorgde baard, hoekige gezichtscontouren. Weerbarstig donkerbruin haar. Een donkere, weinig uitnodigende oogopslag. 'Gomez. Hij werkt net als José op oproepbasis. Je zult geen last van hem hebben. Hij is niet zo spraakzaam.' Ze schuift de vierde foto naar me toe. 'En dit is Antonio.'

Antonio is een negroïde man met gemillimeterd haar en donkere littekens onder zijn rechteroog. Hij kijkt ook al niet vriendelijk.

'Dit zijn je chaperons.' Ze graait de foto's bij elkaar.

Ik trek een wenkbrauw op. 'Vijf man in één auto?'

'Twee auto's. Jij zit bij Graham en José. Die hebben ook de handel bij zich. Ze halen je morgenmiddag op. Vier uur.' Ze overhandigt me een kopietje van een toeristenkaart van Barcelona. Er staat een blauwe markering bij een kruispunt vlak bij de haven. Ze tikt erop met haar vingernagel. 'Hier. Zorg dat je er bent. Ze rijden in een zwarte BMW.'

Het kan niet de auto zijn die ik in Baskenland achterliet.

'Heeft Carl aandelen in Beieren of zo?'

Ze grinnikt. 'Het zijn snelle auto's en er rijden er veel van rond, zodat je niet opvalt.'

'Waar is de deal?'

'Dat hoor je morgen.'

'Ik wil het vandaag weten.'

Ze kijkt op. 'Wat maakt het uit?'

'Als het misloopt en we bijvoorbeeld in een fuik lopen, word ik gepakt in gezelschap van veertig jaar bajes, een stel Joegoslaven, automatische wapens en vijftig kilo cocaïne in de kofferbak. Heb je daar al eens over nagedacht?'

'Je wordt niet gepakt. De politie houdt je niet zomaar aan. We rijden met plaatselijke kentekens en houden ons aan de verkeersregels. Zodra ze Barcelona uit zijn, duiken ze meteen de bergen in. Geen politie daar. Geen drama.'

'Wie doet de beveiliging op de plaats van de overdracht?'

'De Joego's zetten twee mannetjes uit. En wij ook: Antonio en Gomez.'

'Ik wil die plek zien.'

Ze kijkt me verbaasd aan. 'Dat meen je niet.'

'Hoe ver is het rijden?'

'Bijna twee uur.'

Ik sta op. 'Dan kletsen we onderweg wel verder.'

'Waarom?'

'Ik ben militair, Angela.' Voor het eerst sinds heel veel jaren spreek ik het met trots uit. 'Ik kan niet uitgaan van het toeval, blind varen op een paar kerels die ik nog nooit heb gezien en me naar een plek laten brengen die ik niet eerst heb verkend. Zo werkt dat niet. Ik wil de boel controleren.'

Ze staat niet eens op. 'Ik weet wat ik doe, Alex. Dit is niet de eerste overdracht. Het loopt zelden fout.'

Ik kijk haar zwijgend aan.

Ze gaat verzitten. 'Het is twee uur rijden!'

'Ja, en?'

Anderhalf uur later stappen we uit in een winderig dal. De smalle weg eindigt in een onverhard pad, dat uitkomt bij een laag, klein gebouw met een golfplaten dak. Ik schat het op een meter of zeven breed. Het erf ervoor is modderig en zit vol diepe tractorsporen. Her en der liggen stukken landbouwplastic te wapperen in de wind. Een eenzame, bladloze boom houdt stand tussen de troep.

'Nou,' zegt Angela. Ze doet geen enkele poging haar cynisme te verbergen. 'De plaats van overdracht. Verken ze.'

Ik kijk om me heen. Witte stuc brokkelt van de muren van het huis, dat misschien dienstdoet als stal of als jachthut. De deur is ooit rood geschilderd geweest maar heeft nu een kleur die het midden houdt tussen roze en bruin. Voor de kleine ramen zitten roestige diefijzers. De gele modder zuigt aan mijn bergschoenen als ik in de richting van het huis loop. 'Woont hier iemand?'

'Nee.'

Ik heb de laatste paar kilometer geen huizen meer gezien. 'En daarachter?' Ik wijs met mijn kin naar het terrein achter de boerderij. Het zicht wordt deels weggenomen door enorme struiken.

'Niemand. Er is maar één weg hiernaartoe en daar komen we zojuist vandaan.'

'Slordig als je snel weg moet en die ene weg is geblokkeerd.'

Ze rolt met haar ogen. 'Handig als je geen pottenkijkers wilt.'

Ik tuur naar de bergwand aan de rechterzijde. Die is vrij kaal, rotsachtig en biedt weinig plaats om je te verbergen. De berg aan mijn linkerhand glooit geleidelijk omhoog. Voornamelijk grasland. Houten hekken die wel een lik verf kunnen gebruiken. 'Waar staan de wachtposten?'

Ze maakt een vaag gebaar met haar arm. 'Antonio houdt de heuvelrug links in de gaten, een van de Joegoslaven blijft aan het begin van het pad en Gomez bevindt zich rechts van het huis.'

'En jij?'

'Links achter het huis, in dat bos.'

Ik loop ernaartoe. Angela volgt me vloekend. Op sommige

plekken zakken mijn schoenen weg en maakt de grond een zuigend geluid als ik ze weer optil.

'Dat kloteweer,' hoor ik haar zeggen.

'Hoe kom jij morgen eigenlijk hier?' vraag ik.

'Ik ga vooruit. Een uur voordat de rest vertrekt.'

'Alleen?'

Ze trekt een wenkbrauw op. 'Ik heb niemand nodig om mijn handje vast te houden.'

Er zitten geen ramen in de zijkant van de boerderij, of wat het ook is. Het hele gebouw is nog geen vier meter diep.

Achter zit een dichtgespijkerde deur. Aan het hout en de staat van de spijkers te zien, is dat in een ver verleden al gebeurd. Ramen, twee stuks, vuil en ondoorzichtig van het gele stof dat decennia lang tijdens hete zomers moet zijn opgewaaid. In de modder achter het huis zie ik alleen wat sporen van dieren.

'Kom je hier met de auto naartoe?' vraag ik.

Ze knikt.

Er is geen mogelijkheid om een auto uit het zicht te parkeren. Alleen langs de toegangsweg is een dunne strook bebossing. Maar ook daar kon ik zojuist geen inrit of een open stuk ontdekken. 'Waar laat je die?'

'In het huis. Rechts zit een dubbele deur.'

Ik loop achter het gebouw langs naar de rechterzijde. Twee verveloze deuren hangen nauwelijks nog in hun scharnieren. De onderkant is vrijwel weggerot. Iemand heeft er planken tegenaan getimmerd.

'Waar neem jij precies positie in?'

Ze wijst naar de bosschages. Die liggen een meter of honderd van het gebouwtje af, op tien uur, gezien vanaf het erf. Door de glibberige modder loop ik erheen. Sommige struiken zijn tweemaal mijn hoogte. Een paar stammetjes doen hun best tot bomen uit te groeien. Het is een bos van bescheiden afmeting, amper een half voetbalveld. Ik houd de bosschages in mijn rug en tuur naar het erf. Een meter of honderdtwintig, honderddertig. 'Ik neem aan dat ik niets hoef te vertellen over hoe je het minst opvalt?'

Ze steekt haar tong in haar wang en kijkt me geamuseerd aan. 'Ik ben opgegroeid in een militair gezin, Alex.' Dan schudt ze haar hoofd. 'Je hebt er echt geen vertrouwen in, hè?'

'Wat voor wapen heb je?'

'Eentje die het doet.'

'Vizier?'

Nu houdt ze haar hoofd scheef. 'Wat denk je? Het is exact honderdvijfentwintig meter naar het erf, zou ik een vizier nodig hebben?'

Ik hef mijn handen op. 'Oké, laat maar. Ik vroeg het me—'

'Ik ga niet in de lucht schieten, als je dat denkt,' onderbreekt ze me. 'Ik zorg er wel voor dat er wat lood in de auto's en voor een paar voeten terechtkomt. Voor het effect.'

Ik kijk haar onderzoekend aan. Ze heeft nog steeds die serene glimlach op haar gezicht, alsof ze zich er echt op verheugt.

'Ik check het alleen even.' Ik kijk naar het erf en probeer me voor te stellen dat ik daar morgen sta, met vijftig kilo cocaïne, Graham, José de Gorilla, Gomez en Antonio. En een stel Joegoslaven. Ik kan me er weinig voorstelling van maken. Het enige wat door me heen gaat, is nervositeit.

Angela komt naast me staan. 'Zorg dat je binnen mijn schootsveld blijft.'

Ik loop naar de rand van de begroeiing. 'Ga je hier liggen?'

Ze knikt bijna onzichtbaar. 'Ik los een paar schoten. Zodra je het tweede schot hoort, laat je je vallen.'

Ze denkt er wel erg makkelijk over. Ik vraag me af of Angela ooit een lijk van dichtbij heeft gezien. De ogen zijn weggedraaid, halfopen, ze knipperen niet. Het bloed trekt al vrij snel uit je gezicht, dat wordt grijs. Een dode ziet er vooral erg dood uit. Ik kan me laten vallen en me zo stil mogelijk houden, maar dood zíjn is iets teveel gevraagd. Misschien dat je er een stel burgers mee voor de gek kunt houden, ik betwijfel of die Joegoslaven zich laten foppen. 'Zien die gasten niet het verschil tussen een dood en een levend lijk?'

'Graham weet ervan, als enige. Maar hij weet niet beter dan dat jij een stand-in bent voor Carl en door mij wordt doodgeschoten. Ik breng je morgenvroeg nog effectverhogende spullen. Een capsule met rode vloeistof, die je stuk kunt bijten, bijvoorbeeld.'

'Wat is Graham verteld? Want ik neem aan dat hij wel zal begrijpen dat ik me niet voor de hobby dood laat schieten.'

'Hem is verteld dat ik je heb wijsgemaakt dat ik met losse flodders schiet, en we de buit achteraf samen verdelen, precies zoals jij en ik in het echt ook hebben afgesproken. Dus hij zal geen argwaan koesteren. Hij heeft van Carl instructies gekregen om meteen weg te rijden als jij bent "geraakt". Het geld veiligstellen, voordat de Joego's op het idee komen misbruik te maken van de paniek. Antonio en Gomez gaan er ook meteen vandoor. Dan gaan de Joegoslaven echt niet staan wachten op het volgende schot. Zij hebben de coke. Wij hebben het geld. Voor de wereld is Carl dood. Klaar.'

'Weet je zeker dat dat werkt?' De spanning slaat op mijn stem.

'Wat?'

'Een paar schoten voor het effect. Als het getrainde militairen zijn die gevochten hebben, en dat hebben ze volgens mij allemaal als ze in de dertig of veertig zijn, dan realiseren ze zich sneller dan jij kan herladen dat ze te maken hebben met één schutter. Joego's laten zich daar echt niet door wegjagen. Ze zouden voor de hoofdprijs kunnen gaan als ze denken dat Carl dood is. Vijftig kilo coke én al hun geld terug. Misschien reageren ze sneller dan Graham en José.'

Ze haalt een klein apparaatje uit haar zak dat ik meteen herken als een ontstekingsmechanisme. 'Als ze niet snel genoeg oprotten, volgt er vuurwerk.'

'Waar?'

Haar glimlach splijt bijna haar gezicht in tweeën. 'Het huis. Gaaf hè?'

'En je auto,' merk ik droog op.

'Voor anderhalf miljoen kan ik wel een nieuwe kopen, denk ik. Maar zo ver zal het niet komen. Ik houd het alleen maar achter de hand. Voor het geval dat. Het belangrijkste is dat Graham zo snel mogelijk weg is, dan blijven die Joegoslaven hier echt niet rondhangen, geloof me. Het biedt ze geen enkel voordeel.'

Ik haal diep adem en prop mijn vuisten dieper in mijn zakken. Er is zo veel wat mis kan gaan. Alles kan misgaan. Iemand kan besluiten hier zijn hond uit te laten of een flinke winterwandeling te maken. Of het gaat vannacht zo verschrikkelijk hard regenen dat die snelle BMW morgen in de modder vast komt te zitten.

Ik kan niet anders dan toegeven dat het hele idee me tegenstaat. Ik die voor dood op het erf lig, in het gezelschap van een paar foute Joegoslaven. Wie zegt me dat dat tuig niet voor de gein, gewoon in het voorbijrijden, nog een kogel door me heen jaagt? Of een paar meer? Ik heb ze ergere dingen zien doen. 'Ik wil een kogelvrij vest,' hoor ik mezelf zeggen. 'En een fatsoenlijk vuurwapen.'

'Heb ik geregeld.'

Ik knijp mijn ogen dicht en wrijf over mijn gezicht. Waar ben ik verdomme mee bezig? 'Oké,' zeg ik uiteindelijk. 'Dus ik laat me vallen bij het tweede schot. Iedereen gaat ervandoor. Graham en José hebben het geld. Dan hebben wij het nog niet.'

Ze kijkt langs me heen naar het erf, alsof ze de hele aangelegenheid visualiseert. 'Ik neem contact op met Graham zodra die Joego's weg zijn. Dan komen Graham en José terug. De bedoeling is dat ze meehelpen een mooi diep gat te graven om jouw lijk in weg te werken. En me een lift te geven, voor het geval ik geen auto meer heb.'

Ik kauw op een stuk kauwgom dat Angela me in de auto gaf. Het smaakt nergens meer naar. 'Er valt niets te begraven.'

'Zodra we de auto horen, neem jij je plaats in. Ik neem

Graham voor mijn rekening. Jij José. Daarvoor draag je een pistool onder je kleding.'

'En die andere twee?'

'Die komen niet terug. Ze hebben instructies gekregen om naar huis te gaan. Dan kunnen ze aan iedereen vertellen dat hun baas is doodgeschoten. Op die manier wordt het gerucht aan twee kanten verspreid.'

'Hoe verklaar je dat aan Carl?'

'Wat?'

'Dat Graham dood is? Ze waren toch zo close, hij zal hem misschien gaan missen.'

Haar ogen lichten op. Weer dat binnenpretje, die scheve glimlach. 'Ik hoef niets uit te leggen, Alex. Vanavond kan ik niets doen, en vannacht ook niet. Graham is bij hem, met twee bodyguards. Maar morgenvroeg rijdt Graham met José de *stashes* af om de coke te verzamelen en om Antonio en Gomez te briefen. Daar is hij de rest van de ochtend mee zoet. En dan is Carl alleen.'

'Geen bodyguards?'

Ze bijt op haar onderlip en haar ogen staren naar een punt in de verte. 'Nee. Niet tussen negen en tien uur.' Ze slaat haar armen om me heen. Ik voel de contouren van haar lichaam nauwelijks door het dikke dons van haar jackvoering. 'Morgenmiddag, lieve Alex, als alles achter de rug is, hebben we anderhalf miljoen, en zijn we vrij om te gaan en te staan waar we maar willen.'

Ze denkt er te makkelijk over. 'En als Graham nu eens niet terugkomt, maar ervandoor gaat met het geld?'

Ze schudt haar hoofd en laat me los. 'Dat zou dan de eerste keer zijn.'

'Het is veel geld.'

'Het is weleens meer geweest. Maak je geen zorgen over Graham. Hij is heel braaf. Loyaal als een hond.'

Ik stop mijn handen in mijn zakken en loop achter haar aan, terug naar het erf. 'Hebben Graham en Carl geen contact met elkaar voor de deal?' zeg ik tegen haar rug. 'Als je Carl morgenvroeg om zeep helpt dan kan hij—'

Ze draait zich op haar hakken om, duwt haar kin naar haar borst en kijkt me geamuseerd aan. 'Blijf jij zo piekeren? Alles waar jij nu mee komt, Alex, heb ik allang overdacht.'

Ik snuif en spuug de kauwgom weg. Herinner me dan dat hier morgen doden gaan vallen, raap het stuk weer van de grond en stop het in mijn jaszak. Bekijk mijn sporen. Overal staan voetafdrukken in de bodem afgetekend.

Ze volgt mijn nerveuze bewegingen. 'Er komt hier nooit iemand,' zegt ze zacht. 'Morgenavond zal het er hier uitzien als alle andere dagen. Alsof er niets is gebeurd.'

'Waar laten we Graham en José?'

'Ik hoop dat je handig bent met een schop.' Ze draait zich om naar de auto en begint te lopen. 'We kunnen ze ook gewoon laten liggen. Want tegen de tijd dat de vossen ze gevonden hebben, zitten wij al lang en breed in het vliegtuig naar Rio.'

2

Barcelona is in zicht. We gaan op in het drukke verkeer op de vierbaansweg. Angela heeft zich opgekruld op de passagiersstoel. Er is in het afgelopen halfuur niet gesproken. In gedachten ben ik de deal nog eens doorgelopen en ik heb mezelf er half gek mee gemaakt. Om een beetje op te vrolijken focus ik me nu op positieve dingen. Het geld, bijvoorbeeld. Angela ziet ons morgenavond al in een vliegtuig zitten, op weg naar Rio de Janeiro. Ze heeft de tickets besteld, zei ze, die liggen klaar bij de balie. Het lijkt me een al te simplistische voorstelling van zaken.

De douanecontroles in Mexico liggen me nog vers in het geheugen. Lange rijen toeristen moesten toekijken hoe gewapende douaniers de inhoud van elke tas en koffer over lange tafels verspreidden. Er werd niets aan het toeval overgelaten, geen handtas werd overgeslagen, geen toilettas, geen cameratas, niets. Iedereen kon zien wat zijn reisgenoten zoal met zich meenamen op vakantie. Reizigers die protesteerden, konden ervan verzekerd zijn dat elke verpakking pleisters en condooms binnenstebuiten werd gekeerd. 'Hoe gaan we dat doen met het geld?' vraag ik.

Ze reageert slaperig. 'Ik neem wat zakgeld mee en de rest volgt giraal.'

'Hoe dan? Ik neem aan dat je niet met al dat geld naar een bank kunt gaan om een rekening te openen?'

'Normaal gesproken niet, nee. Banken hebben een meldingsplicht, je komt de bank niet eens uit als je zo veel geld cash stort. Maar in porties gaat het wel. Heel veel porties op heel veel verschillende banken en rekeningen die meteen weer worden overgeboekt en de hele wereld over reizen, zodat niemand nog weet waar het vandaan komt. Je moet zorgen voor *fake* facturen van bedrijven: "geleverde diensten", verhuur van onroerend goed, dat soort dingen. Bedrijven die in feite van dezelfde eigenaar zijn, of soms van tussenpersonen die wat bijverdienen door hun bankrekeningen voor je open te stellen.' Ze klapt de zonneklep naar beneden en poetst met een vinger verdwaalde modderspatjes van haar gezicht. 'Er zijn genoeg mensen die voor een percentage die dingen voor je regelen. Bankrekeningen van advocaten, om maar een voorbeeld te noemen, mogen niet zomaar worden gescreend. Daar moet een serieuze en directe aanleiding voor zijn. Sommige bankiers werken ook mee. De halve wereld vult zijn zakken met crimineel geld.'

Ik denk terug aan een van haar eerdere verhalen. Mensen die toegang hebben tot persoonsgegevens, die zulke gegevens graag verkopen. 'Je doet het voorkomen alsof de hele wereld corrupt is.'

De zonneklep klapt terug tegen het plafond. 'Niet de hele wereld, maar nog steeds genoeg mensen om aan de bak te kunnen blijven. Hoe denk je dat Carl aan zijn jacht komt? En zijn huizen? Ze staan allemaal op naam van zijn bedrijven.'

'Altuna Isaro S.L.?'

'Dat is er één van. Officieel een overslagbedrijf, maar Carl heeft in zijn hele leven nog geen cent verdiend door gewoon te werken.'

'Wie regelt de bankzaken bij jullie?'

'Carl zelf. Als ik aan die rekeningen had kunnen komen, hoefde ik niet zo veel moeite te doen om anderhalf miljoen voor mezelf achterover te drukken.'

'Maar Carl kan het niet doen, dat witwassen. Die is morgen dood.'

'Jij niet.'

'Dus?'

'Dus regel jij het, morgen. Als Carl.' Ze ritst haar jas open en haalt er een paspoort uit. Laat me het geopende boekje zien.

Het is de eerste keer dat ik een foto van Carl zie. Er gaat een schok door me heen. Ik kan alleen nog maar kijken naar die grijns. Zijn ogen.

Angela duwt tegen het stuur. 'Verdomme, blijf op de weg!'

Ik knipper met mijn ogen en trek de auto naar de rechterbaan. Aan alle kanten wordt geclaxonneerd. Een verhitte Spanjaard wijst naar zijn voorhoofd als hij me inhaalt.

'Carlo Vasquez,' zeg ik hardop. Mijn stem klinkt schor. 'Een van zijn alter ego's?'

'Met de nadruk op een van. Mooie naam, toch?' Ze klapt het paspoort dicht en stopt het weg in haar binnenzak. Ritst haar donsgevoerde jack dicht. 'Wen er maar vast aan, want vanaf morgen heet je zo. Ik ken de advocaat waar Carl altijd naartoe gaat. Die zit in Madrid. We kunnen er langsgaan voor we op het vliegtuig stappen. Hier moet je eraf.'

Ik reageer niet.

'Hier!'

Ik kijk op en stuur de auto naar de afrit. Functioneer puur op de automatische piloot.

Zonder dat ik ook maar iets van de omgeving in me op heb genomen, parkeer ik de auto in de parkeergarage onder Placa de Catalunya.

We lopen naar het appartement. De trap op. Ik zoek de sleutels in mijn jaszak en open de deur. Ik voel hoofdpijn opkomen en heb verschrikkelijk veel zin om een potje te janken.

'Wat ben je stil.' Angela's stem klinkt mijlenver weg.

Ik slik. Draai me naar haar om. Ik voel me nogal onwezenlijk, reik met mijn vingers naar mijn voorhoofd en knipper met mijn ogen. De muren in het appartement lijken te pulseren. Ik zie Angela's voeten niet bewegen, maar toch lijkt ze heen en weer te wiegen.

'Gaat het wel goed met je?'

Ik knik. 'Jawel, jawel.'

Op de tast loop ik de kleine woonkamer in en ga op de bank zitten.

Ik hoor Angela rommelen in de keuken. Ze komt terug met een glas water.

Langzaam begint de werkelijkheid vat op me te krijgen. Maar ik weet niet of ik die werkelijkheid wil zien.

Ik wist het. En toch voelt het alsof ik geraakt ben door een sneltrein. Omdat ik er nu beeld bij heb. Niet alleen maar data, namen, plaatsen. Geen abstracte gegevens meer. En het wordt alleen maar erger als de rest van mijn vermoedens kloppen.

Angela zit gehurkt voor me op de grond. Ze duwt me het glas toe. 'Drink iets.'

Ik drink het hele glas in een paar teugen leeg en zet het met een klap op tafel.

'Zal ik een paar biertjes voor je halen bij McDonald's?'

Ik schud mijn hoofd. 'Nee, geen bier. Ik... Het gaat alweer. Ga maar.'

'Gaan?'

'Ja, naar Carl. Hij zal zich wel afvragen waar je blijft.'

'Hij denkt dat ik bij jou blijf slapen. Dat is mijn rol, weet je nog? Zorgen dat je doet wat je moet doen. Hij verwacht niet anders, hij weet niet beter of ik kom hem morgenvroeg pas opzoeken.'

'Ik ben vannacht liever alleen.'

Er trekt een schaduw over haar gezicht. Haar stem verhardt. 'Waarom?'

'Omdat ik doodmoe ben. Ik moet slapen. Daar komt niets van met jou in de buurt.'

Angela zendt me de allerliefste glimlach van de wereld toe. 'We hoeven niet te neuken.'

Ik schud mijn hoofd. 'Daar gaat het niet om. Ik wil me kunnen voorbereiden. Morgen is te belangrijk.'

'Voorbereiden?'

Vergis ik me of klinkt ze gealarmeerd? 'Slapen,' zeg ik, sussend. 'Ik heb verrekte weinig slaap gehad in de afgelopen tijd.'

'Vorige week te veel in het nachtleven rondgehangen? Barcelona is een geweldige stad als je van stappen houdt.'

Ik zwijg.

'Heb je je eigenlijk vermaakt?' dringt ze aan. 'Ik heb je niet eens gevraagd hoe je het hebt gehad.'

'Er zijn ergere plekken om je dagen en nachten door te moeten brengen. Maar ik ben weinig buiten geweest.'

Ik heb mijn blik geen moment van haar afgewend. Geen verandering van gezichtsuitdrukking. Niets. Ze gaat ervan uit dat ik hier ben gebleven.

'Hoe laat zie ik je morgen?' vraag ik.

'Rond één uur, denk ik. Dan heb ik alles bij me, het wapen, je "bloed"...'

Ik kijk op. Mijn hoofd bonkt als een bezetene. 'Fijn. Dan kan ik uitslapen.'

Ze staat op, kijkt donker op me neer. 'Weet je zeker dat je alleen wilt zijn?'

'Je bent een engel, Angela, maar ik wil nu rust. Het is te belangrijk.'

'Ik begrijp het. Denk ik.' Ze buigt voorover, neemt mijn gezicht in haar handen en kust me op mijn mond. 'Welterusten. Tot morgen.'

'Tot morgen,' herhaal ik. 'Wees voorzichtig met Carl.'

De deur valt in het slot. Ik hoor haar voetstappen weerkaatsen in het trappenhuis. De krakende zware toegangsdeur beneden opengaan en weer dichtgetrokken worden.

Er volgt een oorverdovende stilte.

Ik haal de gsm uit mijn zak en controleer of de batterij nog vol is en het bereik voldoende. Dan sta ik op, loop naar de keuken en trek de koelkast open. Die is zo goed als leeg. Ik neem een fles mineraalwater uit de deur en zet hem aan mijn lippen. Loop dan naar de slaapkamer om de luiken te sluiten. Ik kijk op mijn horloge. Wrijf over mijn slapen, ga op de bank zitten en sta meteen weer op. Ik voel me te opgefokt. Tien, vijftien minuten lang loop ik doelloos door het appartement.

'Kut.' Ik fluister het voor me uit, alsof de muren oren hebben.

Misschien hebben ze dat ook. Elektronische oren. Gealarmeerd kijk ik om me heen.

Het volgende halfuur houd ik mezelf bezig door lampen en andere mogelijke verstopplaatsen voor geluidsapparatuur te demonteren met behulp van een aardappelschilmes en een vork, en ze vervolgens weer terug in elkaar te zetten.

Ik kan niets vinden. Dit appartement is clean.

In een opwelling trek ik het mobieltje open dat Angela me heeft gegeven. Simkaart, batterij, ik kan er niets afwijkends aan ontdekken. Ten slotte controleer ik of mijn handelingen het ding hebben ontregeld. Alles werkt. Accu vol. Bereik drie streepjes.

Het plotselinge gezoem van de gsm klinkt als een blikseminslag. Ik ben zo gespannen dat ik hem bijna uit mijn handen laat vallen.

Met trillende vingers toets ik door naar ontvangen berichten. 'Goed werk,' zeg ik zacht, tik met mijn duim een reactie in en verzend het bericht.

3

Ik heb niet geslapen. De hele nacht niet. Boven de wasbak in de keuken schraap ik de laatste resten opgedroogde modder van mijn bergschoenen.

Ik kijk op de klok. Half zes in de ochtend.

De stad leek te slapen toen ik een halfuur geleden Portal de l'Angel op liep, op een enkele late feestganger of rondscharrelende dakloze na. Een enorme thermometer aan een van de oude gevels gaf aan dat het elf graden was. De lucht boven de stad was wolkeloos, je kon de sterren zien. Hopelijk blijft het droog.

Angela zou om één uur hier zijn. Ik kan beter proberen wat slaap te pakken.

Ik strooi koffie in de filter van het koffiezetapparaat, een dubbele portie, en giet water in het reservoir. Als ik straks wakker word, zal ik een cafeïneshot nodig hebben.

Ik stel het alarm van mijn nieuwe horloge in en voor de zekerheid activeer ik de wekkerfunctie in de gsm.

De lakens voelen koel aan als ik mijn vermoeide lichaam ertussen schuif. Ik rek me uit, span en ontspan elke spier, draai me om en prop het kussen tussen mijn hoofd en schouder. In het duister staar ik voor me uit. Het is betrekkelijk stil buiten. Bij de overburen is de rode lichtreclame gedoofd. Slapend Barcelona wordt ruim gecompenseerd door de chaos die in mijn hoofd woedt. Dialogen, informatie, routes, gezichten, herinneringen, verwachtingen. En angst.

Verdomme, ik zou glashard liegen als ik zou zeggen dat ik niet bang was.

Het horlogealarm is er het eerst bij. Ik schiet meteen rechtop, mijn shirt is vochtig van de transpiratie. Prompt reageert de gsm. Ik gris het ding van de vloer naast het bed en controleer of er berichten zijn. Geen. Ik heb niets gemist.

Op blote voeten loop ik naar de keuken, zet het koffiezetapparaat aan en duik de badkamer in voor een lauwwarme douche. De transpiratie van vannacht verdwijnt in de afvoer, maar de vermoeidheid niet. Ik voel me nog net zo afgemat als krap vijf uur geleden.

Ik schenk een mok vol met zwart vocht, sleep me naar de raamloze woonkamer en laat me op de wit katoenen bank vallen. Zap gedachteloos langs de drie, of zijn het er vier, Spaanse tv-kanalen. Een praatprogramma en nagesynchroniseerde Amerikaanse soaps.

Ik zet de tv uit en gooi de rest van de koffie in mijn keelgat. De navolgende tien minuten houd ik me bezig met simpele rek- en strekoefeningen en trek me op aan de deurpost. Probeer niets te forceren.

Nu ik daarmee klaar ben is het kwart over elf en loop ik te ijsberen. Voor de tiende keer controleer ik de gsm. Drie streepjes bereik. Batterij nog voor driekwart vol. Geen berichten. Niets. Is dat goed of slecht?

Ik moet iets eten. In de koelkast staat alleen een pot augurken. Ik trek de pruik over mijn hoofd, zet mijn zonnebril op en trek het oude legerjack aan. Na een laatste blik in de spiegel gris ik de sleutels van het kastje naast de voordeur en ga naar buiten.

Er is een broodjeszaak in de zijstraat van Portal de l'Angel, op nog geen tachtig meter van het appartement. Ik koop twee sandwiches met kaas en ham en drie Red Bulls. Op de terugweg in de steeg gaat de mobiel. Een beschaafd piepje en een trilling. Ik dwing mezelf de deur van het appartementencomplex eerst te openen en achter me op slot te doen voor ik aanneem. Ik zet de plastic zak op de trap en leun tegen de muur, een oog gericht op het trappenhuis boven me. 'Ja?'

Een gedempte stem. 'De Barcelona Boys hebben gewonnen.'

'Honderd procent zeker?'

‘Sorry. *Take care.*’

De verbinding wordt verbroken.

Ik heb geen honger meer. Adrenaline verdrijft de vermoeidheid.

Ik wíst het. Ik wíst het gewoon.

Ik prop de gsm weg in mijn zak, grijp de tas en ren met drie treden tegelijk de trap naar het appartement op.

4

Klokslag kwart voor één. Ik hoor een sleutel in het slot morrelen en snel erna verschijnt Angela. Ze draagt een klaarblijkelijk zware tas en laat hem voorzichtig op de houten vloer zakken voor ze de deur achter zich op slot doet.

Ze schudt haar jas – een dun gevoerd jack in een legergroene kleur – van zich af en hangt hem aan de kapstok. Wrijft plukken haar uit haar gezicht en kijkt me dan pas aan. Haar oogleden zijn rood en gezwollen en haar huid is vlekkerig. Het volgende moment werpt ze zich in mijn armen.

Ik trek haar dichter tegen me aan en leg mijn kin op haar hoofd. Staar naar de tegenoverliggende muur. Mijn handen strelen haar als vanzelf, alsof ze niet in verbinding staan met de rest van mijn lichaam. 'Hij gebruikt geen coke meer?'

Ze snikt en schudt haar hoofd. 'Nee,' zegt ze, haar stem doortrokken van emotie.

Ik duw mijn neus in haar korte, rood geverfde krullen en geef een kus op haar voorhoofd. Mijn hart bonkt als een bezetene. 'Hoe is het gegaan?'

'Ik heb van hem gehouden.' Ze richt haar hoofd op. Haar ogen stralen droefheid uit. 'Dat ging allemaal door me heen toen hij... Ik heb verdomme om die lul gegeven! Het was...'

'Je had geen keus,' zegt een stem die niet de mijne lijkt. Ik neem haar gezicht tussen mijn handen. 'Vertel.'

'Ik wil er niet over praten, Alex. Ik... Ik kán het niet. Weet je, ik...' Ze sluit haar ogen en opent ze weer, kijkt me verward aan. 'Je lijkt griezelig veel op hem.'

'Hoe heb je het gedaan?'

'Belladonna. Atropine. Hij was zo ver heen dat hij het niet eens in de gaten had. Je wil niet weten... Ik heb ernaar staan kijken... Hij legde zijn handen op zijn borst, begon te hijgen, en keek naar me. Het was net of... Of hij wíst dat ik... Hij schreeuwde dat zijn hoofd ontplofte, dat hij niet meer wist waar hij was.' Ze vervolgt, zachter: 'Ik nam hem mee naar buiten, zei dat hij frisse lucht nodig had, dat hij zich te druk had gemaakt, dat het wel weg zou trekken. Nog voor we bij de trap naar het dek waren, zakte hij in elkaar en begon te stuiptrekken. Hij rolde met zijn ogen en kreeg een vuurrood gezicht.' Haar adem stokt even. 'Hij schreeuwde naar me dat ik de nijlpaarden weg moest jagen. Ze zouden hem verpletteren... Het was... Jezus, ik had hem gewoon moeten doodschieten, Alex. Dan was het een kogel geweest, en klaar. Dat was tenminste een beetje humaan geweest. Gif is... Is zo... Zo'n dood wens je niemand toe. Ik heb echt om hem gegeven.' Ze laat haar vingers langs mijn slapen glijden. 'Je lijkt zo veel op hem. Om jou hier te zien, jouw gezicht.'

'Ik ben Carl niet.'

'Nee, nee. Daarom ben ik hier.' Ze slaat haar ogen neer. 'Hou me alsjeblieft vast, Alex. Ik heb je nodig.'

Ik sla mijn armen om haar heen en kus haar op haar mond. Haar tong glijdt meteen naar binnen en gaat driftig op zoek naar de mijne.

'Ho, meid, rustig aan,' hoor ik mezelf mompelen.

Ze zuigt op mijn onderlip. 'Ik wil je, Alex. Nu. Dat is voor mij de enige manier om het te vergeten.'

Ik begin lichtelijk in paniek te raken, verstar en probeer haar te ontmoedigen.

Angela's hand schuift tussen mijn benen. 'Hm, hij doet het nog.'

Ik werp een snelle blik op de klok. Vijf over één. 'Je moet zo weg. Er is veel te bespreken.'

'Het hoeft niet lang te duren.'

Ik grijp haar handen vast en druk mijn lippen vluchtig op haar neus. 'Later. Mijn kop zit te vol. Ik ben te gespannen.'

'Daarom juist.'

Ik reageer niet.

'Dan niet.'

'We hebben tijd genoeg,' hoor ik mezelf zeggen, 'als alles achter de rug is. Wat heb je met zijn lijk gedaan?'

'Overboord gegooid. Het is daar diep en de stroming neemt hem mee de zee op. Er blijft niets meer van over. Hij is weg.'

'Weg,' kopieer ik, fluisterend.

'Carl is dood, Alex.' Ze doet een pas naar achteren. Het is wonderbaarlijk hoe snel haar emoties veranderen. Alsof iemand een schakelaar heeft omgezet. 'Jij neemt zijn plaats in, en vanavond zitten we in een vliegtuig naar Zuid-Amerika. Op weg naar een nieuw leven.'

Ik probeer iets te verzinnen, iets tegen haar te zeggen wat hout snijdt, maar krijg er uiteindelijk alleen maar vaag gemompel uit.

'Heb je eigenlijk wel geslapen?' merkt ze op. 'Je ziet eruit om op te schieten.'

'Iemand heeft me verteld dat dat vandaag ook staat te gebeuren.'

Ze kijkt me geschokt aan, schudt dan haar hoofd en glimlacht. 'Britse galgenhumor?'

Ik reageer niet.

Ze slaakt een zucht en laat haar hoofd hangen. 'Sorry. Ik moet je niet zo onder druk zetten. Je hebt het al moeilijk genoeg. Ik ben gewoon mezelf niet vandaag.'

Als ik haar opneem, treft haar schoonheid me opnieuw. Ze had een flamencodanseres kunnen zijn, schiet door me heen. In een ander leven, waarin ze andere mensen had ontmoet. Andere keuzes had gemaakt.

'Kom,' zeg ik. 'We hebben werk te doen. Hoe laat moet je hier weg?'

'Ik wil om twee uur uit Barcelona vertrokken zijn.'

'Dan hebben we nog vijftig minuten. Ligt de coke in de kofferbak?'

‘Dat regelt Graham. Het moet in twee groene koffers zitten.’

‘Denk je dat die gasten het spul gaan testen?’

‘Niet noodzakelijkerwijs, maar het kan. Als ze aangeven dat te willen doen, ga dan het huis in en neem Graham of José mee. Niet alleen met ze naar binnen gaan.’

‘Wie van die gasten weet dat ik Carl niet ben?’

‘Alleen Graham.’

‘Sprak Carl Spaans met zijn personeel?’

‘Ja, Graham spreekt Engels, de rest niet. We selecteren onze beveiligingsmensen niet op hun talenknobbel.’

‘Ik spreek geen woord Spaans, Angela. Is dat niet verdacht? Stel dat iemand me iets vraagt in het Spaans, ik zou niet eens weten wat—’

‘Geeft niets,’ onderbreekt ze me. ‘Je praat in principe niet met de jongens. Alles is al met hen doorgesproken. Ze weten wat ze moeten doen. Mocht er iets onvoorziens gebeuren, dan stuurt Graham hen aan.’

‘Zijn ze dat gewend?’

Ze knikt bevestigend. ‘Carl is niet spraakzaam in de buurt van zijn gorilla’s. En vergis je niet: voor hen is hij de Grote Baas, ze hebben respect voor hem. Ontzag bijna. Ze durven hem nauwelijks in zijn ogen te kijken. Het beste is als je doet alsof ze er niet zijn en alleen communiceert – en zo min mogelijk – met Graham.’

‘Wie doet die deal? Praktisch gezien? Wie pakt de koffers uit de achterbak?’

‘Dat zal jij moeten doen.’

‘En dan?’

‘Er is geen vaste choreografie in deals, wie waar staat en wat zegt. Maak je daarover geen zorgen, het wijst zichzelf. Ik ga ervan uit dat een van die Joego’s, hij noemt zich Milan, je de koffers met geld laat zien. Controleer dat. Er hangt nu te veel van af om hem op zijn blauwe ogen te geloven. Het is niet gebruikelijk dat het geld niet klopt, maar we hebben weleens meegemaakt dat er kranten onder de eerste laag biljetten lagen. Dan is het serieus foute boel en kun je ervan uitgaan dat ze er vanaf het begin al op uit waren om de boel hoog op te laten lopen.' Ze pikt mijn verontrusting op. 'Maar nogmaals, ik verwacht geen shit. Die mannen willen graag zaken doen, en wat belangrijker is: blijven doen. Ze hebben vaker gekocht, alleen niet eerder rechtstreeks. Controleer desondanks het geld. Ik verwacht dat het drie koffers zijn, misschien vier.'

Ik trek mijn wenkbrauwen op. 'Vier koffers met geld?'

'Er gaan een heleboel briefjes van twintig in anderhalf miljoen euro. Kleine coupures zijn makkelijker wit te wassen. Die van vijfhonderd kun je moeilijker kwijt. Bijna nergens eigenlijk.'

'Heb je een foto van die Milan?'

'Nee. Maar Graham kent hem van gezicht. Hij zal het je wel influisteren. Het wijst zichzelf, echt.' Ze kijkt langs me naar de klok. 'Kwart voor twee. We moeten haast maken. Ik heb mooie dingen bij me voor je.'

Ik kijk toe hoe ze de canvas tas openritst en er een kogelvrij vest uithaalt. Een vuistvuurwapen. Een plastic tasje.

Ik hurk naast haar en neem het wapen op. Een Glock 19 zonder geluiddemper. Hij ziet er nieuw uit.

'Negen millimeter.' Ze graait nog eens rond in de tas en overhandigt me een doosje patronen.

Ik open het. De patronen staan rechtop, op hun plaats gehouden door een dunne plastic bodem met uitsparingen. Vierentwintig stuks 9mm para. Ik trek er een uit en bekijk hem. Gewone munitie. Ik klik het magazijn uit het wapen en begin het pistool af te vullen. De vijf die overblijven stop ik in mijn broekzak.

'Oké,' zucht ze. Ze opent de plastic zak. 'Hier is je "bloed".' Ze draait een metalen doosje open. Er hebben .177's in gezeten, loden kogels voor een pompbuks. Nu liggen er twee capsules in, per stuk niet groter dan een flinke boon.

'Deze stop je in je mond nog voor je uit de auto stapt. Kauw er alsjeblieft niet op voor je op de grond ligt. Dat staat een beetje slordig.'

Ik neem de capsules uit het doosje en test de behuizing. Stevig. Laat ze dan in mijn broekzak glijden.

Angela toont me een doorzichtige zak gevuld met donkerrode vloeistof. Uit de zijzak van de canvas tas haalt ze een rol zilverkleurige tape, trekt het kogelvrije vest naar zich toe en plakt de zak op borsthoogte vast. 'Zo. Die gaat nergens heen.'

Ik word met de seconde nerveuzer. Ze merkt het niet.

'Als je het tweede schot hoort, ram je met je vuist op je borst, op die zak. Die scheurt en maakt een "schotwond". Laat je dan vallen, bijt de capsules kapot en *play dead*. Graham en ik doen de rest.'

'Wanneer ga je schieten?'

'Zodra Graham het geld heeft. Zorg ervoor dat je in mijn schootsveld staat zodra de Joego's aanstalten maken om weg te gaan.'

'Tweede schot.' Er trekt een huivering door me heen.

'O, wacht. Bijna vergeten.' Ze staat op, loopt naar de kapstok en haalt twee paspoorten uit haar binnenzak. Duwt ze me toe. 'Hou ze allebei maar bij je. Draag ze onder je vest, voor de zekerheid.'

Ik bijt op mijn lip en slik mijn opmerking in. Draai de boekjes rond in mijn hand. Ze zien er allebei redelijk nieuw uit. Ik weet dat ik het beter niet kan doen, maar toch open ik het eerste. Het is het paspoort dat Angela me gisteren al liet zien, op naam van Carlo Vasquez, geboren in Cartagena. Het andere paspoort is eveneens Spaans en laat een iets oudere foto zien. Carlos Fernandez staat erbij geprint. Zijn echte naam, waarschijnlijk, omdat Angela me die al eerder heeft genoemd. Mijn evenbeeld is net als ik een meter vijfentachtig. Kleur haar: blond. Kleur ogen: blauw. Nationaliteit: Spaans. De foto toont Carl met een klein baardje en lachrimpels rond zijn ogen.

Mijn mond wordt droog. Ik knijp mijn ogen dicht en probeer diep adem te halen.

Angela zit op haar knieën naast me en neemt me op. 'Ben je geschrokken? Van Carl?'

'Hij lijkt heel erg op mij.'

'Hij zou je tweelingbroer kunnen zijn,' zegt ze.

'Maar dat is hij niet.' Ik kijk haar recht aan. 'Want als dat wel zo was, had jij dat geweten, omdat je veel tijd hebt besteed aan het uitzoeken van mijn persoonsgegevens, toegang hebt tot gevoelige informatie. Toch?'

Ze vertrekt geen spier.

'En dan was je op dit soort informatie gestuit, en had je me dat verteld,' zeg ik. 'Want je... houdt van me.'

Er speelt een vreemde glimlach om haar mond. 'Natuurlijk.'

Ik knik behoedzaam. 'Natuurlijk...'

'Hij heet geen Fisher, toch?'

Praten lukt even niet. Mijn stembanden liggen lam. Ik staar naar de twee pasfoto's en begin te trillen.

'Wat is dat met jou vandaag? Wordt de spanning je te veel?' Ze staat op. 'Shit. Ga me niet vertellen dat je het niet aankunt, Alex. Dat kán nu even niet. Niet nu. Ik heb je verdomme nodig.'

Ik duw mezelf van de vloer af en steek de geladen Glock tegen mijn rug, achter mijn broekband. 'Jij? Of hebben júllie mij nodig?'

'Wat is dit voor gelul?' Haar mond staat een beetje open. Haar ogen lijken nog donkerder dan ze al waren.

'Hij is niet dood, Angela,' zeg ik. 'Hij is net zo levend als jij en ik.'

Ze springt op en loopt naar de keuken. 'Je ijlt.'

Ik ben binnen een paar passen bij haar en grijp haar bovenarm vast. 'Waarom raakte je me niet in San Sebastián?' sis ik. 'Nou? Omdat je me niet wilde raken? Of was het misschien omdat je verdomme nachtblind bent? Nachtblind!' Dat laatste woord spuug ik bijna uit.

Ze reageert niet.

'Wat zei je ook alweer,' ga ik door, 'net voordat de hel losbarstte in San Sebastián? Dat het wel nacht leek, toch? Als je verdomme niet eens een auto kan besturen 's avonds, hoe denk je dan midden in een vuurgevecht, met al die koplampen om je heen, iemand die in een auto zit dodelijk te kunnen raken?' Ik knijp haar arm bijna fijn en voel de aandrang nog meer kracht te zetten. 'Maar je deed wel je uiterste best.'

Haar gezicht is wit weggetrokken en haar ogen schieten over mijn gezicht. 'Ik heb je leven gered, Alex.' Haar stem trilt.

'Nee, je hebt alleen maar je fout rechtgezet, kreng.'

Ze perst haar lippen op elkaar. 'Hoe kun je...'

Ik slik. De twijfel slaat toe. Gisteren, vannacht, vanochtend nog, was ik zo zeker. Ik was nooit eerder zo zeker geweest van iets. Nu weet ik het niet meer. Kan ik het verkeerd hebben begrepen?

De Barcelona Boys hebben gewonnen. Sorry.

Mijn hand sluit als een bankschroef om haar arm, de andere knijpt haar keel dicht. Ze wankelt en komt tegen de koelkast te staan. Ik breng mijn gezicht heel dichtbij. 'Leg mij eens uit, lieve schat, waarom ik in je schootsveld moet gaan staan? Waarom? Je kan een schot lossen vanuit elke hoek, in de lucht schieten, wat dan ook, het maakt niet uit. Je hoeft me niet te raken, toch? Of moet ik in je schootsveld gaan staan zodat je mijn kop wat makkelijker van mijn romp kan knallen, terwijl ik denk dat ik veilig ben met een kogelwerend vest?'

Ze snakt naar adem. 'Je bent ziek, Alex. Laat me los!' Ze worstelt om los te komen en trekt fel haar knie op maar daar ben ik op bedacht.

Ik plet haar bijna met mijn gewicht. De koelkast schuurt over de vloer.

'Nog niet half zo ziek als jij, verdomd kutwijf!' hijg ik. 'Ik was verdomme om je gaan geven, ik heb—'

Midden in de zin val ik stil. De hele wereld is opgehouden te bestaan. Alle essentie is teruggebracht tot een paar vierkante centimeter die drukt op de huid van mijn kin. Er is nog maar één overzichtelijke werkelijkheid, maar één ding dat er nog toe doet: het zware, koele metaal van de monding van een pistool. Angela's vinger rond de trekker.

Ze loert naar me, haar ogen zwart van nijd. 'Laat mijn keel los, eikel.'

Ik trek mijn hand voorzichtig terug en doe een stap achteruit.

Ze kucht. Houdt het pistool op me gericht. 'Blijf daar staan, als je wilt blijven leven.'

Ik probeer te slikken. Staar naar de loop. Naar haar ogen. De trillende handen die het pistool omklemmen.

Haar woorden ratelen met de snelheid van mitrailleurvuur uit haar mond. 'Je gaat verdomme braaf mee met Graham. Je doet je keurig voor als Carl. Veel moeite hoef je er niet voor te doen, want jullie lijken als twee druppels water op elkaar. Zelfde stem, zelfde houding en bewegingen. Dat is het enige wat me op de been hield, klootzak, waarom ik verdomme de sterren van de hemel heb kunnen neuken met een *natural born loser* zoals jij, want in die kop van je verschil je net zo veel van Carl als ik van de heilige maagd Maria. Je spoort voor geen meter, soldaat. Je bent volledig doorgedraaid, verknipt. Je loopt jezelf en iedereen die je tegenkomt voor de voeten met je trauma's en je black-outs. Je sleept je ellende als een molensteen achter je aan en je bent te stom om te beseffen dat je leven al lang geleden over was. Hoor je verdomme wat ik zeg? Je was al dood voor ik je op het spoor kwam, maar je bent te ver heen, te verrekte stompzinnig om dat te begrijpen.'

Iets in me wat ik dacht verloren te zijn, komt terug. Scherpte. Concentratie. 'Geen Graham in het vliegtuig. Geen toeval.'

'Hij zat wel in hetzelfde vliegtuig, maar alleen maar omdat ik het ticket voor hem had gekocht. Ik volgde je al weken. Je ging rare dingen doen, werd onvoorspelbaar. Maar nu ga je precies doen wat ik zeg.' Ze werpt een snelle blik op de klok. Blijft het wapen op me gericht houden en begint weg te lopen. 'Beweeg je niet!'

'Schiet me hier maar gelijk neer!' schreeuw ik. 'Want als je denkt dat ik...' ik hap naar adem '...naar die deal van je ga om me om te laten leggen, ben je niet wijs.'

'Ik zie het anders.' Er verschijnt een grijns op haar gezicht die bijna onmenselijk is. 'Als je denkt slim te zijn, als er ook maar iets misgaat, dan sturen wij een paar mannetjes naar je lieve ex. Naar Helen Thorne in Liverpool.'

Ik wankel. Angela is nog lang niet uitgesproken, ik zie haar mond bewegen, maar haar woorden dringen nog amper tot me door.

'Is het niet mooi?' zegt ze. 'Kun je eindelijk toch nog iets goeds voor haar doen, na alles wat je haar hebt aangedaan. Wist je al dat ze een baby heeft, Alex? Heeft ze je dat verteld? Of niet? Zou dat kind van jou kunnen zijn, misschien?'

Een fluittoon vult mijn hoofd, dat bijna uit elkaar barst. Adrenaline spuit door me heen, ik kan nauwelijks nog stil blijven staan, mijn hart pompt als een op hol geslagen filterpomp mijn bloed rond. Dwars door alle dreiging heen zie ik geen vrouw meer staan. Alleen nog een vijand.

Ik schiet naar voren alsof ik gelanceerd word, trap tegen haar knieën en ram in dezelfde beweging en met alle kracht die ik kan mobiliseren mijn rechterarm omhoog tegen haar pols.

Lichtflitsen. Pijn. Een schot knalt door het appartement. Instinctief haal ik uit. Mijn vuist landt vol in haar maag. Met een diep buikgeluid klapt ze dubbel. Ik grijp haar arm, het enige wat ik nog zie is het pistool, mijn vuist sluit zich om haar pols en knijpt het vlees en weefsel samen tot ik iets daarbinnen voel knappen. Ik voel geen pijn, realiseer me niets meer. Er is alleen nog razernij die me stuurt, sneller dan ik kan bevatten, sneller dan ik kan volgen. Mijn linkervuist ramt omhoog en raakt doel. Ik haal nog eens uit, met alle kracht die ik in me heb. In mijn hoofd raast alleen nog woede, als een fel licht dat me verblindt. Ik hoor het pistool niet vallen. Als ze wegglijdt, volg ik haar bewegingen, duik naar de grond, boven op haar, en sluit mijn handen om haar keel. Pas als ik mijn duimen tegen haar bebloede strottenhoofd zet, realiseer ik me dat haar ogen zijn weggedraaid. Haar hoofd ligt in een onnatuurlijke houding en haar gezicht ziet eruit alsof er een verfbom in is ontploft. Donkerrood bloed druipt als dunne stroop langs haar wangen en slapen op de vloer.

Ze beweegt niet. Geen spierspanning meer in haar lichaam.

Ik spring op en houd mijn handen voor me uit, mijn bebloede handpalmen in haar richting, alsof ik haar zo op haar plaats kan houden, bedacht op een beweging. Op een nieuwe truc, een herrijzenis.

Ze kan niet dood zijn.

Maar ze beweegt niet meer.

5

Angela's lichaam ligt op de houten vloer, stil, onbeweeglijk. Ik onderneem een radeloze poging te reconstrueren wat er precies is gebeurd, hoe het is gebeurd. Ik staar naar mijn handen en het besef dringt tot me door dat mijn linkerhand al net zo rood is als haar gezicht, en tintelt in reactie op de klap waarmee ik haar neusschot in haar schedel gedreven moet hebben.

Dat moet haar hebben gedood. Een instinctmatige reactie. Training.

Angela is dood.

Er zit bloed aan mijn handen. Haar bloed.

Ontsteld loop ik achteruit tot ik steun vind bij de muur naast de keukendeur. In de keuken hef ik de kraanhendel met een ongecontroleerde beweging van mijn elleboog. Koud, naar chloor ruikend water spoelt het rode vocht van mijn handen en polsen. Ik handel automatisch. Begin mezelf uit te kleden, stop mijn kleding in een vuilniszak en loop naar de badkamer. De adrenaline giert nog steeds door mijn lijf, onophoudelijk. Het is alsof de vloer onder me beweegt, als een moonwalk op de kermis. De geur van bloed is overal in het appartement.

Dit is niet oké, Alex. Dit is helemaal niet oké.

Door de paniek vergeet ik de hete kraan aan te zetten. IJskoud water stroomt over me heen, in de douchebak kolkt roze water tussen mijn voeten. Het blijft roze kleuren. Het wordt niet helder.

Dan pas zie ik de schotwond in mijn bovenbeen. Die heb ik niet eens gevoeld. Druppels water hameren als spijkers in het open vlees. Het is een schampschot, een centimeter of zes lang, een halve centimeter breed.

Tergend langzaam begint er iets te dagen. Ze zou me doodgeschoten hebben, zonder twijfel. Hier of later, bij de deal. Het was geen moord, het was zelfverdediging.

Waarom voelt het verdomme dan niet zo?

Ik droog mezelf af en loop de gang in, naar de slaapkamer. Verdund bloed trekt een grillig spoor over mijn bovenbeen en laat lichtrode spatten op het hout achter. Op bed ligt een dun laken. Ik grijp het vast en scheur er een reep af. En nog een. Eén deel vouw ik op, bij wijze van noodverband, en leg het op de wond. Het dunne katoen zuigt het bloed meteen op. Met de andere reep bind ik de stof vast en trek hem strak aan. Loop dan terug naar de woonkamer, vermijd het naar Angela te kijken, stap over haar heen, en rits de canvas tas open. Houterig, ongecoördineerd, tast ik naar de zilverkleurige isolatietape en fixeer mijn provisorische windsel, rol de tape af rond mijn been tot er geen verband meer zichtbaar is, alleen nog maar waterdichte tape, dat als een koker om mijn bovenbeen plakt.

De weeïge ijzergeur trekt er niet van weg. Die hangt hier overal in het appartement, als een stroperige, diffuse mist. Ik sta op en sla mijn armen dicht om mijn lichaam. Er is niemand anders die dat nu nog kan doen.

Ik kijk naar het bloed op de vloer. Het sijpelt tussen de kieren van het hout en zal zich aan de betonnen onderlaag vasthechten. Ik zie bloedspatten tegen de muur zitten, en op de laden van het kastje in de hal. Geschrokken verplaatst mijn blik zich naar boven. Tegen het witte plafond tekenen zich donkere stippen en onduidelijke spatten af, per stuk nog geen twee of drie millimeter in doorsnede, maar ze zitten er. Met toenemende ongerustheid jaag ik mezelf de keuken in. Op de deurstijl zit bloed. Op de kraan. Het is overal. Bloed. Vezels. Haar. Mijn DNA.

Ik sluit mijn ogen en probeer mezelf vergeefs tot kalmte te manen. Dit is niet Bosnië, niet Bagdad of Afghanistan, niet een van de brandhaarden in de wereld waar een moord bij het dagelijkse leven hoort en de politie alleen maar voor de vorm aanwezig is. Dit is het kloppend hart van het fucking centrum van toeristisch Barcelona.

De vrouw die ons het appartement heeft getoond en Angela's geld heeft aangenomen, heeft me gezien. En die vent in de broodjeszaak. Verdomme, iedereen die zich in deze buurt ophoudt kan de Guardia Civil of wie er ook poolshoogte komt nemen, onuitputtelijk van informatie voorzien.

Waarom wemelt het hier nog niet van de politie? Heeft niemand het schot gehoord?

Het schot.

Ik ren de hal in, kijk om me heen, speur de ruimte af naar een gat. De 9mm die mijn been heeft geschampt, moet zich ergens in hebben geboord. Uiteindelijk vind ik een klein gat met schroeiranden in de rug van de bank.

Ik richt mijn hoofd op en concentreer me op geluiden van buiten. In de dagen en nachten die ik hier heb doorgebracht, heb ik amper een teken van leven uit de andere appartementen opgevangen. Misschien zijn ze van speculanten die er alleen 's zomers gebruik van maken, of van bedrijven die ze ter beschikking stellen aan hun buitenlandse klanten. Misschien is dit het enige bewoonde appartement in dit bescheiden complex. Misschien ook wel niet.

Gealarmeerd loop ik naar het raam in de hal, open het en steek mijn hoofd naar buiten. Er is geluid genoeg, maar het komt niet uit de steeg. De homosauna ligt er verlaten bij.

Kan ik ervan uitgaan dat niemand het schot heeft gehoord? In deze stad struikel je over de politie. Op Placa de Catalunya staan er altijd vier of vijf, nog geen drie minuten lopen hiervandaan. Ik sluit het raam, maar duw de luiken niet dicht.

Het is duidelijk. Als er nu nog niemand is gekomen, komt er helemaal niemand meer.

Terwijl ik het mobieltje terug in mijn jaszak stop, valt mijn oog op Angela's jas. In een opwelling doorzoek ik haar zakken. Een paar kassabonnen. Kauwgum. Een portemonnee met driehonderd euro en een identiteitskaart op naam van Angelina Maria García. Ik kan het niet opbrengen lang naar de foto te kijken, waarop ze nog lang, donker haar heeft en een volkomen gaaf gezicht.

Met haar sleutelbos en mobiele telefoon loop ik terug naar de slaapkamer om schone kleren aan te trekken. Dat gaat niet echt gecoördineerd. Mijn bewegingen zijn schokkerig en gehaast. Ik probeer uit alle macht controle terug te krijgen over mijn denkpatroon, zodat ik weet wat ik nu moet doen. De waarheid is dat ik geen idee heb.

Ik graai mijn gsm van de vloer en toets een nummer in. Er wordt meteen opgenomen maar niets gezegd.

'Je moet hiernaartoe komen.' Vreemd hoe zakelijk en scherp mijn stem klinkt. Die past niet bij de emotie die eronder ligt. 'Ik heb hulp nodig.'

'Barcelona Girls?'

'Die hebben de wedstrijd verloren.'

'Wanneer?'

'Nog geen kwartier geleden.'

Een onderdrukte vloek aan de andere kant van de lijn. 'Zorg dat je daar wegkomt, man.'

Ik laat de mobiel in mijn zak glijden, gris mijn jas van de kapstok en ren naar de slaapkamer. Her en der liggen spullen op de grond die ik in de weekendtassen prop. Ik graai de sleutelbos en Angela's telefoon mee van het bed en uit de badkamer haal ik mijn tandenborstel. De pruik ligt op de grond. Ik schud het ding uit en trek het over mijn hoofd. Kijk zoekend om me heen, maar kan mijn zonnebril nergens vinden. Jammer dan.

Ik stap over Angela heen en grijp de Glock van de grond. Steek het ding achter mijn broekband. Haal mijn schouder door de hengsels van Angela's canvas tas, en kijk voor de laatste keer rond.

Ik zal vast nog iets hebben laten liggen. Het maakt niet uit. Sowieso wemelt het hier van mijn sporen. Overal staan mijn vingerafdrukken op.

Het zou me moeten alarmeren. Dat doet het niet. Ik kan moeilijk het hele appartement met een tandenborstel nalopen. Als ze me willen pakken, als ze me in hun vizier krijgen, dan ben ik de lul, zoveel is zeker.

En het griezelige is dat het me niet eens meer interesseert wat er na morgen met me gebeurt.

Zolang ik vandaag nog maar mijn gang kan gaan.

6

Het jacht ligt zeker een kilometer uit de kust. Angela had het prima getypeerd als een wit strijkijzer met een heleboel sprieten erop. Het is vanaf hier moeilijk in te schatten hoe lang het ding is, de verrekijker vertekent, maar echt klein is het niet. Ik zie een radar, een Spaanse vlag wappert aan de achtersteven.

Mark Fairweather zit naast me op de kade. Zijn kortgeknipte bruine haar is grijs doorschoten. Hij draagt een oude spijkerbroek en een zwart T-shirt met lange mouwen onder een bruin corduroy jack. Mark is zeker tien centimeter kleiner dan ik, maar wat hij in lengte tekort komt, wordt ruimschoots gecompenseerd door zijn spiermassa. Hij heeft een sigaret tussen zijn lippen en drukt fanatiek op de toetsen van Angela's telefoon. 'Geen enkel nummer, man. Of die bitch heeft er nooit mee gebeld en is nooit gebeld, of ze heeft de hele historie gewist voor ze naar je toe kwam. Het laatste lijkt me het meest waarschijnlijk.'

'Waardeloos dus.'

'Niet automatisch. Het kan interessant zijn om te weten wie dit nummer belt.' Mark glimlacht en neemt een trek van zijn sigaret. De rook wordt door de wind meegenomen.

Vorige week zocht ik hem thuis in Engeland op. Erg ingewikkeld was het niet. Hij stond gewoon in het telefoonboek en bleek een twee-onder-een-kap te bewonen bij zijn ouders in de straat. De vriendin die hij had ten tijde van de uitzending naar Bosnië was nu zijn vrouw. Op het moment dat ik bij hen voor de deur stond in Sheffield, kwam Katie over de stoep aanlopen. Ze droeg een plastic tas van Tesco en op haar heup balanceerde een peuter. Dezelfde groene ogen, die te serieus keken voor een kind, en dezelfde grote neus. Onmiskenbaar een Mark junior.

Terwijl Katie thee voor me zette, probeerde ze Mark telefonisch te pakken te krijgen. Nee, hij zat niet meer in het leger, vertelde ze me. Het leven in Engeland was duur geworden. Ze hadden een flinke hypotheek en drie kinderen. De enige manier om binnen het leger meer te verdienen, is door je uit te laten zenden naar oorlogsgebieden, of je op te werken naar een kaderfunctie. Dat laatste zag Mark niet zitten, dat ervoer hij als verraad aan zijn maten. Het eerste vond Katie geen goed plan. Dus was Mark afgezwaaid, het circuit in gedoken en liet zich alweer een paar jaar tweehonderd tot tweehondervijftig pond per dag betalen voor uiteenlopende beveiligingsklussen. Heel af en toe nam hij deel aan missies, gelegenheidsformaties, waar hij niet over sprak en waarbij zelfs Katie geen idee had waar hij uithing en wat hij precies deed. Het kwam in de basis eigenlijk op hetzelfde neer als wat hij in het leger had gedaan, had ze gezegd, terwijl ze elke tien minuten vruchteloos zijn mobiele nummer intoetste. Sterker nog: op bepaalde missies werkte hij samen met oude dienstmaten die ook voor zichzelf waren begonnen. Freelancen. Iedereen deed het tegenwoordig. Het leger leek steeds meer te worden gezien als een opstap, een betaalde opleiding. Daarbij werd hij ook nog op oefening gestuurd, om nieuwe dingen bij te leren. Verbindingswerk, explosieven, nachtduiken, overleven in extreme kou, dat soort dingen. Niets nieuws onder de zon dus, alleen was de beloning verdrievoudigd.

Een enorme meeuw zit op nog geen vier meter afstand naar ons te kijken. Hij doet me aan San Sebastián denken, aan Angela.

Ik had het kunnen weten. Toen al. Empathie stond niet in haar woordenboek.

Ik leg de verrekijker naast me neer en strek mijn benen. Een doffe pijn schiet door mijn bovenbeen. Ik was de wond vergeten.

Mark trekt de mouw van zijn jack op. 'Ik moet ervandoor, man.'

'Ik weet het.'

Hij steekt me Angela's gsm toe. 'Hou dit bij je. Kan van pas komen.'

Ik wil hem uitzetten, maar bedenk dan dat Angela vast wel een code heeft ingevoerd, en ik het ding dan met geen mogelijkheid meer aan de gang krijg. Daarom zet ik alleen het geluid uit, voor ik het in de zijzak van mijn katoenen broek laat glijden.

'Mag ik je een tip geven?' hoor ik Mark zeggen.

Ik zie mezelf zitten in de blauwe spiegeling van zijn zonnebril. 'Nou?'

'Denk aan het geld. Blok de rest weg. Anders ga je het niet trekken.'

'Is dat wat jij doet?'

'Altijd, man.' Hij snuift. 'Altijd.'

Ik zie hoe de meeuw opvliegt en zijn inspectie van het havengebied voortzet op de bovenzijde van een lantaarnpaal.

'Eigenlijk zou ik hier moeten blijven,' merkt Mark op. 'Om dit goed te kunnen doen zijn we met één man te weinig.'

'Ik weet het.'

'Ik kan niet op twee plaatsen tegelijk zijn.'

Ik draai me naar de zee en knijp mijn ogen samen tegen de schittering. Carls witte jacht is niet meer dan een stip aan de horizon tussen tientallen andere vage stippen. 'Weet je zeker dat hij aan boord is?'

'Yep. Hij zwaaide je lieve vriendinnetje uit om vier over elf en is daarna nog een paar keer aan dek geweest om een sigaret te roken. Precies om één uur is de wacht afgelost. Ik schat dat er drie man op die boot zitten, nu. Collateral damage, klote voor ze.'

Ik wrijf over mijn gezicht.

Mark geeuwt en schiet zijn peuk weg. 'Nou ja. Het gaat geen pijn doen.' Hij grinnikt. 'Er zit genoeg springstof op die romp om de fucking Queen Mary 2 op te blazen.'

Ik neem Mark zijdelings op. Hij grijnst breed. Voor hem is dit buiten spelen, of in het ergste geval nog steeds gewoon werk.

Het was zijn idee om springstof aan te brengen. Terwijl ik vanochtend probeerde om nog wat slaap te pakken, dook hij met explosieven naar het jacht. Voor de zekerheid, om ze alvast op de goede plekken aan te brengen.

Het leek mij geen goed plan om de boot vannacht al op te blazen. Ik was er voor negenennegentig procent van overtuigd dat Angela me naaide. Maar die laatste procent twijfel was in haar voordeel. Die laatste kans wilde ik haar geven, omdat ik tegen beter weten in hoopte dat het niet zo was.

Mark had andere drijfveren om het vuurwerk op te schorten. Een ontploffing zo vlak voor de deal zou te veel commotie veroorzaken. Grote kans dat de transactie niet zou doorgaan als de grote baas even ervoor aan flarden was gereten. En het geld ging wat Mark betreft voor.

Hij werkt op no cure no pay-basis. Een derde van de buit is voor hem. Dat lijkt me niet meer dan fair.

'Ik zou dit ook hebben gedaan als er niets tegenover stond,' hoor ik hem zeggen, alsof hij mijn gedachten kan lezen. Hij schuift de zonnebril boven op zijn hoofd. 'De hufter. Weet je zeker dat je hem niet wil spreken? Of zijn knieschijven verrot wil trappen?'

Ik schud mijn hoofd en staar voor me uit over zee. 'Ik heb hem niets te zeggen.'

'Van je familie moet je het maar hebben. Ik dacht dat die van mij erg was.' Hij maakt een sissend geluid en staat op. 'Ik ga er nu echt vandoor, man. *Places to go, things to do, people to meet.*' Ten afscheid stompt hij me vriendschappelijk tegen mijn schouder.

Ik maak een schijnbeweging en doe mijn uiterste best een nonchalante indruk te maken.

Mark trapt er niet in. Hij begint achterwaarts van me weg te lopen in de richting van de hoofdweg, terwijl hij met twee wijsvingers naar me prikt. 'Anderhalf miljoen, maat, daar gaat het om. Hou je kop erbij. Denk aan het geld.' Hij knipoogt. 'En aan het mijne.'

7

Ik had mijn week in Engeland goed besteed. Voordat ik Mark had opgezocht, was ik bij mijn ouders geweest.

Mijn vader verscheen in de deuropening. Het was nog vroeg in de avond maar hij had al een pyjama aan en zijn voeten staken in een paar geribde sloffen. Hij bekeek me alsof ik een ontsnapte seriemoordenaar was, maar herstelde zich snel en trok de deur verder open.

Op het moment dat ik naar binnen stapte, was ik twintig jaar terug in de tijd. Hetzelfde oubollige tapijt in de smalle hal naar de keuken. Sleets maar smetteloos, evenals de meubels in de woonkamer. Hoogglans notenhout en een beige bank met een prikkende, oerdegelijke stof op bruin met beige bouclétapijt. Gehaakte kleedjes op de armleuningen en daar waar mijn vader zijn hoofd neerlegde als hij na het eten in slaap viel voor de tv. Twee letterkasten aan de muur waarin mijn moeder snuisterijen bewaarde. Ze had iets met uilen en poezen. Ze stofte ze wekelijks af. Dikke, beige velours gordijnen sloten de wereld buiten.

Boven de tv hingen foto's. Ik werd ernaartoe gezogen. Met mijn handen gebald in mijn zakken bestudeerde ik een vergeelde schoolfoto van een schuchter kind van een jaar of zeven, met sproeten en twee ontbrekende voortanden. Op de foto ernaast was ik vijf jaar ouder. Geschaafde knieën en een trotse gezichtsuitdrukking, gehurkt in voetbaltenue. Ons voetbalteam had die dag gewonnen. Daarnaast een foto waarvan ik had gehoopt dat ze die inmiddels hadden weggehaald. Hij was genomen in Sefton Park, het victoriaanse Palm House glinsterde in de zon op de achtergrond. Helen in een witte jurk die haar schouders bloot liet, haar geblondeerde haar in krullen opgestoken en donkere make-up rond haar ogen.

Naast haar stond een kerel van een jaar of twintig die me vaag bekend voorkwam. Met die kinderlijke grijns op mijn smoel leek ik nog jonger dan ik al was. Gemillimeterd haar en uniform, gedragen met trots.

Ik zat al een paar jaar in het leger. We hadden gewacht met trouwen tot ik terug was uit Noord-Ierland. Met het extra geld dat ik met de uitzending had verdiend, was een deel van de bruiloft betaald.

Ik bleef staren naar de trouwfoto, kon mijn ogen er niet van losrukken. Toen die werd genomen, was ik ervan overtuigd dat alles goed zou komen. Ik voelde me onoverwinnelijk. In Helen had ik iemand gevonden met wie ik mijn leven wilde delen en de wereld lag voor ons open.

Een paar jaar later werd ik uitgezonden naar Bosnië. Iets wat ik toen, in al mijn naïviteit, nog zag als een groot avontuur.

Ik rukte me los van de foto's.

Mijn vader had met rechte rug plaatsgenomen aan de eettafel achter in de smalle woonkamer en mijn moeder was onrustig in de weer met het theeservies. Ze had een beige broekpak aan en droeg haar steile grijze haar nog steeds in die idiote boblijn die in christelijke kringen zo veel navolging kent. Op haar kleine, rechte neus een te grote bril die haar ogen vertekende, zodat ze altijd wat verwonderd de wereld in leek te kijken. Mijn vaders kalende schedel glom en contrasteerde sterk met zijn gegroefde gezicht en borstelige wenkbrauwen.

Hoe lang geleden was ik hier voor het laatst geweest? Het kon een maand of tien zijn. Of langer. Het leek of ik ze vandaag voor het eerst niet zag als de cipiers van mijn jeugd, maar zoals de mensen die ze nu waren, en zoals anderen ze waarschijnlijk zagen: een bejaard, vriendelijk en licht verstrooid echtpaar.

'Waar woon je tegenwoordig?' vroeg mijn moeder. Ze deed haar best de toon van haar stem luchtig te houden, maar dat lukte maar half. 'Ik hoorde van tante Pattie dat je zomaar weggegaan was. Ze heeft je spullen nog steeds opgeslagen staan.'

'Ik had tijd nodig om na te denken.'

'Pattie mist je,' voegde mijn vader eraan toe. 'Ze heeft momenteel vier nesten, en die jonge honden vreten haar hele huisraad op.'

Ik probeerde te glimlachen, maar bleef steken in een geforceerde grijns. Ik was hier niet om te kletsen over tante Pattie en haar klotehonden. Ik was hier niet eens om mijn ouders gerust te stellen. Diep vanbinnen voelde dat als een zoveelste tekortkoming naar hun toe. Ik was niet de zoon die ze hadden willen hebben.

'Je moeder en ik maakten ons zorgen. Je hebt niets van je laten horen.'

'Alles is oké,' reageerde ik snel. 'Ik ben een poos in Midden-Amerika geweest en reis nu een beetje rond.'

'Midden-Amerika,' herhaalde mijn vader. Hij kauwde op het woord. Ik zag aan zijn gezicht dat hij zich er een voorstelling van probeerde te maken. Mijn ouders waren nooit verder geweest dan Blackpool, Sutton-on-Sea en Benidorm.

'Ik hoorde bij de bakker dat je ontslagen was bij Harry Smith,' zei mijn moeder, met zachte stem. 'Daar ben ik blij om. Het was een gevaarlijke baan. Laatst nog is een van je oud-collega's beschoten. Gewoon, op straat, hier in Liverpool.' Ze schudde haar hoofd ongelovig en sprak over Liverpool alsof het een verstild gehucht in het Lake District was, waar niemand de deur op slot deed en iedereen die je op straat tegenkwam je begroette. Mijn ouders keken vast alleen nog maar naar mooiweerprogramma's, of – dat leek me logischer – naar een of andere religieuze zender.

Maar als ik eerlijk was, kon ik me niet herinneren dat het ooit anders was geweest. Wat ze niet wilden zien, zagen ze niet. Dat was er in hun perceptie gewoon niet.

Ik had wel wat van hun instelling kunnen gebruiken.

'Nou ja, ik ben blij dat we je weer eens zien,' hoorde ik mijn vader zeggen. 'Je ziet er goed uit jongen. Lekker bruin.'

'Waar werk je nu?' Mijn moeder legde haar handen op haar borst. 'Ik mag hopen dat je—'

'Alles gaat goed,' onderbrak ik haar. Ik voelde er weinig voor een fictieve baan op te hoesten alleen maar om haar gerust te stellen. 'Prima zelfs. Maar ik ben hier niet om...'

Ze keken beiden op. Bezorgdheid trok over hun gezichten.

'Oké.' Ik hief mijn handen op. 'Je weet waarom ik hier ben. Je hoort het in elk geval te weten.'

Mijn moeder ontweek mijn blik. 'We hebben altijd het beste met je voor gehad,' prevelde ze.

'Dat geloof ik,' zei ik, sussend. 'Maar ik moet het weten.'

Ze keek me nog steeds niet aan. 'Zijn we dan niet goed voor je geweest? We hebben altijd erg van je gehouden. Alsof je onze eigen zoon was.'

'Dat is het niet, mama.' Ik keek toe hoe ze de schone tafel afnam met een vaatdoek en de zo vertrouwde bruine theekopjes – na bijna dertig jaar nog steeds dezelfde – verzette. Dwangmatig gedrag. De tafel was schoon, de kopjes hoefden niet te worden verplaatst.

Ik was nog steeds niet gaan zitten. Iets in me weigerde dat. 'Het is belangrijk voor me,' drong ik aan.

Ze keek me nu aan. Haar vochtige ogen verriedden verdriet. En nog iets anders. Paniek. 'Papa en ik houden van je, ondanks wat je... wat je allemaal hebt gedaan. Het is je vergeven. Voor ons ben je ons kind, waarom is dat niet genoeg?' Ze wachtte het antwoord niet af, haalde de theepot van tafel en liep ermee naar de keuken. Sloot de deur achter zich.

Mijn vader dempte zijn stem, zodat mijn moeder niet meer dan wat onduidelijk gemompel zou opvangen. 'Je doet haar hiermee veel pijn, jongen, moet dat nou zo? Ze heeft al zo veel moeten verduren. Toen je militair wilde worden...' Hij sprak het woord militair uit alsof het iets smerigs was. 'Je moeder en ik, we hebben doodsangsten uitgestaan. Je moeder heeft voor je gebeden, en ik ook, elke dag, dat je heelhuids terug zou komen toen je werd uitgezonden naar Noord-Ierland. Daarna naar Duitsland. Toen naar Bosnië. Elke dag hebben we gebeden. Je moeder was zo bang dat je iets zou overkomen. Dan hadden we niemand meer gehad.' Zijn blik verplaatste zich naar buiten, maar de gordijnen waren gesloten. 'Toen begon dat gedoe met Helen,' ging hij verder. 'Ik begrijp niet wat er in je is gevaren, jongen. Ik zal het nooit begrijpen. Helen is een prachtmeid. Ze was goed voor je, we waren zo gelukkig met haar, ze was als een tweede kind, weet je, een dochter...' Hij schraapte zijn keel en staarde naar de lege theekop, die hij tussen duim en vingers geklemd hield.

Uit de keuken kwamen geluiden van open- en dichtgaande kastjes, stromend water.

'Ik zal het waarom nooit begrijpen.' Hij keek me nu recht aan. 'Je moeder denkt dat het een proef is. Van boven. God laat mensen alleen dingen doorstaan die ze aankunnen, daar geloven wij in. Dus we...'

Ik luisterde al niet meer. Mijn vaders monotone stem ging onverstoorbaar door over zijn geweldige god, en zijn verpletterde wensen en idealen, omdat ik me niet had gedragen als een dankbare puppy uit het asiel. Ze hadden me gered en ik keerde me van hen af, dat was de strekking.

De moed zakte in mijn schoenen. Totale ontkenning. Alsof zij en ik een andere taal spraken. Mijn moeder had gelijk: ze waren altijd *goed* voor me geweest. Als ik in dit huis wakker werd, lagen mijn kleren gestreken op de stoel naast mijn bed. Ontbijt met spek stond op tafel, mijn lunchpakket was gereed. Als ik uit school kwam, stond de thee klaar – Earl Grey. Het ontbrak me aan niets. Behalve aan communicatie, werkelijk contact. Geen enkel gesprek dat ik ooit met een van hen voerde, leidde ergens toe. Ik stelde een vraag en kreeg een antwoord, maar het was nooit een antwoord op een vraag die ik had gesteld.

Ik wist het toen ik hier vanavond binnenstapte, dat het altijd zo was gegaan en altijd zo zou blijven gaan. Maar ik realiseerde het me onvoldoende. Nu was het weer glashelder.

Ik richtte me tot mijn vader, onderbrak zijn bijna gefluisterde monoloog. 'Ik denk dat ik een broer heb.'

Hij zweeg.

'Een broer die even oud is als ik. Een tweelingbroer,' drong ik aan.

Mijn vader keek in de richting van de keuken, de deur was nog steeds dicht. Keek me daarna recht aan. 'Je broer was al weg toen wij je ophaalden, Alex. Jij was overgebleven.'

Ik bracht mijn pols naar mijn mond. Ik wist dat hij het niet zo bedoelde, dat hij eenvoudigweg moeite had zijn emoties te uiten. Maar toch kon ik me niet aan de indruk onttrekken dat mijn broer en ik als een nestje honden in het asiel waren gedumpt. En opgehaald.

Je was zo zielig zonder je nestbroertje, niemand wilde je hebben, dus hebben wij je maar meegenomen.

'Hij was geadopteerd door mensen in Bedfordshire,' hoorde ik mijn vader er zacht aan toevoegen.

Dit wisten ze verdomme al vierendertig jaar. 'Wat voor soort mensen?'

'Een echtpaar. Zij was Spaanse, hij kwam uit Luton, geloof ik, werkte bij Vauxhall. Ze konden geen twee kinderen aan. Toentertijd was het nog niet zo dat gezinnen bij elkaar werden gehouden. Op tv zagen je moeder en ik laatst een documentaire over een—'

'Pap,' zei ik, dwingend.

Hij keek op. 'Jij bleef daar achter. Alleen. Je moeder en ik... We hadden medelijden met je. Je huilde alleen maar. Je at weinig, sliep niet goed. We wilden graag iets goeds doen. Daarom hebben we je meegenomen. We dachten dat wij, maar vooral de liefde van God—'

'Wat weet je van mijn ouders?' onderbrak ik hem. Toen ik de geschokte blik in zijn waterige ogen zag, voegde ik er zachter aan toe: 'Biologische ouders.'

'Niks. Er is niets over ze bekend. Jullie zijn te vondeling gelegd. *Simple as that.*'

'Waar?'

'Iemand had jullie voor de deur van het weeshuis in Manchester gelegd, precies zoals we je dat al eerder hebben verteld. Ieder in een eigen deken. Jullie hadden geeneens kleren aan.'

'Er zal toch wel iets meer bekend zijn?'

Hij haalde zijn schouders op en spreidde zijn handen. 'Meer is er niet.'

De deur ging open. Mijn moeder kwam de kamer in met rode vlekken in haar gezicht. Haar oogwit rood doorlopen. In haar handen een dampende pot thee.

Ik richtte me weer tot mijn vader. 'Je vertelde me op mijn zeventiende dat ik aangenomen was. Waarom mijn broer verzwijgen?'

'Omdat we...' Mijn moeder zette de theepot op tafel en haar blik zocht de steun van mijn vader.

Hij legde sussend een hand op de hare. 'Omdat we dachten dat dat beter was,' vulde hij aan.

'Béter?'

Mijn moeder maakte een hopeloos gebaar. 'Je bent altijd zo'n onrustig kind geweest. Als je had geweten dat je een tweelingbroer hebt, dan was je hem gaan zoeken. Dan had je geen rust gehad voor je hem had gevonden. En wij hadden gehoord dat het gezin waar je broer woonde niet bepaald goed bekend stond. We wilden je daarvoor beschermen.'

'En je hebt er geen seconde aan gedacht,' reageerde ik scherp, 'dat ik zo onrustig was, juist omdát—' Ik stopte midden in de zin en hief mijn handen geërgerd op.

Het was zinloos, wat ik ook zou zeggen. Het kwam toch niet over. Het maakte ook allemaal geen zak meer uit.

Ik moest hier weg, voor ik dingen eruit zou gooien waar ik spijt van zou krijgen.

Mijn ouders hadden hun best gedaan, binnen hun mogelijkheden.

Ik beet op mijn onderlip en haalde mijn hand langs mijn mond. Knikte kort. 'Sorry,' zei ik. 'Sorry voor alles.'

Een paar seconden later startte ik de auto en reed de straat uit.

8

In de kofferbak liggen twee koffers met zuivere cocaïne, althans dat hoop ik, want als dat niet het geval is en de Joego's de neiging niet kunnen onderdrukken het spul op zuiverheid te testen, ga ik nat.

Niet aan denken. Ik moet ervan uitgaan dat het oké is. Dat alles naar behoren verloopt. Geen ripdeal van Joost weet welke partij waarvan ik niet op de hoogte ben. Geen plan B waar ik niet op ben voorbereid.

Graham houdt zich uiterst secuur aan de maximumsnelheid. Hij maakt de professionele indruk van iemand die weet waar hij mee bezig is. Relaxt, zeker van zijn zaak, routineus. Alsof hij elke week rondrijdt met een grote hoeveelheid verdovende middelen in zijn kofferbak, en iemand naast zich heeft zitten van wie hij weet dat die binnen een uur bloedend op de grond zal liggen en bovenal erg dood zal zijn. Het is niet eens ondenkbaar. Carl heeft zijn hachelijke imperium waarschijnlijk over lijken opgebouwd.

De chauffeur naar mijn executieplek is wat kleiner dan ik. Hij heeft een gemiddeld postuur, een dunne haardos van een onbestemde tint blond, zo'n kleur waarbij het niet opvalt als je grijs wordt. De zonnebril op zijn rechte neus is van een onbekend merk, hij draagt een zwarte spijkerbroek en coltrui met een donkerrood sportjack erover. Graham doet me nog het meest denken aan Kevin Costner, maar hij mist de charme. Hij mag met recht de onopvallendste man van de wereld genoemd worden. Uit mijn legertijd weet ik dat dit de meest linke types zijn. Spionnen en SAS'ers worden gerekruteerd op dit soort alledaagse voorkomens, juist omdat ze onzichtbaar, in alle rust, hun werk kunnen doen.

Achter me snuift José in mijn nek, als een prikkelbare stier. Hij vult de hele achterbank met zijn gespierde massa, en de rest van de BMW met zijn onheilspellende aura. Dit soort types zie je in films en je denkt dat ze vol grime zitten, *over the top*, maar ze bestaan verdomme echt.

José kan een carrière bij de SAS vergeten.

Graham stuurt de auto van de snelweg af en duikt het achterland in. Ik ken deze weg. Het is niet ver meer. Over tien, twaalf minuten moet ik een drugsdeal tot een goed einde zien te brengen.

Ik voel de nervositeit met de seconde toenemen.

Denk aan het geld.

Een politieauto haalt ons in. De inzittenden – een mannelijke bestuurder en een vrouwelijke bijrijder – keuren ons geen blik waardig. Graham vertrekt geen spier.

Inmiddels ben ik gaan begrijpen waarom Carl de voorkeur geeft aan zwarte BMW's. Op de afgesproken plaats bij de haven sprong ik drie keer op, alle keren was het voor niets en werd de auto bestuurd door een opgewaardeerde vertegenwoordiger of een zakenpak op leeftijd.

Carl weet wat hij doet. Sec gezien heeft hij zijn zaken beter voor elkaar dan ik. Op een of andere manier irriteert me dat. Er wordt gezegd dat tweelingen, ook als ze apart van elkaar en in totaal verschillende milieus zijn opgegroeid, vaak een parallelle levensloop hebben. Zelfde type vrouw, overeenkomend aantal kinderen, dezelfde kledingkeus en een vergelijkbare baan. Maar mijn liefhebbende broertje rijdt een betere auto dan ik, heeft personeel, een jacht en een goedbetaalde luizenbaan. Een criminele luizenbaan.

Terwijl het landschap aan me voorbijschiet, bekruipt me een vreemd melancholisch gevoel. Ik zou hem willen leren kennen, mijn broertje. Alleen maar een biertje met hem willen drinken en met hem praten. Hoe was zijn jeugd? Heeft hij mogelijk wel weten te achterhalen wie onze ouders zijn? Zijn pleegmoeder was Spaanse, is hij al jong met haar in Spanje terechtgekomen? Wat is er gebeurd dat het zo met hem is gelopen?

Ik besef dat die hunkering niet reëel is. Carl heeft zichzelf op zijn zachtst gezegd onsympathiek gemaakt. Mijn broertje is geen *family man*.

We zijn er bijna. Geen huizen meer, hier. Alleen nog maar doornige struiken en kale bossen. Links en rechts van de weg kronkelen landweggetjes het grauwe berggebied in.

'Die vent heet Milan,' zegt Graham ineens. Hij kijkt nog steeds star voor zich uit. 'Donker type, snor en baard, iets kleiner dan ik, maar dikker. Begroet hem koel, niet hartelijk.'

'Spreekt hij Engels?' vraag ik.

'Voldoende om zich verstaanbaar te maken.'

Graham slaat de smalle landweg in die ik herken als het laatste stuk geasfalteerde weg naar de boerderij. Mijn chauffeur is rijkelijk laat met zijn instructies.

Achter me snuift José onverstoorbaar in mijn nek. Hij heeft nog met geen woord gesproken. Ik begin me af te vragen of José überhaupt kan praten, of dat hij uitsluitend keelklanken uitstoot.

'Hoe gaan we dit precies doen?' vraag ik.

'We snuffelen aan elkaar. Je loopt niet naar hem toe maar laat hem op jou afkomen. Schud hem de hand, maar hou het zakelijk. Dan vraag ik om het geld. Normaal gesproken zal een van die Joego's dat laten zien, ik controleer het, geef je een teken dat het goed is, je loopt naar de achterbak, overhandigt hem de koffers en dan zit het erop.'

'En als hij het spul wil testen?'

'Dat willen ze meestal niet.'

'En als deze Milan dat nu eens wel wil?' vraag ik, geïrriteerd.

Graham haalt zijn schouders op.

We rijden nu op de onverharde weg met het smalle bos aan de rechterzijde. De wielen ploegen door de drassige grond. Tussen de bomen door wordt het gebouw zichtbaar.

Er staat een zwarte Mercedes op het erf. Ik kan zo gauw niet zien welk type, maar wel dat ie er al heel wat kilometers op heeft zitten.

Op een paar honderd meter afstand, op tien uur, staat iemand eenzaam in het veld. Het moet Antonio zijn, die donkere vent met zijn littekens.

Bij de Mercedes staan vier kerels. Drie in het zwart, één draagt een lange jas van schapenvacht. Zo'n bruin ding waarbij het opgeschuurde leer aan de buitenkant zit en de witte vacht zichtbaar is op de naden en bij de kraag.

Petrovic had ook zo'n soort jas.

Er trekt een rilling door me heen. Mijn hartslag versnelt.

Ik realiseer me dat Gomez hier ook nog ergens moet rondhangen. Pas op het laatst zie ik hem staan, schuin voor de boerderij, tientallen meters van de Joego's af. Ik neem tenminste aan dat het Gomez is. Zijn donkerbruine haar waait alle kanten op en hij doet niet eens moeite zijn Skorpion te verbergen. Die houdt hij losjes in zijn rechterhand voor zijn lichaam. De loop wijst naar de grond.

Modder spat tegen de wielkassen als Graham de auto tot bij de Mercedes laat uitrijden. Hij stopt en zet het contact uit.

Ik kijk de kerels een voor een aan en in een reflex gaat mijn hand naar mijn buik. De Glock zit er nog, net voor mijn kogelwerende vest.

Graham wisselt geen blik van verstandhouding met me. Zonder iets te zeggen stapt hij uit. Ik volg zijn voorbeeld en achter me hoor ik King Kong hetzelfde doen.

9

Het is stil op het modderige terrein. Geen geluid van vogels, auto's, niemand zegt wat. Het snelle, regelmatige bonzen dat ik hoor moet mijn eigen hart zijn, dat in een noodtempo mijn bloed rond stuwt. Mijn handen worden vochtig.

Milan, ik neem tenminste aan dat hij het is – niet te groot, weldoorvoed en een perfectionistisch bijgehouden baard en snor – slentert op ons af. Het is de kerel met de lammycoat. Zijn neusrug is zo breed dat zijn ogen naar de uiterste hoeken van zijn gezicht verdreven zijn. Het maakt het gecompliceerd hem recht aan te kijken en geeft hem iets buitenaards, iets onmenselijks. Milan zal het vast ver schoppen in de narco-industrie.

Ik onderdruk de neiging om te slikken en blijf recht staan.

Milans waakhond, een kerel van een jaar of vijfentwintig met de sombere oogopslag van iemand van twee keer zijn leeftijd, loopt met hem op. Hij draagt schaamteloos een automatisch wapen in zijn rechterhand. De veiligheidspal staat op niet vuren.

Een vuurwapen als accessoire, pro forma.

Achter me hoor ik José snuiven.

De twee andere Joego's blijven bij de Mercedes en kijken quasi-verveeld onze richting uit. Een van hen rookt een sigaret. Het is een houding. Dit zijn geen gelegenheden waarbij je je eens lekker kunt ontspannen.

Op armlengte afstand blijft Milan staan. 'Carl,' zegt hij, bij wijze van begroeting. Er speelt een aanzet van een glimlach rond zijn lippen. 'Blij je te zien.'

Er trekt een huivering door me heen. Dat verrekte Oostblokaccent roept associaties op die ik niet kan gebruiken. Niet nu.

Denk aan het geld.

Omdat ik geen woord kan uitbrengen, knik ik kort. Milan steekt zijn hand uit. Ik druk hem, forceer mezelf er kracht in te leggen en hem tegelijkertijd met mijn meest neutrale blik aan te kijken.

'Het geld,' hoor ik Graham naast me zeggen.

Milan kijkt geërgerd naar Graham, alsof hij een dommige serveerster is die een goed gesprek stoort. Richt zich dan weer tot mij, zijn schouder licht afgebogen om Graham aan te geven dat hij er wat hem betreft niet bij hoort. 'Je hebt het spul?'

Ik knik. Breng mijn vuist naar mijn mond en schraap mijn keel. 'En jij het geld?'

'Vanzelfsprekend.'

Niemand komt in beweging. Wat nu? Krijgen we een spelletje wie hem het eerste laat zien?

Graham doet een stap naar voren. 'Het geld, Milan.' Het komt er heel rustig uit, achteloos bijna, maar de dreiging en dominantie erin is onmiskenbaar.

Onze nieuwe kameraad heeft het begrepen. Hij maakt een handgebaar over zijn schouder.

Achter Milan en zijn hond komen de twee Joego's in zwarte leren jacks in beweging. Een van hen opent de kofferbak van de Mec en haalt er drie koffers uit, die hij gestapeld voor zich uit draagt. Hij probeert een onverschillige tred aan te houden, passend bij zijn gezichtsuitdrukking, maar dat valt nog niet mee in deze modderpoel. Schuin voor de Mercedes staat zijn maat met een machinegeweer in zijn handen naar ons te staren.

De jongen houdt zijn pas in als hij bij ons is. Hij verspreidt de koffers op de motorkap van de BMW. Klikt de messing sluitingen met zijn duimen naar buiten en doet een paar passen terug om Graham ruim baan te geven.

Graham buigt zich over het geld. Bundels met elastieken eromheen puilen bijna uit hun bruin leren omkadering. Coupures van twintig, vijftig en honderd euro.

Het lijkt of iedereen zijn adem inhoudt. Iedereen, inclusief ikzelf. Als de centen niet kloppen en de Joego's dus de boel belazeren, dan is het hier in no time een slagveld, en ik weet niet of ik dat nog erbij kan hebben zonder dat een black-out zich aan me opdringt.

Onder het kogelwerende vest wordt mijn huid vochtig van het zweet. Ik heb te veel shit gezien om nog in een god met goede bedoelingen te kunnen geloven. Mocht ie bestaan, die liefdevolle god van vergeving waar mijn ouders hun hele leven op hebben ingericht, dan frequenteerde hij in elk geval nooit de plaatsen waar ik ben geweest. Toch bid ik, bij gebrek aan een betere ingeving, in stilte het enige gebed dat me van vroeger is bijgebleven. Mijn lieve moeder kan trots op me zijn.

Graham tilt de bundels op, graait er een keer doorheen. Dan kijkt hij op en knikt naar me.

Ik weet dat ik nu in beweging moet komen, de cocaïne uit de achterbak moet halen, maar ik lijk wel verlamd. Kan mezelf er niet toe brengen om simpelweg mijn ene voet voor de andere te zetten.

Graham sluit de geldkoffers, zendt me een korte, nijdige blik toe buiten het zicht van de Joego's, en loopt rechts langs de auto naar achteren. De geldkoffers verdwijnen op de achterbank.

Ik concentreer me op Milan en de lijfwachten, die Grahams bewegingen nauwlettend volgen.

Graham komt met de twee coke-koffers naar voren gelopen en legt ze op de kap. Knikt kort naar Milan en doet een stap achteruit.

Het is niet voor het eerst dat ik cocaïne zie, maar wel in deze hoeveelheden. De koffers zijn afgeladen. Milan neemt de bovenste laag pakken eruit – ze zijn niet veel groter dan een gemiddelde baksteen – en checkt, zoals Graham zojuist deed, of de onderliggende lagen hetzelfde soort spul bevatten. Met gevoel voor drama duwt hij de koffers dicht. Zijn hond neemt ze zwijgend van hem over en geeft ze door aan een andere Joego die ermee naar de Mercedes loopt. Er wordt niets getest vandaag. Milan gaat ervan uit dat het oké is.

Het zweet loopt inmiddels in stralen over mijn rug. Ze moeten oprotten, nu meteen. Maar Milan maakt geen aanstalten op te stappen. Integendeel. Uit zijn binnenzak diept hij een pakje sigaretten op en biedt me er één aan.

Ik maak een beslist afwerend gebaar. Hopelijk vat hij het niet op als een belediging. 'We hebben niet veel tijd,' weet ik uit te brengen.

Milan fronst licht en haalt zijn schouders op. Dan breekt er een glimlach door op zijn gezicht, die een rij voortanden met flinke openingen blootlegt. Met de peuk tussen zijn lippen grijpt hij mijn hand met beide handen beet en drukt hem. 'Bedankt, Carl. Wij gaan nog heel lang zaken doen.'

Fijn. Geen afterparty.

De twee gasten in hun zwarte leren jacks klimmen achter in de Mercedes, maar laten de portieren open. Met een bijna onderdanige hoofdknik neemt Milan afscheid, hij negeert Graham volledig om de pikorde nog eens te bevestigen, en loopt naar de auto. Zijn hond volgt in een trager tempo en blijft opvallend alert. Hij moet zijn baas rugdekking geven, voor het geval wij alsnog besluiten om hem in de rug te schieten, zijn mensen neer te maaien en er met het geld én de coke vandoor te gaan.

Graham trekt een ongerust gezicht. Hij staart naar de struiken achter het huis, kijkt dan gealarmeerd naar mij. Naar de Joego's, die nu in een slakkengang langs ons rijden, terwijl de modder alle kanten op spat. Ik leg mijn hand op de Glock en haal hem uit mijn broekband, maar houd hem nog steeds onder mijn jas. Ik zie dat Graham hetzelfde doet.

Achter me hoor ik de Mercedes het pad af rijden. Het geluid sterft weg.

Nu de Joego's verdwenen zijn, trekt de mist in mijn hoofd op. 'Het gaat niet volgens plan.' Mijn stem klinkt duizendmaal rustiger dan ik me voel, als mijn vochtige rechterhand zich onder mijn jas om de pistoolgreep van de Glock klemt. Ik kan niet voorkomen dat mijn handen trillen.

Graham kijkt me aan, een verbijsterde uitdrukking op zijn gezicht die langzaam plaatsmaakt voor die van woede.

Ik moet snel zijn nu, sneller dan het licht. Vliegensvlug draai ik me om, trek in dezelfde beweging de Glock onder mijn jack vandaan, richt en haal de trekker driemaal over. King Kong slaat tegen de auto en zakt in elkaar. Zijn neus is weggeslagen door de eerste 9mm, zijn borst opengerukt door de andere twee.

Ik wacht Grahams reactie niet af. Instinctief laat ik me vallen en rol langs de BMW naar achteren.

Tegelijkertijd scheurt geratel van mitrailleurvuur door de vallei, korte metalige salvo's afgevuurd vanuit het veld. Antonio. De kogels hameren in het spatbord van de BMW en ploffen niet ver naast me in de modder. Ik werk mezelf naar de achterkant van de auto, buiten zijn schootsveld. Antonio gaat volledig door het lint, maait ongecontroleerd heen en weer met zijn wapen, dat kogels, mondingsvuur en rook uitspuugt. Ik hoor ze afketsen tegen de velgen van de auto, een hoog *zjingg* als ze zich in het plaatwerk boren. Angstaanjagend dichtbij spat modder woest op.

In een flits krijg ik mee dat Graham dekking zoekt, aan de andere kant van de auto.

Ik duik in elkaar tegen de kentekenplaat en maak mezelf zo klein mogelijk, terwijl ik mijn wapen bijna fijnknijp. Tussen het geratel door klinkt geschreeuw. Graham blaft instructies naar zijn mensen, maar het mitrailleurvuur blijft onverminderd doorgaan. De veldzijde van de BMW moet het ontgelden. Autoruiten sneuvelen. Ik kruip zo dicht als menselijkerwijs mogelijk is tegen de auto aan. Het heeft geen enkele zin om terug te schieten. Een pistool, hoe degelijk en betrouwbaar ook, is op deze afstand geen partij voor een ratelende mitrailleur. Koortsachtig kijk ik om me heen. De dichtstbijzijnde dekking is het smalle bos, op zeker vijftig meter afstand. Gekkenwerk om die gok te wagen.

Prompt overstemt een zwaar schot het Spaanse geschreeuw en mitrailleurgeknetter. Het knalt als een kanonskogel door de vallei en resoneert tussen de bergen. Eén enkel schot.

Daarna stilte.

Ik werk mezelf binnensmonds vloekend op mijn knieën door de gladde klei naar de veldzijde van de auto. Ik moet weten wat er gebeurd is, wil het met mijn eigen ogen zien.

Antonio ligt onbeweeglijk in het veld. Hij is dood, of hard onderweg dood te gaan.

Snel kijk ik langs de auto naar voren en trek mijn hoofd meteen weer terug. Het was voldoende om te zien dat Gomez langs de voorgevel van de voormalige boerderij schuift, voetje voor voetje, zijn Skorpion op borsthoogte in de aanslag. Hij heeft de herkomst van het precisieschot gelokaliseerd en probeert de schutter op de korrel te nemen.

Ik klem mijn kaken op elkaar en knijp mijn ogen even dicht. Ik kan Mark geen dekking geven. Niet op deze afstand. Met een pistool mis ik altijd. Ik bereik er alleen maar mee dat Gomez zijn aandacht op mij richt, en dat geeft Graham de kans het karwei af te maken.

Achter het huis, buiten het gezichtsveld van Gomez en Graham, zie ik Mark uit de struiken flitsen. Hij rent naar de achterkant van het gebouw. Gebukt, zigzaggend, alsof de kogels hem om de oren vliegen. Hij houdt zijn geweer diagonaal met twee handen tegen zich aan gedrukt en verdwijnt achter de boerderij uit zicht. De professionele manier waarop hij zich beweegt geeft me vertrouwen.

Snel kruip ik terug naar mijn uitgangspositie bij de kentekenplaat. Ik kan nergens anders heen, de BMW is de enige buffer tussen mij en Graham, die zich aan de andere kant van de auto heeft verschanst, bij het rechter voorspatbord. Ik kan vanhier niet zien wat hij doet. Maar één ding is zeker: Graham heeft zijn wapen getrokken en zal niet aarzelen me door mijn kop te schieten als hij me in het vizier krijgt. Ik hoor hem iets schreeuwen naar Gomez. Er komt geen antwoord. Gomez wil zijn positie ten opzichte van Mark niet prijsgeven.

De Glock ligt al vaster in mijn hand en ik span me tot het

uiterste in om mijn ademhaling onder controle te krijgen. Mijn longen barsten bijna uit mijn lijf. Adrenaline spuit door me heen, als een drug, een waanzinnige verlichting die mijn waarneming versterkt en elke vezel in mijn lichaam op scherp zet. De ijskoude modder zuigt zich vast in mijn kleding.

Bij de boerderij blijft het griezelig stil.

Ik hef mijn gezicht op, adem door geopende mond. Concentreer me op geluiden die van de andere kant van de BMW komen. Graham verplaatst zich niet, ik vang niets anders op dan zijn zware ademhaling.

Er is een reden dat ik hem niet direct na José te grazen heb genomen, al zou ik niets liever gedaan hebben. Graham moet blijven leven. In elk geval lang genoeg om me de instructies in te fluisteren die hij van Carl heeft gekregen. Mark gaat ervan uit dat Carl en hij direct na de deal contact moeten hebben, al is het alleen maar een cryptisch telefoontje of een sms om aan te geven dat alles in orde is. Of juist niet.

Kut. Misschien maakt die klootzak wel gebruik van de stilte, de betrekkelijke rust, en zit hij nu een sms naar zijn baas te versturen, zodat het hier binnen de kortste keren wemelt van onfrisse Carl-aanhangers.

In een impuls spring ik op. Het kost me een seconde om oog in oog te komen met mijn landgenoot. Ik draai mijn lichaam instinctief een kwartslag om een zo klein mogelijk doelwit te vormen en houd de Glock strak op hem gericht.

Graham zit op zijn hurken tegen de wielkas van de auto, kijkt me laatdunkend aan. In zijn hand geen gsm. Wel een pistool, waarvan de loop naar mijn gezicht wijst. Zijn hand trilt niet eens.

De mijne wel. Mijn blik flitst over zijn gezicht, de voor de situatie onnatuurlijk rustige uitdrukking.

Op een armlengte van Graham verwijderd ligt het ontzielde lichaam van José. Een monsterlijk, buitenmaats karkas. Zijn diepliggende ogen zijn weggedraaid, het centrum van zijn gezicht is weggeslagen en toont alleen nog een surrealistisch stilleven van bloed en weefsel.

Ik richt me op Graham. Die kan geen contact opnemen met zijn baas zolang ik een wapen op hem gericht heb, maar ik kan ook niet meer terug naar de betrekkelijke veiligheid van de achterzijde van de BMW. 'Waar zit Carl?' zeg ik, buiten adem. 'Wat heb je met hem afgesproken?'

Graham staart me zwijgend aan. Als hij de trekker overhaalt, besef ik, is het over en uit. Misschien neem ik hem mee, kan ik voldoende snel reageren om een 9mm zijn kant op te knallen, maar dan nog is het voor mij te laat.

'Nu we hier toch zijn,' zegt hij, met een lichte trilling in zijn stem, 'kun je me misschien net zo goed vertellen wat je met Angela hebt uitgevreten. Het is duidelijk dat ze er niet bij is, vandaag.'

Ik probeer te slikken maar het lukt niet. Mijn keel voelt aan als schuurpapier. 'Ze heeft er weinig van gevoeld.'

Graham stoot een geluid uit dat het midden houdt tussen een lach en een kuch en trekt een vreemd gezicht.

Het beeld van een dode Angela dringt zich aan me op, en dat kan ik helemaal niet gebruiken. Klootzak die ik ben, dat ik om haar was gaan geven. Haar zo graag wilde geloven. Of misschien was het niet eens zozeer Angela die mijn gedachtegang vertroebelde, maar dat waar ze voor stond. Een tweede kans, een vrouw die kon leven met een vent die zijn hele klotehistorie met zich meesleepte en hard op weg was zichzelf dood te zuipen.

Denk aan het geld.

'Wat is de procedure?' vraag ik, de Glock nog steeds op Graham gericht.

Hij trekt een wenkbrauw op. Afstandelijk, cynisch, maar hij is vanbinnen minder rustig dan hij laat voorkomen. Zijn ooghoek trekt. 'Heeft Angela je dat niet verteld?'

'We zijn niet aan de details toegekomen.' Ik werp een snelle blik over de auto heen. Gomez is nergens te zien. Mark evenmin.

Graham grijnst naar me. 'Is het al in je opgekomen dat ik je zo kan omleggen? Er zijn geen externe getuigen meer om het goede nieuws te verspreiden dat Carl bij een deal is omgekomen. Maar ik zou het alleen al doen uit genoegdoening.'

Hij heeft gelijk. Eén moment van onoplettendheid, één nanoseconde, en ik kan dit niet meer navertellen. 'Dat zou je kunnen doen,' zeg ik alleen maar.

'Angela zou het regelen,' zegt hij, met een spottende uitdrukking. 'Alles. Het geld, contact met Carl. Jammer dus dat ze er niet meer is om hem gerust te stellen. Maakt dat het ingewikkelder voor je? Of moet ik zeggen: voor jullie?'

We schrikken onwillekeurig op van een salvo dat vanuit de richting van de boerderij klinkt. Drie, vier metalige schoten volgen elkaar razendsnel op. Ze worden prompt beantwoord door twee zwaardere knallen. Dan volgt een onbehaaglijke stilte.

Ik houd mijn adem in. Het kan van alles betekenen.

Graham mompelt een vloek. Zijn ogen zijn nog steeds op mij gericht maar ze staan glazig. Zweet parelt op zijn slapen.

De seconden tikken traag weg en ik begin last te krijgen van kramp in mijn arm. Ik doe mijn uiterste best hem gestrekt en onbeweeglijk te houden, maar kan niet voorkomen dat mijn hand zichtbaar gaat trillen.

Vanuit mijn ooghoek zie ik Mark in looppas naar het erf komen. Hij draagt zijn AW-50 snipergeweer op schouderhoogte en beent in een rechte lijn op Graham af. 'Heeft hij wat gezegd?' Mark heeft amper door dat hij schreeuwt. Zijn borst gaat snel op en neer en zijn blik is strak gericht op Graham, wiens vuistvuurwapen nog steeds in mijn richting wijst.

Ik blijf Graham aanstaren en schud mijn hoofd.

'Wát?' schreeuwt Mark.

'Nee,' roep ik. 'Niets gezegd!'

Mark blijft op tien meter afstand staan, in schiethouding. Zijn linkervoet wijst in de richting van Graham en zijn gezicht is deels verscholen achter het vizier dat op zijn wapen gemonteerd zit. Zijn schoenen en spijkerbroek zitten vol beige vlekken van de natte klei. 'De procedure, klootzak, wat is de fucking procedure?' schreeuwt hij naar Graham.

'Val dood.'

De vuurmond van de AW-50 vlamt. Mark vangt de terugslag op met zijn schouder maar blijft in balans.

Grahams lichaam slaat naar opzij, glijdt langs de auto en zakt in elkaar.

'Fout antwoord, klootzak,' schreeuwt Mark.

'Wat doe je nou, man?' Ik laat mijn pistool zakken. Mijn arm en hand beginnen te tintelen.

Mark is al bij Graham, laat zich op zijn knieën vallen en werpt Grahams pistool een paar meter verder. Hij trekt Grahams hoofd aan zijn haar achterover. Helderrood bloed welt op uit een grote gapende wond in zijn hals.

'Heeft die klootzak niets gezegd?' Mark dempt zijn stemvolume tot een normaal niveau.

'Alleen dat Angela alles zou regelen.'

Mark doorzoekt koortsachtig Grahams zakken. 'Geen mobiel. Dus het zou weleens waar kunnen zijn.'

Ik sta op en trek het autoportier open. Rommel rond in het handschoenenvak, kijk onder de zittingen. Niets.

'We moeten ervandoor,' hoor ik Mark achter me zeggen, terwijl hij de geldkoffers van de achterbank grist en me er twee toeduwt.

Ik blijf staan. 'Waarom schoot je hem dood? We waren met zijn tweeën, man. Hij had informatie kunnen geven.'

'Vergeet het. Hij wist dat hij dit niet ging overleven, ik zag het aan zijn hele houding. Hij had mij of jou meegenomen. Daar wachtte hij op. En in de tussentijd zou hij ons alleen maar onzin op de mouw spelden.'

Ik wrijf over mijn gezicht en steek de Glock achter mijn broekband.

'Oké, wegwezen hier. De cash is binnen, we gaan je broertje opzoeken voordat die doorheeft dat het niet kosjer is en het ruime sop kiest.'

Ik kijk neer op de lijken. De vochtige februarilucht heeft zich gevuld met kruitdamp, die op mijn netvliezen prikt. 'Wat doen we met hen?' Ik wijs met mijn kin naar het veld, verplaats mijn blik naar de boerderij. 'En die andere twee?'

'Lekker laten liggen. Niet mijn probleem. Ook niet het jouwe.'

'Waar staat de auto?'

'Twee kilometer verderop. Helaas voor ons heuvelopwaarts.' Hij grijnst en slaat me tegen mijn schouder. 'Heb je nog een beetje energie over, ouwe jongen?' Mark begint te lopen in de richting van de boerderij. In zijn linkerhand draagt hij zijn wapen, in zijn rechterhand een van de geldkoffers.

Ik grijp mijn koffers beet en loop nog één keer langs de BMW. Gatenkaas. Allebei de banden aan de veldzijde zijn lek. De voorruit en de ruit naast de bestuurdersplaats zijn kapotgeschoten.

'Lopen, man! Kom!' hoor ik Mark schreeuwen.

10

Vlak bij de auto begint Mark zijn wapen uit elkaar te halen. Hij slingert een paar onderdelen in een klein stuwmeer. De rest legt hij onder de zitting van de auto. Ik haal de Glock achter mijn broekband vandaan en gooi hem met een flinke boog in het water. We trekken onze kleren uit, inclusief onze met modder doorweekte schoenen, proppen alles in twee vuilniszakken en trekken droge kleren aan. Ik zet mijn pruik weer op. Het begint een gewoonte te worden.

Met de vuile was op de achterbank zigzaggen we over smalle B-wegen in zuidoostelijke richting, terug naar Barcelona. Steeds als we langs een meertje komen of een vuilcontainer langs de weg zien staan, stopt Mark. De zakken worden al snel lichter. Tegen de tijd dat we tot op vijf kilometer de hoofdstad van Catalonië zijn genaderd, prop ik de inmiddels lege vuilniszakken in een hoge container die langs de weg bij een transportbedrijf staat. Het is geen waterdicht systeem, maar de kans is – daar zijn we beiden van overtuigd – niet zo groot dat we met de slachtpartij in verband worden gebracht. Zowel Mark als ikzelf zijn nooit serieus bezig geweest met drugs, en elke rechercheur die deze zaak onder zich krijgt, zal als eerste denken aan een ripdeal. Ook wat ons nog te doen staat, zal daarmee in verband worden gebracht.

Maar toch. Ons DNA, onze voetsporen, vingerafdrukken: ze zullen keurig verpakt in plastic met stickers erop in een of andere la in een politiebureau in Noord-Spanje worden bewaard, en weer te voorschijn worden gehaald als er op een dag, bij een andere zaak, dezelfde vingerafdrukken en DNA worden aangetroffen. Een *match* is wat we moeten zien te voorkomen, als we tenminste niet alsnog tot de verantwoording geroepen willen worden. Sec gezien houdt het in dat we ons de komende tien, twintig jaar allebei geen rare sprongen meer kunnen veroorloven, in elk geval niet in Spanje. Toch moet er nog iets worden afgewerkt.

'Het moet snel gebeuren,' zegt Mark, als hij de auto over een van de invalswegen Barcelona in stuurt. 'Het enige wat ik hoop, is dat die lul nog steeds in positie is.'

Ik zeg niets en kijk naar buiten. Ik kan amper bevatten wat er is voorgevallen en als Mark niet naast me zou zitten als reddingslijn naar de nuchtere werkelijkheid, dan zou ik mezelf met gemak wijs kunnen maken dat ik me alles maar heb ingebeeld. De twee gasten in Mexico, Angela, mijn tweelingbroer, de deal van zojuist. De drie koffers met anderhalf miljoen euro in de achterbak.

'Wat ga je doen?' hoor ik Mark vragen.

Ik schrik op uit mijn gedachten. 'Wanneer?'

'Als we dit karwei achter de rug hebben.'

Ik haal mijn schouders op. 'Geen idee. Jij?'

'Met driehonderdvijftigduizend Britse ponden?' Hij grinnikt en zet zijn richtingaanwijzer uit. 'Ik kap ermee, man, met die shit. Met alles. De laatste tijd heb je veel van die programma's op Channel 4, *No Going Back*, weet je wel. Mensen die op het platteland in Italië gaan wonen, in Frankrijk, Griekenland. Ik denk dat ik met dit geld Katie wel zo gek kan krijgen dat ze met me meegaat.'

'Waar zou je heen willen?'

Hij grijnst. 'De Costa del Crime.'

Ik heb die term vaker gehoord. Mark doelt op de Costa del Sol, de Spaanse zuidkust ten oosten van Gibraltar. Als alle verhalen op waarheid berusten moet het er wemelen van gepensioneerde militairen. En criminelen.

'Een pub openen,' gaat hij door. 'In Torremolinos of Benalmadena. Zo'n bruine tent met een laag plafond, balken in het zicht en een joekel van een flatscreen aan de muur, een flink overdekt terras, goed bier. Alle dagen zon.' Zijn glimlach wordt breder en zijn ogen worden troebel. 'Shit. Ik heb dit werk altijd gedaan voor een schijtsalaris en nu...' We staan stil voor een stoplicht. Hij kijkt me even recht aan en duwt tegen mijn schouder. 'Bedankt man. Ik moet je eerlijk zeggen dat ik mijn twijfels had. Ik wilde je gewoon helpen, *you know*. Geld of niet. Ik had dit niet verwacht.'

Ik denk terug aan de moord op Petrovic. De nacht dat Mark me troostte. In feite is Mark meer familie voor me geweest dan ik ooit heb gehad.

'Je hebt het verdiend.' Ik kijk weg, omdat ik wil voorkomen dat ik te emotioneel word.

'Ik had het ook gedaan als er niets tegenover had gestaan,' herhaalt hij. 'Er is te veel rotzooi op de wereld.'

'Kijk er wel mee uit. Het is zwart geld.'

'Over een maand of wat niet meer.' Hij klinkt overtuigd.

'Hoe was je dat van plan te regelen?'

'Ik heb weleens voor een paar gasten gewerkt die...' Mark trekt op en voegt in tussen het trage verkeer dat in de richting van de haven kruipt. 'Nou ja. Oké, luister, het werkt simpel: je gaat bijvoorbeeld naar een casino met een vent die genoeg geld heeft. Legaal geld. Je laat hem twintig mille van zijn rekening opnemen, maar daar doet ie niks mee. Die legt ie in zijn kluis. Hij neemt jouw geld mee naar binnen. Eenmaal binnen ruilt hij die cash om voor fiches. Je gokt wat, je drinkt een paar pilsjes. Je verliest waarschijnlijk een paar honderd pond, maar levert dan zijn fiches in bij het weggaan. Hij bankroet, jij had een goede avond. Geen speld tussen te krijgen. Het kost je natuurlijk wel een paar weken, maanden misschien, en je moet het niet steeds in hetzelfde casino flikken of in hetzelfde land, maar het werkt. Het is een van de manieren, er zijn er honderden. Je moet gewoon zorgen dat je niet opvalt. Geen grote bedragen, spreiding.'

Ik heb mijn blik weer naar buiten verplaatst, naar toeristen die onwillige kinderen met zich mee trekken, Japanners die Barcelona ontdekken door de lenzen van hun camera's.

'Hoe krijg je iemand zover dat ie met je meegaat?'

'Niet zo moeilijk. Die gasten voor wie ik gewerkt heb, hadden het over tien procent. Op de bank brengen die centen namelijk niet zo veel op. En van tweeduizend pond kan zo'n rijke stinkerd leuk op vakantie, of een jurkje kopen voor zijn vrouw.'

Ik staar weer voor me uit. Ik denk aan Helen. Aan de baby. Er is geen moment geweest in de afgelopen weken dat ze uit mijn gedachten zijn geweest. Geen seconde. 'Zou je het voor mij ook kunnen doen?'

'De was doen? Voor jou? Natuurlijk, man.'

'Het hoeft niet allemaal tegelijk,' zeg ik. 'Misschien twee mille per maand.'

'Geen punt.'

'The dogs bollocks,' mompel ik.

Mark parkeert de auto op zo'n driehonderd meter van de haven, trekt de sleutel uit het contact en stapt uit. Ik volg zijn voorbeeld. Over de auto heen kijkt hij me quasi-spottend aan. 'Hé, Alex. Je bent nu al net zo'n rijke stinkerd. Dus zou je serieus eens wat moeten doen aan je taalgebruik, verrekte reserve-Ier.'

11

Onze zeemeeuw heeft gezelschap gekregen van een paar vrienden, of vriendinnen, wie zal het zeggen. Ze bevolken luidruchtig de lantaarnpalen langs de kade en stoten kreten uit. Het is bewolkt en de zee kleurt grijs. Witte jachten liggen zij aan zij aan de steigers en deinen zacht op de rustige golven.

Mark geeft zijn verrekijker door. 'Dat roestbruine containerschip, zie je dat? Links daarvan, iets meer richting kust.'

Ik stel scherp en krijg Carls jacht bijna beeldvullend op mijn netvlies. De ramen lopen over de hele lengte van de kajuit en lijken vanaf hier ondoorzichtig zwart. Er is geen teken van leven op de boot. 'Het ziet er verlaten uit,' merk ik op.

Mark snuift. 'Er moet toch iemand op zitten. Een kilometer uit de kust is niet bepaald een plek waar je je dure jacht onbeheerd achterlaat.'

'Hij heeft geen teken gehad van Angela. Dat zou hem gealarmeerd kunnen hebben. Hij kan ervandoor zijn gegaan.'

De mobiele telefoon van Angela zit in mijn broekzak. Het ding staat aan, ik heb de trilfunctie ingeschakeld, maar er is niet op gebeld.

Een andere mobiele telefoon ligt tussen ons in.

Ik geef de verrekijker terug aan Mark. Hij zet het ding aan zijn ogen. 'Ik hoop voor jou dat die lul niet een dagje shoppen is. We kunnen hier geen eeuwen blijven zitten. Ik neem aan dat de politie ook weet wat Carl voor vent is, en dat die Graham voor Carl werkt. Zodra ze die lijken hebben gevonden, zullen ze Carl minstens om opheldering willen vragen.'

'Hoe gaat dit in zijn werk?' zeg ik, als ik de nieuwe gsm van de betonnen rand oppak en in mijn hand ronddraai. Het display staat uit.

'Geef 'm even.' Mark haalt een accu uit het voorvak van zijn rugzak en stopt die in de gsm. Toetst een code in. Zonder me aan te kijken mompelt hij: 'Vanaf nu is hij pas traceerbaar. Ze kunnen die fucking mobieltjes tegenwoordig tot op de inch uitpeilen.'

'Daar hebben ze geen reden toe.'

'Vergis je niet, die hebben ze wel degelijk als er een jacht is ontploft en duidelijk is geworden waarmee de boel is ontstoken. Dan worden alle mogelijke ontstekers in de omgeving uitgepeild. Ooit van IMEI-nummers gehoord?'

'Vaag.'

'*International Mobile Equipment Identification*, een serienummer. Elke mobiele telefoon heeft zijn eigen, unieke code, onafhankelijk van de simkaart die erin zit. Die code hangt dus vast aan het toestel zelf. Hier.' Hij klapt het mobieltje open. 'Sterretje, hekje, nul, zes, hekje.'

Prompt wordt een serienummer zichtbaar in het lcd-schermpje. Mark klapt de gsm weer dicht en legt hem tussen ons in. 'Locatiegegevens van gsm's, de hardware zeg maar, worden langer dan een jaar bewaard. In verband met diefstal, maar ook met zwaardere misdrijven. Als een mobiel op dat moment op die plaats was, dan is het dus duidelijk dat de gast die dat ding bij zich droeg er meer van weet. En vervolgens is het een kwestie van terugzoeken waar dat ding allemaal nog meer is gelokaliseerd en welke nummers ermee zijn gebeld. Toch lastig als je het van huis hebt meegenomen en er eerder nog een portie chinees mee hebt besteld.'

'Ik dacht dat die verhalen sterk overdreven waren.'

Mark laat een vreugdeloze grijns zien. 'Dit helaas niet. Je moet je kop erbij houden tegenwoordig. *Big brother is watching you.* Maar deze heb ik twee dagen geleden gejat van een Duitse rugzaktoerist die bij McDonald's een BigMac zat weg te happen.' Hij grinnikt even. 'Dus laat ze maar fijn rondneuzen in zijn homocontacten of weet ik veel wat die vent heeft uitgevreten.'

Ik kijk op. 'Dat geldt dus in principe ook voor onze eigen telefoons.'

'Yep. Ze zouden kunnen achterhalen welke gsm's, dus IMEI-nummers, er vlak bij de mobiele telefoon waren die de ontsteking heeft geactiveerd. Jouw mobiele, de mijne – en die van Angela dus.'

'Die moeten we dus zo meteen kwijt zien te raken.'

'Dat lijkt me wel verstandig. De kans is niet zo groot dat ze erachter komen, eigenlijk te verwaarlozen, maar gezien de recente ontwikkelingen wil ik liever uitgaan van het *worst case scenario*.'

Ik knik in de richting van Carls jacht. 'De ontsteking wordt geactiveerd door deze gsm?'

'Ik heb een tweede mobieltje aan een DTMF-decoder verbonden, en het hele handeltje in die duiker bij het achterdek van het jacht weggewerkt. Dat was nog het lastigste. Nu is het alleen nog maar een kwestie van bellen, eigenlijk.' Zijn mondhoek trekt omhoog, hij stelt de verrekijker bij. 'Code doorgeven, afsluiten met hekje. De gsm ontvangt het signaal, decoder zet het om en activeert de ontsteking. Boem. Mooi vuurwerk. Ik heb een vertraging ingebouwd, zodat we rustig kunnen weg wandelen voor het feest begint.'

'Waar heb je ze precies geplaatst, die explosieven?'

'Limpetmijnen,' zegt hij. 'Ik heb er een bij de schroef aangebracht. Die pakt de brandstoftank en de motor mee. Dat geeft op zich al een mooi spektakel. Voor de zekerheid nog een ter hoogte van de kajuit. Hoe dan ook, als die broer van je op die boot zit, is hij er geweest. *By the way*, daar heb je hem.'

Ik ruk de verrekijker zo'n beetje uit Marks handen en stel scherp op het jacht. De man die bovendeks rondloopt, is niet meer dan een silhouet in de ondergaande zon. Het is of ik mezelf zie lopen. Hij kijkt op zijn horloge. Wrijft over zijn gezicht. Leunt met zijn bovenarmen op de reling van zijn boot en staart in de richting van de kust.

Ik voel me er allesbehalve prettig bij en moet mezelf er in stilte van overtuigen dat Carl ons op deze afstand niet kan zien zitten. Niet met het blote oog.

'Oké,' hoor ik Mark naast me zeggen. 'Doelwit ter plaatse. Jij of ik?'

Ik leg de verrekijker naast me neer en graai de gsm van het beton. 'Geef me die klotecode maar.'

'Acht-vijf-drie-zeven. Afsluiten met hekje.' Mark lijkt zeker van zijn zaak, maar de spanning heeft bezit genomen van zijn stem. Hij weet net zo goed als ik dat apparatuur niet altijd naar behoren werkt. Dat er duizend-en-een dingen mis kunnen gaan, meer nog dan je van tevoren allemaal had kunnen bedenken.

Mijn trillende vingers toetsen de combinatie in. Voor ik het hekje indruk, werp ik een haastige blik om me heen. Zo'n vijftig meter van ons vandaan staat een oude man met een zeemanspet op te roken, zijn gezicht naar de zee gewend. Links, op tien uur, loopt een klein plezierjacht de haven binnen. Mensen rennen heen en weer over het dek en zijn druk in de weer met touwen en drijvers.

Afsluiten met hekje.

'Nu,' hoor ik Mark zeggen. 'Hij gaat weer naar binnen.'

Ik toets het hekje in en duw de gsm in mijn jaszak. Gebiologeerd blijf ik naar de witte stip in de verte staren. Ik verroer me niet.

Er gebeurt niets.

Mark is al opgesprongen, hij propt de verrekijker in zijn rugzak, slingert de tas op zijn rug en stoot me aan. 'Kom, lopen.' Dan draait hij zich van me weg en steekt al slenterend, met een gekromde hand om de vlam te beschermen, een sigaret op. De wind blaast de rook in mijn gezicht als we in de richting van het centrum teruglopen.

Ik voel me alsof ik zojuist een krat bier achterovergeslagen heb. Surreëel.

Er gebeurt nog steeds niets.

'Heb je—' begin ik.

De knal komt onverwacht. Ik draai mijn hoofd met een ruk om, net op tijd om de tweede explosie te kunnen zien. Een enorme steekvlam aan de horizon.

De oude zeeman houdt een hand boven zijn ogen. Zelfs de meeuwen houden een moment hun kop dicht.

De tweede knal volgt een paar tellen later, als een donderslag, gedragen over het oppervlak van de zee.

De witte stip aan de horizon is verdwenen.

BENALMADENA

The Pub
4 maanden later

1

The Pub is afgeladen. Geen stoel of barkruk is onbezet. Onder een laag bruin balkenplafond hangt een gordijn van sigarettenrook. Tegen de muur, achter in de zaak, vertoont een buitenmaats plasmascherm een wedstrijd uit de Premier League. Ik krijg er maar flarden van mee door de vele koppen die ervoor staan, met elkaar staan te praten, heen en weer lopen en hun glazen en flessen legen. De muziek staat hard en wordt amper overstemd door het geroezemoes en de wedstrijd. De klandizie in Marks pub bestaat vanavond voor negentig procent uit Britten, aangevuld met een paar Nederlanders en Zuid-Afrikanen.

Ik zit aan de L-vormige bar, met mijn vierde Guinness als gezelschap, en graai afwezig in een houten bakje met pinda's.

Tussen de gasten door zie ik Mark rondlopen. Hij is volledig in zijn element, blijft hier en daar staan om een praatje te maken, slaat mensen op hun schouders.

Vorige maand kon hij deze tent overnemen van een Schot die zijn familie te veel miste en terugging naar Glasgow. Er hoefde weinig te worden verbouwd. Meer voor de vorm hebben we nieuw schilderwerk aangebracht en een nieuwe lambrisering.

Helen weet niet beter of ik ben mede-eigenaar. Mark is in maart bij haar geweest, en heeft haar op de mouw gespeld dat wij deze pub samen hebben gekocht. Even later in het gesprek had hij voorzichtig laten vallen dat ik dacht dat ik de vader was van haar kind. Aan haar reactie had Mark kunnen opmaken dat ook Helen daarvan was overtuigd, maar ze keek er wel voor uit dat tegenover hem te bevestigen. Ze heeft hem vernoemd naar haar vader, Daniel. Mark heeft haar daarna gezegd dat ik een deel van mijn winst maandelijks naar haar over wilde maken, als bijdrage in de kosten voor de verzorging van Daniel. In eerste instantie was ze te trots om daarop in te gaan. Haar ouders of een oppas pasten op de baby als ze moest werken, had ze Mark verteld, en dat ging prima zo. Mij wilde ze niet meer zien. Het was al voldoende als ik wegbleef, haar en Daniel met rust liet. Mark had aangedrongen en uiteindelijk gaf ze toch haar rekeningnummer.

Helen en Daniel zullen financieel niets tekort komen. Ook als mij iets zou overkomen, kan ik ervan op aan dat Mark de maandelijkse overboekingen van tweeduizend pond gewoon door laat gaan, net zo lang tot het hele bedrag op is.

Mark schuift zijdelings tussen de klanten door en trekt mijn aandacht. In zijn kielzog een jonge meid, blond, met een goed gevulde doorkijkbloes. 'Alex, dit is Sandra, ze komt ook uit Liverpool. Ze is hier op vakantie voor twee weken. Dit weekend gaat ze weer terug.' Buiten het zicht van het meisje knipoogt Mark me toe. Dempt zijn stem: 'Good luck.' Verdwijnt dan weer in de massa.

Ik draai me van de bar weg en richt me op Sandra. Ze heeft grote ogen, zie ik, als een argeloos kalf, met harde zwarte lijnen eromheen en ze kijkt me vol ontzag aan. Lichtblond haar in een strakke staart, bleke, zonverbrande huid. Ze lijkt me niet veel ouder dan twintig. Op haar indrukwekkende decolleté ligt een kleine gouden panter. Ik wist niet dat ze die dingen nog maakten, die Cartier-panters.

Mijn nieuwe vriendin buigt zich naar me toe en schreeuwt in mijn oor: 'Mark heeft me veel over je verteld.'

Tijd voor de openingsclichés. 'Alleen maar goede dingen, hoop ik?'

Ze knikt. Haar ogen worden nog groter. 'Je bent een hele goede militair geweest, zei hij. Je hebt zijn leven gered.'

Ik grinnik, dit soort onzin zou ik ook spuien als ik Mark een goede avond wilde bezorgen. 'Mark overdrijft.'

Ze laat zich niet van haar stuk brengen. 'Hij zei al dat je dat zou zeggen.'

Omdat het zo druk is, komt ze dichter bij me staan. Ze legt een hand op mijn bovenbeen.

Nog meer clichés. 'Wil je wat drinken?'

Ze knikt.

'Bier?'

'Prima.'

Ik draai me om naar de bar. De barvrouw is Marks tien jaar jongere zus, Melanie. Het personeel in The Pub is al net zo Spaans als de klandizie. Bediening, schoonmaak, keuken, bar: al het personeel bestaat uit familie of goede vrienden van Mark en Katie. In een appartementencomplex twee straten achter de boulevard zijn zowel Katie's als Marks ouders gestationeerd, die in Engeland meteen hun biezen hadden gepakt, en nu tijdens de openingsuren van de pub op de kinderen passen. Zoveel is zeker: Mark en Katie zullen niet net als de vorige eigenaars van deze tent heimwee krijgen. Ze hebben hun sociale omgeving gewoon met zich meegenomen.

'Woon jij hier?' vraagt ze.

Ik knik.

'Al lang?'

'Een maandje pas.'

'Mark is de eigenaar, toch?'

'Ja, ik help hem een beetje.'

Melanie schuift me een tapbier toe en ik geef het door aan Sandra. Ze neemt het glas van me aan en gaat met haar vingertoppen over de rug van mijn hand.

'Wat is er met je gebeurd?' vraagt Sandra en pakt mijn hand vast.

Die is ruw en zit vol schrammen en kleine zweertjes van de verbouwing. 'Niks bijzonders.'

Ze glimlacht en leegt haar glas in een paar teugen. Brengt dan haar gezicht dichtbij, zodat haar lippen mijn wang raken. Haar adem ruikt naar een mengeling van kauwgum en bier. 'Mark zei dat je geen vriendin had.'

Nee, schiet door me heen. *De laatste heb ik onlangs nog vermoord.*

Ik sla mijn ogen neer.

Ze vat het verkeerd op. Gelukkig. 'Is ze ervandoor gegaan?'

Ik mompel iets bevestigends.

'Vind je het erg?'

'Nee.' Ik kijk haar recht aan. 'Het was een kreng.'

'Een man als jij verdient beter.' Haar hand ligt nu op mijn bovenbeen en kruipt steeds verder omhoog.

Ik sta in dubio. Sandra is niet mijn type. Te bleek, te argeloos. Maar ze is beschikbaar. 'Denk je?' vraag ik, en omvat haar taille. Die voelt lekker vlezig.

Ze glimlacht breed. Sandra heeft mooie tanden, zie ik. Een mooie mond ook.

Eigenlijk is er weinig mis met Sandra.

2

Roaming through this darkness/I'm alive but I'm alone

3 Doors Down, 'When I'm gone' (*Away From the Sun*)

Er is van alles mis met mij.

Naast me klinkt Sandra's oppervlakkige ademhaling. Ze ligt op haar buik, met een arm bezitterig over mijn borst, en is in een diepe slaap. Haar steile blonde haar ligt als een waaier over haar voorhoofd en gezicht. Ze ruikt naar zee en zonnebrand en seks. Sandra is een schat van een meid, veel minder ervaren dan ze eerder vanavond deed voorkomen. Vorige maand is ze achttien geworden. Dit is haar eerste vakantie zonder haar ouders.

Ik voel me een ongelooflijke lul, omdat ik dat niet had doorzien, en tegen de tijd dat ze me ervan op de hoogte had gebracht, er ongegeneerd misbruik van heb gemaakt. Er misschien nog meer opgewonden van raakte.

Ze nam geen enkel initiatief. Trillend van spanning liet ze alles over zich heenkomen, zo onzeker als wat, maar vastbesloten daar geen uiting aan te geven. Ze stootte gilletjes uit, maar kwam niet klaar. Ze was te gespannen.

Daarna vlijde ze zich tegen me aan en viel in een door alcohol benevelde slaap.

Ik wilde bij haar schuilen, me in haar zachtheid en onschuld begraven, maar ze klampte zich vast aan mij, een vent die praktisch haar vader had kunnen zijn en die ze niet eens kende.

Van buiten klinkt gejoel en gelal, het resoneert tussen de vakantiebunkers. Barbezoekers die in zwaar beschonken toestand hun hotels of appartementen proberen terug te vinden, en in onvervalst Cockney iedereen van de voortgang van hun zoektocht op de hoogte willen stellen.

Ik kijk op mijn horloge. Drie uur.

Op de grond naast het bed ligt een tijdschrift opengeslagen dat ze waarschijnlijk eerder vandaag op bed heeft liggen lezen. Is hij de ware? Doe de test! Op een stoel ligt een T-shirt met een Mickey Mouse-print. Sandra uit Alt Valley, Liverpool, gelooft in de sprookjeswereld die haar wordt voorgeschoteld door meisjesbladen en Disney-producties. Ze staat aan het begin van haar volwassen leven en ze leeft in een andere wereld dan ik.

De muren van het huurappartement sluiten me in en de nylon beddensprei kleeft aan mijn buik. Alles in me schreeuwt dat het hoog tijd is om mijn biezen te pakken, voor ik per ongeluk toch in slaap val en haar voor de rest van haar leven beschadig. Misschien krijg ik nachtmerries, misschien niet, maar ik durf de gok niet te wagen. Dit is geen doorgewinterde Angela García met een dubbele agenda. Geen liefdevolle Helen die me al kende als negentienjarige. Meisjes als Sandra rennen als een speer naar de Guardia Civil als ze door kerels als ik worden gemolesteerd – als ze het geluk hebben nog weg te kunnen rennen.

Voorzichtig, om haar niet wakker te maken, werk ik me onder haar uit, zoek in de schemer mijn kleren bij elkaar en loop zo stil als ik kan naar buiten.

Omdat ik geen slaap heb en me licht misselijk voel, slenter ik over het strand terug naar mijn eigen tijdelijke onderkomen. Ik woon er nu een krappe maand. Een klein familiehotel aan het einde van de boulevard.

De zee ruist, glinstert in het maanlicht. Vanuit het dorp komen flarden muziek uit een discotheek.

Zo zal het blijven gaan, schiet door me heen. Als ik hier blijf, bij Mark en Katie en hun geweldige familie in Benalmadena, zal ik elk toeristenseizoen opnieuw een verse aanvoer van Sandra's in mijn bed vinden. Om de tijd te doden. Om de verstikkende innerlijke dialoog het zwijgen op te leggen. Om geen pijn te hoeven voelen. Om mezelf wijs te maken dat het leven mooi is, of mooi kan zijn, al is het maar voor een paar uur.

En daarna als een dief in de nacht weg te sluipen.

3

Mark kijkt me aan vanachter zijn zonnebril en een glas tapbier. 'Je neemt het te zwaar allemaal, Alex. Veel te zwaar.'

Achter ons klinkt vanuit The Pub gerinkel van glas. Marks familie is hard aan het werk om de tent in orde te brengen voor de eerste lunchgasten.

Ik zet mijn glas water terug op de terrastafel. 'Ze is verdomme net achttien geworden.'

'Hé, dus meerderjarig. Zo zag ze er in elk geval uit. Die stadsmeiden weten—'

'Hou je bek.' Ik strek mijn benen onder de tafel en staar naar passanten zonder ze echt in me op te nemen.

'Je bent veranderd, man.'

'Wij allemaal,' zeg ik.

'Ik vraag me af wat je probleem is,' zaagt hij door. 'Die griet wilde van bil, ze smeekte er gewoon om toen ze hoorde dat ik militair was. Je kent dat soort grieten toch? Als ik Katie niet had gehad, dan was ik er zelf overheen gegaan. Simpel als wat. Ik wilde je...'

Ik maak een gebaar alsof ik een vlieg wegjaag.

'Je mist Helen.'

Ik voel Marks ogen in me prikken, maar ontwijk zijn blik. Hoe graag ik mijn hart ook zou willen luchten, het gaat me niet lukken, niet zonder er een gênante vertoning van te maken. Het zit verdomme te diep. Vannacht ben ik dat ten volle gaan beseffen. Ik gooi alweer wekenlang bier achterover alsof het kraanwater is en doe in de roes van alcohol dingen waar ik me achteraf voor doodschaam. Dat gaat niet beter worden.

Je loopt jezelf en iedereen die je tegenkomt voor de voeten met je trauma's en je black-outs. Hoor je verdomme wat ik zeg?

De zon schijnt, de palmbomen ruisen, iedereen hier is in vakantiestemming en ik ben omringd door mensen die me een warm hart toedragen, me accepteren als een aangenomen familielid. Een familie, met kinderen, ouders en schoonouders en een kerel van wie ik had gewild dat hij mijn broer was geweest. Ik zou gelukkig moeten zijn.

Maar ik voel me leeg en onwerkelijk, omdat de vrouw om wie ik geef en mijn zoon die ik nooit heb gezien ver weg in Engeland wonen, en geen deel uitmaken van mijn leven. En dat zal ook niet meer gaan gebeuren. Die hoop is weg.

'Mensen hebben een doel in het leven nodig,' zei mijn vader weleens. 'Een doel om naartoe te werken. Zonder doel is er geen levensvervulling, is er niets.'

Hij had het niet vaak bij het rechte eind maar ik begin te geloven dat die ouwe op dat punt wel degelijk gelijk had.

Ik drink mijn glas leeg en kijk Mark aan. 'Sorry. Ik zou je moeten bedanken.'

Hij pikt feilloos de onderliggende emotie op. 'Geeft niet, man. Het is voor mij ook niet makkelijk geweest. Ik heb ze ook nog weleens, weet je. Die nachtmerries. Het vreet je op, vanbinnen.'

'Maar jij hebt je gezin nog.'

'Mark?' Zijn schoonmoeder komt naar buiten, een vaatdoek in haar handen. 'Een meisje aan de telefoon voor je. Het klinkt dringend.'

Hij staat op, knijpt me in mijn schouder en loopt de donkere schaduw van de pub in.

Ik trap mijn schoenen uit. Leg mijn hoofd in mijn nek, voel de warmte van de zon op mijn gezicht, staar naar de witte wolkenpartijen in de felblauwe hemel en haal diep adem.

Mark heeft een punt. Ik zie alles te somber in. Misschien moet ik toch eens gaan praten met een psych, maar dan een goede – als die er al zijn. En misschien moet ik inderdaad de enige goede raad die mijn vader me ooit heeft gegeven opvolgen: een doel zoeken, iets zinnigs om me mee bezig te houden de komende tijd. Iets nieuws.

'Blijf zitten.' Marks stem klinkt zo gespannen dat ik meteen opspring. Hij heeft vlekken in zijn gezicht, zie ik.

Foute boel.

'Ga even zitten, Alex, rustig aan. We hebben een probleem.' Hij houdt zijn handen voor zich alsof hij probeert me zo terug in de stoel te werken.

Ik verroer me niet. Mark staat me alleen maar onwezenlijk aan te kijken.

'Wát dan, verdomme?' roep ik.

Zijn ogen flitsen van me weg en dwalen rond in hun kassen, alsof hij naar woorden zoekt om het slechte nieuws te brengen. Boren zich dan in de mijne. 'Dat was Helen aan de telefoon. Ik denk dat ze bezoek heeft gehad van je broertje.'

Ik staar hem ongelovig aan. Verdwaasd. 'Er... was niks over van dat jacht,' stamel ik. 'Toch?'

'Ik heb geen idee hoe het kan. Je hebt gezien hoe het ging. Je hebt het gezíen.' Zijn vingers klauwen in zijn voorhoofd.

Terwijl ik probeer mezelf tot de orde te roepen, trekt Mark een pakje Camel uit zijn oversized overhemd, tikt er met trillende hand een sigaret uit en steekt hem op.

Mijn hart hamert achter mijn ribbenkast. 'Zit hij bij haar in huis?' vraag ik, terwijl ik mijn schoenen aantrek. In gedachten zit ik al in Liverpool. 'Ik zweer het je, ik trek die kop van hem met mijn blote handen van zijn romp als Helen iets overkomt.'

'Er is niemand in haar huis, rustig even.' Hij dempt zijn stem. 'Gisteravond zat hij in een geparkeerde auto bij haar in de straat. Toen ze terugkwam van haar moeder, viel haar die auto op. Carl heeft haar alleen maar aangestaard, zei ze. Ze schrok van zijn gezicht en is gauw naar binnen gelopen. Pas toen besefte ze, of dacht ze te beseffen, dat jij het was. Ze heeft de gordijnen dichtgetrokken en de politie gebeld, maar die kwam pas een uur of wat later, en toen was hij hem al gesmeerd. Zojuist stond hij er weer, ze heeft meteen opnieuw de politie gebeld, met hetzelfde resultaat.'

'Waarom schrok ze van zijn gezicht?'

'Hij ziet er schijnbaar niet uit. Gehavend. De explosies hebben blijkbaar toch wel enig effect gehad.'

'Hij heeft het overleefd,' zeg ik, bijna fluisterend. 'De klootzak heeft het overleefd.'

Mark heeft zijn sigaret amper aangeraakt maar drukt hem hardhandig uit in de asbak. 'Ik wil je niet nog meer over de zeik helpen, maar Helen is bang.'

'Voor míj? Jezus, Mark, als ze denkt dat ik het ben, dan—'

'Ze is bang dat je bent doorgeslagen, Alex. Dat er iets gruwelijks is gebeurd waardoor je gezicht beschadigd is geraakt, je hersens door elkaar zijn geklutst en je eropuit bent om haar of Daniel iets aan te doen.'

'Hoe kan ze dat denken? Hoe kan ze dat nou gódverdomme denken! Ze is de enige op de hele wereld die—'

Mark heft nijdig zijn handen en kin op. 'Hé, dimmen. Ben je vergeten wat je haar hebt geflikt?'

'Dat was—'

'Ja, ik weet waarom dat was,' snauwt hij. 'Feit is dat ze blijkbaar echt bang voor je is, man. Toen ik vorige maand bij haar was, stond ze ook al niet te springen van enthousiasme om me binnen te laten. Ze wilde niets met jou te maken hebben en ook niet met iemand die jou kende. Ik heb me de blaren op mijn tong moeten kletsen om haar ervan te overtuigen dat alles oké was, dat ik goed nieuws had en niets van haar wilde, alleen wat kwam brengen.'

Ik zak neer in de rieten terrasstoel, druk mijn ellebogen op mijn knieën en leg mijn gezicht in mijn handen. Sluit mijn ogen. 'Dat heb je me niet gezegd.'

'Wat voor zin zou dat hebben gehad? Je hebt aangegeven dat je geen contact meer met haar zou opnemen, dus was het wat mij betreft basta.'

Ik snuif. Mijn hele lichaam trilt. 'Heb je gezegd dat ik hier zit, in Spanje, en dus niet in Engeland kan zijn?'

'Nee.'

'Waarom niet?'

'Omdat ik denk dat ze dan pas echt bang wordt. Jou kent ze in elk geval. Ik wilde het niet ingewikkelder maken dan het al was.'

'Waar is ze nu?'

'Gewoon thuis. Ze heeft de oppas gebeld en die blijft bij haar. Ik heb haar gezegd dat ze deuren en ramen dicht moet houden, niemand binnen mag laten, in elk geval in huis moet blijven en niet ergens moet onderduiken omdat ze daarmee andere mensen in gevaar zou kunnen brengen. Ik heb gezegd...' Hij kijkt even van me weg. 'Dat ik naar Engeland zou komen om met je te praten, om het op te lossen. Dat leek me... Ja, fuck, dat leek me gewoon het beste.'

'Ben je wel goed wijs?' Ik spring op. 'Ik ga haar bellen. Dat ze verdomme maakt dat ze daar wegkomt.'

'Niet doen.' Zijn vingers klemmen zich om mijn onderarm en hij brengt zijn gezicht dichtbij. 'Carl wil haar niets aandoen, want als hij daaropuit was, had hij haar allang gepakt. Dit is zijn manier om je te laten weten dat hij je zoekt. Hij heeft blijkbaar niet kunnen achterhalen waar je uithing, dus is hij naar Helen gegaan, het enige adres dat hij kende.' Mark pauzeert even, maar zijn hand blijft stevig om mijn arm geklemd. 'Hij wil gevonden worden, Alex. Door jou. Dus moet Helen blijven waar ze is. Zodat jij hem daar kunt vinden.'

4

Easyjet vliegt negen keer per dag van Malaga naar drie verschillende luchthavens alleen al in Londen, en naar nog een paar andere grote Engelse steden. Een vliegtuig pakken naar Engeland is hier zoiets als de bus nemen. Toch is een halfuur wachten nog te lang.

In mijn hotel had ik de belangrijkste spullen in een van mijn weekendtassen gesmeten terwijl Mark zwijgend naar me stond te kijken en de ene na de andere sigaret rookte. Hij reed me naar Aeropuerto de Malaga en liep met me mee naar binnen.

Nu staat hij naast me in de rij, in een grote, verblindend witte hal voor de Easyjet-balie en trekt zijn paspoort uit zijn binnenzak. Hij houdt het opengeslagen vast.

Ik trek een wenkbrauw op. 'Ga je ergens heen?'

'Wat denk je? Ik laat je niet alleen gaan.'

'Lul niet.'

'Ik voel me schuldig, man. Ik had het anders moeten aanpakken.'

'Hoe dan?'

'Ik had 's nachts op die boot moeten klimmen en een mooi rond gat tussen zijn ogen moeten knallen. Dan had ik honderd procent zekerheid gehad.'

'Geweldig plan. Dan hadden we moeten wachten tot het donker werd en tegen die tijd zou hij allang zijn vertrokken. Dat weet je net zo goed als ik.' Ik kijk geërgerd van hem weg. 'Jouw slakmijnen hebben hem in elk geval een maand of vier uit de roulatie gehouden.'

Hij schudt zijn hoofd en mompelt iets onverstaanbaars.

'Ik wil dit alleen doen, Mark,' ga ik door. 'Het is mijn probleem, niet het jouwe.'

Zijn groene ogen lichten fel op. 'Wie staat hier nou te lullen? Als ik mijn werk goed had gedaan, had die vent nu niet meer rondgelopen. Ik heb dat karwei aangenomen, en dan maak ik het verdomme af ook.'

We schuiven op in de rij. Een metalige vrouwenstem roept in het Spaans en vervolgens in het Engels passagiers op naar een of andere gate te komen.

'Je hebt niet eens gedag gezegd,' merk ik op.

'Ik bel Katie wel als we in het vliegtuig zitten. Ze is eraan gewend.'

'Ze hebben je hier nodig.'

'Die tent draait ook wel zonder mij.'

'Ik heb het niet over je zaak, Mark.'

Er valt een stilte. Voor ons staan nog vijf mensen. Een jong stel met een kind op de schouder en een gepensioneerd echtpaar met identieke blauw gestreepte bloezen aan.

'Ik wil niet overkomen als een oude lul, maar...' Ik pauzeer met opzet, om mijn woorden meer gewicht mee te geven. Zelden heb ik iets zo gemeend als dit. 'Je hebt meer dan ik ooit zal kunnen krijgen. Een lieve vrouw, drie koters, een verrekte fijne familie die je helemaal achterna reist naar Zuid-Spanje en alles voor je doet. Je hebt wat je altijd al wilde. Je gezin en je familie, je pub onder de zon. Je hebt alles.'

'Dat gun ik jou ook.'

Ik kijk donker naar het echtpaar dat voor me staat. Ze hebben ook eenzelfde broek aan, zie ik nu. Een setje pensionadas.

Ik gris mijn paspoort uit mijn binnenzak. 'Ik meen het. Je hebt genoeg gedaan. Sodemieter nu op, terug naar je familie. Ik zie je overmorgen weer.'

Hij kijkt me doordringend aan. Zegt niets. Soms heb je geen woorden nodig om iets over te brengen.

'Zorg maar dat je een Sandra klaar hebt zitten,' zeg ik. 'Maar dan een van een paar jaar ouder, graag.'

Marks mondhoek kruipt omhoog. 'Ik zal je een heel peloton

Sandra's bezorgen, man. Hoeveel kun je er tegelijkertijd aan?'

Ik grinnik. 'Zoveel krijg jij er niet bij elkaar geregeld.'

Het gestreepte setje zet hun koffers op de band en ik schuif door naar de balie. Betaal cash, laat mijn paspoort zien en neem het ticket aan. De tas is compact genoeg om als handbagage mee te nemen. We lopen in de richting van de douane. Voor de poorten blijf ik staan. 'Ik zie je,' zeg ik, ten afscheid.

Mark kijkt naar de grond, heft dan zijn hoofd op. Hij wil iets zeggen, maar kan net als ik niet op de juiste woorden komen. Het schiet door me heen dat het de laatste keer kan zijn dat ik hem zie. Hij moet dat net zo goed beseffen.

Impulsief grijp ik hem achter in zijn nek en por met mijn vuist vriendschappelijk in zijn zij. 'Tot over twee dagen.'

In een reactie beukt Mark met twee vuisten op mijn rug en trekt me tegen zich aan. 'Hou je haaks, man. Breek zijn knieschijven voor me.'

'Dat zal niet het enige zijn wat ik breek,' mompel ik. Draai me dan om.

'Wacht,' hoor ik Mark achter me zeggen. Hij is druk zijn zakken aan het doorzoeken. Met een afgekauwd potloodje schrijft hij een telefoonnummer op een verfrommelde kassabon. Propt het in mijn borstzak. 'Als je wat nodig hebt in Engeland, bel deze vent. Zeg dat je een goede vriend van mij bent. Hij zit in Birmingham. Je komt erlangs vanaf Stansted.'

5

Een BMW. Zwart metallic, met een Brits kenteken. Het slagschip staat schuin tegenover Helens huis geparkeerd. Er zit een vent achter het stuur. Ik zie alleen zijn contouren achter getint glas, somber en bijna bewegingloos in de regenachtige juniavond.

Helen moet thuis zijn. Nog geen uur geleden belde ik haar vanuit een telefooncel. De oppas nam op, hetzelfde meisje dat ik in Barcelona aan de telefoon heb gehad. Dezelfde jonge stem. Angstig, deze keer. *Allen Forster,* had ik willen zeggen. *Simeon verzekeringen. Is mevrouw Thorne thuis?* Ik wilde zeker weten dat ze thuis was. In gedachten ging het honderd keer goed. Maar ik kon geen woord uitbrengen, terwijl ik luisterde en probeerde geluid op te vangen van Helen of Daniel. Pas toen ik Helen op de achtergrond hoorde vragen wie het was, verbrak ik de verbinding.

Een paar voetgangers lopen met paraplu's en verscholen onder hun capuchons langs de auto. Ze komen mijn kant op. Ik prop mijn vuisten in mijn zakken en duw mezelf dichter tegen de muur in de brandgang, weggedoken in de zwarte schaduw. Houd mijn adem in.

Ze zien me niet, zijn druk in gesprek.

Ik kijk op mijn horloge. Elf uur. Ik moet actie ondernemen. Ik kan hier moeilijk de hele nacht blijven staan.

Voorzichtig schuif ik weer naar voren. Het trottoir is leeg. In de auto licht een oranje puntje zo nu en dan op. Mijn tweelingbroer rookt. Ik weet dat het Carl is, daar in die geparkeerde auto. In alle andere gevallen zou ik controleren of ik te maken had met het doelwit of een stroman. Nu niet. Noem het intuïtie, een ondefinieerbaar gevoel dat me overviel toen ik zijn auto langs de stoeprand hoorde stoppen. Maar ik wist het.

Dat was het eerste heldere moment van vanavond. Ik voel me verder allesbehalve scherp. Het komt door de wijk. Hierheen komen zou zoiets als thuiskomen moeten zijn. Het voelt niet zo. De huizen op Eaton Road North staan er nog, net als het Chinese afhaalrestaurant waar Helen en ik steevast elke donderdag onze maaltijd vandaan haalden, en het arbeidsbureau dat ik altijd als de pest heb ontweken. Verder zuidelijk reed ik langs het stokoude Alder Hey kinderziekenhuis, en de kapper op de hoek bij Apsley Road – Helens favoriete kapster werkte daar. Misschien nu nog.

Alles is er, maar het lijkt allemaal zoveel kleiner, de huizen staan dichter op elkaar, de mensen zijn lawaaiiger, net als het verkeer van de snelweg. De straat, mijn oude straat, maakt een verlopen, bijna sinistere indruk.

Verweerde ijkpunten uit een verdwenen tijdperk.

Mijn ogen tranen. Ik houd mezelf voor dat ik verkouden word, of dat het de regen is die van mijn doorweekte haar over mijn gezicht glijdt. Het vocht hindert mijn zicht. De BMW wordt wazig, gevangen in het zachte licht van een straatlantaarn, als in een diffuus cocon. Ik trek me terug en veeg de nattigheid uit mijn ogen. Haal mijn neus op en merk dat ik tril. Neem weer positie in.

Ik moet naar die auto toe. Hier blijven staan is zinloos.

Voor de honderdste keer controleer ik of de HS2000 die ik eerder vanavond kocht in Birmingham niet omhoog is geschoven achter mijn broekband.

Marks contact bleek een vent die zich Mike noemt en die gezien zijn rode huidskleur en omvang hard op weg was suikerpatiënt te worden met een dreigend hartinfarct. Na enig aandringen en het toverwoord Mark Fairweather werden we beste maatjes en liet hij me trots zijn kelder vol wapentuig zien, die rook naar wapenolie en sigaretten. Minstens de halve ijzerwinkel was van Oost-

Europese herkomst. Machinegeweren, handgranaten, C4, kogelwerende vesten, gasmaskers, mijnen: voldoende om een klein leger te bevoorraden.

De HS2000 lag tussen de rest van de vuistvuurwapens en deed me meteen denken aan Baskenland. In Irún had ik zo'n zelfde wapen gekocht. Toen had ik nog geen idee gehad tegen wie ik vocht, wie de vijand was. Nu wist ik het wel. Zelfde merk en type wapen en het doelwit was bepaald. Een tweede kans. Ik draaide het ding rond in mijn hand. Een nieuw pistool, ongebruikt. Onder toeziend oog van mijn wapenleverancier vulde ik het magazijn met 9mm's, mijn handen gestoken in operatiehandschoenen die hij me discreet aanreikte. Service van de zaak.

In Mikes vergeelde, bolle ogen zag ik een regiment aan wapenkopers voorbij komen: getroebleerden, voornemens hun gezin op effectieve manier om zeep te helpen, de minnaar van hun vrouw, de dominante, veeleisende werkgever – en gasten die hun nieuwe aankoop alleen maar gebruikten om er indruk mee te maken op caissières.

De munitie was gratis. Als ik nog eens iets nodig had, moest ik hem vooral bellen, maar als ik gepakt werd, was ik er nooit geweest. Uiteraard.

Het had alles bij elkaar niet meer dan een uur in beslag genomen.

Lopen nu.

Ik krijg mezelf niet in beweging. Koudwatervrees. Als verlamd blijf ik tegen de vochtige muur staan, starend naar de achterzijde van de zwarte BMW.

Nog geen halfuur geleden was ik als een inbreker over de muur van mijn oude huis geklommen. Helen had de tuin laten betegelen. Er was geen gras meer dat gemaaid moest worden, geen bloemenborders. Er stonden nu een droogmolen en een vuilnisbak. De luxaflex was neergelaten.

Ik legde mijn hoofd in mijn nek, probeerde geluiden uit het huis op te vangen, maar hoorde alleen de tv van de buren en het geraas van auto's op de snelweg. Op zolder stond het dakraam op een kier. Ik speelde met de gedachte om op de betonnen rand van de schutting te klimmen en via de aanbouw van de buren te proberen bij het openstaande bovenluik te komen. Ik wilde mijn kind zien. Een kwartier bleef ik roerloos staan, misschien langer, terwijl de regen onophoudelijk neerkletterde. Ik was bang. Bang voor wat ik zou aantreffen, maar vooral voor wat het met me zou doen.

Het geluid van een zescilinder klonk gedempt door het huizenblok dat ons scheidde. De motor werd afgezet. Ik luisterde. Er stapte niemand uit. Er sloeg geen deur dicht, ik hoorde geen stemmen, wat dan ook.

Ik wist het. Ik voelde het. En ik werd ziedend.

6

Als ik in beweging kom, ril ik over heel mijn lichaam en krijg ik de indruk dat ik op watten loop. Ik houd mijn hand onder mijn jas. De greep van de HS2000 voelt klam en koud. In één rechte lijn loop ik naar de auto, trek het portier aan de trottoirkant open en stap in. Sla het achter me dicht. Onder mijn jas is de loop van mijn wapen gericht op de man achter het stuur.

Uit automatisme controleer ik hem eerst op mogelijke wapens. Zijn jeans zit los om zijn bovenbenen, hij draagt een zwart overhemd dat open is bij de boord. Hij kan een mes of een klein kaliber ter hoogte van zijn enkels verbergen, of een wapen achter zijn broekband dragen, tegen zijn rug.

Mijn ogen flitsen over hem heen, misschien een seconde, misschien twee, waarin niets wordt gezegd en niet wordt bewogen.

Carl zit bewegingloos voor zich uit te staren. Eén hand op het stuur, tussen zijn vingers steekt een niet-brandende sigaret.

De ruiten zijn licht beslagen en de regen tikt op het dak en de voorruit. Langzaam draait hij zijn gezicht naar me toe. Een mozaïek van huid in allerlei tinten, hoekige littekens die doorlopen tot over zijn voorhoofd en opzichtige patronen vormen langs zijn slapen tot in zijn haargrens. Carl heeft blond haar, iets lichter dan dat van mij. En langer. 'Ik had je gisteren al verwacht,' zegt hij. 'Dus ik neem aan dat je niet in Engeland zat.'

Ik schrik van zijn stem, die griezelig veel op de mijne lijkt. Moet ineens denken aan de tv-programma's die Helen zo graag zag – en waar ze misschien nog wel naar kijkt – waarin familieleden met elkaar worden herenigd. Soms vielen ze elkaar huilend in de armen, soms wilden ze niets van elkaar weten. Onbegrijpelijk genoeg. 'Je kop past nu beter bij je karakter,' weet ik uit te brengen.

'Vind je?'

'Waarom deze poppenkast?'

Hij staart voor zich uit. 'Om sentimentele redenen.'

'Geld dus.'

'Dat ook. En een heleboel gezeik waar ik niet op zat te wachten.' Carl tikt ongeduldig met zijn hand op het stuur. 'Politieonderzoeken, onverklaarbare kadavers. Waaronder mijn meisje. Drie weken ziekenhuis. Ondervragingen. Lastige zaken. "Mijn" DNA was op cruciale plekken gevonden, in een van mijn auto's, bij Angela...'

'Sentimentele redenen,' herhaal ik. 'Wat wil je?'

Hij snuift en legt zijn hoofd in zijn nek. 'Dat je dat wapen wegdoet. Om te beginnen.'

'Weinig kans.'

'Je bent nerveus, hebt je vinger om de trekker liggen. Dat praat niet ontspannen, dat moet jij toch weten.'

'Rijden,' zeg ik zacht.

Hij trekt een wenkbrauw op. Of wat daarvan over is. Gezwollen, verkleurde huid met rommelig ingeplante haren. 'Gaan we dreigen?'

'Nee, we gaan een stukje rijden. Ik wil geen gesodemieter bij Helen voor de deur. Je hebt al genoeg ellende veroorzaakt.'

Carl grinnikt vreugdeloos. 'Ik? Ik dacht toch echt dat jij het was die een en ander in gang heeft gezet. Maar goed. Wie zegt dat ik geen mannetjes bij haar binnen heb zitten? Als verzekeringspolis?'

Een seconde brengt hij me aan het twijfelen. Ja, ik heb Helens stem gehoord en ja, ik heb de oppas aan de lijn gehad. Maar wat zegt dat? Ik heb niet naar binnen kunnen kijken.

Carl grinnikt weer. Het klinkt als zacht gehinnik. 'Je schrok even, toch?'

Ik blaas opgelucht adem uit en doe geen poging dat verborgen te houden. 'Start die fucking auto.'

'Geen eerlijk gevecht,' zegt hij, quasi-teleurgesteld, en kijkt me met een scheef gezicht aan. 'Jammer.'

'Lul niet over eerlijk, klootzak. Je jaagt Helen de stuipen op het lijf. En ze heeft hier niets mee te maken.'

Met een theatrale zucht draait hij de contactsleutel om, brengt de motor tot leven, kijkt in de buitenspiegel en rijdt met gierende banden de straat op.

Ik grijp naar het dashboard om in balans te blijven. 'Normaal, ja!' roep ik en prik de loop van de HS2000 in zijn bovenarm.

Zijn gehavende gezicht grijnst. Demonstratief licht hij zijn voet op. Laat de auto uitrijden. Na een paar honderd meter staan we stil, midden op de weg.

Een Vauxhall raast luid claxonnerend voorbij.

'Goed.' Carl draait zich naar me toe. Achter het masker van verbrand vlees zie ik mijn ogen in de zijne weerspiegeld. Ernstig, de grijns is verdwenen. 'We hebben niet zo'n lekkere start gehad.'

'Zullen we daar jou even de schuld van geven?'

'Schuld, schuld... Ik kende je niet eens. Dus wat maakte het uit?' Zijn linkermondhoek trekt flauwtjes omhoog, de rechterkant doet niet mee. 'Heb je weleens gebruikt?'

'Niet in grootverbruikershoeveelheden.' Ik observeer hem. Hij reageert niet, wat zou kunnen inhouden dat Angela in elk geval niet heeft gelogen over Carls cocaïneprobleem.

'Ik kon niet meer goed nadenken,' zegt Carl, terwijl hij zijn blik afwendt. 'Dat kun je weleens hebben, maar in mijn vak is dat dodelijk. Ik draaide door. Het moest stoppen. De coke, de handel, alles. Ik wist dat ik eruit moest stappen, want als ik het zelf niet deed, was het een kwestie van tijd voor ik ertoe werd gedwongen door een of andere klootzak. Dan deed ik het liever op mijn manier.' Hij draait zijn hoofd weer naar me toe. 'Ik was van plan met Angela ergens anders opnieuw te beginnen, in Australië of zo. Of Chili, Peru, Argentinië. Maar hoe? Ik heb mezelf behoorlijk op de kaart gezet. Dat je daarna zomaar kunt verdwijnen, is een utopie. Vergeet het. Gaat niet. Het maakt niet uit waar je naartoe gaat, hoe ver je reist, hoe achterlijk het land ook is waar je neerstrijkt. Je komt elkaar altijd tegen, vroeg of laat.'

'Oké,' reageer ik. De monding van de HS2000 rust nog steeds tegen zijn bovenarm. 'Toen kwam je erachter dat je een tweelingbroer had, en vatte je het plan op je vriendin de hoer te laten spelen, om hem vervolgens om zeep te laten helpen. Echt een perfect plan. Wat dacht je nou? Dat ik als de eerste de beste eikel die kogels wel even voor je zou opvangen?' Ik voel mijn woede toenemen. 'Verdomme, hoeveel coke moet je in hemelsnaam snuiven om zoiets te kunnen bedenken?'

Er komt opnieuw een auto voorbij, claxonnerend, knipperend met groot licht.

'Wil je het handschoenenvak even openmaken? Er liggen sigaretten in.'

Zonder mijn blik van hem af te wenden trek ik de klep open en vind een pakje. Ik trek er twee sigaretten en een wegwerpaansteker uit, steek ze beide aan en geef er een aan Carl. Hij is linkshandig valt me op, net als ik.

'Dank je.' Hij inhaleert diep. 'Wil je nu dat verrekte pistool wegleggen?'

'Nee. Het wordt net een beetje gezellig.' Ik neem een trek en zwaai nijdig de rook uit mijn gezicht.

Carl snuift. 'Toen Angela jou op wist te sporen, leek het perfect. Als jij dood was, zouden ze in elk geval niet meer naar me uitkijken. Het zou rust brengen, begrijp je? Daar was ik aan toe. En ik heb nooit zoveel opgehad met familie.' Carl spreekt het woord familie uit alsof het een vloek is. 'Ik weet niet eens wat het is, eigenlijk. Jij? Heb jij het een beetje naar je zin gehad? En nog? Ik denk dat het zoiets moet zijn als verplichte vriendschap tot de dood ons scheidt. Een genetische ziekte.' Carls blik richt zich nu op het stuurwiel, alsof hij het Beierse logo voor altijd in zijn geheugen wil opslaan. 'Opgescheept zitten met al je DNA-gerelateerden als een aanval van mazelen die maar niet wegtrekt. Ik heb mezelf op een gegeven moment wijs gemaakt dat dat oké was. Geen familie. Dus ook geen gezeik aan je kop.'

Ik vecht tegen de aandrang hem de ene na de andere vraag te stellen. Ik wil weten hoe zijn jeugd is geweest. Zijn adoptiefouders, of daar inderdaad iets niet mee in de haak was, zoals mijn moeder ooit eens had gehoord. Wanneer hij naar Spanje is vertrokken, en of hij vroeger, voor zijn leven een criminele wending nam en de egoïstische klootzak die hij nu is blijvende vormen kreeg, er weleens over heeft gedacht om te achterhalen wie zijn biologische ouders waren. Of hij net als ik zijn leven lang een onaf gevoel heeft gehad, alsof er meer moest zijn, meer was, maar niet wist waar dat gevoel vandaan kwam en hoe ermee om te gaan. Maar tegelijkertijd is het besef allesoverheersend dat dit niet het juiste moment is, niet kan zijn, en dat dat moment ook niet meer zal komen, omdat we allang voorbij zijn gesneld aan die kritieke plaats in tijd en ruimte waarin we een band hadden kunnen opbouwen.

We hadden hier vijftien jaar geleden, precies hier op Eaton Road in Liverpool moeten zitten, in een gare Ford Capri zescilinder met een dubbele uitlaat. Kletsend over meiden als Sandra, over school of werk, toekomst of het ontbreken ervan. We hadden samen een joint moeten roken, geld van elkaar moeten lenen, kroeggevechten moeten beginnen of beëindigen.

Nu is dat een illusie, een gepasseerd station. Wrang. Maar de realiteit houdt zelden rekening met logica of sentiment. Dingen gaan zoals ze gaan, soms in harmonie met het universele gevoel voor gerechtigheid. Vaker niet.

'Voor wat het waard is, Alex, Angela betekende veel voor me. Heel veel. En ze heeft veel om mij gegeven. Geloof me dat ze het een en ander te verduren heeft gehad.'

'Ik heb de blauwe plekken gezien, ja.'

'Hebben we toch iets gemeen.'

Ik schiet naar voren en duw de loop van het wapen dieper in zijn arm. 'Wat weet jij daar verdomme van?'

Hij blijft uiterst rustig. 'Helen heeft in het ziekenhuis gelegen met een gescheurde kaak, gescheurde oogkas, gebroken neus... Vergeet ik iets? En toch deed ze geen aangifte tegen je.'

Mijn hart begint steeds sneller te bonken. Het is niet te vergelijken met wat hij heeft geflikt met Angela, wil ik zeggen. Maar ik val volledig stil.

'Angela heeft geprobeerd me op andere gedachten te brengen en me over te halen om naar die snijgasten in Brazilië te gaan en mijn kop te laten verbouwen. Ze vond het te riskant jou erbij te betrekken. Er kon te veel fout gaan.' Hij kijkt me weer recht aan. 'Maar ik vermoed dat het dat niet alleen was. Zelfs toen ze al bij jou was, bleef ze erover doorzaniken. Ethische bezwaren, zei ze. Ze mocht je echt, denk ik.' Hij grinnikt vreugdeloos. 'Het is je broer, zei ze steeds. Familie... Kutwoord.'

Angela's gezicht dringt zich aan me op. Ik zie haar boven me, haar haren vochtig, plakkend aan haar gezicht. Haar tong die langs haar lippen flitst, die donkere ogen die me in zich opzogen. Hoe liefdevol ze me verzorgde in het appartement in Biarritz. Liefdevol... Het beeld wordt onscherp. *Jullie lijken als twee druppels water op elkaar. Dat is het enige wat me op de been hield, waarom ik verdomme de sterren van de hemel heb kunnen neuken met een natural born loser zoals jij.*

En ze mocht me? Bullshit. Ze was een geboren actrice.

'Ik hield van haar,' hoor ik Carl zeggen. 'Ze was geen hoer, Alex, verre van. Ze deed het voor mij. Voor ons.'

Ik duw de HS2000 in zijn schouder. 'Je hebt haar de dood ingejaagd.'

'Nee, dat heb jij gedaan.' Hij geeft geen tegendruk, zijn blik blijft onveranderd gericht op de blauwwitte cirkel, ogenschijnlijk gelaten.

Mijn woede vertroebelt. Ik wil zijn gedachten lezen, ik wil weten wat er in hem omgaat. Hij en ik, we zijn uit dezelfde rotte wortel ontsproten. We lijken meer op elkaar dan ik had kunnen vermoeden. Het beangstigt me en fascineert me tegelijkertijd.

'Wat wil je?' vraag ik.

'Wat ík wil, of wat wij willen?'

'Er is geen wij.'

'We verschillen niet zoveel van elkaar, Alex. Ik neem aan dat je me nu ziet als een of ander monster, een verslaafde krankzinnige, een opportunist, zware crimineel of hoe je het ook formuleert voor jezelf. Maar Angela heeft je gescreend. Het leger, uitzendingen naar het buitenland.' Hij drukt zijn peuk uit in de asbak. 'Dat moet er ruig aan zijn toegegaan. Oog om oog. Ik was toen met andere dingen bezig, in die tijd, maar ik ken wel een paar gasten die er zijn geweest. Heb de verhalen gehoord... We zijn uit hetzelfde hout gesneden. Wat jij deed, is in de basis niet zo heel anders dan wat ik heb gedaan.'

'Er is een hemelsbreed verschil.'

'O, ja? Fundamenteel komt het allemaal op hetzelfde neer. Voor jou was het normale leven ook te confronterend, te pijnlijk misschien. Dus zocht je een uitvlucht, een bezigheid waar je voor de volle honderd procent je kop bij moest houden. Een doel, zodat je geen tijd zou krijgen om jezelf vanbinnen te horen schreeuwen.'

'Vergelijk jezelf niet met mij, je weet helemaal niets! Jij hebt je hele fucking leven lang alleen maar aan jezelf gedacht. Aan je geld, aan je coke.' Ik hef mijn kin op, agressief, opgewonden. 'Hoeveel mensen zijn er afgemaakt omdat jij geld wilde verdienen? Voor jou alleen? Vuile egoïst.'

'Van die doden heb jij de meesten op je geweten. Ga je die nu allemaal op mij afwentelen? Interessant.'

'Het had niet gehoeven, eikel. Je had bij plan A moeten blijven en gewoon je smoel moeten laten verbouwen. Dan had je nu met Angela in fucking Zuid-Amerika kunnen zitten en dan hadden al die fijne jongens die voor je werkten, en weet ik veel wie nog meer, ook gewoon verder kunnen gaan met hun kloteleven.'

Carl zwijgt. De auto heeft zich gevuld met sigarettenrook die prikt in mijn ogen. Ik kom tot de ontdekking dat ik alleen nog een filter tussen mijn vingers heb zitten. Ik gooi het ding op de grond.

'Wat nu?' hoor ik Carl zeggen.

'Dit is geheel en al jouw feestje. Jij hebt me hiernaartoe gehaald, ik neem aan dat je wel hebt uitgedacht wat je wilde. En waarom.'

Hij snuift kort en klemt zijn vingers om het stuur. 'Oké. We zijn er. Hier is de deal. Jij geeft me mijn geld terug. Ik heb een beetje gezeik achter de rug, de afgelopen maanden. Ik had het een en ander aan cash gestasht, maar na die ontploffing had ik even andere dingen aan mijn hoofd. Toen het verhaal rondging dat ik in de lappenmand lag en Angela en Graham afgemaakt waren, begon het plunderen van twee kanten: zowel de politie als mijn voormalige "collega's" hebben de stashes kaalgeplukt. Coke, geld, alles weg. Het grote voordeel is dat ik nu clean ben, maar ik ben blijven zitten met een cashflowprobleem. Dus als jij nou zo vriendelijk zou willen zijn om met die centen, die gewoon van mij zijn, over de brug te komen, dan ga ik alsnog naar Rio om de boel een beetje te laten herstellen. Terug naar plan A, zo je wilt.'

Ik kan even geen woord uitbrengen. Het kleine beetje sympathie dat ik voor hem ben gaan voelen, tegen beter weten in, is verdwenen. Carl brengt het hele issue terug naar de kern. Naar zichzelf dus, en hoe hij hier het beste uit kan komen. Het gaat alleen maar om geld. Ik geloof hem niet eens meer als hij zegt dat hij eruit wil stappen. Mijn hand klemt zich vaster om de greep van de HS2000, de spieren in mijn wijsvinger spannen zich, klaar om met één samentrekking weer enig kind te worden. Een einde te maken aan dit hele circus. 'Geef me één reden waarom ik je hier en nu geen kogel door je kop zou moeten jagen. Eén goed argument.'

Twee motoren scheuren rakelings langs de stilstaande BMW. Een van de motorrijders steekt zijn middelvinger naar ons op.

'We kunnen hier niet blijven staan,' merkt hij op, terwijl hij een snelle blik in de achteruitkijkspiegel werpt. 'Mee eens, amigo? Je kunt erop wachten tot een diender die zijn werk te goed wil doen de boel komt checken. En dan hebben we allebei wat uit te leggen.' Hij knikt naar mijn pistool. 'Of jij alleen, als je besluit me hier om te leggen.'

Ik snuif. De spanning op de trekker vermindert niet, de loop blijft onveranderd gericht op Carls gehavende hoofd. 'Trek je broekspijp op,' zeg ik. 'Met je rechterhand. Eerst je rechter, dan je linker. En rustig aan. Ik wil zien wat je doet.'

Zonder protest doet hij wat ik vraag. Het is schemerig, maar ik zie niets afwijkends.

'Leg je handen op het dashboard, vingertoppen tegen de ruit.'

Hij kijkt me geërgerd aan.

'Doe het, verdomme!' Ik por met het wapen in zijn schouder. 'Nu!'

'Eikel,' mompelt hij, maar hij gaat naar voren zodat ik zicht krijg op zijn rug en de broekband van zijn jeans. Geen wapen.

'Oké, rijden nu. Maar normaal. Want ik zweer je—'

'Bespaar me dat gelul, wil je?' Carl zakt terug in het leer en duwt de automaat in drive. 'Ik heb mezelf vaak genoeg dat soort shit horen uitkramen. Mij maak je er niet bang mee.' Hij geeft gas en stuurt de auto in de richting van de snelweg.

Ik laat hem rijden, het maakt me niet eens uit waar hij naartoe gaat, zolang het maar ver weg is van Helen. Het geeft me een time-out, een moment om na te denken hoe dit verder moet. Toen ik vanmiddag het vliegtuig naar Stansted nam, was het allemaal nog zo duidelijk. Ik wist precies wat ik ging doen. Een simpel, eenduidig doel zonder zijwegen en maren: mijn broertje een kogel door zijn kop jagen, met als enige reden de directe bedreiging voor Helen en Daniel te elimineren.

Nu lijkt het allemaal niet meer zo helder en eenduidig. Ik heb met hem gepraat, ik zie hem, ruik hem, communiceer met hem. Carl is geen abstract stuk informatie meer, maar een holistische afspiegeling van mezelf. Mijn broer. Linkshandig, dezelfde stem en manier van bewegen. Hem vermoorden zou zoiets zijn als een deel van mezelf om het leven brengen.

'Ergens is het jammer,' hoor ik hem zeggen, 'dat je er zo over denkt. Ik heb recht op dat geld, weet je. Ik heb er hard voor gewerkt.'

'Teleurstellingen komen voort uit te hoge verwachtingen.'

Hij draait de oprit op en duwt het gaspedaal verder in. 'Goed dat ik nog een verzekeringspolis heb.'

Die opmerking vat ik niet, maar hij maakt me duizendmaal alerter dan ik toch al was. Ik besluit er niet op te reageren.

Minuten tikken door, tien, vijftien. Er wordt met geen woord gesproken. Ik heb nog steeds last van mijn schouder en mijn wapen is inmiddels afgezakt tot een comfortabeler hoogte, die van Carls zij. Met één oog kijk ik naar de kilometerteller, die inmiddels zo'n zestig mijl aangeeft en gestaag oploopt.

'Neem deze afslag,' zeg ik, als we ter hoogte van Greasby rijden.

We zijn ver genoeg van de stad. Hierachter, in de richting van de kust, ligt niemandsland. Rustig genoeg om iemand te laten verdwijnen.

'Je hebt me niet teleurgesteld,' zegt Carl. Zijn stem klinkt vreemd, zijn blik is onveranderlijk gericht op de weg voor ons. 'Je had iemand op me af kunnen sturen. C4 onder de auto kunnen aanbrengen. Me gelijk overhoop kunnen knallen zodra je bij me in de auto stapte of je had me op afstand kunnen neerleggen. Maar nee, je stapte gewoon in en begon te kletsen... Tot dusver heb je alles nog precies zo gedaan als ik verwacht had. Uit nieuwsgierigheid, toch?' Hij draait heel even zijn gezicht naar me toe.

Ik wil hem de mond snoeren, zeggen dat hij zijn kop moet houden, maar ik kan niet op de juiste woorden komen. Uiteindelijk zeg ik: '*Don't flatter yourself.* Ik wil geen gesodemieter bij Helen op de stoep, dat weet jij net zo goed als ik. Daarom koos je die plek uit. Waarom zou ik nieuwsgierig naar jou zijn? Dat was ik in Barcelona ook niet bepaald.'

Carl kijkt weer voor zich. 'In Barcelona was je pissig. Je voelde je genaaid, ik was een bedreiging en dus had je andere prioriteiten. Ik ken dat mechanisme. Al het andere wijkt, is niet meer belangrijk.' Even zwijgt hij, terwijl de wielen over het wegdek razen. De snelheidsmeter geeft negentig mijl per uur aan. 'Maar nu is het anders. De druk is uit je systeem. Je dacht dat ik dood was en hebt vier maanden de tijd gehad om daarover na te denken. Je wil het misschien niet toegeven, maar je was nieuwsgierig. Ik ook, trouwens. Een beetje maar.' Carls vinger komt los van het stuurwiel en beweegt zich als in slow motion naar de andere zijde van de snelweg. 'O, ja, by the way, daar hebben we hem, mijn verzekeringspolis.'

Mijn blik volgt in dezelfde vertraging zijn wijzende vinger en vangt de in razend tempo op ons afsnellende vangrail.

De klap maakt alles doof, mijn hoofd raakt de voorruit, klapt terug tegen de hoofdsteun en komt tot stilstand op het dashboard. De auto draait, kraakt, tolt om zijn as, ik hoor glas breken, geschuur van metaal, ruik brandend rubber, uitlaatgas, voel een plotselinge kou. Regen.

Dan ineens stilte. Alsof ik in het luchtledige hang, gewichtloos ben, doof, verlamd.

Ik kan niets zien. Dat warme vocht dat over mijn gezicht glijdt moet bloed zijn, het druppelt in mijn mondhoek. Ik haal adem, gorgel, de smaak van bloed welt op in mijn keel. Hoezeer ik ook mijn best doe mijn ogen te openen, het lukt niet. Ze zijn dicht, of weg, net als mijn gevoel, ik voel geen pijn, terwijl ik zwaargewond moet zijn.

Ik wil mijn hand naar mijn gezicht brengen, maar mijn arm zit bij mijn elleboog bekneld. Ik trek mijn hand los, schaaf mijn huid tot bloedens toe open. De andere volgt soepel. Met hevig bevende vingers wrijf ik over mijn ogen. Eén is nat, plakkerig, van de andere veeg ik met ongecontroleerde bewegingen het bloed weg dat mijn zicht belemmert.

De BMW staat in omgekeerde richting op de snelweg. Koplampen die ons verlichten, vanaf de andere kant van de vangrail, als blacklight in een disco, aan uit, aan uit.

Carl. Hij zit nog naast me, weggedoken achter een airbag en druk bezig het materiaal weg te vouwen.

Versuft kijk ik voor me. Geen airbag. Niets. De klootzak heeft dit voorzien.

Ik zie een versplinterde voorruit en een verwrongen dashboard, waaronder mijn benen muurvast klem zitten. Het portier is naar binnen toe gebogen, het metaal drukt in mijn schouder en zij. Ik probeer mijn benen naar me toe te trekken en schreeuw van de pijn. Hap naar adem. Ik zit vast, verdomme. Ik kan hier niet weg. Waar is mijn pistool? Het moet gevallen zijn. Als het niet door de klap naar buiten is geslingerd, moet het ergens op de grond bij mijn voeten liggen. Ik probeer mijn voeten te bewegen, maar dat resulteert in een gruwelijke pijnscheut die door me heen siddert en mijn adem doet stokken.

Naast me heeft Carl de airbag weggewerkt. Hij graait in het zijvak van het portier. Met zijn rechterhand omklemt hij een voorwerp. Het is zo groot als zijn vuist en eivormig, glad afgewerkt. Groen, met gele cijfers en letters. Ontelbare keren hebben mijn handen precies zo'n kreng vast gehad. Dan maakte ik dezelfde beweging als Carl nu, ellebogen op één lijn, in een hoek van honderdtachtig graden.

Trekken, tellen, gooien, tellen, bukken.

Carl trekt de pin eruit en werpt het ding met een boogje tussen mijn knieën door op de bodem van de auto. Buiten bereik. Maakt dan rustig de sluiting van zijn gordel los.

In een flits werp ik me voorover, mijn rechterarm achter hem langs, mijn linkerarm voor hem. Beide handen vinden elkaar en smelten een verbond om nooit meer los te laten. Nooit meer.

Tellen.

Vijf.

Carl probeert zich los te worstelen. Ik ruik de doodsangst in zijn adem, hij klampt zich vast aan het leven als een dier in pure, instinctmatige overlevingsdrang. Hij trapt naar me en rukt aan mijn armen, die zich nooit eerder zo massief en zo krachtig gesloten hebben. Volmaakte spierspanning, een volmaakte cirkel, geen trilling, ze wijken niet. Ik wijk niet. Ik mag fouten hebben gemaakt, een loser zijn geweest, mijn hele leven en dat van mensen om me heen hebben verknald, dit ga ik goed doen. Dat weet ik. Die overtuiging is allesoverheersend.

Vier.

Carl spuugt naar me, klauwt wild om zich heen, hij schreeuwt en gilt. Ik houd hem vast. Het kost geen inspanning, ik voel geen weerstand. De seconden kruipen voorbij als dikke stroop en beelden en gedachten flitsen door mijn hoofd. Elektrische impulsen, ongestuurd, chaotisch. Ik voel me verlicht.

Drie.

Vreemd dat ik nu aan mijn ouders moet denken. Ze hebben me nooit begrepen, maar op mijn beurt heb ik nooit de moeite willen nemen hén te begrijpen. Dat was zoveel makkelijker geweest. Ik had het kunnen doen, zomaar, en dan was alles anders verlopen.

Het spijt me dat ik niet weet of Daniel op mij lijkt, op zijn moeder, of op ons allebei. Dat ik hem niet zal zien opgroeien, niet bij zijn diploma-uitreiking zal zijn of langs het voetbalveld zal staan tijdens zijn eerste uitwedstrijd. Hem nooit geruststellend kan toespreken als de wereld hem te zwaar en gecompliceerd voorkomt. Nooit zal weten welke keuzes hij gaat maken in zijn leven.

Laten het betere keuzes zijn dan die ik heb gemaakt.

Twee.

Ik warm me aan de gedachte dat ze beter zullen uitvallen zonder zijn vader in de buurt, een schimmig product van een onleefbare samenleving. Een fout die moest worden rechtgezet maar niet te repareren viel omdat er te veel kapot was gegaan en de basis, de structuur op zich, al wrakkig was. Hij zou zich spiegelen aan mij, en op die schim tenminste een deel van zijn zelfbeeld hebben gebaseerd. Het zou hem remmen in zijn wereldbestorming, omdat ik niet de vader voor hem kon zijn die hij zou verdienen. Die elk kind verdient. Beter staat het idee me aan dat hij op zal groeien in de kinderlijke overtuiging dat zijn vader een verloren held was, een oorlogsheld misschien, een globetrotter, iemand van wie zijn moeder veel heeft gehouden.

Helen zal hem foto's laten zien en Daniel zal ze koesteren en de lege plekken in de gecensureerde informatiestroom inkleuren met zijn meest optimistische beschouwing. Over de doden niets dan goeds. Alles beter dan de waarheid.

Ik weet dat Helen dat zal doen. Ze zal niets negatiefs over me vertellen. Ze was altijd al mijn betere ik. Haar vast willen houden was een daad van egoïsme.

Eén.

Ik ben niet bang. Ik voel geen spijt. Op dit ene moment, dit beslissende moment, is alles helder en verlicht.

Dank, dank, dank...

Voor *Chaos* hebben we gesprekken gehad met mensen die hun naam liever niet in een boek zien staan. Ze hebben wel hun herinneringen en/of ervaringen met ons willen delen, waarvoor we hen meer dan dankbaar zijn. Een behoorlijk deel van Alex' herinneringen en sommige scènes in *Chaos* zijn opgetekend uit persoonlijke ervaringen, maar moeten desondanks als fictie worden gezien, vanwege de context waarin ze zijn geplaatst.

Dank ook aan de makers van de Britse docufilm *Warriors Bosnia* (BBC), die de voedingsbodem legde voor dit boek en personage Alex Fisher.

Verder dank aan Axel Repping (beroepsmilitair), Rob van den Wijngaard (explosievendeskundige), en zoals altijd Ton Hartink (wapenexpert en ex-rechercheur), voor het corrigeren van de wapenfeiten.

Ook dank aan Annelies, Peter, José, Renate, Leo en Jeanine, wiens op- en aanmerkingen we ter harte hebben genomen.

Gebruikte literatuur onder meer: *Met stille trom – de naweeën van de nieuwe oorlog*, Marleen Teugels, Nijgh & Van Ditmar; *Herinneringen aan Srebrenica – 171 soldatengesprekken*, H. Praamsma, J. Peekel en T. Boumans, uitgeverij Bert Bakker.

SAD ANIMAL FACTS

Red Squirrels
live alone.

SAD ANIMAL FACTS

BROOKE BARKER

BOXTREE

First published 2016 by Flatiron Books

First published in the UK 2016 by Boxtree
an imprint of Pan Macmillan
20 New Wharf Road, London N1 9RR
Associated companies throughout the world
www.panmacmillan.com

ISBN 978-0-7522-6595-7

1 3 5 7 9 8 6 4 2

A CIP catalogue record for this book is available from the British Library.

Designed by Steven Seighman

Printed in China

For Boaz, if you were a grasshopper
you could jump over a two-story building.

ACKNOWLEDGMENTS

I would like to gratefully thank Colin Dickerman, James Melia, Marlena Bittner, Steven Seighman, David Lott, and the whole team at Flatiron Books. Thanks to Duvall Osteen, the world's best agent. Thanks so much to Susan, Kim, Paige, Kieran, Drew, Bryn, and the rest of my family, for teaching me about animals and listening to me freak out about snow monkeys. Thanks to Boaz for everything. Thanks to Wieden+Kennedy and the people inside it, especially Jason, Smith, Megs, Susan, Amy, and Connery. And many thanks to everyone on the Internet, for making the Internet great and for emailing me depressing information about every animal imaginable. I'd also like to thank one of the birds at the Portland Audubon Society; he knows which one he is.

INTRODUCTION

"May you be a friend to every creature" was my grandmother's creepy inscription in the Animal Babies book she gave me the day I was born.

I wanted her words to be prophetic, but my parents wouldn't let me have any pets and the nearest wilderness was annoyingly far away from our apartment complex in a Toronto suburb. So I settled for a childhood spent reading everything I could about animals.

What I learned wasn't always pretty. Just because our four-legged friends are soft and cute and often have amazing abilities doesn't mean they aren't also incredibly sad. Everyone knows that pigs are pink and have curly tails, but did you know that they can't see the sky? Sea turtles are majestic, but did you know that they never meet their parents, or that octopi don't have friends, jellyfish have no hearts, and zebras can't fall asleep alone? Animals, it turns out, are just as complicated and conflicted as we are.

I couldn't stop reading about those sad little animals. I was obsessed. In third grade I had to leave a birthday party after a horrible run-in with a hive of honeybees. "Every one of these stings is a bee that died," I informed my friend's mom as she drove me home from the last party I got invited to that year.

A few summers ago, at the end of an uneventful seven-hour whale-watching cruise (we saw zero whales), our captain apologized to us for the hundredth time while we stared at a part of the ocean that looked like all the other parts of the ocean. I thought about how, if a whale sings at the wrong frequency, he can't find any other whales because they can't hear his off-key song. His whole life is a failed whale-watching trip.

The more I learned about animals, the harder it was for me to keep quiet about them. A few years ago I was a reference librarian. It's not as thrilling as it sounds. It was a pretty slow job in a quiet place, and I passed a lot of the time by drawing animals on the backs of old card catalog slips. Each of my coworkers would suggest an animal at the end of their shift, and I'd draw it on the back of a catalog slip and leave it in the break room at the end of the day. I'd try to go out of my way to add to the drawing some new piece of knowledge about the animal (king cobras can spit venom nine feet), and they'd try to go out of their way to request animals I'd never heard of (monkfish, indri lemurs).

The more I read, the harder it is not to see these animals talking and complaining about their lives the way we do. The giraffe baby that falls six feet the moment it's born must think, "This is already off to a bad start," and worms with nine hearts must wish they only had someone to love.

There is a sad fact for every animal on earth, from fish and reptiles to cetaceans (marine mammals) and pinnipeds (a fancy word for seals and their cousins). There are animals that eat their own tails, that can't recognize their face in a mirror, and that force themselves to cry.

I hope this book doesn't force you to cry, and I hope it brings you closer to an animal in your life. Animals can use all the friends they can get. Sometimes they use them for food.

REPTILES AND AMPHIBIANS

AN ALLIGATOR'S BRAIN WEIGHS LESS THAN AN OREO.

LONG-TAILED SKINKS EAT THEIR OWN EGGS.

FROGS CAN CLOSE THEIR EARS.

TURTLES BREATHE OUT THEIR BUTTS.

PIT VIPERS HAVE HEAT SENSORS ON THEIR MOUTHS.

MARINE IGUANAS SNEEZE OUT SALT WHEN THEY EAT TOO MUCH OF IT.

FIRE SALAMANDERS
EAT THEIR SIBLINGS

CROCODILES LIVED WITH DINOSAURS.

WATER-HOLDING FROGS EAT THEIR OWN SKIN FOR NUTRIENTS.

WHEN STAR TORTOISE EGGS
HATCH AT COLD TEMPERATURES
MORE MALES ARE BORN,
AND AT WARM TEMPERATURES
MORE FEMALES ARE BORN.

GARDEN LIZARDS EAT THEIR OWN TAILS FOR CALCIUM.

SEA TURTLES NEVER MEET THEIR MOMS.

STRAWBERRY POISON DART FROGS FEED THEIR UNFERTILIZED EGGS TO THEIR HATCHED BABIES.

MAMMALS

LITTLE BROWN BATS
ARE AWAKE FOR
4 HOURS A DAY.

tomorrow I'm
watching a
movie, eating
some cereal,
and then going
back to bed.

THE RING-TAILED LEMUR THAT SMELLS THE WORST IS IN CHARGE OF THE ENTIRE GROUP.

CAMELS CAN DRINK 30 GALLONS OF WATER IN 15 MINUTES.

HYENAS EAT ROTTING MEAT.

SEA OTTERS LIVE IN ALMOST-FREEZING WATER THAT WOULD KILL A HUMAN IN AN HOUR.

BATS HAVE LONG-DISTANCE RELATIONSHIPS.

COLOBUS MONKEY STOMACHS CAN HANDLE FOOD THAT NO ONE ELSE WILL EAT.

SHEEP CAN ONLY REMEMBER 50 FACES.

RHINOS MAKE A SQUEAKING SOUND TO CALL FOR THEIR FRIENDS WHEN THEY'RE LOST.

FOXES LIVE, WORK, EAT, AND SLEEP ALONE

HIPPOS ATTRACT MATES BY PEEING.

BOY PUPPIES LET GIRL PUPPIES WIN WHEN THEY PLAYFIGHT.

PIGS HAVE TROUBLE SEEING THE SKY BECAUSE OF HOW THEIR EYES ARE PLACED.

TARSIER EYES ARE BIGGER THAN THEIR STOMACHS.

WILD YAKS EAT SNOW
TO STAY HYDRATED

ZEBRAS CAN'T SLEEP ALONE.

IF A WOLF IS KICKED
OUT OF ITS PACK

IT NEVER HOWLS AGAIN.

RACCOON HANDS ARE NIMBLE ENOUGH TO STEAL A DIME FROM YOUR POCKET

PRAIRIE DOGS HAVE DIFFERENT CALLS TO COMMUNICATE DIFFERENT HUMAN HEIGHTS AND HUMAN SHIRT COLORS, BUT CAN'T DIFFERENTIATE BETWEEN CIRCLES AND SQUARES.

IF A FEMALE FERRET GOES INTO HEAT AND DOESN'T MATE SHE WILL DIE.

A CHIPMUNK CAN'T RECOGNIZE ITS FACE IN A MIRROR.

SLOTHS COME DOWN FROM THEIR TREES ONCE A WEEK TO USE THE BATHROOM.

GOATS CAN SEE ALMOST 360° AROUND THEM.

ARMADILLOS CAN'T KEEP THEMSELVES WARM AND FORM GROUPS WHEN THE TEMPERATURE DROPS.

A FEMALE FISHER CAN BE PREGNANT FOR 350 DAYS IN A YEAR.

ELEPHANT BABIES SUCK ON THEIR TRUNKS THE WAY HUMAN BABIES SUCK ON THEIR THUMBS.

A FEMALE BLACK BEAR CAN HIBERNATE UP TO EIGHT MONTHS.

GROUNDHOG DAY WAS HEDGEHOG DAY UNTIL THE 1800'S.

PREGNANT POLAR BEARS GAIN 500 POUNDS

GUACAMOLE IS EXTREMELY POISONOUS TO HAMSTERS.

MALE LIONS EAT FIRST AND MAKE THE WOMEN AND CHILDREN EAT LAST.

PANDAS DON'T HAVE SET SLEEPING AREAS THEY JUST FALL ASLEEP WHEREVER THEY ARE.

COWS PRODUCE THE MOST MILK WHEN THEY LISTEN TO R.E.M.'S "EVERYBODY HURTS."

MOOSE EAT FOR 8 HOURS A DAY.

MICE CAN SENSE SADNESS IN OTHER MICE AND IT MAKES THEM SAD TOO.

HYRAXES HAVE 30 DIFFERENT CALLS.

EVERYONE!

ALL GNU ARE BORN DURING A 3-WEEK PERIOD.

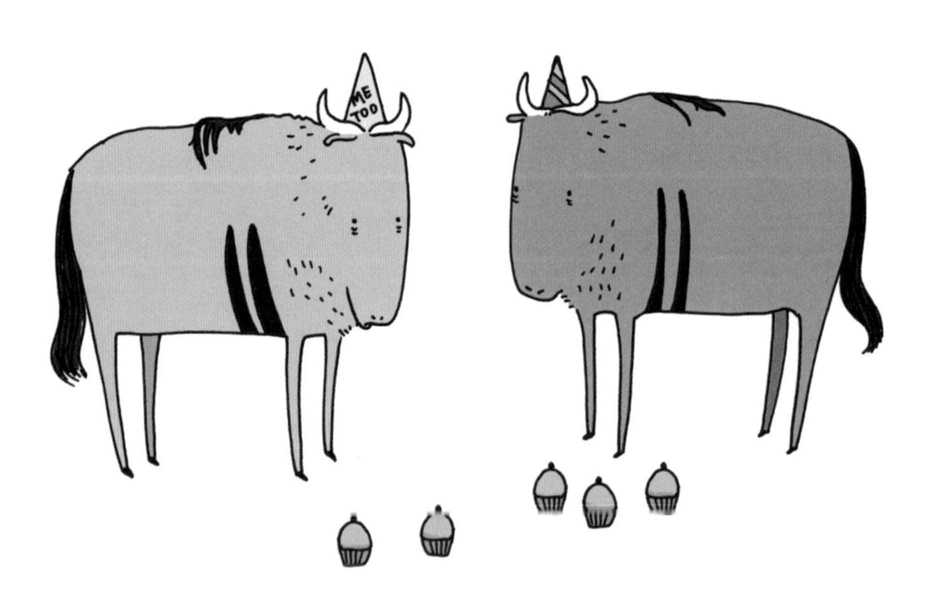

everyone has my birthday.

SNOW LEOPARDS EAT
20 POUNDS OF FOOD A NIGHT.

PUMAS, MOUNTAIN LIONS,
AND COUGARS
ARE ALL THE SAME ANIMAL.

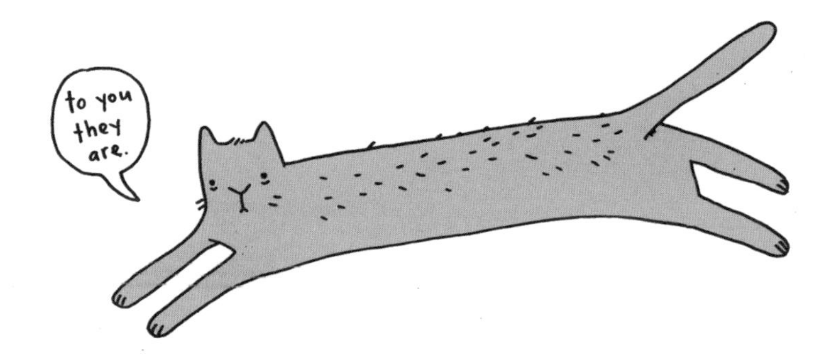

GUINEA PIGS SLEEP WITH THEIR EYES OPEN.

DOMESTICATED RABBITS
LIVE 8 YEARS AS PETS
OR 24 HOURS ON THEIR OWN.

TWO DOGS WERE HANGED FOR WITCHCRAFT DURING THE SALEM WITCH TRIALS.

POLYDACTYL CATS HAVE THUMBS BUT THEY AREN'T OPPOSABLE

DIKDIKS MARK
THEIR TERRITORY
WITH THEIR TEARS.

I'm fine.
I just need
a few minutes,
everything's
fine.

GIBBON CALLS CAN BE HEARD 2 MILES AWAY.

FENNEC FOX EARS TAKE UP A THIRD OF THEIR BODY

COUGARS CAN'T ROAR BUT THEY CAN SCREAM.

15 MARA FAMILIES
LIVE IN ONE BURROW.

GIRAFFES SLEEP
3 HOURS A NIGHT.
what are dreams?

ANTEATERS CAN BE AS BIG AS HUMANS, BUT THE INSIDE OF THEIR MOUTH IS THE SIZE OF AN OLIVE.

DOGS CAN'T SEE TELEVISION BUT THEY PRETEND TO LIKE IT SO THEY CAN BE CLOSE TO YOU.

APES TELL LIES.

it's so great to see you.
Sorry I'm late, there was traffic.

DWARF LEMURS LINE THEIR HOMES WITH FECES.

CITY COYOTES LIVE LONGER THAN COYOTES IN THE WILDERNESS.

TIGERS DON'T LIKE MAKING EYE CONTACT WHILE THEY HUNT.

RED RUFFED LEMURS LEAVE THEIR KIDS WHEN THEY GO LOOK FOR FOOD.

GORILLAS CAN CATCH HUMAN COLDS.

LAB RATS ENJOY MATING MORE WHEN THEY'RE WEARING VESTS.

MEERKAT BABIES ARE GIVEN DEAD SCORPIONS TO PLAY WITH.

IF A CHINCHILLA GETS WET, IT MIGHT NEVER GET DRY

BEAVERS NEED TO CHEW CONSTANTLY
BECAUSE THEIR TEETH
NEVER STOP GROWING.

ELEPHANTS CAN'T JUMP.

HORSES THAT LOOK LIKE THEY'RE SMILING ARE ACTUALLY SMELLING THE AIR.

NEWBORN PORCUPINES ARE READY TO INJURE SOMEONE WITHIN MINUTES OF BEING BORN.

SQUIRRELS CAN'T BURP.

GIRAFFE BABIES FALL
6 FEET TO THE GROUND
WHEN THEY'RE BORN.
this is off to a terrible start.

A PLATYPUS SWIMS WITH ITS EYES CLOSED.

MARSUPIALS
(they're mammals too)

KANGAROOS COUGH TO SHOW SUBMISSION.

OPOSSUM MOMS CARRY
THEIR CHILDREN
ON THEIR BACKS.

KOALAS ARE ONLY SOCIAL FOR 15 MINUTES A DAY.

AFTER TASMANIAN DEVILS MATE, THE FEMALE SNEAKS AWAY IN THE NIGHT.

marine mammals:

CETACEANS AND PINNIPEDS

BABY WHALES GAIN
200 POUNDS A DAY.

WALRUSES BREATHE ON THE OCEAN FLOOR TO UNCOVER FOOD HIDDEN IN THE SAND.

WHEN EARLY OCEAN EXPLORERS THOUGHT THEY SAW MERMAIDS THEY WERE ACTUALLY LOOKING AT MANATEES.

WHALES THAT SING
IN THE WRONG KEY
GET LOST AND ARE
ALONE IN THE OCEAN.

NARWHAL MEANS "CORPSE WHALE" BECAUSE OF THEIR BLOTCHY, TRANSLUCENT SKIN.

MONK SEALS CAN'T DREAM UNDERWATER.

ONLY HALF A DOLPHIN'S BRAIN SLEEPS AT A TIME.

HARP SEAL PUPS
ARE ABANDONED
ON BEACHES AT BIRTH,
AND 30% DON'T SURVIVE.

FISH

CLOWNFISH HAVE A SLIMY MUCUS COATING.

SHARK PREGNANCIES CAN LAST YEARS.

KOI FISH CAN LIVE 200 YEARS.

GUPPIES CAN'T TAKE NAPS.
BECAUSE THEY DON'T
HAVE EYE LIDS.

SEAHORSES ARE ONE OF THE ONLY ANIMALS WHERE THE MALES BECOME PREGNANT.

NURSE SHARKS LOSE A TOOTH A WEEK.

HERRINGS COMMUNICATE WITH FARTS.

MOSQUITOFISH CAN ONLY COUNT TO 100.

BLOBFISH HAVE NO MUSCLES.

HAMMERHEAD SHARKS CAN SMELL ELECTRICITY.

BIRDS

BIRDS CAN'T GO TO SPACE BECAUSE THEY NEED GRAVITY TO SWALLOW.

SCIENTISTS DON'T UNDERSTAND WHY FLAMINGOS STAND ON ONE LEG.

BURROWING OWLS LAUGH WHEN THEY'RE AFRAID.

BALD EAGLES SAVE EVERYTHING THEY FIND
UNTIL THEIR NESTS FALL TO THE GROUND
BECAUSE THE TREES CAN'T SUPPORT THEIR WEIGHT.

IF HUMANS HAD THE METABOLISM OF HUMMINGBIRDS, THEY'D HAVE TO EAT 400 HAMBURGERS A DAY.

EMUS CAN'T WALK BACKWARD.

ADELIE PENGUINS PUSH EACH OTHER OFF LEDGES TO CHECK IF THE WATER'S SAFE.

BARN OWLS ARE USUALLY MONOGAMOUS BUT 25% OF COUPLES SEPARATE.

CROWS NEVER
FORGET
A FACE.

ANYTHING A DUCKLING MEETS WITHIN 10 MINUTES OF BEING BORN BECOMES ITS PARENT.

BLACK EAGLES WATCH THEIR CHILDREN FIGHT TO THE DEATH WITHOUT INTERFERING

PIGEONS PUT OFF THINGS THEY DON'T WANT TO DO.

THE AVERAGE GOLDCREST LIVES 8 MONTHS.

IN CROWDED GROUPS OF
EMPEROR PENGUINS,
MATES FIND EACH OTHER
BY SMELL INSTEAD OF BY SIGHT.

KIWIS CAN REMEMBER A BAD MEMORY FOR 5 YEARS.

HORNBILL CHICKS COME OUT OF THE NEST WHEN THEY'RE A FEW DAYS OLD, THEN IMMEDIATELY GO BACK IN FOR ANOTHER FEW MONTHS.

MALE PEACOCKS MAKE FAKE MATING SOUNDS TO ATTRACT FEMALES.

GREAT BRITAIN HAS INVESTED HUNDREDS OF THOUSANDS OF POUNDS TO FIND OUT WHY SEAGULLS ATTACK SO MANY PEOPLE AT OUTDOOR FESTIVALS.

OWLS CAN'T MOVE THEIR EYES BECAUSE THEY DON'T HAVE EYEBALLS, THEY HAVE EYETUBES.

HYACINTH MACAWS HAVE THE INTELLIGENCE OF A 3-YEAR-OLD.

AN ALBATROSS CAN
PICK UP SMELLS
12 MILES AWAY.

WOODPECKER TONGUES WRAP AROUND THE BACK OF THEIR BRAINS.

A SPARROW WILL EAT ANYTHING THAT FITS IN ITS MOUTH.

ARACARI SLEEP WITH THEIR HEADS IN THEIR ARMPITS.
I have the worst morning breath.

AN OSTRICH SPENDS
7 MONTHS ALONE
EVERY YEAR.
table for one, please.

MALE WHITE FRONT PARROTS VOMIT ON FEMALES THEY WANT TO MATE WITH.

ROADRUNNERS MAKE THEMSELVES CRY TO GET RID OF EXCESS SALT.

COOT PARENTS PECK AT THEIR YOUNG IF THEY ASK FOR FOOD.

INSECTS AND ARACHNIDS

GIRL CRICKETS CAN'T CHIRP.

MOTHS HAVE NO STOMACHS.

THE AVERAGE MAYFLY
LIVES LESS THAN A DAY.

IF BEES EARNED MINIMUM WAGE
A JAR OF HONEY WOULD COST
$182,000.

ADULT FIREFLIES DON'T EAT.

SCORPIONS ARE NOCTURNAL HUNTERS BUT THEY GLOW IN THE DARK.

ANTS DON'T SLEEP
BUT THEY TAKE
8-MINUTE NAPS
TWICE A DAY.

DRAGONFLY MIGRATION TAKES FOUR GENERATIONS.

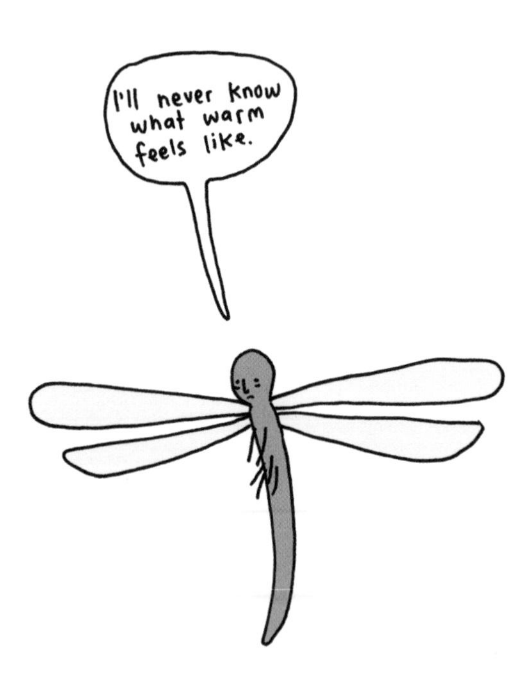

TARANTULAS CAN GO YEARS WITHOUT EATING.

CICADAS STAY UNDERGROUND FOR 17 YEARS

HOUSEFLIES CAN ONLY HUM IN THE KEY OF F.

SOME SPECIES OF SPIDERS EAT THROUGH THEIR MOM WHEN THEY'RE BORN.

BUTTERFLIES TASTE EVERYTHING THEY WALK ON.

MISCELLANEOUS INVERTEBRATES

WORMS
HAVE
FIVE
HEARTS

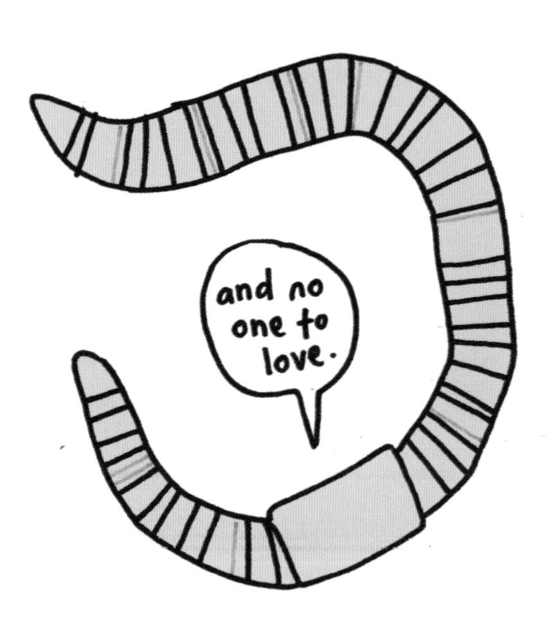

IF YOU CUT OFF A SNAIL'S EYE
IT WILL GROW BACK.

SECTIONS OF HIGHWAY ON CHRISTMAS ISLAND ARE CLOSED FOR RED CRAB MIGRATION.

today doesn't seem like that kind of day.
AN OCTOPUS LIVES ALONE AND LEAVES HOME ONLY WHEN NECESSARY.

LEECHES HAVE 32 BRAINS.

A PORTUGUESE MAN O WAR IS ACTUALLY SEVERAL ORGANISMS ATTACHED TOGETHER.

WHEN FLATWORMS ARE SLICED IN HALF AND REGROW THEMSELVES THEY HAVE THE SAME MEMORIES

IT TAKES A BANANA SLUG
24 HOURS TO GET SOMEWHERE
A BLOCK AWAY.

JELLYFISH HAVE NO HEARTS.

APPENDIX

Adélie penguins push each other off ledges to see if the water's safe. British explorer and Navy officer Robert Falcon Scott and his team observed Adélie penguins on their Antarctic expeditions in the early 1900's. One of his team members, George Murray Levick, described penguin bullies in his journal:

At the place where they most often went in [the water], a long terrace of ice about six feet in height ran for some hundreds of yards along the edge of the water, and here, just as on the sea-ice, crowds would stand near the brink. When they had succeeded in pushing one of their number over, all would crane their necks over the edge, and when they saw the pioneer safe in the water, the rest followed.

An albatross can pick up smells 12 miles away. Scientists once assumed that birds had a very poor sense of smell. Thank goodness for zoologist Gabrielle Nevitt, who in 1991 brought hundreds of boxes of tampons to Antarctica, dipped them in fish-scented liquid, and attached them to kites. Seabirds were immediately drawn to the smell and Nevitt's research prompted more investigation into birds' olfactory abilities. We now know that albatrosses fly in zigzag patterns covering thousands of square miles of ocean and use their incredible sense of smell to find their favorite food: rotting fish floating on the surface of the water.

An alligator's brain weighs less than an Oreo. The average alligator weighs 400 pounds but its brain weighs only 8 or 9 grams. The average Oreo weighs 12 grams. And that's only the original cookie—a Double Stuf Oreo weighs as much as three alligator brains. A Double Stuf Oreo is way too complex an idea for an alligator to process.

Ants don't sleep but they take 8-minute naps twice a day. Scientists aren't sure if ants really sleep at all, but they definitely do take naps. Research done on ants in 1930 and in 1986 found that ants rest for 8 minutes twice in a 24-hour period, and a 2009 study of a fire ant colony found that the ants took 250 one-minute naps in a 24-hour period. All the ants continued to work while they were asleep, no matter how long the nap was, so they're not getting too much rest.

Anteaters can be as big as humans, but the inside of their mouth is the size of an olive. Giant anteaters have to visit up to 200 anthills a day to get enough calories.

Apes tell lies. Koko is a 280-pound gorilla best known for her ability to communicate using sign language and her knowledge of over 1,000 signs. She lives in California with her trainer, Francine Patterson, and her pet kittens. Once, when researchers arrived at Koko's habitat, they found a sink had been ripped from a wall. Koko signed that one of the kittens was responsible for the damage. Sadly, kittens aren't strong enough to rip sinks from walls.

Aracari sleep with their heads in their armpits. Aracari are a type of toucan, and for reasons we don't understand, all toucans sleep in this position. One explanation is that tucking their bill under their wing keeps them from losing too much heat at night, sort of like wearing socks to bed.

Armadillos can't keep themselves warm and form groups when the temperature drops. Armadillos spend most of their lives alone. The only time they widen their social circle is in colder temperatures when they huddle together in small underground burrows.

Bald eagles save everything they find until their nests fall to the ground because the trees can't support their weight. Bald eagle couples work on their nests their whole lives, adding to them in the winter and guarding them in the summer. The nests grow bigger and bigger; the largest nest ever found was 9 feet across and 20 feet tall, and weighed 4,000 pounds.

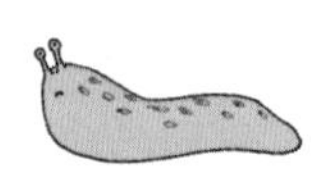

It takes a banana slug 24 hours to get somewhere a block away. The average recorded speed of a banana slug ranges between 2.5 and 6.6 inches per minute, which is 300 to 792 feet in a 24-hour period. The size of a city block also varies, but most are between 300 and 500 feet.

Barn owls are usually monogamous but 25% of couples separate. Barn owls mate for life and immediately begin adding to their family, laying an average of a dozen eggs each year. A 2014 study by Amélie Dreiss and Alexandre Roulin in Switzerland discovered that if an owl couple has a bad mating season and very few eggs hatch or survive, the couple will split and both will look for new owl partners.

Bats have long-distance relationships. Male bats and female bats live in identical communities but at different altitudes, and meet up only when it's time to mate. Males live in higher altitudes and females live in lower altitudes, near water.

Beavers need to chew constantly because their teeth never stop growing. Beavers rely on their teeth to cut branches, build dams and canals, and eat bark from birch, maple, and cottonwood trees. Their teeth grow continuously so that they can chew to their hearts' content without worrying about them wearing down. Since their teeth grow an average of 4 feet a year, if a beaver stopped chewing, its teeth could grow into its brains or get caught on things.

If bees made minimum wage, a jar of honey would cost $182,000. In an hour's trip, a single honeybee can carry 0.04 grams of nectar in her little nectar stomach, and that amount of nectar can be converted into 0.02 grams of honey. That's 25,000 hours of bee labor to fill a 500 gram jar of honey (about the size of those jars that are shaped like bears).

25,000 hours at $7.25 minimum wage is $181,250, and I rounded it up to $182,000 for a few paid sick days, a yearly bonus, and possibly some taxes. If you've ever eaten honey before, you've gotten an amazing deal.

Birds can't go to space because they need gravity to swallow. Mammals swallow by constricting muscles in the esophagus to

pull food from the mouth to the stomach. Birds, however, don't have as complicated an esophagus and rely on gravity, tilting their beaks to the sky and letting the meal fall down to be digested, sometimes with help from gravel they also swallow.

A female black bear can hibernate for up to 8 months. For eight months a bear's heart rate slows and the hibernating bear stops eating, drinking, urinating, and defecating. After waking up, they ease into spring and spend two weeks slowly walking around, getting used to being outside and moving.

Black eagles watch their children fight to the death without intervening. Like many other animals, black eagles often have seasons where they give birth to more children than they can raise. They solve this problem by letting their offspring kill each other off.

Blobfish have no muscles. The blobfish's weird composition means it weighs a little less than water, and can float around the ocean without using up any energy. It eats by opening its mouth and swallowing whatever happens to float in.

Burrowing owls laugh when they're afraid. A burrowing owl's standard call is the hoot sound you expect from owls, but when they're frightened they let out a quick, high-pitched cackle. The cackle is supposed to mimic the sound of a rattlesnake, but it's unclear who that is supposed to scare.

Butterflies taste everything they walk on. Butterfly taste buds are on the bottom of their feet, so they can tell by standing on a leaf if it's worth eating. If the leaf is a good one they'll lay their eggs on it so that their caterpillars can enjoy it. Butterflies themselves don't eat leaves, because they don't have teeth, and can't chew.

Camels can drink 30 gallons of water in 15 minutes. Camels can travel about 100 miles without drinking any water, but when they do find water they drink as much of it as they can. Most people think camels store water in their humps, but that's not what camel humps are for. Their humps are just full of fat that they live off of when there's nothing else to eat.

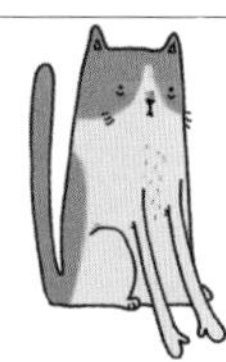

Polydactyl cats have thumbs but they aren't opposable. Polydactism, a long word for extra fingers and toes, is most prevalent in cats. Thumb cats are common on ships because they're considered to be good luck at sea, but they still need help opening cat food and feline sea-sickness tins and other things that require opposable thumbs.

If a chinchilla gets wet, it might never dry. Chinchilla fur is so dense that it rarely dries on its own, and if it gets wet it can rot or develop a fungal infection. Pet chinchillas take dust baths to clean themselves, and in the wild, chinchillas bathe in volcanic ash.

A chipmunk can't recognize its face in a mirror. Humans and a select group of animals can recognize their reflections in a mirror, which is a great skill. The mirror test is considered a sign of self-awareness, and is usually administered by putting a mark on the animal's face and observing to see if the animal inspects their face when they see their reflection. Chipmunks are clueless about their reflections.

Cicadas stay underground for 17 years. Cicadas burrow underground and sleep for 17 years. They might feel rested after 10, 11, or 16 years, but coordinating their schedules means they can emerge en masse and lower their chances of being eaten by predators.

Clownfish have a slimy mucus coating. Clownfish live in colorful and incredibly toxic sea anemone that their predators avoid at all costs. Most clownfish are born with a sticky gelatinous coating that keeps them safe from the anemone stings. Some clownfish aren't born with the snot safety layer and have to acclimate by allowing themselves to be stung by the anemone over and over and over until they become immune.

The confusing thing is that even clownfish born with the protective coating repeatedly sting themselves, just to be safe.

Colobus monkey stomachs can handle food that no one else will eat. A Colobus monkey's two- to four-part stomach (scientists still aren't sure) gives them more time to digest hard and unpalatable food that other animals would never try to eat, like delicious tree bark and unripened fruit.

Coot parents peck at their young if they ask for food, so only the quietest survive. A pair of coot parents could never care for all the eggs they lay, so they create a sort of game show.

The first chicks to hatch have an initial advantage, they get first dibs on food and never share with their unlucky younger siblings. Because of the extra food, the oldest chicks grow even faster.

After a week of this most of the younger coots die of starvation, and the mom and dad each pick one surviving youngest baby that they want to let live. They care for these starving chicks, and bite and shake the older ones if they ask for food. Because of the extra food, the favorite chicks now grow even faster, until the young favorites are bigger than their older siblings—if their older siblings are still alive.

Cougars can't roar but they can scream. Even though cougars are eight feet long, they're technically classified as small cats because of their vocal cords. Large cats have cartilage between their tongues and windpipes that allows them to make roaring noises while small cats can only hiss and meow. To compensate for this, female cougars scream to communicate with each other.

Cows produce the most milk when they listen to R.E.M.'s "Everybody Hurts." In 2001 two scientists at the University of Leicester studied which songs make cows produce the most milk. The cows responded best to very calming music. Relaxed cows produce more oxytocin, which makes them produce more milk.

City coyotes live longer than coyotes in the wilderness. The main cause of death of urban coyotes is collision with motor vehicles, and the main cause of death of rural coyotes is starvation or attack by predators.

Sections of highway on Christmas Island are closed for red crab migration. There are 10 to 40 million red crabs on Christmas Island, and all of them live in the forests. Around October of each year all 10 to 40 million red crabs head to the coasts to mate. The round-trip journey causes serious traffic problems, and after many crabs died and others punctured car tires, it was time to do something. Today some sections of highway are closed during crab season, and in other places small tunnels guide crabs under major roads. Because the red crabs live in the forest and reproduce on the beach, if something happened to them it would throw off both the forest ecosystem and the beach ecosystem.

Girl crickets can't chirp. Crickets chirp to attract mates, so apparently female crickets don't need to do it. Male crickets have leathery segments on their wings that create a chirping sound when rubbed together. Making noises by rubbing is called stridulation and female crickets are crazy about it. Males make an initial mating call when a female is nearby and they make a different, celebratory call after mating.

Crocodiles lived with dinosaurs. Crocodiles, along with alligators, frogs, and turtles, have been on earth for 180 million years, which is before dinosaurs existed. In 2015 the perfectly preserved remains of a 9-foot prehistoric crocodile were found in Bavaria.

Crows never forget a face. Crows will remember the face of someone they dislike for their entire lives, and will often enlist other crows in attacking the person.

In a 2011 study by the University of Washington, John Marzluff and other researchers wore two masks around forested areas in Washington: a caveman mask and a mask of former U.S. vice president Dick Cheney. Initially, neither mask elicited a reaction from the crows they encountered.

Then, while wearing the caveman mask, a member of the team captured several dozen crows and placed them in temporary crates. Once released, the birds spread the word and from that point on, researchers wearing the caveman masks were attacked by murders of crows. The crows recognized the caveman mask immediately based on a description they had heard from the captured crows, and hated the caveman even when the mask was worn upside down.

All the crows continued to ignore researchers wearing the Dick Cheney mask.

Dik diks mark their territory with their tears. Dik diks ooze sticky black "tears" from preorbital glands near their eyes. They rub these tears on plants to define their territory and let people know what a terrible time they're having on the savannas of eastern Africa.

Dogs can't see television, but they pretend to like it so they can be close to you. Human televisions are designed for human eyes and brains, and show us just enough frames per second to trick us into seeing a moving image. To the wrong sort of brain, television just looks like a slideshow, which isn't that interesting to dogs. The great news is that modern televisions have sped up enough that dogs can watch television with you while they sit next to you on the couch. Experts claim dogs won't truly enjoy television until it involves more smell, but that seems like a lot to ask.

Two dogs were hanged for witchcraft during the Salem witch trials. During the Salem witch trials, 19 humans were killed as convicted witches and 2 dogs were killed after it was suggested that they were the witches' accomplices. At the time, a popular method of detecting witches involved baking urine from possibly possessed humans into small cakes and feeding the cakes to dogs to see if anything happened.

Only half a dolphin's brain sleeps at a time. Because dolphins can't breathe underwater, they can't sleep underwater without drowning. Instead, only half of a dolphin's brain sleeps at a time. While the left half sleeps, the right half stays awake and focuses on breathing and all the other things dolphin thinks about. To add to the confusion, the sleeping side of the dolphin keeps its eye open while the awake side closes its eye.

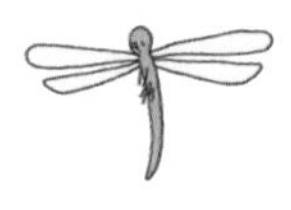

Dragonfly migration takes 4 generations. Dragonfly migration happens on every continent except Antarctica and many species of dragonflies cross numerous countries and oceans to get between their summer and winter homes. Though one dragonfly might not live to complete its migration, their offspring knows to continue in the direction their ancestors were traveling in order to eventually complete the cycle.

Anything a duckling meets within 10 minutes of being born becomes its parent. Animals that hatch usually assume the first moving object they see is their parent. This phenomenon is called imprinting and allows them to immediately form a bond so they can start learning important survival skills. Ducklings have been known to imprint themselves to rain boots, trains, or anything else that happens to be nearby. Since having a rain boot for a mother can be scary and strange, researchers raising ducklings in captivity often interact with the recent hatchlings using a duck puppet.

Dwarf lemurs line their homes with feces. Dwarf lemurs sleep curled up in small and terrible-smelling holes in trees.

Elephants can't jump. Because of their weight, it's difficult for adult elephants to lift more than one leg off the ground at a time, and it's impossible for them to jump. Baby elephants have an easier time jumping, and elephants of all ages are amazing swimmers.

Elephant babies suck on their trunks the way human babies suck on their thumbs. Just like humans, baby elephants are born with an instinct to suck on things, and they will usually continue to suck on their trunk to calm themselves until they get a little older. Sometimes older elephants will suck their trunks for some comfort when they are upset.

In crowded groups of emperor penguins, mates find each other by smell instead of sight. Penguins live in large groups, and being familiar with their mate's smell (and the smell of their friends and other family members) makes it easier and faster to find them and their nest after everyone gets back from swimming.

Emus can't walk backward. Emus are incredibly fast when moving forward, but rarely take steps backward. Because of this, the flightless bird is featured on the Australian coat of arms, along with the kangaroo, and the motto "Advance Australia."

Fennec fox ears take up a third of their body. The fennec fox may be the smallest species of fox, but it has six-inch-long ears. Blood vessels

in fennec fox ears radiate extra heat, keeping the foxes cool in their Saharan habitat. The foxes also have extra-sensitive hearing, and can even hear sounds underground if they want to.

If a female ferret goes into heat and doesn't mate she will die. People like to neuter male ferrets because it reduces their smell. People like to neuter female ferrets because if female ferrets are not neutered and they go into heat, they'll stay in heat forever until the high levels of estrogen lead to aplastic anemia, and they die from severe anemia or bacterial infections.

Adult fireflies don't eat. Most adult fireflies feed off food they ate when they were larvae. The only exception is the Photuris firefly, which eats other adult fireflies after attracting them with a glowing mating signal.

Fire salamanders eat their siblings. Fire salamanders would like to eat small fish and insects but will resort to whatever they have to. If resources are scarce, they will eat other species of salamanders, and if resources are scarce and they're really in a hurry, they'll resort to their own family members.

A female fisher can be pregnant for 350 days in a year. Female fishers mate in late March, and deliver their babies in early March of the next year. They then wait another week before becoming pregnant again.

Scientists don't understand why flamingos stand on one leg. Flamingo legs are longer than their bodies, which should make standing on one leg difficult, but for some reason they do it for hours a day. Here are five popular theories:

1. Flamingos might be taking advantage of unihemispheric sleeping, where one half of the body sleeps at a time, and the lifted leg is taking a break.
2. Pulling one leg closer to the body could make it easier to pump blood to it, and could heat the body faster.
3. Putting your legs in a pool of cold water makes you lose heat pretty quickly, so standing on one leg could be a way around that.
4. The standing leg could be more prone to getting water funguses or parasites.
5. Finally, the position could be an attempt to camouflage flamingos to underwater creatures they want to eat. From underwater one flamingo leg might look like a reed, and two legs just looks like some sort of two-legged animal. This theory is not great, since most of the things flamingoes eat have very poor eyesight. Or maybe that makes the theory even better, since they're very easily fooled.

When flatworms are sliced in half and regrow themselves they have the same memories. Flatworms are know for their ability to regenerate and can do so because each of their cells can become any cell in their body. Flatworms also hate bright lights. In one notable flatworm study, a team put a delicious piece of liver in a bright room and coaxed the worms to go into the light to eat it. Eventually they learned to deal with the light and go into the bright area to find the food.

Then the researchers cut off the worms' heads. Once the flatworms regrew their heads, they headed straight toward the bright light to claim their liver, remembering the previous experience despite their beheadings.

In another study, researchers trained flatworms to find their way through a maze, then rewarded them by grinding them up and feeding them to other flatworms. The flatworms who had just eaten the maze-experts seemed to be pretty good at figuring out the maze, even though they had never seen it before.

Foxes live, work, eat, and sleep alone. Other animals hunt together and clean each other and curl up in a hole to snuggle at night, but a fox sleeps outdoors alone with its tail covering its face. Foxes pair up only to mate and raise their young before sending them off to live alone.

Frogs can close their ears. Frogs live in noisy swamps, so they wouldn't be able to hear each other if they didn't have the ability to isolate and tune out some frequencies of sound. Different species of frogs listen to different frequencies, so it's possible for two frogs in the same pond to not be able to hear each other.

Garden lizards eat their own tails for calcium. Some lizards have a defense mechanism called autonomy, which means they can detach their tail. Lizards like this usually have very brightly colored tails so they're the first thing a predator wants to check out, allowing the lizard a quick and tail-less escape. Garden lizards have this ability, and the only time it causes problems is when a pet lizard in captivity becomes stressed out and detaches its own tail for no good reason. The missing tail contains a lot of calcium, so when it seems safe to do so lizards will sometimes circle back to it and eat it.

Gibbon calls can be heard 2 miles away. Gibbons are crazy about singing. Male and female pairs often perform duets together, singing

slightly different notes to harmonize. Different species of gibbons have similar coloring, but are identified by their different songs. If you like gibbon calls you're in luck, they are incredibly loud and can be heard from a great distance. If you don't like gibbon calls, that makes sense, because they sound like car alarms.

Giraffe sleep 3 hours a night. Giraffes sleep between 1.9 and 4.6 hours a night, depending on whether they're in the wild or in captivity.

Giraffe babies fall six feet to the ground when they're born. Giraffes give birth standing up, which means a baby giraffe's first encounter with the world is getting hit in the face by it. Newborn giraffes are about six feet tall and can stand up an hour after they're born.

All gnu are born during a 3-week period. Gnu (or wildebeest) are migratory animals and spend their entire life on the move. To make this possible, the pack syncs the mating season so that all the young are born and raised quickly.

Goats can see almost 360 degrees around them. Goat eyes have rectangular pupils, which give them a wider field of vision. I found a website called Goat Simulator that I hoped would explain this more (is it like a fisheye lens?) but the website is just reviews of an incredibly violent video game where you are a goat.

The average goldcrest lives 8 months. The average goldcrest lives eight months, with some dying very early and some living long enough to reproduce and create more goldcrests that also won't live very long.

Gorillas can catch human colds. Gorillas share over 98 percent of genetic material with humans, and we share a lot of germs too. Sick gorillas exhibit the same symptoms as humans: runny nose, coughing, sneezing, and exhaustion. Gorillas in the wild can also catch viruses from human tourists, and these colds are more likely to spread and lead to animal fatalities. Gorillas in captivity are more likely to get flu shots.

Guinea pigs sleep with their eyes open. Some guinea pigs close their eyes to sleep when they feel incredibly safe, but it's not common. If you own a guinea pig and it stares into space a lot, it might be sleeping.

Guppies can't take naps because they don't have eyelids. If you leave the light on in the room your guppy sleeps it will be completely miserable.

Hammerhead sharks can smell electricity. Sharks and other large underwater animals have "ampullae of Lorenzini," jelly-like electrorecepting organs that help them detect electric fields in the water they swim in. All living things produce a slight electrical field and sharks are more sensitive to these electric fields than any other animal. This helps them detect prey even if it's hiding in darkness or under sand. The shape of a hammerhead shark's head might help them sense electricity even better, or it might just be shaped that way because they think it looks good.

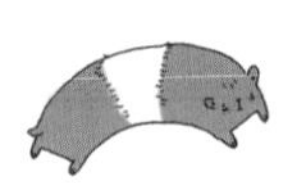

Guacamole is extremely poisonous to hamsters. Avocados contain persin, a toxin that is harmful to almost all animals. When persin is eaten by any nonhuman creature it can cause vomiting and diarrhea and possibly death. Persin is found only in avocados.

Before you get any ideas, here are other foods hamsters can't eat: apple seeds, eggplant, elderberries, mushrooms, peppers, garlic, onions, beans, raisins, potatoes, tomatoes, almonds, peanuts, all citrus fruits, chocolate, and high-fat meat.

Harp seal pups are abandoned on beaches at birth, and 30% don't survive. Harp seal parents give birth to one pup a year, a snow white baby seal that they set on packed ice. The parents care for the seal for a little over a week, until they lose interest and abandon it on the ice forever. Unlike other animals left on beaches at birth, harp seals cannot walk or swim or fend for themselves until they are 8 weeks old, which gives them 45 terrifying days to starve to death or be eaten by wandering polar bears. The baby seals will usually cry for their parents for a while after they leave, then stop making noise or moving, to conserve their energy and not call any attention to themselves from predators. Baby seals that survive lose 50 percent of their body weight during this period.

Herrings communicate with farts. Herrings have excellent hearing. Instead of vocalizing to communicate with each other, they're able to fart and listen to the bubbles other herrings create in the water.

Groundhog day was hedgehog day until the 1800s. This shadow-based holiday originated with a Candlemas custom in Germany, when festive people would test the weather by looking at a hedgehog's shadow and reciting this catchy poem:

If Candlemas day be dry and fair,
The half o' winter to come and mair,
If Candlemas day be wet and foul,
The half of winter's gone at Yule.

When German settlers arrived in Pennsylvania there were no hedgehogs to be seen, so they substituted a groundhog for the hedgehog.

Hippos attract mates by peeing. Hippos use their pee for almost everything, from dominant territory marking to submissive peeing.

Hornbill chicks come out of the nest when they're a few days old, then immediately go back in for another few months. Hornbill reproduction is incredibly complicated and starts with prospective hornbill parents finding a tree with a hollow trunk. When she's ready to lay the eggs, the female hornbill goes in the small space in the tree and the male uses sap and mud to seal off the entrance and trap her safely inside. He leaves a small opening big enough to push snacks through, and spends a few weeks looking for fruit, nuts, and meat to bring her as she lays her eggs and incubates them. The female loses many of her feathers to make herself smaller so that she and the newborns can fit in the tree trunk together once they hatch. The mother and babies stay in the small tree hollow and the father continues bringing them nourishment for a few more days. Eventually the mother knocks down the wall and breaks out, and the chicks rebuild the wall using wall remnants and their own feces, and stay inside for several more weeks. Sometimes their parents help seal them back in, sometimes the offspring do it on their own.

Horses that look like they're smiling are actually smelling the air. This is called the flehmen response, and is a way of holding the mouth and tongue so that smells move quickly to the nose to be inspected for anything interesting. It looks like a laugh or a grin and is also common in deer and big cats. When housecats use the flehmen response it looks more like a disgusted grimace. The word comes from the German word flehmen, which means to show the teeth.

Houseflies can only hum in the key of F. Housefly hums are caused by wing vibration and the frequency of their wing flaps determines the pitch. Since their wings only beat at one frequency, there's only one sound they can make.

If humans had the metabolism of hummingbirds they'd have to eat 400 hamburgers a day. A human-sized hummingbird would consume energy 10 times faster than an Olympic marathon runner. The average hamburger contains over 350 calories, and 400 hamburgers adds up to 140,000 calories, over 2 months of calories for the average human. Hummingbirds are able to start using their calories before they even convert them into anything, which saves them some energy.

Hyacinth macaws have the intelligence of a 3-year-old. Hyacinth macaws can be trained to solve puzzles and find objects.

Hyenas eat rotting meat. Hyenas eat carrion (the scientific word for rotting meat) without getting sick because their stomachs have more acidity that kills the bacteria.

Hyraxes have 30 different calls. Rock hyraxes sing long songs to communicate, made up of a variety of calls. Different dialects exist in different communities of rock hyraxes throughout Africa and the Middle East.

Jellyfish have no hearts. Jellyfish don't have hearts, or stomachs, or many other things most organisms have. Some jellyfish can live forever, which means the ocean might always be filled with heartless jellyfish just swimming around not caring about anyone.

Kangaroos cough to show submission. If a kangaroo approaches you and seems aggressive, experts recommend coughing slowly and loudly as you crawl away in fear.

Kiwis can remember a bad memory for 5 years. Dr. Hugh Robertson placed tape recorders with kiwi calls (male calls sound like cute whistles and female calls sound like screams) around areas where kiwis lived. The birds were tricked by the fake kiwi calls, went to investigate them, and were captured. But only once. After they were released the kiwis didn't take any chances, avoiding—for the next five years—the specific areas where the recordings had been.

Koalas are only social for 15 minutes a day. Koalas have a terribly inefficient metabolism and have to spend almost all of their time eating to get energy, or sleeping to conserve energy. This leaves a total of 15 minutes of quality time during the day to groom and chat about whatever koalas chat about.

Koi fish can live 200 years. The average koi life span is 25 to 35 years but many live past 200. There are lots of anecdotal stories about koi fish living almost forever, but the oldest documented koi fish died in 1977 at the age of 226. Her name was Hanako.

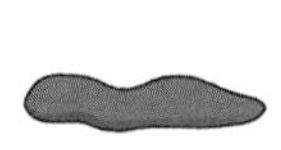

Leeches have 32 brains. Believe it or not, leech genetic makeup is very different from humans. Their 32 brains are sort of like one long brain divided up into 32 different ganglia, or groups of nerve cells. Leeches also have mouths at both ends of their bodies and teeth on the outside of their mouths.

Male lions eat first and make the women and children eat last. Although female lions do the hunting, male lions eat first and everyone else watches them eat and waits until they're finished.

Little brown bats are awake for 4 hours a day. Little brown bats in captivity sleep for almost 20 hours every day, and conserve almost all their energy for a short bug-hunting sprint.

When early ocean explorers thought they saw mermaids they were actually looking at manatees. Rumors of half-fish half-human beings that attract sailors, steal their gold, and drag them to the bottom of the sea have been around for 1,900 years, and they were and still are often depicted in stories and in art. So Columbus was excited to see some in person near the Dominican Republic in 1493. He described them as "not half as beautiful as they are painted." Manatees are 9-foot 1,000-pound slow-moving aquatic mammals that may be an ancient relative of the elephant. Manatees have no natural predators; their unnatural predator is boats.

A Portuguese man o' war is actually several organisms attached together. Many people mistake this thing for a jellyfish, but a Portuguese man o' war is a siphonophore—that is, a colony of many animals connected and working together and acting as one organism.

15 mara families live in one burrow. Mara are larger relatives of the guinea pig that live in South America. In mara burrows, one adult will stay behind to look after everyone's young at once, while the other adults go out and look for food or do whatever else they want to do.

Marine iguanas sneeze out salt when they eat too much of it. A marine iguana's diet consists completely of underwater algae that it scrapes off rocks with its teeth. The algae and water and everything around them is incredibly salty, and the tops of their heads turn white from the crusted salt they sneeze out.

The average mayfly lives less than a day. The last stage of a mayfly's life is very short, and adults don't eat or drink and are filled with air.

Meerkat babies are given dead scorpions to play with. Meerkats are immune to scorpion venom, and eat scorpions as well as plants and insects. Parents begin teaching their young how to hunt scorpions at an early age, and mostly by example.

Mice can sense sadness in other mice and it makes them sad too. A team of researchers gave mice a slight stomachache and put them in a space with another mouse who did not have a stomachache. When the stomachache mouse tensed in discomfort, the other mouse would feel it too and tense also. The empathy was stronger if the two mice had previously lived in the same cage together.

Monk seals can't dream underwater. Unihemispheric sleep allows seals to put half of their brain to sleep at a time, so they can swim while sleeping, but REM can't happen during this type of sleep. Seals can also rest on the shore to sleep. When seals do dream, I don't know what they dream about, but if you ever have a dream about a seal it could be a sign that a good business deal is coming up, or it could mean you miss your family, or it could symbolize a wedding (if it is a white seal).

Moose eat for 8 hours a day. Moose don't engage in too many activities besides grazing, and eat up to 60 pounds of leaves a day.

Mosquitofish can only count to 100. Mosquitofish are social creatures and their goal is to be with as many other fish as possible. In one study researchers showed fish different doors with different numbers of shapes on them, and more shapes meant more fish were behind the door. When the difference between the numbers was 2:3 (if one door had 8 shapes and the other 12) the fish had a better chance of choosing the right one. But if the math problem got just a little trickier (one door with 9 and the other with 12) the fish started making random guesses.

The scientists performed the same test on humans (without the swimming and doors and rooms full of fish, they just gave them a computer test) and saw the same results.

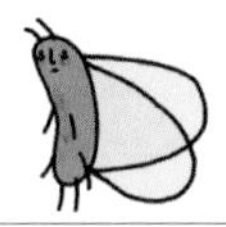

Moths have no stomachs. Moths don't have anything like our stomachs, but they have a system that works well and involves a midgut and a gizzard.

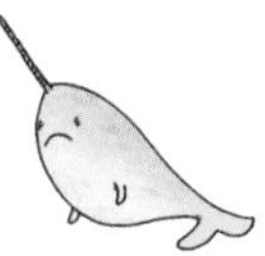

Narwhal means "corpse whale" because of their blotchy, translucent skin. In Norse, "nar" means corpse and "hval" means whale, because their spotted bloated skin looks like a drowned sailor.

Nurse sharks lose a tooth a week. Sharks can have up to 3,000 teeth at a time, arranged in 5 rows. The front row of teeth are the biggest and work the hardest at tearing food up, and subsequent rows are smaller and replace the front row as they fall out. Teeth wear out faster in the summer because that's when sharks eat the most frequently. In a shark's lifetime it will go through 35,000 teeth.

An octopus lives alone and leaves home only when necessary. Octopi live alone in small octopus-sized dens on the ocean floor. These dens are usually spaces under rocks, but octopi have also been known to hide away inside jars and bottles if they find them. They leave only to hunt for food.

Opossum moms carry their children on their backs. Opossums have up to 20 children at a time, which start out the size of a human thumb and live in her pouch. As they grow older and bigger and heavier they ride on her back as she searches for food for them.

An ostrich spends 7 months alone every year. Colder months are very lonely for ostriches, but they spend the summer in groups of about 30 birds and other roaming animals like zebras and antelopes.

Owls can't move their eyes because they don't have eyeballs, they have eye tubes. Owl eyes are advanced to help them see at great distances and in very low light. Part of this adaptation includes "sclerotic rings" that attach to the back of the eye and hold it to the owl's head; this limits the owl's ability to move its eyes around. Their eyes also have a much narrower field of vision than humans and other birds, before eye motion is involved.

Pandas don't have set sleeping areas, they just fall asleep wherever they are. A giant panda's daily 12 hours of sleep doesn't happen in a designated place, just wherever they happen to be when the mood strikes them.

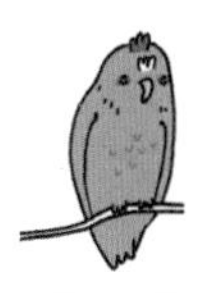

Male white front parrots vomit on females they want to mate with. White front parrots are one of the only known animals that engage in mouth-to-mouth kissing. Unfortunately, their kissing ends with the male vomiting into the female's mouth.

Male peacocks make fake mating sounds to attract females. Peacock mating involves a loud, very specific shriek that males make just before mating. Often male peacocks will make this sound alone, for no reason, when female peacocks aren't close by but may be within earshot. Scientists at Duke University believe these fake mating calls make females believe that a male is more popular than he actually is.

Pigs have trouble seeing the sky because of how their eyes are placed. Possibly not true, need to talk to farmer.

Pigeons put off things they don't want to do. In a 2011 study pigeons were taught how to peck at a small disk to dispense food. They could either peck 8 times, or wait 15 seconds and then have to peck 35 to 40 times. Other similar studies have been done on pigeons with the same results, the pigeons will always wait as long as possible before completing the task, even if waiting means they have to do much more work later. Pigeons are popular subjects for procrastination tests because they're very fast learners and also very impatient.

Pit vipers have heat sensors on their mouths. The heat sensors help pit vipers see heat, so they can find lunch even if they'll never find love.

A platypus swims with its eyes closed. A platypus's face has a fold of skin that covers its eyes and ears. When underwater, the platypus covers its eyes to keep water out and feels around for food using its bill.

Strawberry poison dart frogs feed their unfertilized eggs to their hatched babies. The 2 months that strawberry poison dart frog couples spend caring for their young make them some of the most attentive amphibian parents. The females lay eggs in groups of 5. The first 5 eggs grow into tadpoles, and all the eggs the female lays after that are fed to her tadpoles.

Pregnant polar bears gain 500 pounds. The average female polar bear weighs 331 to 550 pounds, and pregnant polar bears can weigh up to 1,100 pounds.

Newborn porcupines are ready to injure someone within minutes of being born. Porcupine is Latin for "quill pig," and one may have up to 30,000 quills. Their quills can grow up to a foot long and they grow new ones to replace the ones they stick in enemies. Babies are born with soft quills that quickly start to harden.

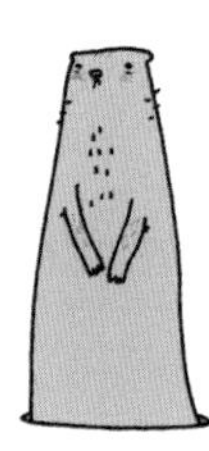

Prairie dogs have different calls to communicate different human heights and human shirt colors but can't differentiate between circles and squares. Dr. Con Slobodchikoff spent 30 blissful years researching prairie dogs in the wild. Prairie dogs live together in underground burrows and make alarm calls to each other when predators are near. To the untrained ear the calls sound like chirps, but subtle differences actually communicate different types of threats (hawk, bus, human) and even include details like weight and shirt color. Slobodchikoff can now identify the different calls just by listening.

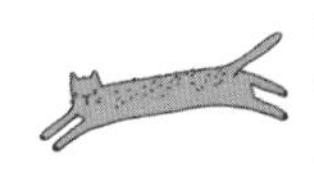

Puma, mountain lions, and cougars are all the same animal. This 6- to 8-foot large cat is also called the Florida panther, catamount, wildcat, silver lion, and over 40 other names, and it holds the Guinness world record for having more names than any other animal. Because the animal is found in so many places and so many countries across North, Central, and South America, it's been given different names by different cultures.

Boy puppies let girl puppies win when they playfight. When male puppies playfight with female puppies they go to extreme lengths to make sure the females win; putting themselves in vulnerable positions and celebrating playfully when they're defeated. Some researchers say

that since female puppies don't usually like fighting with males (female fighting is vicious later on so females need all the practice they can get) the male dogs might be trying to make themselves more fun and a more appealing playfighting opponent. Other researchers say the males probably just have a crush on the females, but my teacher said the same thing when a boy bit my arm in kindergarten, and I still think she was wrong.

Domesticated rabbits live 8 years as pets or 24 hours on their own. There are so many wild rabbits living just outside your home that it might seem like a great idea to set your pet rabbit free in a nearby park. The bad news is that rabbits, both domestic and wild, need a safe place to hide in case of danger. In your house a rabbit might sprint under a specific dresser, in the wild a rabbit might sprint to a burrow, but most pet rabbits set free outside don't survive the night because they don't have time to find a safe place before it's too late.

Raccoon hands are nimble enough to steal a dime from your shirt pocket. Raccoons have amazing hands that allow them to casually climb down trees face first, as well as open jars, turn doorknobs, unlatch latches, and take care of any loose change you're trying to get rid of.

The ring-tailed lemur that smells the worst is in charge of the whole group. Lemurs use smell for almost everything, and even cut into trees around their home to embed the bark with their scent. The female lemur with the strongest smell is in charge of the pack, but males smell bad in their own way. Male ring-tailed lemurs have small scent glands on their shoulders that ooze a sticky brown horrible-smelling paste. They use their tails to fling this paste at each other during stink fights, which can last up to an hour.

Lab rats enjoy mating more when they're wearing vests. Lucky researchers at the University of Montreal found young rats who were inexperienced in the ways of the world, put tiny little vests on them, and encouraged them to mate. The team repeated these steps with the same rats a few times until the males were used to the vests. They then took half the vests away, and when all the rats were again encouraged to mate, the little guys without their vests were less interested.

Red ruffed lemurs leave their kids when they go look for food. These lemurs give birth to 2-6 little lemurs at once and build them a nest high in the trees of Madagascar, where their fathers look after them. Sixty-five percent of red ruffed lemurs don't make it past 3 months because they are taken by predators or fall from the trees.

Rhinos make a squeaking sound to call for their friends when they're lost. Rhinos can make a variety of different sounds but the saddest is a loud squeak they use to look for each other.

Roadrunners make themselves cry to get rid of excess salt. Roadrunners can run 20 miles an hour, are excellent hunters, and can eat both meat and vegetation. It may seem like they have great lives and never cry, but the opposite is true. The salty tears they cry reduce the salt in their blood.

Scorpions are nocturnal hunters but they glow in the dark. The moon's UV light makes scorpions turn bright fluorescent blue and researchers aren't sure why, especially since the glow scares away things scorpions want to eat. The best time to find scorpions is under a full moon. (Or the worst time, if you don't like seeing glowing scorpions.)

Sea otters live in almost-freezing water that would kill a human in an hour. Sea otters stay alive in super unpleasant circumstances by having the densest hair ever—every square inch of their body has as many hairs as an entire human head. The saltiness of seawater makes it freeze at a lower temperature, so the water sea otters swim in can actually be below freezing. They're very serious about all the hair they have, and spend hours slowly and carefully grooming themselves to trap tiny bubbles as an extra layer of insulation.

Sea turtles never meet their moms. A prospective sea turtle mother will crawl awkwardly onto the sand, use a snow-angel-like motion to dig a shallow hole, and then lay about 100 eggs. After she does she will leave and never look back. The babies bite their way out of the eggs and crawl awkwardly to the ocean. Never really recovering from their lonely and traumatic beach experience, they like to spend time alone, and you'll almost never see two sea turtles together.

Great Britain has invested hundreds of thousands of pounds to study why seagulls attack so many people at outdoor festivals. Seagull attacks are a serious problem in many areas around Great Britain, so much so that Prime Minister David Cameron announced that "a big conversation needs to happen." Aside from ruining a festival, aggressive seagulls have also attacked a security guard, a swan in a public park, a Yorkshire terrier, and a Chihuahua puppy.

Seahorses are one of the only animals where the males become pregnant. Male seahorses get eggs from their mates and seal them up in a pouch. The expectant fathers change color when they're ready to give birth, and labor can last twelve hours. One great thing about males giving birth is it allows the couple to have children faster, since the female can be making more eggs while the male is carrying and giving birth to the last batch. A male can give birth to a thousand babies and get pregnant again in the same day. Seahorse couples mate for life and don't care for their young once they're born.

Shark pregnancies can last years. The spiny dogfish shark has a great name but a terrible length of pregnancy; its gestation lasts 24 months. Since this type of shark is ovoviviparous (the black diamond of hangman words) she lays eggs that hatch inside her body, and the baby shark continues to grow inside her until it's ready to be born.

Sheep can only remember 50 faces. In this study, a team of neuroscientists in England put up two doors on a barn, and displayed a life-sized sheep face on each door. One face always had food behind it and the sheep learned to seek out that specific face. Since sheep and humans use the same type of brain activity to recall a face, it's possible that sheep might remember and think about a favorite face when they haven't seen it in a while.

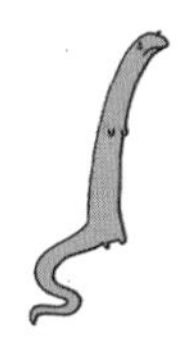

Long-tailed skinks eat their own eggs. If a skink lays her eggs in a place surrounded by predators she won't waste any time eating them. She'd rather have her children be her lunch than someone else's, and she needs the nutrients so she can lay more eggs, which she might also eat. You get it.

Sloths come down from their trees once a week to use the bathroom. Scientists are very curious about sloth poop. Get in line, scientists! These very slow animals spend all of their lives in trees except for the once-a-week descents to handle their business. Going to the ground is dangerous as it exposes them to predators, and no one knows for sure why they need to make the journey instead of just relieving themselves from trees.

If you cut off a snail's eye, it will grow back. The reason we know snail's eyes grow back is stranger than I could have ever possibly imagined, and I'm assuming it's stranger than you could have ever possibly imagined. A parasite called a leucochloriium paradoxum (green-banded broodsac for short) infects snails' eyes and make them swell up and pulse in bright green, red, and yellow stripes. The snails look like slow-moving neon signs and you really should look for a video of it. The parasite's goal is for these glowing, waving stripes to attract birds, which swoop down and eat off the snails' delicious infected eyes. The birds digest the whole mess and the leucochloriium paradoxum end up in the bird poop, which the snails eat, continuing the bizarre cycle. So, if you cut off a snail's eye its eye will grow back. And if you put a glowing parasite into a snail's eye that makes a bird eat its eye, its eye will also grow back.

Snow leopards eat 20 pounds of food a night. A snow leopard can catch an animal three times its own weight. They hunt mostly sheep and ibexes that weigh less than they do, and usually catch one animal a week and spend the rest of the week slowly eating it.

A sparrow will eat anything that fits into its mouth. House sparrows are an invasive species in North America, where their varied diet and street smarts make them a threat to other birds. Their favorite food is millet, but they also eat grain, moths, caterpillars, grass, leaves, and will scavenge trash cans for leftover food when they can.

Some species of spiders eat through their mom when they're born. The last thing these unlucky mother spiders experience is hundreds of babies chewing through them and into the world.

Squirrels can't burp. Squirrels can't burp or vomit, and they also can't have heartburn.

When star tortoise eggs hatch at cold temperatures more males are born, and when they hatch at warm temperatures more females are born. The best temperature for star tortoise egg incubation is around 85 degrees Fahrenheit, and lower or higher temperatures lead to a group of mostly males or mostly females. As soon as I thought about how interesting it would be if humans were like this I couldn't stop thinking about it for days.

Tarantulas can go years without eating. Tarantulas live up to 20 years and, anecdotally, can survive 2 years on water alone if they absolutely have to. In the wild tarantulas take their sweet time hunting crickets, grasshoppers, and sometimes even bats, frogs, and mice. Several disheartened Yahoo Answers contributors say they have learned the hard way that their pet tarantula can't go more than a month without food.

Tarsier eyes are bigger than their stomachs. Each of a tarsier's eyeballs is over half an inch in diameter, which may not seem huge but is bigger than its brain and bigger than its stomach. They use their enormous eyes to look for small things to eat in pitch darkness.

After Tasmanian devils mate, the female sneaks away in the night. Tasmanian devil mating is out of control and would make for reality television I would definitely be interested in watching at least once. A female Tasmanian devil wants the strongest and most aggressive male. She'll make a call to attract potential guys: If one is too timid she'll beat him up, but if one is strong and bites and scratches her, they'll mate. After mating, the male falls asleep and the female tries ever so secretly to move slowly out of the den so she can go mate with another male while she's still in heat. If the male wakes up he'll try to drag her back, and they'll fight some more. A lot of screaming is involved. If she sneaks away or wins the fight she'll go find another partner—a litter of Tasmanian devils from one mother can have up to four fathers.

Tigers don't like making eye contact while they hunt. Because tigers prefer sneak attacks, they usually don't look into their prey's eyes. Some people suggest making eye contact with a tiger if it's trying to attack you, but none of those people have been attacked by tigers so it's hard to say for sure if it's good advice.

Turtles breathe out their butts. Turtles can breathe out their mouths as well, but why bother when you can breathe out your butt instead? To observe this, scientists put small, safe amounts of coloring in water near turtles and observed them pulling oxygen from the colored water. This type of breathing uses fewer muscles and lets the turtles conserve less energy in the winter.

Walruses breathe on the ocean floor to uncover food hidden in the sand. The foods walruses like best are clams and shellfish that they discover by feeling around on the ocean floor until they find something they think is interesting.

Water-holding frogs eat their own skin for nutrients. Water-holding frogs live in Australia, and during very hot and dry periods they bury themselves underground and eat their skin for nourishment.

Baby whales gain 200 pounds a day. A newborn blue whale is 25 feet long and weighs 6,000 pounds. And even though they eat only tiny krill, they grow up to be 100 feet long and weigh 400,000 pounds.

Whales that sing in the wrong key get lost and are alone in the ocean. A lonely baleen whale discovered in 1989 in the north Pacific sings at a much higher frequency than other whales, so much higher that other whales aren't able to detect her song. She also travels along a different migration path ruining her chances of running into anyone just by accident. Her frequency, 52 Hertz, is about the pitch of a tuba, if that helps you imagine.

Wild yaks eat snow to stay hydrated. Yaks do best at higher altitudes, and become sick from heat in temperatures over 60 degrees Fahrenheit. Their favorite temperature is cold and their favorite way to get water is snow.

If a wolf is kicked out of its pack it never howls again. Wolf howls can be initiated by any member of the pack, and as soon as it's started the whole group joins in. Howls can be used to defend their space, call for someone, or just sort of celebrate or pass time. If a wolf leaves its pack will howl for him, and if he was a leader or close friend they'll howl longer. He won't howl for them though. Howling is a group activity.

Woodpecker tongues wrap around the back of their brains. Woodpecker tongues have a skeleton, and when retracted they wrap around the entire inside of their heads.

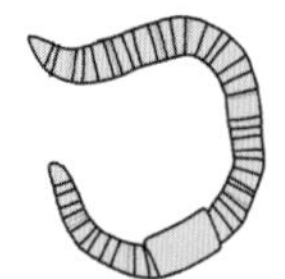

Worms have five hearts. Earthworms don't have mouths, eyes, arms, or faces, and they don't have a lot going on in their lives, but they do have five hearts. The distribution of body parts is one reason worms can sometimes regrow when cut in pieces.

Zebras can't sleep alone. Zebras have many predators who would love to eat them while they sleep. To keep this from happening they never sleep unless someone is nearby to guard them.

SPECIAL MESSAGE TO READERS

THE ULVERSCROFT FOUNDATION
(registered UK charity number 264873)

was established in 1972 to provide funds for research, diagnosis and treatment of eye diseases. Examples of major projects funded by the Ulverscroft Foundation are:-

- The Children's Eye Unit at Moorfields Eye Hospital, London
- The Ulverscroft Children's Eye Unit at Great Ormond Street Hospital for Sick Children
- Funding research into eye diseases and treatment at the Department of Ophthalmology, University of Leicester
- The Ulverscroft Vision Research Group, Institute of Child Health
- Twin operating theatres at the Western Ophthalmic Hospital, London
- The Chair of Ophthalmology at the Royal Australian College of Ophthalmologists

You can help further the work of the Foundation by making a donation or leaving a legacy. Every contribution is gratefully received. If you would like to help support the Foundation or require further information, please contact:

THE ULVERSCROFT FOUNDATION
The Green, Bradgate Road, Anstey
Leicester LE7 7FU, England
Tel: (0116) 236 4325

website: www.foundation.ulverscroft.com

Penrose Halson's career encompassed teaching, writing, editing and, to her astonishment, becoming the first lady Master of a City Livery Company. Her determined mother sent her to the Katharine Allen Marriage & Advice Bureau, of which she became proprietor in 1986. In 1992 it incorporated Heather Jenner's agency. Aged forty-eight, Penrose finally delighted her mother by marrying, and lives in London with her husband.

MARRIAGES ARE MADE IN BOND STREET

In the spring of 1939, with the Second World War looming, two determined twenty-four-year-olds, Heather Jenner and Mary Oliver, decided to open a marriage bureau. They found a tiny office on London's Bond Street and set about the delicate business of match-making. Drawing on the bureau's extensive archives, Penrose Halson — who, many years ago, found herself the proprietor of the bureau — tells both its story, and those of its clients. We meet a remarkable cross-section of British society in the 1940s: gents with a 'merry twinkle', potential fifth-columnists, nervous spinsters, sailors seeking 'a nice quiet affekshunate girl', and young women resembling Greta Garbo or Vivien Leigh, all desperately longing to find The One. And, thanks to Heather and Mary, they almost always did just that.

PENROSE HALSON

MARRIAGES ARE MADE IN BOND STREET

True Stories from a 1940s Marriage Bureau

Complete and Unabridged

CHARNWOOD
Leicester

First published in Great Britain in 2016 by
Macmillan
an imprint of Pan Macmillan
London

First Charnwood Edition
published 2017
by arrangement with
Pan Macmillan
London

*A catalogue record for this book is available
from the British Library.*

ISBN 978–1–4448–3210–5

Published by
F. A. Thorpe (Publishing)
Anstey, Leicestershire

Set by Words & Graphics Ltd.
Anstey, Leicestershire
Printed and bound in Great Britain by
T. J. International Ltd., Padstow, Cornwall

This book is printed on acid-free paper

For Bill, and in memory of Heather Jenner

Contents

Appendix

Prologue

'Buy a marriage bureau? You and me? You must be joking!'

'No,' said Bill, 'I'm totally serious. You can interview the clients and do the match-making — you're very good at that, I know — and I'll do the finances and the advertising. Come on, let's do it!'

So we did. In 1986, after a motley career in writing, editing and teaching, I found myself, aged forty-six, sitting in a cramped little office in a seedy alley off Oxford Street, nervously awaiting my first client as proprietress of the Katharine Allen Marriage & Advice Bureau.

'KA' had been founded in 1960, modelled closely on the Marriage Bureau: Heather Jenner, established in 1939. In 1992, faced with a 700 per cent rent increase, Heather Jenner's daughter asked me to take over her clients. So two small, eccentric, individualistic institutions became one. Their story begins in Assam, North-east India, in 1938 . . .

1

Audrey's Uncle Has a Brainwave

In 1938, farmer's daughter Audrey Parsons was staying with her uncle, a tea planter who managed a remote plantation in the hills of Assam. Audrey was twenty-four, pretty, petite and fragile-looking, with a pink and white complexion, dark hair, big brown eyes and an infectious laugh.

Six years earlier, after a whirlwind romance in England, she had sailed out to India to marry a young man who worked for her uncle. When she had first met him in England, Peter had seemed as exciting as Audrey could desire in a husband, and she had been in raptures as they went from ball to party in a dizzying round of gaiety. But in India she found him passionately (for him) and tediously (for her) absorbed in his work, and juvenile, dull and vapid when not busily engaged in planting tea.

'I am sorry, Uncle George,' she had apologized, 'but I simply cannot marry Peter. I shall go home and think what to do next.'

Uncle George was exceedingly fond of his vivacious niece, and sympathized since, much as he liked Peter, who was an ideal employee, he could see that she was not cut out for a conventional marriage to a pleasant, straightforward but unoriginal man in a remote and lonely place. Sorrowfully he waved her goodbye, begging her to come back soon to add sparkle to his solitary life. Most of the time he was content, but the isolation of his plantation, miles from any of his handful of European neighbours, sometimes threatened to overwhelm him.

So Audrey had returned to her parents in Cambridgeshire. Her father, a down-to-earth farmer, was dismayed by her attitude: 'I liked Peter. He's not a chinless wonder with a one-track mind, like you say he is, my girl — he's a decent fellow with a good future. You're being too picky, like you always have been, always wanting something else. What do you think you're going to do now? You can't stay here for ever; I can't keep you. You don't like our farm anyway — you're always off to London whenever you can. Find yourself a husband and get out!'

Audrey's mother was a bit more lenient, but nevertheless insistent that Audrey had to marry. One of her two brothers would eventually take over the farm, which had been in the family for generations, and there would be no place for Audrey in the farmhouse.

But Audrey's brush with possible matrimony had made her long to try some other way of life. In a local newspaper she spotted an advertisement for a job in a factory, packing and labelling papers for despatch. Determined to be independent and to earn some money, she applied and had a short interview with the factory manager, who was so startled that a girl so well-spoken and smartly dressed should want such a menial job that he bowed to her enthusiasm and said she could start next week.

Audrey found the work physically exhausting and mind-blowingly boring, but she earned £1 a week, which was just enough for her to live in factory girls' lodgings. By the end of the day she was weary, but not too tired to want some entertainment, of which there was none apart from the local cinema. The other girls regarded her with deep suspicion. Audrey did not dress like them, she did not talk like them, she was patently not one of them. They largely ignored her, excluding her from their interminable heart-to-hearts about make-up and boy-friends.

It did not take many weeks before Audrey quailed at the dismal prospect of confronting another mountain of parcels, and of turning a deaf ear to yet another animated description of the relative merits of Ted and Fred. However, she had proved herself to be an independent woman with a spirit of adventure. She continued to demonstrate her success by getting a job as a dentist's receptionist, making appointments and soothing fearful patients.

On her first day, the dentist instructed her to leave her desk to assist him with an extraction, during which she was to observe where the torn-out teeth landed, pick them up, and wipe the blood off the floor. She promptly handed in her notice, marched out banging the door behind her, and walked up the street, until a card in an office window caught her eye: a photographer's assistant was required.

Once again Audrey found it easy to get the job, but hard to like it enough to stay. The negatives were developed in a darkroom, which she found oppressive and almost frightening. Her employer added to her discomfort by reprimanding her sharply when, in the unaccustomed darkness, she dropped a vital roll of film, or bumped into a tank of precious developing liquid. Late every afternoon she stumbled blinking into the daylight, until she admitted defeat and handed in her notice before, she feared, she was told to go.

As the years passed, the thrill of being independent began to wear thin. Audrey yearned to travel, but could not afford to; and without qualifications, only menial work was open to her. She got a job delivering for a cake shop, but it ended when she was caught eating the tastiest cakes. Her final act of defiance was a job as a riding instructor. She was an excellent horsewoman, having been in the saddle since she was two, and a good teacher; but once again the job description had not been precise, and she jibbed when instructed to muck out the stables.

Audrey walked home from the riding school wondering what on earth to do next. In the hall of the farmhouse she found an airletter: Uncle George would gladly pay her fare if she would come and lighten his life again (and there would be no embarrassing meetings with Peter, since he now had his own tea plantation, many miles away).

Desperate to escape the recriminations of her father and the tight-lipped reproach of her mother, Audrey accepted this generous offer and once again took ship for Assam. Her uncle was delighted to have her company, and took her round to meet his neighbours, often half a day's ride away. Social occasions were few and far between, but Uncle George made an effort to entertain his favourite niece, introducing her to several single men. After her unsociable life in search of independence, Audrey got a kick out of flirting with the men, who were all itching to get married, but for whom there were scarcely any potential wives in Assam. At night, though, she lay in bed disconsolately considering her future: 'I can't stay here for ever, and I can't go back home and flit from job to job. Perhaps I shall have to give up and get married after all.'

So, in an uncharacteristically low moment, Audrey accepted the proposal of a most eligible man. However, as with her jobs, she found it easy to get engaged but hard to carry the engagement through to its logical conclusion: marriage. Her much older fiancé constantly lectured her about the wifely duties he expected. In return for his protection, she was to defer to her lord and master in an appropriately servile manner. Obeying would be the order of the day, not laughing and having fun and doing interesting things together. Growing more and more apprehensive, with a lavish and expensive wedding imminent, Audrey handed back her engagement ring.

Once again, Uncle George was sympathetic. His own hasty, superficially suitable marriage had brought misery to both him and his wife, who for many years had lived in England. Before his niece left, he made a suggestion which was to change Audrey's life, and that of countless others: 'When you get back to England, why not do something about introducing the single young men you've met here — and, you know, there are thousands more like them — to marriage-minded young women, during their leave in England? As you've observed, marriageable girls are like gold dust here, and when the men are back on leave it's hard for them to get to know the right sort of girls after being abroad for so long and falling out of touch with their old friends. Think about it, my dear.'

During the voyage back to England, Audrey pondered on this suggestion. It piqued her imagination. But what on earth could she do about it?

* * *

Back at her parents' farmhouse Audrey was greeted coldly. Mr Parsons could scarcely conceal his anger at her failure to get off his hands by doing what every normal young woman did: get married. His wife too was becoming intolerant of Audrey's bizarre behaviour. Why could not her only daughter behave like other girls?

Audrey sought escape, any escape, preferably to somewhere far, far away. She answered an advertisement for a lady's maid in the 'Governesses, Companions and Lady Helps' classified column of the *Lady* magazine, as the advertiser, an autocratic widow, said she was about to embark for the Far East. Audrey was paid 12s 6d a week, plus her board and lodging. Preparing her extensive wardrobe for the voyage, the widow instructed Audrey to sew in old-fashioned dress preservers, designed to protect clothes from under-arm perspiration. Thinking these strange objects were padding, Audrey sewed them neatly and firmly into the shoulders of all her employer's dresses. She was promptly dismissed.

Not finding another job abroad, Audrey settled for becoming a games mistress, which she loathed, and then a chauffeuse. Her parents had refused to let her learn to drive in their car, for in any case why did she need to drive? Her husband would do any necessary driving. Fortunately her employer, a neurotic old woman who took drugs to calm her nerves, was so sedated that she did not notice that, driving up Ludgate Hill, Audrey sped along the pavement.

Audrey's final employer, an equally elderly but iron-nerved lady, took her on as skipper on her private yacht. Audrey could scarcely tell a yacht from a canoe, but in the train on her way down to the east coast she read some informative books, picked up the basics, and took to running the forty-five-foot sloop-rigged sailing yacht like a duck to water. Fortunately the very nice old lady went to bed early, so every evening Audrey picked the brains of the skippers in the pubs by the harbour, and soon managed as if she had been born at sea.

The old lady pulled the plug on the only job Audrey had thoroughly enjoyed when she decided her sailing days were over, and retired to a comfortable flat in Kensington. Audrey had no choice but to go back to the unwelcoming farm, and accepted with alacrity the invitation of a girl-friend to go and stay in London.

* * *

At a Chelsea party, Audrey met Heather Lyon.

Ex-debutante Heather was twenty-four, strikingly handsome, party-loving, strong-minded, six foot tall, with heavy blonde hair, a throaty, sexy voice and a commanding presence. After being presented at Court and 'doing the Season' in London, she had sailed out to join her father, a British Army brigadier, in Ceylon. One of a tiny handful of young white women, surrounded by hordes of young and not-so-young British Army officers, colonial servants, businessmen, tea planters and missionaries — all males starved of female company — Heather was fêted and flattered, wined, dined and worshipped. Dizzied by her popularity, lulled by the luxurious comfort provided by umpteen servants, warmed by the exotic sunshine, she was wooed so assiduously that at nineteen she was married.

A suitable marriage at nineteen was the natural first step along the conventional path for a young woman of Heather's background, to be followed as night succeeds day by children, housekeeping and entertaining in furtherance of her husband's career. But Heather was feeling her way towards a less subservient, more independent existence. Her husband was nonplussed. The marriage quickly foundered, and

Heather sailed back to England as a single woman.

Heather with a broken marriage and Audrey with two broken engagements had failed to comply with the unwritten rules of their sex, age and class. Lacking husbands, what were they to do next? They were both in the same boat, and their common determination to find a future drew them together.

'Listen, Heather,' urged Audrey, 'my Uncle George gave me an idea. In fact, I think it's a brainwave. Remember what it was like on the ship you came back on? Hardly any girls among masses of men, most of them going back home to find a wife, lonely and sex-starved and forlorn, poor lambs. On my ship they kept giving me the glad eye — I could have been engaged half a dozen times before we even got into port! They visit their families in England, but every second of the day they're on the prowl for a girl to marry. If they don't find one, in a couple of months they have to go back to Ceylon or India or wherever, and they won't have leave again for years and years. And you know what it's like in Ceylon: there are so few girls that most of those chaps haven't got a hope in hell of finding a wife, or they marry the first halfway presentable one who comes along — and we both know how dire that can be! So while they're on leave in England, we could help them. We could introduce them to suitable girls, starting with our girl friends. I've got plenty who can't find a decent man in England, and I'm sure you have too. What a waste. The men come over here, the girls are already here, they all want to get together but they never meet! Let's introduce them — let's start a marriage agency!'

Heather was intrigued, but thought the idea was a joke, not a serious proposition. She had only just arrived back in London, where an allowance from her father paid for a small flat so she could enjoy a gay life of parties, gossip and flirtations, interspersed with bits of work as an actress and model. She said she would think about it, but did not mean to. The two girls exchanged addresses and parted.

* * *

Audrey returned to the farm, her mind buzzing. She had often worried away at Uncle George's idea like a dog with a particularly meaty bone, convinced that it had a future; but had thought it too difficult to undertake by herself. Now, Heather struck her as exactly the right partner: she had a real understanding of the problem, the impressive poise and self-confidence of her class, a good brain and stunning looks. Audrey determined to keep in touch with Heather, and to do some research.

Fobbing off her parents by saying that she was visiting a London friend who socialized with a crowd of nice young men, Audrey went along to Scotland Yard. In a small bare room she enquired of a startled policeman whether a marriage agency, introducing single people in search of a matrimonial partner, would be breaking the law in any way. The astonished copper scratched his head in puzzlement over this unusual request, but could find no objection, nor any record of any existing marriage agency. So Audrey returned home, refusing to explain the enigmatic smile which baffled and irked her parents.

Audrey bought one of the weekly matrimonial newspapers which carried seductive advertisements, placed by people seeking or offering themselves as spouses. But such advertisements, extolling the virtues of potential wealthy husbands and beautiful wives, were often invented by the newspapers themselves or by agencies advertising under box numbers, and could not be trusted: Audrey had heard of a swindle operated by a cynical pair, a Frenchwoman who had introduced her lover to three single ladies looking for a husband, charging each one about £70. When arrested, she had been sentenced to eighteen months in prison, and the lover to two years. Determined to investigate this shady world, Audrey invested £5 of her £15 capital in advertising for a husband.

To her amazement and mounting alarm, letter after letter was forwarded to the farm by the matrimonial paper. Her parents suspected something was afoot but, seeing the uncompromising look in Audrey's eye and the mulish set of her lips, they shrugged their shoulders and asked no questions. She took to intercepting the postman before he reached the farmhouse, and hurrying up to her bedroom where she read the often illiterate but flattering self-portraits of wife-seekers, mostly unsuitable: railway porters, bus drivers, commercial travellers, bank clerks, farm labourers, tailors, rat catchers, postmen, ploughmen, salesmen, doormen.

Plucking up her courage, Audrey replied to a pleasant-sounding teacher, whose letter, on headed writing paper, correctly spelled, stood out from the rest. She met him one afternoon in Cambridge, where for an awkward hour they made stilted conversation before saying a formal, relieved farewell.

The next day Audrey was walking to the village bakery when a little man outfitted in a black suit, high-collared white shirt, maroon tie and highly polished black shoes, carrying a neatly furled umbrella and an incongruous string shopping bag, tipped his bowler hat to her, as in a reedy voice he enquired, 'Excuse me, Miss, I beg your pardon, but I should be grateful if you could assist me. I am looking for Hall Farm, the residence of Miss Audrey Parsons. If you are cognizant of the whereabouts of that establishment, would you be so kind as to direct me?'

Comprehending in a flash that the matrimonial paper had mistakenly parted with her name and address instead of forwarding a reply to her, Audrey lied like a trooper: 'Oh, certainly. But I fear that you are not in luck, since my friend Miss Parsons is in London today.'

His face registered such disappointment that Audrey felt a momentary twinge of guilt, and asked solicitously: 'Have you come far? Was she expecting you today?'

'No, my presence was not anticipated by the young lady. Notwithstanding, it is with great regret that I shall not have the pleasure of making her acquaintance today. However, I shall return on another occasion. It is my good fortune to live but a few miles from this charming village, and to be in possession of a car.' Transferring the shopping bag to the same hand as that clutching the umbrella, he pointed at a dark green Austin 7 parked in the road. His chest swelled with ineffable pride. 'I purchased this vehicle with the profit from my shop. Alas, there were naysayers in the village who expressed their opinion that the proceeds of trade should not be expended on earthly pleasures, in particular not by a follower of Christ. However, I am persuaded that Our Lord would not have gainsaid my action, which was taken not simply for the gratification of myself, but also for the delectation of my future wife. You see, Miss, I anticipate entering the state of holy matrimony in the very near future. I am desirous of acquiring a suitable wife — that is to say, a young lady in my station of life.'

Audrey was mesmerized by the little man's high, sing-song voice, his fulsome language, and visions of a forgiving Jesus standing at his shoulder — or perhaps driving the Austin 7, pictured Audrey irreverently. Driving to a station? Unable to resist, forcing herself not to laugh, she asked, 'And what is your station in life?'

The little man drew himself up to his full five feet four inches as he proclaimed, 'I am a butcher, Miss. I own my own butcher's shop. I work hard, and on Sundays I have the honour to serve Our Lord as sidesman in our church.'

As he paused for Audrey's admiration and approbation, the postman, looking hot and flustered, approached on his bicycle. Seeing Audrey, he drew up and, panting, handed her some letters. 'I'm glad to see you, Miss Parsons. I'm on the late side, so I'd be grateful if you would take these back to the farm — they're for you and your father.'

Audrey seized the letters, mumbling and blushing, fully aware that the little man was wearing a puzzled expression.

'Miss Parsons?' he queried, more uncertain than accusatory. 'A farm? Are there two Miss Parsons living on a farm in this village?'

Audrey could stand her own deceitfulness no longer. 'No!' she confessed, screwing up her eyes as if to blind herself to her own wickedness. 'No, there is only one, and I am she. I am most dreadfully sorry.'

'But why did you not enlighten me at the outset?'

Despite her distress Audrey's mind was functioning at top speed. She simply could not tell him that one look at him had been enough to make her lie. Now she took refuge in a second glib untruth. 'Because I am already suited. I did not want to mislead you. I am so sorry.'

'Ah, Miss, you misjudged me. I should have delighted in felicitating you on your future happiness, as indeed I do now. May the Lord bless you. And before I take my leave may I offer you this small gift.' The little man reached into the string bag and withdrew a large and lumpy parcel, wrapped up in brown paper and securely tied with thick string. He handed it to Audrey, tipped his hat, bowed slightly, turned on his heel, got into his car and drove off.

Audrey walked back to the farm in a state of pure misery. How well the little butcher had behaved, and how badly had she. That he had brought her a present was salt in her wound.

Before going into the farmyard she sat on a stile, opened the parcel, and dropped it with a piercing shriek. There on the grass lay the cleaned but still bloody carcase of a large rabbit, no doubt the finest from the butcher's shop.

For several days Audrey was cowed by her encounter. But as she recovered, she saw it as simply reinforcing the need for a marriage agency. She felt that young men vaguely expect that in some miraculous but unspecified way they will meet their dream girl. In reality this mythical female is sitting patiently in her parents' home waiting for 'Mr Right', but as he does not know she is there, so does not materialize, she grows increasingly forlorn and morose. How sad. How unnecessarily sad. How preventable.

Audrey persevered with Uncle George's idea. She wanted to start the marriage agency in London, which would be particularly convenient for clients coming on leave from abroad. She arranged to meet Heather, who was living a hectic, glamorous urban life of parties, nightclubs and dinners with beaux, and still did not quite believe that her friend was serious, nor that such an extraordinary, dotty idea might work.

Audrey persisted, and gradually if reluctantly

Heather yielded to the enthusiasm and conviction radiating from her friend (who kept mum about her matrimonial advertisement).

'All right,' she said, 'it's lunatic, batty, but I'll join you and give it a whirl. But I don't like the word 'agency'. Let's call it a Marriage Bureau.'

The Marriage Bureau was born.

2

No, It's Not a Brothel

Heather was working off and on as a mannequin and a film extra — her last appearance was in a ballroom scene in *Goodbye Mr Chips* in 1939. But she did not envisage life as a professional model or actress, and, much though she loved glamour and parties, she was too intelligent and capable to find her current way of life permanently satisfying. Still a shade hesitant, she found herself being drawn ever deeper into Audrey's mad scheme.

In all strata of society, Heather knew, parents worried if their daughters remained single after the age of about twenty. However, even in the aristocratic set girls were starting to rebel against such expectations. They were refusing to be sent out to India in what was known as the 'Fishing Fleet': gaggles of scarcely educated girls who had failed to find a husband and so were dispatched by ship with the express purpose of finding one among the lonely men serving the British Empire in India. Such young women were beginning to demand as good an education as a boy, and the right to leave home, take a job and choose their own friends. After all, many of their mothers had worked, either in paid jobs or in the voluntary services, during the Great War, and had felt frustrated at having to return to domesticity in peacetime.

However, Britain was still enduring a severe economic crisis with terrible unemployment, and any girl with visible means of support who could live with her family was therefore castigated as immoral and unpatriotic if she took a job that a man could do, because if he was out of work his wife and family would starve.

Audrey and Heather had observed this state of affairs from the Far East, and they both had girl-friends in England who were living at home, leading very dull lives — being dutiful and walking the dogs, doing good works, helping in the house, going to church, arranging the flowers, and meeting virtually no eligible men.

'But you can see as well as I can, Heather,' insisted Audrey, 'out in the Far East there are twenty eligible men to one woman, and all of them want a wife. They always say, 'When I go home on leave I'm going to be married.' When you say, 'Congratulations! Who's the lucky girl?' they look a bit shuffly, poor lambs, and mutter, 'I don't know, but I hope to meet somebody.' They have only a few months' leave in England, which is hardly long enough to meet, woo and wed, so they are often still sad and lonely bachelors when they return. My heart bleeds for them.'

Heather's heart did not bleed, but slowly she became thoroughly infected with Audrey's enthusiasm, and began to see in Uncle George's brainwave not only a different and ingenious occupation but also one which would earn her some money. Unlike Audrey, Heather had a shrewd business head and, now convinced of the need for the Marriage Bureau, bent her mind to the practicalities of establishing it. 'Audrey was imaginative and romantic and I was practical and logical,' recalled Heather, 'and we were both serious about the Bureau, so the partnership worked well from the start.'

* * *

As their plans progressed, Audrey spent more and more time in London. She dropped little hints to her parents which, without telling a complete fib, implied that she was being wooed by a suitor on leave from Ceylon whom she had met through her good friend Heather. In her anxiety to avoid the wrath of her parents should they discover what she was really up to, Audrey decided to use a different name in the Marriage Bureau. 'My second Christian name is Mary,' she announced to Heather, 'so I shall transfer it to my first name. I never liked 'Audrey' much anyway, and I used to get called 'Tawdry Audrey'. My mother's maiden name is Oliver, so I shall call myself 'Mary Oliver'. And I don't want people to find out who I am, and tell my parents, so I shall stop being a farmer's daughter, and become a parson's daughter. That's near enough the truth, as he's Mr Parsons! I'll stick to Cambridgeshire — I can't see any reason for changing it. So from now on I am Miss Mary Oliver, daughter of a Cambridgeshire parson. That sounds very nice and respectable, a person the clients can trust. And I'll say I was a deb, like you, don't you think?'

Heather agreed. She was not unconcerned about her own parents' reaction to their daughter's extraordinary new departure, which they were bound to hear about since they lived in London. But she was confident she could twist her father round her little finger, and eventually convince them both.

Heather and the newly christened Mary wrote to their girl-friends, and to several of their male friends and acquaintances in India, informing them that they would be the Marriage Bureau's first clients. 'We wanted a nucleus of clients,' explained Heather, 'so that we had enough possible introductions, and we also wanted to practise interviewing. Some of the friends we wrote to were annoyed, as people often are if you produce a really practical solution to their problems — and far more annoyed later when we did not use them!'

They resolved that bureau marriages should be solidly grounded. The match-makers would ensure that a man and a woman came from the same social background, and had a similar income and attitude to finances (though of course most women would have less money). They would have shared tastes and aspirations, and probably be of the same religion. The Bureau would interview all prospective husbands and wives, asking them for details about themselves and the kind of person they wanted to marry. Clients would fill in a registration form, the interviewer would add her own comments, and then she would select a suitable introduction. The Bureau would give the woman basic information about the man, and no introduction would proceed unless she agreed (she might throw up her hands in horror on being presented with details of a former boy-friend, or even an ex-husband). If the woman was happy, she would write to the man and they would arrange to meet. They would then inform Heather and Mary as to how the meeting had gone, and whether they proposed to get to know each other better, or would like a new introduction. The Bureau would charge a modest registration fee for a year's introductions, and when a couple married, they would pay the After Marriage Fee, so that the Bureau could prosper. Everything would be conducted in confidence and with the utmost carefulness.

Their tentative beginnings remained enshrined in Heather's memory. 'We had nobody to copy, no reference books to help us. We just had to rely on common sense, good taste, and our certainty that we were doing something which was needed. We had to really think it out. The legal part took a long time.'

Mary and Heather decided to take advice, so they consulted a firm of well-known and established solicitors. 'We saw the junior partner,' Heather recalled, 'a fearsomely correct and conventional man dressed in a funereally sober suit — he only needed a black silk top hat with ribbons flowing down it to be the perfect undertaker. He was all fawning smiles and unctuous solicitude as we sat down and faced him across his huge polished desk. He knew my father (and thought him far richer than he in fact was) and was hoping for some good business from me. But the sunshine vanished behind the blackest of storm clouds when he heard our proposals. He clearly thought we were wanting to set up some kind of superior West End brothel, providing high-class prostitutes, no doubt glamorous but impoverished ex-debs like me, for wealthy men who would get an extra kick out of having well-born girls like us as madams. He was so overcome that his face turned bright red and his breath (nasty) came in quick gasps. He couldn't get a word out, and I feared he might have a heart attack.

'With a huge effort of self-control he calmed down. It was obvious that we were getting nowhere, but really for something to say more than anything else, I think, he managed to suppress his revulsion just enough to ask us how much capital we had. Mary, who was by this time thoroughly bored with him, gave me a gloriously innocent glance with her big brown eyes, looked demure and murmured, 'I don't know, but I don't think my beat's worth much. What about yours, Heather? Is it worth more than mine, do you think?' That effectively finished the interview: the solicitor clearly thought we really were ladies of ill fame, turned purple and spluttered inarticulately, so we waltzed out without any fond farewell, and went to look for somebody more helpful and less stodgy.'

Heather's address book was full of useful names and numbers. She and Mary pored over the pages, which took time as Heather's handwriting, all loops and flourishes, was scarcely legible even to her. Luckily a name caught her eye: Humphrey, a friend who had recently qualified as a solicitor. He would be much less old-fashioned than the apoplectic one, Heather thought, and certainly much more intelligent.

Humphrey, young, keen and open-minded, immediately got the point. He advised the two match-makers that their idea was startlingly novel but basically very sound, and that if they did things properly and efficiently they stood a good chance of succeeding. He himself might even become one of their first clients! However, his considered advice was that they seek Counsel's opinion on how to protect both their clients and themselves. They needed some basic, formal rules, and some terms and conditions to be printed on the registration forms. Humphrey knew just the man, and took the two match-makers to see him.

The Bureau never had to alter Counsel's excellent rules. The first was that all clients would be interviewed, and that the interviews would be free. Nobody would be taken on unless they were free to marry, so anyone getting a divorce had to have the Decree Absolute. The Bureau would register clients only if there was a reasonable number of people to whom they could be introduced. The registration fee was the same for everybody, with the After Marriage Fee greater than the registration fee. The initial fee entitled the client to introductions one at a time, as and when there was a suitable candidate, unless the Bureau heard nothing from him or her for one year. The Bureau would never send out lists or photographs of clients, nor would it take up references.

Counsel's wording on the Bureau's registration form also remained unchanged for decades:

> The purpose of the Marriage Bureau is to introduce with a view to marriage persons who desire to find matrimonial partners. Applicants are required to give full particulars of themselves and those particulars are then placed on the Register of the Bureau. The more difficult the applicant's case the more limited the introductions will naturally be. The Bureau of course cannot do more than effect introductions nor hold themselves responsible for the results and does not vouch for the correctness of the particulars passed on. These particulars should be verified by you. In the opinion of the Bureau it is essential for the applicant to meet the relatives and friends of a potential husband or wife before they commit themselves to an engagement or marriage. If the applicant has any cause for suspicion or complaint they are asked to inform the Bureau immediately. The matter will of course be dealt with confidentially.

Mary and Heather were both in their mid-twenties, young and inexperienced, spirited and light-hearted, but with each step they completed they became more serious about what they wanted to do, and more determined than ever to do it thoroughly and properly. Heather's misgivings had completely disappeared, and off she went to the London County Council, where an astonished official, awed by the sight of the svelte, elegant blonde sitting opposite him, listened open-mouthed to her plummy-voiced request for a licence to open a marriage bureau.

'The LCC man was full of his own importance and quite stupid,' reported Heather to Mary, 'and I was longing to tell him to shut his mouth when he wasn't speaking so I did not have all his dental cavities and fillings in my line of vision. So unattractive. He simply could not grasp the idea of a marriage bureau, and his Adam's apple, which was rather prominent, kept jiggling up and down as he gulped and gawped and almost choked. I was very patient, I spelled it all out in simple words, but all he did was keep looking things up in big fat rule books, running his grubby finger up and down the pages, and mumbling to himself. He had a stab at exercising his authority: he put his finger-tips together and leaned forward over the desk (so I leaned back) and pronounced his decision. He concluded that while there were no specific LCC rules governing marriage bureaux, he could see no impediment to our opening such an establishment on a trial basis of a year. In other words, he couldn't find anything at all which fitted our case, but he would graciously put us on probation! So that will have to do. At least we tried!'

* * *

Now the Bureau needed an office. Heather wanted to be in Mayfair, somewhere like Bond Street. Everybody knew Bond Street, she reasoned, and its shops attracted wealthy people, who were more likely to become clients than poor ones, who would not be able to afford the Bureau's fees. Mayfair was the most glamorous and sought-after part of London, largely residential with gracious family houses, many of them home to rich debs in search of a husband. Heather remembered two who had had a bet as to which of them would sleep with their hundredth man first. The competition ended in a draw, but both contestants married well and wearing virginal white, which was the end product of the very expensive business of being presented at Court and doing the Season. 'It was a very costly and commercial marriage market,' commented Heather. 'Our Bureau will be much cheaper and much more effective!'

Mary agreed that Bond Street or nearby was a desirable location, easy to find and highly convenient for the clients who had inspired Uncle George's idea: men living abroad, with only a limited time in England to find a wife.

In a newspaper advertisement, Mary found premises which sounded perfect: 'Comfortable office facilities near Piccadilly Circus, 12s 6d per week.' The address was ideal, and they still had £10 of her original capital, enough to pay the rent at least for long enough to find out if the Bureau could work.

Mary hesitated at the office door, staring into a gloomy, ill-lit, freezing room heaving with men huddled in grey raincoats or ill-fitting overcoats. Some sprawled in their swivel chairs with their feet on their desk; others drifted round, laughing and chatting, puffing on malodorous pipes and cigarettes whose smoke intensified the greyness of the atmosphere. They paused only to stare in amazement as Mary picked her way around, carefully skirting the desks and overflowing wastepaper baskets, a diminutive figure in a long coat of scarlet hunting cloth with a black velvet collar, totally out of place in the mob of travelling salesmen.

It rapidly dawned on Mary that the sole empty desk, sandwiched in the middle of rows of brown-varnished, grimy old wooden wrecks, was where she and Heather would have to sit and listen as the clients poured out their secrets and longings, while the men pricked up their ears and leered and winked. Ignoring the admiring and suggestive remarks assailing her from all sides, she beat a swift retreat, emerging into the street like a soul released, longing for a scented bath to eliminate the stale smoky stench clinging to her.

Heather listened to Mary's tale of woe but did not shrink. 'We'll try another route. Never mind advertisements — let's consult a house agent.'

Together Heather and Mary visited agencies where a warm welcome greeted the two disarming, well spoken young women, the one statuesque, blonde and cool, the other petite, dark-haired and friendly. But the minute they said they were looking for an office to start a marriage bureau the agent stopped smiling, gave an embarrassed cough, shuffled the papers on his desk, regretted (unconvincingly) that he had nothing suitable nor was likely to, and ushered the hopefuls out with positively indecent haste.

'They have no vision, no imagination — not even common sense!' grumbled Mary. 'We have good money to pay, but they jumped like March hares when we uttered the fearsome words 'marriage bureau'. Anyone would think we are intending to open a back-street gambling den or white slave bureau!'

At this low point, there stole into Mary's mind an image of a small office in Bond Street. She had come across it on an earlier visit to London, when she had inspected several small flats and offices, wistfully imagining herself living and working in the city. She had passed the building one Sunday, seen the agent's board, and dreamily visualized herself installed in such a hideaway, far from the farm, busily engaged in some as yet unimagined work. She had never revealed this dream to a soul. Whenever she looked contemplative, her mother assumed that she was picturing the knight in shining armour who would surely win her heart. Poor Mrs Parsons would have been stricken had she known her daughter was staring up at a house agent's board fixed to the wall of a Bond Street building. Much of the painted lettering had flaked off, making the wording hard to read, but Mary and Heather could just make out 'SMALL OFFICE TO LET'.

The hairdresser on the ground floor remarked despondently that nobody wanted the pesky office: he'd shown it to a few possible takers last year but not a soul had turned up to see it for a good six months. It was too small — you could hardly swing a cat in it — and too dusty and dirty, and up too many stairs. The lavatory was even further up, in the attic, and the drains were none too reliable. The room wasn't a ha'penny-worth of good to a smart West End business. And it wouldn't be long before Hitler dropped a bomb or two on Bond Street, which wouldn't do his hairdressing business any good, so he didn't rightly know what he himself would do, but he'd probably get out of the West End, Lord love you, he didn't want to be a sitting duck, were the two young ladies in their right minds?

Mary and Heather were well aware of the grim black cloud of impending war darkening the country and disrupting plans of all kinds, but both remained optimistic, philosophical and unflinchingly dedicated to Uncle George's brainchild. They assured the melancholy hair-dresser that they did know what they were doing, and would be most interested to view the office. Shrugging his shoulders in resignation he foraged in a drawer, found the key and handed it over with dire warnings about the dangers of the unlit stairs. Impatiently, Mary and Heather bounded up five narrow flights and unlocked a rickety door which creaked open as they gazed inside.

The room was small and shabby, the brown linoleum on the floor blotched with ink stains, the white paint faded to a dirty, jaundiced yellowy-brown. It was furnished with two battered old desks (one of them three-legged, propped up against the wall), two dilapidated swivel chairs which had long since lost their ability to revolve, and a bookcase fixed to the wall at a strange angle, apparently about to fall to the floor. A grubby and cracked telephone trailed a frayed cord. The lighting was a single bulb dimmed by a scorched and torn lampshade, dangling from a disintegrating plaster ceiling rose. Heating was a two-bar electric fire (of which, they discovered later, only one bar ever lit up, however often a chilly person tried to kick it into life).

A dirty slip of paper pinned to the wall gave the rent for this urban rabbit hutch as twenty-five shillings per week, by the week. Included were a poky and squalid lavatory, plus all fixtures (what fixtures? wondered the two match-makers), fittings (though nothing fits, they observed) and rates.

Mary was sure that destiny had struck. Heather was ecstatic.

'We'll take it!'

'We'll paint it!'

'The clients will love it!'

'So shall we!'

The Marriage Bureau had found its home.

3

Open for Matrimonial Business

The two match-makers set about cheering up their scruffy little office. Heather bought buckets of sunshine-yellow paint, and for several days they clanked up and down Bond Street wearing slacks and old clothes, hoping nobody they knew would spot them among the smartly dressed shoppers. While they were painting, their friends visited the office, full of curiosity and fascination, but usually disapproving: 'You're young and not obviously criminal, so people will think you mad rather than bad, but even so you'll probably end up behind bars for white slave trafficking or prostitution. We'll come and visit you, and bring you some decent food to supplement the prison muck, so you won't starve!'

A practical-minded friend asked how people were going to hear about the Marriage Bureau.

'We'll advertise,' Mary cheerfully asserted, unaware that the prestige papers would not take advertisements from such a suspicious-sounding organization for another fifty years.

The week before the Bureau opened, Mary rang up the newspapers, in alphabetical order, artlessly asked for the Features Editor, and, with the luck of the naïve, got through every time.

It was early April 1939 and, following the Munich crisis, the papers had a lot of pages to fill, but with a declaration of war anticipated, editors were looking for cheerful, upbeat stories to counterbalance the gloomy world news. Apart from the serious *Daily Telegraph* and *The Times*, most of them sent reporters round to New Bond Street, and Godfrey Winn, a very well-known and popular journalist, did his whole column in the *Sunday Express* about the strange but intriguing phenomenon and its charming proprietors.

Near the end of the week, with Mary and Heather's pictures in every paper except the more sedate ones, Heather thought she should telephone her mother and father. She had not told them or her autocratic grandmother what she was up to, nor that she was using the name Jenner, which came from her mother's family, rather than her real surname, Lyon — she thought Jenner went better with Heather. Brigadier and Mrs Lyon read only the very staid *Morning Post*, but Heather knew that news of the Marriage Bureau would eventually percolate through to them.

Heather hoped her mother, the less reactionary of the two, would answer the telephone, but she got her profoundly conservative father and, taking a deep breath, she broke the news. To her amazement he merely snorted, 'Thank goodness somebody in the family is trying to make some money at last!' The next morning he and some club cronies came round to the office, fizzing with charm and enthusiasm, laden with a huge box of chocolates and a magnificent bouquet of flowers, the lilies dripping orange pollen all over the furniture and exuding a hothouse scent.

Mrs Lyon was annoyed, but the Brigadier, blessedly converted to the whole venture, won her round. Curiously enough, it turned out to be almost the only thing Heather ever did of which her ninety-six-year-old dragon grandmother approved. 'My generation, my dear Heather,' she breathed fierily down the telephone, 'had a dreadful time marrying off our daughters. As you know, I did not succeed with all of mine, not for want of trying, I assure you. And the cost of the balls and parties and other shenanigans was astronomical, far higher than the fees of your organization — your 'Marriage Bureau', don't you call it? I wish you good fortune.'

Heather's grandmother sent round two dozen red roses. Perhaps luckily, she did not read a less than encouraging piece in an Australian newspaper, in which Brigadier-General S. Price Weir, described as 'Australia's only marital conciliator', censured the Marriage Bureau as 'a very stupid and dangerous enterprise' which would cause people to marry in haste and repent at leisure. 'Surely,' blustered the Brigadier-General, 'there are no people so incapable of finding a partner in life that they have to use such a crude and ridiculous means of finding one?'

'What a pompous twerp!' cried Heather. 'And I have no idea what a 'marriage conciliator' is, but he doesn't sound remotely conciliatory!'

* * *

On the morning of Monday, 17 April 1939, Mary and Heather arrived at the office at 8.30. They paused momentarily in the street to admire the wooden notice board, its silver lettering standing out clearly against the black background: MARRIAGE BUREAU: PRIVATE AND CONFIDENTIAL. Anticipating having nothing to do, and having always thought she wanted to knit, Heather strolled in carrying knitting needles, wool and a pattern book. Mary put in the drawer of her wobbly desk her intended reading: *Contract Bridge in Twenty Minutes*.

Heather never learned to knit, nor Mary to play bridge. Thanks to all the previous week's publicity the postman had put so many letters through the door that they had difficulty in opening it. Having fought their way in, they each started on half of the letters, assigning them to one of three piles: 'Men', 'Women' and 'Uncertain', on account of dreadful handwriting or a dubious photograph (the prospective client as a baby, flat on his/her tummy on a tiger-skin rug, sucking his/her thumb, labelled 'Me aged 7 months').

A knock at the door interrupted the sorting.

'It must be a client!' whispered Mary. 'Quick, let's toss to interview whoever it is!'

Hastily she flipped a sixpence and Heather won. At the second impatient knock Mary took some letters out into the passage while Heather opened the door.

Major A. was a smart, upright, retired army officer in his middle forties. A kindly soul, and no doubt a good leader of men, with great courtesy he took Heather through the interview rather than the other way round. To her horror he paid to register — the fee was five guineas (to be followed by the After Marriage Fee of ten guineas each if a couple married through the Bureau). He filled in his form, very politely gave a little bow, and said goodbye to a stunned Heather.

'Mary, come and help! He's too old for any of our girl-friends — they'd all think him middle-aged. What shall we do?'

'Look at the letters!' ordered Mary, holding out a handful. 'There's a woman in at least half of these envelopes! And if we can't find anyone suitable we'll keep his money for a few days and then return it to him.'

Mary and Heather busied themselves with the letter-slitter, and were relieved to discover several possible wives for Major A.

'Whoopee!' cried Mary as she read another letter from a promising woman, 'we — '

She was cut off by another knock at the door.

It was a young man, very haughty and full of himself, who refused to sit down while telling Mary that several of his connections were titled, and that anyone to whom the Marriage Bureau introduced him must be in The Book.

'Titled, my eye!' declared Mary, raising her eyebrows and grinning, as she heard his footsteps descending the stairs. 'He's all puffed-up pretence, the titles are 'Mr', 'Mrs' and 'Miss', I'm sure! And does he mean the telephone book or *Debrett*, do you think? What a conceited ass! But he's paid, and he's coming back for an interview tomorrow as he has some very important appointments today — the dentist, I would lay odds on it! He just wants to dazzle us.'

⋆ ⋆ ⋆

The British press remained on the Bureau's side. In July the *Daily Mail's* Charles Graves wrote enthusiastically about the venture of 'Miss Jenner, a magnificent blonde, and Miss Oliver, an entertaining brunette', and was so intrigued that he asked them how often they were proposed to themselves, to which Heather coolly replied, 'As a matter of fact most of the men propose to us. But really it is a matter of politeness and they don't mean it. I can tell you, though, that we both often get quite attached to some of the clients.'

The telephone rang incessantly, most calls coming from enquirers, others from well-wishers, journalists and the model agency for which Heather had worked, begging her to do another show for them.

Clients poured in, and as there was no waiting room they had to queue up the narrow stairs. When the staircase was full, Mary would give the hopefuls her most appealing smile and guide them to a decrepit ladder leading up to a small trapdoor, saying apologetically, 'So sorry, we shan't be long, would you be so kind as to wait a few minutes up on the roof? Thank you so much!'

Beguiled, nobody ever protested, and they

climbed the ladder, probably anticipating a scenic roof garden full of flowers and elegant benches, only to find nothing but a dirty bit of concrete surrounded by smutty chimney pots.

The clients came from all levels of society. One newspaper quoted Heather as saying that they ranged from plumbers to peers, and from charladies to countesses, which was true, as she wrote later:

> The first five hundred men did indeed include a plumber and an earl, as well as businessmen, farmers, land-owners, members of the armed forces, labourers, stable boys, postmen, clergymen, lecturers, waiters, motor drivers, architects and doctors. We had a London, Midland & Scottish Railway Traffic Officer (a poppet), an owner of a factory making artificial limbs, a nib-maker who examined our fountain pens with a critical eye, a manufacturer of silk stockings whose eyes kept wandering towards my legs (which are rather splendid), a rat-catcher and a 'cowman in charge', whatever that means — I am not a country girl.

Some letters brought not clients but strange requests and offers: some from charitable organizations, one from a man who wrote that he would not mind marrying either Mary or Heather if it was going to cost him only five guineas.

Some clients turned out to be practical jokers: during a difficult interview, Heather was interrupted by the door opening to admit a man with a blackened face beneath an exotic turban, demanding replacements for his harem. Heather recognized the voice of an old friend, and was not at all amused by his idea of humour, nor by other acquaintances who telephoned, disguising their voices to give impossible requirements.

* * *

One real client was an MP. 'Goody goody!' exulted Mary. 'If we get him married off he'll tell lots of people in Parliament and in his constituency!'

'I'm not so sure,' said Heather. 'He's noted for raising tricky questions in the House, and confounding those who oppose him with smart answers, and crowing over them in the bar afterwards. He's not a nice man. He might even raise a critical question about us and the Bureau, so be careful.'

The MP was fifty-five, tall and, at first glance, quite good-looking in a traditional English way, though his chin flowed over-smoothly into his neck, the continuous curve giving him a faintly reptilian look, enhanced by smallish eyes which darted hither and thither like a snake's. He reminded Heather of cobras she'd seen performing at the command of fakirs in India. He was dressed in a Savile Row suit and a tie from one of those antique gentlemen's clubs which women — if admitted at all — have to enter through a poky side door at the bottom of a flight of outside steps. He had a dry, sharp, put-down manner, and Mary particularly disliked the arrogant way in which he addressed them as if they were servants, demanding introductions to young women aged no more than thirty-five.

'My wife died before we had any children,' he snapped. 'Most inconsiderate of her, although I suppose she did not choose to contract scarlet fever. I want an heir, I have a position and the wherewithal.'

Heather stifled her laughter as she wondered exactly what he meant by 'wherewithal'. The MP was not a man with whom it would be wise to attempt a joke. He was adamant that his prospective wife must be a lady, English, of good birth, educated by a governess or private school, Church of England, Conservative, of independent means (through inheritance, not anything so vulgar as working), cultured, refined, in good health, well dressed, slim, not too brainy, accustomed to moving in the higher echelons of Society (he talked as if the word had a capital S) and single or widowed, without children.

Unsurprisingly, the young women under thirty-five thought him far too old. Generally they disliked him. 'He believes himself to be a wonderful catch,' commented a young woman who fitted all his requirements but was too intelligent and far too nice. 'But whoever marries him will pay a high price. He is looking for someone to add lustre to himself — woe betide her if she falls ill, or produces a sickly child.'

'I am not surprised that he has not found a second wife in the past twenty years,' reported another. 'I found him far too dictatorial and set in his ways, and not at all interested in me, just in what I might do for him. He is much too glorious for me!'

The MP was chillingly critical of everyone he met, until Heather introduced him to Lady M., a rather dim, reasonably pretty, aristocratic girl, whose main aim in life was to get away from her overbearing mother, whom she constantly disappointed by her inability to find a husband. Lady M. would put up with anybody rather than have to remain under Mama's roof, and the MP liked her looks, her social standing, her income, her lack of brainpower, her gratitude and her willingness to comply with whatever he wanted. He wrote a curt note acknowledging that the Marriage Bureau had fulfilled its part of the contract, and paid the twenty guineas. Mary and Heather jointly breathed a gusty sigh of relief, devoutly hoping never to hear from him again. And they never did.

★ ★ ★

Many of the women who approached the Bureau did not have paid jobs but lived on an allowance from their father, or an inheritance. An earl's widow had money but no occupation, and was as bored and lonely, festering away stitching appliqué to linen hand towels in her draughty country house, as the penniless little seamstress client, straining her eyes sewing black sequins onto black silk evening dresses in her dingy bedsit.

The daughter of another aristocrat turned up

dressed in the dowdiest old coat imaginable, a curious, ancient, hairy grey sack lashed to her shapeless form by a broad belt, which seemed to be made of knitted string. The Hon. Priscilla's tyrannical father gave her a most miserly dress allowance — 'I spend in a week what he gives her for a year, the rotter!' protested Heather, for whom good clothes were as essential as food and drink.

This parsimonious and backward-looking patriarch did not hold with girls being educated, nor even, felt Heather, clothed; but when he died, his downtrodden daughter would inherit a sizeable amount. The Hon. Priscilla was too nice and too meek to hope that this happy event would come soon, but was concentrating on finding a husband who would take her away from the gloomy old pile her family had occupied for generations.

She was just one of many young and not-so-young women living drearily at home, housekeeping for parents or brothers, financially completely dependent apart from little jobs such as making and selling sheepskin toys and embroidered table linen. Their only hope of a life of their own was marriage. But where were they going to meet a man? 'I feel so sorry for the Hon. P,' muttered Mary, a protective glint in her serious brown eyes. 'She's just the kind of girl we want to help. I know exactly what it feels like. The thought of still living on the farm with my parents, being a dowdy daughter and a big disappointment for not marrying, gives me the shudders.'

* * *

Although the match-makers had thought only the relatively well-off would apply, many poorer people saved up to become clients and the Bureau charged some impoverished girls only three guineas, or even less. Some lowly paid young men also had their fee reduced, or were allowed to pay in instalments. Many of the female clients were paid scarcely a living wage, as lady's maids, beauticians, shop assistants, nannies and nurses, stenographers and shorthand-typists, comptometer operators, dressmakers, milliners, cooks, governesses and companions. Slightly better paid were a professional violinist and a dreamy cellist, a fearfully efficient LCC social worker, a model for paper patterns, a travelling auditor who quibbled about the fee arrangements, a matron at a school for blind boys and men, and a Hoffman Presser in a big laundry.

'Oh, I do remember Miss Hoff Press!' recalled Heather. 'She was dressed in an impeccably clean, crisp suit over a starched white blouse, with little pleats all pressed as sharp as a carving knife. She made Mary and me feel grubby and crumpled and blowsy — which we were, of course. We were so busy that we lived like nuns, seldom left the office until late at night, never had time to go to a hairdresser or dressmaker, and lived on fishcakes from the restaurant below the office. They were less fattening, we thought, than sandwiches, and easy to eat cold in one hand as we answered the telephone or wrote out introductions with the other. But they were greasy so sometimes we got marks on our clothes.'

A few of the female clients had their own business, usually inherited from their father, such as a large, square, red-faced woman who lumbered up the stairs puffing and coughing, dumped herself down on the chair, which protested but fortunately held, got out a packet of cigarettes and proceeded to smoke throughout the interview.

Miss Doris Burton had a small tobacconist's shop which brought in £3 5s per week, had always worked and never married. Mary interviewed her, categorized her as *Better Than Some*, and reported to Heather: 'She says she's thirty-nine but that's a whopper, she's nearer forty-nine. It's the smoking that's done it. Her face reminds me of smoked salmon, leathery with an orangey tinge. When I half-closed my eyes I could feel the fire burning in the smokehouse and smell the fishy smoke as she gently cured. No make-up, and that broad figure, cropped mud-coloured hair and severe black suit, make her look distinctly mannish. But she wants a sound, reliable, steady, homely gent with a decent job and no children. No elderly parents, or a dog or cat either (I rather wondered if she'd accept goldfish or a parrot, but thought it undiplomatic to ask). She doesn't mind how ugly he is — that's just as well, as he'll certainly have to have the same view about her! Not a gambler. Preferably an abstainer, though she would be agreeable to an occasional pint. Of course, he must be a smoker. She is offering sufficient furniture and linen for a flat, plus expectations from an old aunt, and wants the man to have sufficient income to provide the home. She's a challenge!'

* * *

The story of the Marriage Bureau's first wedding, of a bride aged sixty-eight to a seventy-year-old groom, delighted the press. British Pathé made a two-minute documentary film showing the match-makers — 'Cupid's labourers' — in action. A deluge of enquiries came from both the UK and abroad: missionaries, rubber planters, colonial servants, managers of tea estates, mining engineers, soldiers in Malaya, Tanganyika, Ceylon, India, South Africa, Egypt, Rhodesia, Uganda, Sudan, Nigeria. They had leave infrequently, so they were put in touch with suitable women by post, and some marriages followed lengthy correspondence.

'Poor wandering ones,' cried Mary. 'Just the kind of men we set out to help!'

* * *

The original idea had been to answer all letters by hand, for, as Heather recalled, 'in those days you didn't type letters — it was considered a little ill-bred — but Mary couldn't spell and my handwriting had always been difficult to read, and in any case there were far too many letters for two people to deal with. On opening day alone we received 250, and the pattern continued. So we needed not only another office but also a secretary.'

The landlord offered a small empty office on the same landing for £1 a week, and the employment exchange could supply a secretary at £3 — but she would need a typewriter. Even though there was a steady flow of registration fees, after the rent, yellow paint, solicitors, telephone bills, stationery, fishcakes and other vital expenses, the cost of an extra office, secretary and a typewriter was daunting.

Heather went off to Harrods, where she had an account, and bought a typewriter on the never-never. Mary greeted her as she carried the precious machine through the office door.

'Goody goody! I have just sent out application forms to a hundred people, and I can't write another word!'

The interviewing never let up. As Mary took charge of the typewriter, in walked Rosemary, a charming twenty-two-year-old ex-deb of, Heather guessed, pretty conservative outlook and behaviour. She was polite, correct and unimaginative, but with the naïve charm of an unspoiled girl. She was pretty, slightly plump, wearing expensive but matronly clothes better suited to her mother: a well-cut but dull coat and skirt over a classic silk blouse, a pearl necklace, handmade shoes, a hat and gloves.

Rosemary lived at home and had an allowance from Daddy, a distinguished professional man who had been knighted. She had very few ideas of her own, and had difficulty articulating her requirements to Heather. 'Someone older than me, I think, perhaps about forty — what do you think?' she managed after some thought, giving Heather a childlike, trusting little smile. 'I mean not too old, but older, a man who knows more than I do, because, you see, I don't know very much. I've only been a deb, which was fun, but I don't know much, except I'm good at riding. I love horses. And flowers. I'm good at arranging flowers for dinner parties. Perhaps a man in the army, a good regiment, of course, because I should love to live abroad, I think. I know people who live there and they say it's great fun. Not a native, of course, and not a man who has been married before, and he must be a gentleman. And Church of England of course, even if he lives abroad. What do you think?'

As Rosemary stumbled through her appeal, Heather half-drifted into a reverie, reliving her own life in India. She pictured Rosemary in an agreeable hill station, gracefully riding side-saddle on a white horse in the cool of the day, in the evening changing into a simple but perfectly cut silk dress adorned with a regimental brooch, and talking — or rather, mostly listening — to the dinner guests, to the proud satisfaction of her heroic husband.

Heather could not think of anybody suitable amongst her friends in England, but perhaps that polo-player from Colombo she had put on the books might fit — he was coming home on leave soon. Or maybe Mary had some suitable friend. Or the perfect man might come in tomorrow. Or perhaps he was already lurking in an as yet unopened envelope . . . Cogitating about Rosemary, colouring in a mental picture of her Mr Right, and how he was to be discovered, Heather felt a growing and glorious conviction that she had found her true vocation.

4

The Capitulation of Cedric Thistleton

Pondering on her new-found feeling of vocation, Heather came to recognize that she had always had it in her. 'I suppose I am what is called a born match-maker,' she reflected later. 'Ever since my fifth birthday, when I announced my engagement to two small boys at once, I have been busy marrying people off. Match-making was my hobby, so it was logical that it became my business too. I match people up with all the ardour of a philatelist with his stamps, or an entomologist with his butterflies.'

For Mary, though, the prospect of guiding a stranger towards a potential spouse felt novel and disquieting, and it was with trepidation as well as excitement that she anticipated her first interview with a man. It was 18 April, the day after the Bureau had opened. The match-makers had just finished touching up the paint on the ceiling, so Mary took off her overall and headscarf to receive Cedric Thistleton. He had visited the day before, accompanied by a faint aroma of bay rum and dropping heavy hints about his importance, and now he had returned for an interview.

He was a businessman of thirty-three, tall, dark and exceptionally, classically good-looking, radiating confidence and A1 health from his lightly sun-kissed face to his expensively shod feet. His dark navy suit was faultlessly tailored; his dazzlingly white silk shirt sported tasteful gold cufflinks. Without waiting for a polite invitation he sat himself down opposite Mary, while casting appraising glances at Heather as she climbed down from her painting ladder to sit at her own desk. Then he fixed a questioning but commanding look on Mary.

Silenced by Cedric's self-assurance, Mary returned his gaze. She had expected her first interview with her first man to be fraught with difficulty, for surely he would be nervous or shy, needing her to encourage him to speak. Or he might be longing to spill out his hopes and needs without letting her get a word in edgeways — Mary had envisioned various scenarios, and had worked out how she might proceed. But none of her imaginings had foretold Cedric's abrupt opening: 'I have five weeks' leave before I return to Malaya with my wife. She must be socially acceptable to my employer and my social circle. It is your job to find her.'

'Oh!' gasped Mary.

Cedric made it clear that he expected entire satisfaction from his contract with the Bureau: a girl of impeccable breeding (as if he were buying a racehorse, mused Mary), under twenty-one years old, willing and able to bear children, sophisticated, self-assured and worldly wise. She must be capable of entertaining the grandees they would invite to dinner, and of managing a large house with several servants. She must be upper class or at very least from the top ranks of the middle class (to compensate for his own lack of class, suspected Mary), with not even a hint of anything so scandalous as drink, divorce, debt or any other form of dishonesty. This paragon was to have no encumbrances such as children or dependent parents, and no desire to do anything but glorify her husband and impress all in his circle. He was unconcerned about his bride's looks or tastes or character, and the possibility that she might not enjoy life in a far-flung continent had cast not even the slightest shadow over his mind.

To Mary's intensifying dislike was added anxiety, for most of the girls who had so far enquired were not of the class Cedric obviously thought he deserved. He would assuredly raise Cain if introduced to a shop assistant or a parlour maid. Among Mary's friends were some upper-class girls, but she was not prepared to sacrifice friendship to the cause of appeasing this obnoxious client. So she played for time, diverting him by requesting more details about himself and the bride he sought.

Cedric expanded so loudly and fulsomely on the subject dearest to his heart — himself — that he failed to notice Heather aiming kicks at the telephone bell underneath her desk, which made it ring. She then apparently took calls from gloriously aristocratic young ladies all agog to meet a Cedric Thistleton lookalike.

Cedric sidled crab-wise away from Mary's questions about his background and education. Having herself adopted a new name and persona, which involved fending off enquiries about her fictitious debutante year, in a twinkling of an eye Mary spotted the evasiveness with which Cedric ducked and dived about his 'public school'. She grew convinced that he had left a council school at fourteen. But he waxed lyrical about his income of £800 a year and his progress up the ladder of a company which exported rubber. Hard work (and slimy toadying, Mary was certain) had elevated him to a position which would be further improved by the addition of a suitably superior wife, and he intended to gain promotion, adulation and envy by marrying into the aristocracy, or as near as possible to it.

Quite casually, Cedric informed Mary that he had been on the verge of becoming engaged to eighteen-year-old Miss G., the youngest of five daughters of titled but impecunious parents. Choosing an engagement ring had focused his mind, and in the jeweller's shop, fingering the little gold bands with their single large diamond, he had concluded that, despite her pedigree, Miss G. lacked the sophistication and social assurance to impress his circle. So he had summoned her to what she had doubtless imagined would be a romantic proposal of marriage, and told her he was of the considered opinion that she would not do.

Mary was outraged. 'Oh, how my heart bleeds for that poor child,' she burst out as soon as she had reluctantly accepted Cedric's registration fee, and closed the Bureau's door firmly behind him. 'I met many 'Miss G.'s when I was with Uncle George in Assam. They were all young and ignorant, with no proper education, brought up purely and simply to get married. Just like me, in fact! And you too, Heather! I know to the last sleepless night and anxious day what they felt like, and if I'd married either of the pompous idiots I was engaged to in Assam I'd have ended up like so many of them, locked in a gruesome marriage, a prison with no escape until death us did part. Or else I'd have been a spinster for ever, paid a pittance by some tyrannical old dowager, or by rich parents needing a governess for their wretched infants.'

'Calm down, dear Mary — it wasn't always as bad as that,' objected Heather. 'Some of those girls ended up as happy as anyone ever is.'

Mary fell silent, meditating on the fate of Miss G. Immediately after he'd cast her off, Cedric had told her, she had married a widowed colonel of forty-two. She was friends with his daughters, who were her age. They were distraught at the death of their darling mama, who had not been sufficiently robust to cope with the Malayan heat. Mary felt sure they had leaned on Miss G. to marry their papa, even though he was twenty-four years older than she. But what was Miss G. to do otherwise? She must have been terrified of being left on the shelf, and with the reputation of being a reject, for everyone in that closed, gossipy little world would have known she should have married Cedric. She would have been pitied, despised, patronized. Now she would at least have some status as the Colonel's wife, and with luck some nice children of her own, and friendly stepdaughters.

'She might not have done any better if she'd come to the Bureau!' said Heather. 'Anyway, did you get sufficient information from Cedric?'

'Oh yes,' sighed Mary, 'he added pages of detail to his registration form. But heaven knows whether we'll find someone for him. He's like a clockwork toy you wind up which just keeps moving and jerking and ticking until the little wheels slow down and come to rest. All he wants is for his social circle to kow-tow to him, and a nonpareil wife will make that happen. Given half a chance he'd marry you, Heather!'

'He did rather remind me of my former husband, so no, thank you. I noticed him staring at me, though not admiringly. I'm sure he disapproved of my wearing slacks, and was wondering whether my family appears in *Debrett*!'

Mary was dispirited but resolved at all costs to find Cedric a bride, in order to get rid of him. The young women under twenty-one currently on the books were a milliner, a domestic servant, a cake-maker, an art mistress and a lady's companion, none of them a potential Mrs Thistleton. But two days later in walked a girl of twenty who worked in a very recherché art gallery owned by a baronet. Mary immediately telephoned Cedric and arranged for him to meet Miss Plunkett for luncheon the next day.

When Cedric swanned into the office the following afternoon he did not express gratitude. Drumming his well-manicured fingernails on the desk, he complained in clipped tones that for him to marry a person who was in trade was totally impossible. He failed to comprehend how

Miss Jenner and Miss Oliver could have even considered such an introduction. Mary's chest swelled in indignation. 'If being in rubber is not being in trade, what on earth is?' she muttered to herself.

Oblivious of the impression he was creating, Cedric added more criticism: baronet he might be, but the gallery owner had been scandalously divorced, he sniffed, lifting his chin. He frowned, while contracting his nostrils and tweaking the pristine silk handkerchief from his breast pocket, as though to protect his delicate nose from an indelicate odour. So would Mary and Heather kindly try harder?

As Cedric left, Mary turned to Heather, speechless with indignation. The telephone rang, and Heather picked it up to hear Miss Plunkett's icy voice. 'He was *frightful*, truly frightful. His brain cavity is filled with rubber, and his heart with copies of *Debrett* — shredded very fine as there is virtually no space in the teeny-weeny void which should contain his vital organ. He is the most snobbish and the most obtuse man I have met in my entire life. He could talk of nothing but his employer and his social circle in Malaya — but I do not believe that in Malaya or anywhere else in the whole wide world anyone at all is interested in him. His own self absorbs all the interest in people of which he is capable: there is not the smallest sliver of love or kindness or interest or concern or even common courtesy left over to bestow on anyone else. If he is a true sample of your male clients kindly return my registration fee forthwith.'

As Miss Plunkett paused for breath Heather adopted her most soothing yet commanding tone, assuring her that Cedric regrettably failed to understand that mores in England are different from those in Malaya, and that, equally regrettably, there were some English girls not dissimilar to him who would find him congenial. Had Mary but known Miss Plunkett a little longer, Heather insisted, she would have realized it was not a good match. Heather then diverted her still-fulminating listener with a description of a clever, kind and open-minded young man whom she could meet immediately. Almost mollified, Miss Plunkett accepted and put the telephone down.

'Thank you, Heather,' murmured a chastened Mary.

'No thanks are due, dear Mary. There will always be clients who complain, whether justifiably or not. And it is true that there are young women who share Cedric's unfortunate characteristics, and others who want at any cost to escape their fate by fleeing to another country. We shall have to hope that some equally unpleasant or thoroughly desperate damsel darkens our doors before long.'

'There are certainly young women who loathe their drab life here, and sigh for some exotic far-flung continent, especially with a gallant husband adding to the rosy adventure.'

'Mrs Thistleton would be assured of an adventure, though rosiness with Cedric is difficult to imagine.'

Mary thought long and hard before introducing Cedric to the next candidate. Miss Jenkins, a very smart former debutante, lived on an allowance of £500 a year from her father. With no need to work, she spent her days buying clothes, having beauty treatments and lunching with girl-friends. She had been engaged three times but always (according to her) had broken off the engagement, and although most men insisted they did not want a hard-boiled wife, Mary felt that a soft-boiled one simply would not survive Cedric.

The meeting was not a success. Cedric stormed into the office to castigate Mary: no sooner had Miss Jenkins sipped her sherry than she had told him — horror! — of the three fiancés, and — unspeakable horror! — had confessed to having had an affair with a married man. Cedric was mortally offended. How dare Mary introduce him to such a fast, loose, dishonest female? He could no more marry such an improper person than fly. His friends would be incensed; his employer would give him the blackest of marks.

Heather was unmoved. 'The silly girl should not have told him, of course,' she drawled. 'But his shock was pure play-acting, for he has no idea what an affair is. He has no acquaintance with real human experience, and is devoid of any true feelings. He is, in truth, rather pathetic. You are doing your best for him, dear Mary, so keep your pecker up. However, I seem to remember that Miss Jenkins has made such confessions to other clients. She needs to be told to stop, for she is ruining her chances, and if she does not find a husband soon she certainly will be on the shelf.'

Heather asked Miss Jenkins to come into the office, sat her down and looked her straight in the eye. 'It is most unwise for a woman to confess to some past misdemeanour of which she is ashamed, such as an affair with a married man. It is especially unwise to make such a confession to a potential husband, for he is bound to wonder if a woman who has been complicit in one married man's unfaithfulness might behave in the same way again.'

Miss Jenkins gave a defiant little sniff. After all, her married man had felt no shame, so why should she? She drew hard on her cigarette, twitched her skirt, crossed and recrossed her legs and half-rose to leave. But as Heather was poised to continue, she settled down and listened, albeit with the air of a child compelled to endure a ticking-off.

As both she and Heather well knew, at twenty-six and not married, Miss Jenkins was beginning to become something of a social pariah. Most of her friends had a husband, and children, and the majority now lived out of town and had exchanged gossipy girl-friend luncheons for couples' dinner parties. Miss Jenkins had never felt any inclination to train for any profession, and was alarmed to realize that, with little to occupy it, her life was emptying. The thrill of affairs had diminished since the wife of the married man, discovering the couple in bed in a hotel, had raved and stormed to such effect that the cowardly husband had meekly slunk back to the marital lair like a mauled fox, swishing his drooping tail in farewell.

Terrified of the nothingness of spinsterhood, Miss Jenkins earnestly hoped Heather would rescue her from the gaping hole of her future. Her only concept of somethingness was marriage, so she forced herself to smile and listen as Heather elaborated on the importance a man considering marriage places on moral behaviour. Miss Jenkins was not at all sure she understood but, needing to ingratiate herself with Heather, she mouthed her agreement, and thanked her potential saviour profusely.

But it was too late for Miss Jenkins and Cedric. Heather and Mary kept trying, consulting their registration cards, forms and books. 'What about Miss Read-Melville?' wondered Heather. 'She's a terrible snob — when I interviewed her she went on and on about the family estates and acres and ancestors. If she and Cedric got off, we would kill two difficult birds with one stone!'

'That would be truly wonderful. But I doubt she would think his background good enough, especially as I don't think he's got any background. Miss R.-M. requires a pedigree dating from William the Conqueror, and I feel in my bones that Cedric's started with a gentlemen's tailor circa 1910!'

'Well, what about Arabella Scott? She would adore to live abroad, and boss a lot of servants around and run a grand house. She would out-memsahib all the memsahibs in the entire social circle!'

'Yes, and she'd boss Cedric too, and serve him jolly well right. He'd soon rue the day and demand his money back. But Miss Scott lives in Aberdeen, remember, and she's not coming to London again before Cedric goes back to Malaya.'

Mary managed to introduce Cedric to one or two young women who were so desperate that almost any husband would be better than none, but every girl squirmed at his arrogance, while he haughtily dismissed them as inadequate for his requirements.

With only two weeks of Cedric's leave to go the two match-makers were in despair, until out of the blue, with no appointment, in walked the future Mrs Thistleton, escorted by her father.

Lord W. was a chivalrous old peer with courtly manners who doted on his only child, the Hon. Grizelda. Late in life he had fallen hook, line and sinker for a much younger, fragile girl and married her, only to stand helplessly by as she died giving birth to their daughter. Lord W. was now in his seventies, Grizelda twenty. What would become of her when he was no more? She was not an appealing girl, entirely lacking the alluring grace of her mother. She would never be short of money, for he was inordinately rich, but he had set his heart on finding her a husband and a home.

Before inheriting his title, Lord W. had managed a rubber plantation in Malaya. After his wife's death, a charming childless widow, Mrs R., now in her fifties, had befriended him and helped him to bring up Grizelda, and now they wanted to marry — once Grizelda was established. Ten years ago they had moved back to the Old Country so that Grizelda could go to an English school; but they felt lost in a drastically changed England, and yearned to return to their beloved Malaya. So on hearing that the Marriage Bureau received many applications from that state, Lord W. speculated about the possibility of Heather finding a husband for Grizelda, and a new life for him and Mrs R.

After they had ushered Lord W. and Grizelda out, the match-makers faced each other across the desk. 'Here's a dilemma!' lamented Mary. 'Cedric is the answer in so many ways. But though she's far from pretty, the Hon. Grizelda is a nice child and it would be like throwing a Christian to the lions. I'd feel like a cold-blooded murderess! Anyway, he doesn't want a wife with dependent parents, so it's a non-starter. But he's the only possibility.'

'Grizelda is certainly not a star attraction. Her skin's too sallow, her eyes too close-set, her lips too narrow, her hair too lank, and her clothes are quite simply deplorable. But Cedric's not concerned about looks. It's social status he's entirely focused on, and Grizelda has that in spades. I agree she is a nice child, but I think there's more to her. I was watching her all the time her father was talking: she didn't utter a squeak, but I could see her mind working — she was chewing her lower lip and twisting her hands from time to time. I bet my bottom dollar she has views of her own. Let's get her in by herself. As for the dependent parents, Cedric assumes they would be financially and socially embarrassing; but imagine the stupendous kudos of pa-in-law being a Lord, and a rich Lord too! A full-blooded aristocrat! It's beyond Cedric's wildest dreams. He'd be over the moon!'

So Grizelda was invited back, and to Heather's gratification the silent girl waxed so loquacious that Mary had difficulty in absorbing the whirlpool of words that cascaded from her thin lips. Much though she loved and appreciated her father and Mrs R., Grizelda felt crushed by their anxious concern. 'I am perfectly capable!' she exploded, thumping the desk with her fist, 'and I should love to run an establishment and have a husband, though not one who fusses over me as if I'm a fragile flower. My father is the darlingest of men, but he cannot see that I am a cactus. Nor that worrying over me achieves nothing except to worry me! And my 'mother', Mrs R., is devoted to him, which is simply heavenly, but she sees me only through his eyes. I should adore to go back to Malaya, and as long as he's not a lunatic or a savage, I don't care what my husband is. I am perfectly able to manage. Pa doesn't have an inkling, but last year I had a fling with a gorgeous man in the village, until he got too uppity and I had to see him off. This candidate of yours sounds possible: kindly arrange for me to meet him.'

Flabbergasted, Mary organized the introduction and, a day later, was further stunned when Cedric telephoned to recount, in curiously stifled, subdued tones, oozing meekness and gratitude, what had transpired.

He had been first taken aback and then taken over by the Hon. Grizelda. The minute they had finished luncheon at the Dorchester, and were drinking their coffee, she had laid down her terms for their marriage: she would retain her title and the vast sums of money she would inherit on her twenty-first birthday and on the death of her father. She would if necessary make her husband an allowance. They would marry immediately and sail to Malaya on the first available ship. She would manage their house and entertain lavishly. Her father and his new wife would live in the vicinity. She would do all in her power to produce a son and heir. Was Cedric content with the proposal?

Cedric had capitulated.

Torn between laughter and tears by this chillingly un-romantic outcome, Mary alternately chortled and wept as she repeated to Heather Grizelda's matter-of-fact summary: 'Cedric is magnificently, superbly, ravishingly good-looking, simply the most sensational man I have ever set eyes on, and I am not at all attractive, I know. But I have what he wants. So you see, we are equal. And whenever I'm fed up with him I shall simply sit and stare at him!'

5

The Perfect Secretary and Other Learning Curves

In 1939 fear of war pervaded and polluted the atmosphere. You could feel it, almost touch and hear and smell it. The rumbling tension concentrated the minds of unmarried people, bringing into sharp focus their desire for a spouse, a steady ally in a threatening and uncertain world. The Marriage Bureau offered hope to the ever-growing numbers of people who climbed the Bond Street stairs in the summer heat, overwhelming Mary and Heather, who worked flat out to keep up with the demand. Something had to be done.

More clients meant more money, so there was now enough to pay a secretary. Mary engaged one. 'She's perfect!' she reported to Heather. 'Just wait till you see her. She has impeccable references — I spoke to her former employer over the telephone. She'll change our lives!'

The Perfect Secretary seemed to embody all the respectability and discretion her former employer had emphasized. Aged about fifty, she looked eminently reliable and competent, her grey hair parted down the middle and drawn back into a neat bun and no visible make-up. She wore a plain, tidy grey coat and skirt over a high-necked, demurely frilled cotton blouse, sensible black lace-up shoes and thick brown lisle stockings. Her hat was a sort of grey felt pudding basin with a limp felt flower stuck incongruously on one side — 'Left over from her youth in the 1920s,' judged Heather — and her gloves were so heavily padded that had she been younger she might have been taken for a lady fencer. She peeled them off to reveal strong square hands with short stubby fingers, which were soon flying like gunshot across the keyboard of the Harrods typewriter.

The Perfect Secretary was a flawless typist, and she could spell and punctuate to perfection. Mary and Heather had only to say, 'Please send Mr X to Miss Y', for her to rattle off the introduction, meticulously observing special requirements requested on the registration form: 'Do not post any letter on a Friday as I am out at work early on Saturdays and my mother will open my letters. I cannot stop her.' Or, 'Use only the envelopes I have supplied — the Bureau's are too thin, you can read through them.'

The Perfect Secretary could write, too: she composed tactful letters to applicants who had paid their registration fee, but for whom after a few weeks there was still no suitable introduction, so Mary and Heather returned their money wishing them luck, and trying not to hurt their feelings. Mary was exultant: 'She's a real gem! What a difference! Now we can take on even more clients!'

And so they did, interviewing, arranging introductions and talking to applicants and clients on the telephone, while the Perfect

Secretary kept her head down and typed, hardly pausing in her pounding to talk to the match-makers.

With more clients came more registration fees. Heather was thrilled but taken aback: 'We had thought small rather than big about the business, and the results of our publicity had caught us by surprise, so much so that we had not even opened a bank account. Now we were taking lots of cash, and we didn't want to leave it in the office over the weekend. So I put it all into a big brown paper bag, walked out into Bond Street, went into the first bank I saw, a Bank of Scotland, emptied the notes and coins onto the counter, and said to the cashier that I would like to open a business account. He looked a bit startled and said I ought to see the manager.

'The cashier showed me into an office where a benign and cherubic-looking man sitting behind a huge desk was smiling kindly at me. He introduced himself as Mr Gentle, shook my hand warmly and asked me to sit down and tell him about the business. So I did, and I told him that we would probably be returning most of the money we had taken. He was interested and not at all shocked, and said that would be quite all right, but if the business really got going we should become a company, with an accountant. He was marvellously helpful and we took this piece of advice, and several others that he gave us over the years. He became a father figure to me until he retired.'

* * *

Perhaps affected by the unusualness of the Marriage Bureau, the Perfect Secretary started to display odd changes in her appearance. Heather described the evolution: 'At first we thought the changes were for the better, when she started using make-up — just a little powder on her rather shiny nose, and a delicate pale pink lipstick. But every week the lipstick became rosier and brighter, until she settled into a garish dark red, which made her mouth look as if it belonged to a vampire who had just bitten into a deliciously tasty virgin. The harsh colour did not become her at all, especially as her face was so at odds with her clothes. We didn't say anything, in fact we hardly ever talked to her, for she was always bent over the typewriter and repelled any overtures from us.

'Then her hair started to change colour. First it went from grey to mousy-brown, and from there to a fierce chestnut, the colour of a spaniel, but dry and woolly, not sleek and shiny like a dog's, and the next week it was a strange orangey-red carrot colour. Until the chestnut stage it had still been done in a tight little bun, but between then and the carrot stage she had it cut off and permed. She appeared one morning crowned with an alarming frizz of very stiff, tight, carrot curls, sticking out at all angles. It put me in mind of an unexpectedly coloured lavatory brush. I gasped when she opened the door, but as usual she didn't say a word, just made for her chair and attacked the typing.'

To begin with, Mary and Heather were pleased, because they thought their secretary was enjoying her job, and that it was doing her good and making her feel more attractive. But as the changes became more eye-catching, and clients started to look shocked when they saw her, Heather wanted to say something. She didn't like to criticize, though, because both she and Mary thought it would be impertinent.

'If she had been our own age,' reflected Mary, 'we would have been bolder, but as it was, we just tried to whisk clients past her very fast, talking to them nineteen to the dozen, so that they didn't have a chance to stare at her.'

Early one morning a very rich client of the Bureau, an industrialist in Birmingham, rang and said curtly that he had a serious complaint to make, so would one or other of the partners kindly meet him for a drink after work that evening?

Mary and Heather fell into a flutter of anxiety. They had had nothing but very minor complaints — a letter not arriving in time, a client turning up late at a meeting — and Mr Baldwin was not only a very nice but also a very important client. He was forty-nine, a widower who had hesitated for weeks before plucking up the courage to come to the Bureau. Despite his huge wealth he was a modest, quiet, polite man, a proper gentleman. Heather, who had interviewed him, was terribly keen to find him the right wife, and to make him feel at ease with the process. She had so far introduced him to two candidates, both of whom he had liked and remained on cordial terms with. His letters had been considerate, courteous and approving: 'I deeply appreciate the confidential nature of your ingenious operation, which as you know is of great importance to me and for which I am most grateful.'

'Mr Baldwin is my client,' pronounced Heather, 'but I'd like you to come with me, please, dear Mary. Let's make ourselves as soignée as possible. You don't really need much make-up with that complexion of yours, but try a little more this evening. Here, have some of my lipstick: we need war paint for this skirmish!'

Heather dabbed her own and Mary's wrists with her favourite Gin Fizz scent and pinned an elegant flowered hat with a flirty little veil on top of her chignon. Emboldened, the two match-makers stepped into the bar of Brown's Hotel with a confident air. But they had had all day to wonder what on earth could have happened, and to worry themselves to distraction. Mr Baldwin must have realized how upset they were, for he settled them in deep armchairs (Mary's feet did not reach the floor, she was so tiny) and gave them each the strongest G&T they had ever tasted — strong even by Heather's standards — before launching into his cautionary tale.

Mr Baldwin disclosed to his match-makers that a woman had written him a very good letter telling him that his name and particulars had been given to her by the Marriage Bureau. She was a widow of forty-two living in London, having moved there from the Midlands in 1928, when she married. She wrote that she had no children, a very good income as her husband had been wealthy, lived a pleasant life meeting friends, going to concerts and theatres, but that she was at times lonely, and although she enjoyed all the activity in London she yearned to return to her home territory. She sounded intelligent, pleasant, friendly, unassuming, and not a gold-digger (what had finally driven him to the Bureau was a spate of impoverished Birmingham widows who had descended on him from the very day his wife died). So he agreed to meet her. Her name was Mrs Gladys Robertson.

'She's not one of our clients!' exclaimed Mary. 'She can't be! I remember all the names!'

'Mary's right,' agreed Heather. 'What was she like?'

Mr Baldwin grimaced. 'She was awful. You cannot imagine how awful. You remember that I asked you to introduce me to ladies in their late thirties or early forties? Well, this, this . . . female . . . was fifty-five if she was a day. But her age was the least of the horrors. She was made up like a tart (forgive me, ladies), with blood-red lipstick smeared all over her mouth, heavy white powder on her face except for round red clown blobs on her cheeks, eyes she could hardly see out of, the lids were so weighed down with green muck and some kind of waxy-looking black stuff on her lashes. Her hair looked like a ginger tom-cat who'd seen the vet bearing down on him with a castrating knife (forgive me again, ladies) and had leapt in terror onto the top of her head.

'She was squashed into a bright green shiny dress, much too tight, with a very low neckline filled with a cheap flashy necklace, and a nasty bit of moth-eaten musquash round her shoulders. Her legs were encased in those black stockings full of holes — what do you call them? Fishnets? And she tottered on her shoes, which had arrow-shaped toes and ludicrously high thin heels. She had a hideous old handbag from which she took a bottle of scent and poured some onto her wrists. The smell was so sweet and at the same time sour and musty that it made my stomach heave. And when she'd done that she ferreted around in the dreadful bag and got out the bloody lipstick (forgive me, ladies) and painted her mouth, as if it wasn't dripping with gore already. She did all this in front of me in the bar where we met. I had to buy her a drink, then I turned on my heel and left. I didn't care what happened to her. If she'd gone out into the street and been treated like a whore (forgive me, forgive me, ladies) I wouldn't have helped her — that's what she was asking for. How in heaven's name did she get to know about me?'

All through this dreadful saga Mary and Heather had been thinking the same thoughts and coming to the identical conclusion: the Perfect Secretary would have to go. They explained to Mr Baldwin, apologizing with every other sentence they spoke. Very luckily he sympathized and took their side, and for the rest of the evening he regaled them with stories of tricky and recalcitrant employees of his factory. They parted the very best of friends and, to Heather's particular delight, a week later he met a perfect candidate, a charming widow of forty-three who, as it turned out, had known and liked Mr Baldwin's wife, but had been too reticent to contact him after her death for fear of being thought grasping. She was his match in money, modesty and simple niceness, which they both recognized in each other the minute they met.

Fear of war looming made Mr Baldwin and his beloved act quickly: they married a few weeks later. The Bureau sent them a congratulatory telegram, ambiguously worded so that nobody at the reception would guess how they had met. In return came the sweetest thank you letter, with a cheque, a huge bouquet of red roses ('Bloody red!' grinned Mr Baldwin on the telephone) and a little white and silver box containing two slices of wedding cake.

As for the Perfect Secretary, Heather and Mary both jibbed at the prospect of dismissing her. Mary wanted them to toss a coin to see who would have the unsavoury task, but Heather refused and they agreed that it would be a joint effort.

The interview was painful but brief. The Perfect Secretary remained mute throughout, but she knew she had been caught red-handed, and when Heather and Mary stopped speaking she picked up her handbag, put on her coat, hat and gloves, and walked out without a word or a backward glance. Heather sent on what she was owed in wages, and thankfully she faded out for ever.

* * *

Mary was very cautious when choosing the next secretary; but she struck lucky with Miss Blunt. 'I hesitated about Miss Blunt because she was so terribly young, but there was something so grown-up, so reassuring about her, she positively glowed with competence and calm, and she had the most captivating smile imaginable. So I took a chance, and am eternally grateful that I did for she turned out to be really perfect for us. She started as a junior at 30s a week, for she was only just sixteen, but her typing was as good as her predecessor's, and she developed the most extraordinary filing system which could produce anything you wanted in a matter of seconds. She always seemed to know by instinct the people to whom we wanted to talk on the telephone, and the ones we wanted to avoid.'

Mary heard the superbly efficient Miss B. flummoxed only once, when a man telephoned: 'I hope you have someone who might suit me. I'm keen on fellatio.'

'Oh,' replied Miss Blunt eagerly. 'That's stamp-collecting, isn't it? Yes, I am sure we can help you!'

The caller promptly put the telephone down, leaving Miss Blunt perplexed and wondering anxiously if she had somehow offended him.

Miss Blunt stayed on as a full-blown secretary at £3 a week until after war was declared, when she was called up to work in a Ministry. She grew achingly bored because there was very little to do, and she was so efficient that she could do a day's work in two hours, so she used to go back to Bond Street and type the Bureau's letters in her lunch hour. She would fly in, dash off scores of letters, and rush back to the Ministry, waving her sandwich and mouthing, 'Goodbye! I'd better skedaddle! I'll see you tomorrow!'

* * *

Mary and Heather were growing practised in the art of interviewing and dealing with their many and varied clients. The grander, aristocratic ones tended to get on well with Heather, whose cool style they understood, while Mary's warmth and sympathy particularly appealed to the poorer, humbler clients.

In 1939 nobody, rich or poor, was used to talking much about themselves, their feelings and hopes, especially to someone they didn't know. Nor were they used to filling in forms about personal matters, so the Marriage Bureau's registration form had to be short, asking only for dry facts such as name, age, occupation and marital status, which did not provide much insightful information to the interviewer. The two match-makers grew adept at encouraging applicants and making them feel relaxed — sometimes so relaxed that they poured everything out without a pause. 'Awful talker,' wrote Mary as she interviewed a middle-aged woman who bent her ear for an hour. 'Extremely nice gent,' she noted of an elderly widower, 'charm. Talked but also listened. No left hand but is not incapacitated in the least by his disability. Wants to meet a lady who is interested in humanity, like himself.'

Such comments helped to fix a client in the interviewer's mind. So too did clients' own descriptions of themselves and their desired spouse. 'I have always lived in the country,' stipulated a herdswoman of forty-one, 'so do not want to meet an urban type. Someone unafraid of cows and dogs would suit, though I am not a dog worshipper, and with a thoughtful frame of mind and of course a dash of humour (NOT a parson).' A South African gentleman farmer required 'Good old family, good health, good rosy colour, auburn hair, not moon-faced, not bandy-legged, in fact good to look at. Not prudish. Not subject to mooch. Must be prepared to live in South Africa. Must have £800 unearned, free of tax. Ought to be mainly self-supporting after my decease.'

Both match-makers felt that their desk was a useful aid to conducting an interview. 'One becomes vaguely disembodied,' recalled Heather, 'like a hairdresser or a dentist, who traditionally receive the most astounding confidences. And one must be prepared for the unexpected — one man, as I entered the interviewing room, turned pale and exclaimed, 'Good heavens, you're the image of my fourth wife!''

Everyone who found their way to the Marriage Bureau got a sympathetic and constructive hearing from Heather or Mary, or from the new interviewer, who was needed by June. But the office was too small, even with the extra room, so when the match-makers heard of a good space to let on the first floor of a building just up the street, they hurried to look at it. The tenants had left London, along with many other people who could see that war was certain to break out. There were a few weeks left on the lease, which the tenants offered to Heather and Mary, saying that the landlord would surely be reasonable if they renewed the lease at its end. Heather's solicitor friend Humphrey, who had been helpful from the outset, warned that they would be taking a bit of a chance, but thought the landlord was unlikely to be unreasonable, indeed that he would be thankful to have a tenant in such uncertain times. However, he advised spending the minimum on any equipment so that they could move quickly if necessary.

Heather and Mary moved in, and were so delighted with their new premises that they became over-confident. They painted the walls, festooned the windows with lilac satin curtains which framed love-birds in a pretty cage, and laid pale carpet on the floor — only to find that all their friends swarmed in for coffee and a chat in such pleasant surroundings. Far worse, the landlord insisted on a new seven-year lease at a much higher rent.

'What shall we do?' wailed Heather to Humphrey. 'We're doing well, but not enough to afford the rent they want — it's extortionate. And who knows what will happen when we're at war, as we surely shall be? And we've got only three weeks left on the lease!'

Humphrey advised sitting tight until they had found somewhere else. The lease was in Heather's name so, in Humphrey's opinion, if the landlord sent in the bailiffs, it should be easy to avoid them as it was only Heather they were out to catch: they were not interested in Mary or anyone else.

There were two doors to the new office and a fire escape, so twice, warned by the invaluably quick-witted Miss Blunt that a bailiff was approaching, Heather managed to disappear just in time. Heather cast her mind back to what happened next. 'After three weeks of living in a state of siege we found another suitable office, and I was due to sign the lease a few days later (I always did the business side, Mary not being interested). Vastly relieved, one evening after the staff had left we settled down to finish off the day's mating — my favourite occupation! I adored plotting and planning who should be introduced to each other! We forgot to lock the door as we usually did, and suddenly it flew open and a respectable-looking man asked, 'Miss Jenner?' Automatically, without thinking, I said, 'Yes.' Without more ado he banged a writ down on my desk.

'I was appalled, but tried to remain calm, and asked him to sit down and tell me what I was meant to do next. He chose a swivel chair which we had just bought second-hand, and as he leaned back in it something snapped, and he did a backwards somersault onto the floor (we never have had much luck with swivel chairs, somehow). We all rushed to help him up, and luckily he wasn't hurt, in fact he softened up and confided that in his line of work he usually had a far more unpleasant reception. He dealt with really gruesome types, he said with some relish, robbers an' crooks an' wide boys of all 'orrible sorts, not nice ladies like our good selves, who he could tell hadn't done nuffink properly wrong, bless our hearts: 'Crikey, you two young ladies wouldn't know how to do nuffink a person could rightly call wrong!' (Little does he know.) He said we should see our solicitor, so we did, and the blessed Humphrey saved us again.'

A week later Heather signed the lease for a spacious office on the second floor of 124 New Bond Street. It had four rooms: a waiting room, a secretary's office, and two front rooms, one for interviewing and one for doing the mating. This office became the permanent home of the Marriage Bureau. In 1939 Heather paid the princely sum of £35 4s 11d a quarter.

* * *

Mary and Heather felt that the Bureau was now securely established in as safe a home as possible. But in August 1939 nothing was secure: everything was uncertain and potentially dangerous. Closing the office every evening Mary and Heather joined the people scurrying along Bond Street, their faces set and tense with anxiety.

In September, Heather, who was virtually bilingual in French, was due to spend a weekend with friends in Le Touquet; but the news was so threatening that, reluctantly, she cancelled her ticket. Knowing that at any minute war would be declared, she and Mary went down to the River Hamble for a 'last' weekend's sailing on a friend's yacht. Heather reclined languidly while

Mary put all the knowledge she had gained as skipper of a forty-five-foot sloop to good use.

It was a golden weekend, until Sunday, when it was devastatingly shattered by the Prime Minister's grim announcement on the wireless:

> This morning the British Ambassador in Berlin handed the German Government a final Note stating that, unless we heard from them by 11 o'clock that they were prepared at once to withdraw their troops from Poland, a state of war would exist between us. I have to tell you now that no such undertaking has been received, and that consequently this country is at war with Germany.

Mary and Heather knew that everything had changed irrevocably. 'We sat down, feeling weak at the knees. Darkness was descending. The world as we knew it was at an end.'

6

New Clients Wanted — But No Spies, Please

Britain's declaration of war with Germany on 3 September 1939 had an immediate effect on the Marriage Bureau. People behaved as if frozen, so chilled by shock and hideous memories of the Great War that they were unable to act except robotically. Going to a Marriage Bureau was not a priority. The phenomenal rush of clients generated by the press publicity only five months earlier, when the Bureau opened, was not sustained. The papers were focused on the war, as too were people's minds. Mary and Heather were deeply concerned.

'I've just been to the bank,' announced Heather, her voice darkening, 'and our account contains precisely 11d. No pounds, not even any shillings. Just eleven pence. Mr Gentle was sympathetic but when his secretary put our statement on his desk he could not help but look sombre.'

'Whatever shall we do?' An anxious frown marred Mary's pretty and usually smiling face.

'First, chase up the After Marriage Fee from existing clients who are about to tie the knot. War will sharpen the focus of everyone who is thinking of marrying — the uncertainty will make them want to get on with it quickly.'

'Not a good reason for getting married, but

you're right. We can't force them to marry, though, and in any case a few After Marriage Fees won't be enough to keep us going, will they? We must get more new clients or we'll have to close down, won't we?'

'Over my dead body!'

'Well, what *are* we going to do? More publicity? The press have been very good to us ever since we opened. I'm sure we could persuade them to give us a bit of extra help now. What do you think, Heather?'

Mary spoke tentatively, for she knew that Heather had reservations. When Mary had first suggested, in early April, that they contact the newspapers, Heather had been alarmed and argued against it. Mary had been amazed, but came to realize that there must be some reason for Heather, usually so poised and commanding, to be apprehensive. She had pressed her friend, who eventually confided that when she was eight, one of her cousins had been kidnapped. Her family had been horrified by the publicity about the case, for fear that the girl might have been raped (though nobody uttered that fearful word), and that the press would report the whole story. If they did, neither the girl nor the family would ever be able to escape the notoriety. The child had been rescued and restored, unharmed, but the family still recoiled from the memory, judging the press as terrible people, to be avoided at all costs. The prejudice had stuck in Heather's mind. She left the journalists to Mary, whose turn of phrase delighted them, as in August when her stout defiance of critics of the

Bureau was reported: 'Miss Oliver considers she is performing a national service, and adds that if she established a bureau in Germany Hitler would see it in the right light.'

Soon Heather began to accept that the situation was critical, and that her reason for disliking the press was irrational. She could also see that Mary was very popular with the journalists, and that their articles brought results. So with Heather's blessing, in the dark days of September 1939 Mary assiduously wooed journalists as if they were potential husbands. She buttered them up, flattered them, sympathized with them (she was a devoted listener), got to know their personal histories and genuinely liked them. They responded to her cajolery and to the story of the Marriage Bureau: a wonderful tale of imagination and initiative, a welcome contrast to the unremitting gloom of war stories. They delivered a fresh round of positive stories featuring the two charming match-makers, their novel ideas and their marvellous success.

Mary also devised a small brochure to help people understand what the Bureau was doing. She wrote:

> POSSIBLY YOU MAY be feeling a little uneasy at having this brochure in your possession. The English still regard marriage in rather a sentimental light, and forget that in most Continental countries it is rightly considered as a contract of such importance that it is carefully arranged — not left to chance.

THERE IS NO reason to feel ashamed because you want to marry the right person. Indeed, you should congratulate yourself on your good sense in trying to make sure that you have every opportunity of meeting and getting to know the type of person whom you would like to marry. You would consider yourself unwise and improvident if you did not make provision for other aspects of your life — how much more important is this question of making the right match!
THE MARRIAGE BUREAU will put you in touch only with people who fulfil the qualifications you demand. Afterwards it is entirely for you to decide whether you want to marry — for, needless to say, mutual attraction and affection cannot be guaranteed! We cannot play the part of Cupid, we can only introduce you to people who have already expressed a wish to marry somebody like yourself.
TWO SENSIBLE PEOPLE who know what they want are introduced to each other. If they are not attracted — if friendship does not 'ripen into love', as the saying goes — no harm is done, and it is our business to try again on behalf of both our clients until they are satisfied.

Slowly, thanks to press articles and Mary's reasonable and reassuring words, the Bureau welcomed more new clients, including increasing numbers of foreigners. Heather and Mary were legally obliged to report to the police any non-Allied potential clients, who might be enemy aliens: fifth-columnists trying to infiltrate themselves by marrying an English spouse. Most of the foreign applicants were men, though more and more women, often Austrian, turned up at the Bureau, anxious to marry an Englishman and thereby avoid internment and the restrictions on aliens. The police were concerned about illegal marriages, such as one, reported in the press, made by a father of eight whose hapless wife discovered that he had bigamously married a German Jewess. So Mary and Heather sent off to Scotland Yard details of foreign nationals who applied, but they seldom discovered whether those they had interviewed, but who subsequently did not register, had been interned, or had simply decided not to proceed with the Bureau.

One day, Mary interviewed a forceful man who exuded both a seductive magnetism and a sinister aura she found disturbing and threatening. When he had telephoned to make an appointment Mary had puzzled about his accent: he spoke English fluently, but with odd hints of an American twang — and surely a guttural, Germanic note crept in too. The minute she set eyes on him she felt instinctively that there was something false about him, something 'actor-y', which put her on her guard.

Clicking his heels together and nodding a little bow, the well-dressed, stoutish visitor held out his hand and gave Mary's such a firm shake that she winced. He produced his registration form, already filled in in clear, bold handwriting and, without waiting for her to ask questions, proceeded to fire facts at her as if shooting bullets at a target. He was a German count. He had been born and brought up in America. He was an insurance agent. He was fifty-six. His many English friends had begged him to leave Germany. In 1938. He was passionately attached to England. He was residing at the Hampden Club in Marylebone. He was buying a flat in Knightsbridge. He had divorced his wife. He had a son living in South America. He had a good income and wide interests. He wanted to marry a well-bred lady of good family, figure and income. She must have been previously married.

Mary mouthed 'Yes' and 'Certainly' and 'Naturally' and 'How interesting' as the Count fired on, ignoring her. When he came to a halt he thrust his head forward questioningly and switched on a dazzling smile.

'I felt as if I was about to be interrogated,' Mary recalled. 'He unnerved me. I felt certain that he was acting, especially when he smiled at me: his lips curved, but his eyes did not follow suit: they were cold and hard and dangerous, like little lumps of coal. I stalled, told him I would contact some ladies on his behalf and write to him when I had a positive reply.'

Mary reported to Heather, who immediately dispatched the Count's details to Scotland Yard. Three days later, a high-up friend in the Yard informed Heather, confidentially, that the man had spied for Germany in the Great War, but had somehow offended his government and so was persona non grata in both Germany and

England. The high-up thanked Heather for helping to put the Count where he should be: in prison.

* * *

One foreigner considered safe by the police was 'the Sheikh'. But once again, Mary's bones urged her to beware. In her view, the police must have been so baffled by the Sheikh that in the end they gave up. He claimed to have been born Lebanese, of a French Christian father and a Syrian Mohammedan mother who moved to England in 1890, when he was only ten, and got themselves British passports. He did not know why they left Lebanon. He was fluent in French, English and Arabic, so he worked as a translator, then fought in the British Army in the Great War. He survived the trenches, though he was vague about that period, and then moved to Wales.

'I asked him, why Wales?' said Mary. 'But he was elusive, just like Cedric Thistleton was about his background — remember, Heather?'

Heather did indeed remember, but was more perturbed by the Sheikh than by Cedric, who had been all bluff and self-important bluster but basically harmless. Though she trusted Mary's bones when they sensed a good introduction, she placed less reliance on her friend's intuitions of dark and possibly unsavoury secrets, putting them down to over-sensitivity. But there was something about the Sheikh Heather could not put her finger on, something oddly disturbing.

Perhaps it was just his unfathomably black eyes, hooded like a hawk's. Otherwise, his appearance was faultless: of medium height, clad in an expensively well-tailored suit, a large red rose in his buttonhole and a matching silk handkerchief in his top pocket, his surprisingly small feet shod in fine leather brogues. Though a shade saturnine, his face was attractive, his features sharply boned, his nose a curved hook — like an eagle's beak, thought Heather, who found herself constantly reminded of a bird of prey.

The Sheikh spoke perfect English with an engaging little lilt — no doubt acquired in Wales, presumed Heather. He bowed to the matchmakers as he made his entrance, kissed their hands, disposed himself in the chair and lit a black and gold cigarette. The aromatic fumes rapidly filled the small office, mingling with the faint whiff of attar of roses he exuded. Heather and Mary observed his coal-black hair (suspiciously uniform in colour, judged Mary), sleeked down with Brylcreem, and his gleaming white teeth (a fine set of false snappers, thought Heather), curiously at odds with his fingernails, which were unattractively over-long and edged with grime.

The Sheikh's wife had died some years ago, for reasons he declined to give (nothing about the Sheikh was ever glowingly clear). Now he wanted to marry a very smart lady who would entertain his guests in style. 'She must be charming and sophisticated,' he explained, waving his cigarette perilously near Mary's face, causing her to cough. 'Alas, such ladies do not exist in Wales. They are all Welsh there,' he added cuttingly.

Mary, proud of her part-Welsh ancestry, bristled, but kept silent while the Sheikh enumerated his other requirements: 'It is imperative that my bride is English, elegant, slim and beautifully dressed, by couturiers.' He winced in aesthetic pain as he added, 'Not clothes off the peg, NO! NEVER! She must also be without children, not even grown-up ones, for I am unable to abide children of any age. She must be not a day over forty-five, and not an inch over five foot three. It is also vital that she is well born, an aristocrat or at least of your noble upper class. She must have knowledge of the world and its ways. Finally, she must have an excellent income to match my own.'

Despite much skilful probing, the matchmakers failed to establish either the size or the source of the Sheikh's income. As with everything about him, the subject was mysteriously cloudy. He was enigmatic, even evasive, as he deflected Heather's questions onto yet more requirements of his dream wife: though a sophisticate, she must not be an entirely urban lady. She must like the country, birds and animals. 'I do not mean that she should be adoring of dogs or dedicated to horses,' he elaborated, 'as so many of you English ladies are, but only that she should have an affection for our friends who are not human, but who are as deserving of our love as many people. Perhaps more deserving.'

'That's easy, at least,' declared Mary to

Heather after he had left, 'since so many of our female clients describe themselves on their registration forms as 'fond of animals and children'. Only the British put animals and children in the same category,' she added, with uncharacteristic acidity.

Heather and Mary picked out a Mrs Pratt-Evans, a widow, barely five feet tall, extremely smart, expensively preserved, beautifully coiffured and manicured, and something over forty (unclear how much, probably quite a lot; but luckily her daintiness suggested youthfulness). She loved music, the countryside, fashion, theatre-going and, especially, animals. She lived in London and in her husband's family home in Shropshire, a convenient thirty miles from the Sheikh.

Heather wrote to Mrs Pratt-Evans, describing the Sheikh, listing his interests: languages, country life, fine porcelain, the animals and birds which he owned. 'Oh, I speak Spanish and French, and I am utterly convinced that I shall adore his pets,' she gushed down the telephone, 'for I adore all God's creatures! I seem to understand them, you see, and they will do anything I require of them. My little pooches would die for me if I asked them to. Isn't that too divine?'

Mary was quite sure that Mrs Pratt-Evans had no more love of animals nor influence over them than Heather, who greatly disliked all four-legged friends except for Blanche, her own beloved Peke. She was equally sure that Mrs Pratt-Evans was desperate to marry again, knew her chances were diminishing daily, and would claim anything at all that might help her to capture a suitable man.

Mrs Pratt-Evans had been married to a Welshman with whom she had emigrated to Uruguay, where he ran a ranch until a bull went berserk and gored him so badly that he slowly expired in a great pool of blood, witnessed by his mesmerized wife. She had recounted this shocking story to the two match-makers in such a dispassionate way, as though his frightful death had been no more than a tiresome interruption to her ordered life, that they felt sure she could hold her own with such a forceful character as the Sheikh.

Mrs Pratt-Evans and the Sheikh exchanged several letters before he invited her to luncheon, sending her directions. After days of indecision she settled on a simple floral frock, perhaps a trifle girlish, but it fitted her light-some mood of excited optimism. She applied her make-up with exceptional care, coaxed her slightly thinning hair into a becoming bob, topped by a delicious little veiled hat, and drove off humming happily in near-ecstatic anticipation.

Expecting a sheikh to reside in a grand mansion with sensational views, Mrs Pratt-Evans was disturbed to find herself following ever-narrower, overgrown roads before arriving in a bleak valley. She stumbled up a rutted path between neglected flower beds, avoiding two chained dogs which growled menacingly as she knocked on the door of a small, down-at-heel cottage. She perked up at the appearance of an elderly retainer, though he was dressed in flowing white robes and looked her up and down with an inscrutable yet somehow critical eye. He addressed her in fierce tones, in a language which might have been Welsh or Arabic. Flummoxed, Mrs Pratt-Evans nodded and smiled nervously, clutching her handbag in both hands and extending one foot over the threshold.

'No!' shouted the retainer in recognizable English, gesticulating wildly towards the side of the building, from where the Sheikh suddenly materialized, as if Aladdin had rubbed his lamp.

Encouraged by Mary and Heather's glowing description of the Sheikh's style and suavity, Mrs Pratt-Evans had pictured an elegant, mature man, perhaps wearing sharply creased cream flannels with a silk shirt and cravat, who at first sight of her would fall into a stunned silence of worshipful disbelief. He would be enraptured by such a vision of delight, so miraculous a blessing, a dream of surpassing elegance: his ideal bride.

But advancing towards her was a scruffy man dressed in a grubby nightgown, carrying a tin bucket in each hand, his shoulders hunched to support a large bird whose glittering eyes regarded her with such malevolence that she recoiled as from the devil incarnate. Parts of the infernal creature's body showed pink where its feathers were moulting, and from its beak there dangled the remains of a baby chick, its dear golden fluffy little body streaked with gore and falcon dribble — for the hideous carnivore was indeed a falcon, such as had recently terrified Mrs Pratt-Evans during a visit to the zoo. She paled and stepped backwards, and when the bird uttered a great screech, letting fly the pathetic remains of its feast, unfolded its disintegrating wings and launched itself from its human perch towards her, she fell to the ground in a faint.

As she revived, Mrs Pratt-Evans felt hands round her waist and chest, pulling her up. Glancing down at her torn frock, spattered with unspeakable remnants of baby chick, she wrenched herself free and fled to her car, abandoning her hat which had flown off. Gripping the steering wheel in hands trembling with shock, horror and disgust, she ground the gears and roared away, watched impassively by the Sheikh, his retainer and the glassy-eyed bird.

* * *

Two days later, Mrs Pratt-Evans stalked into the Bureau.

'Why, Mrs Pratt-Evans!' Mary sang out. 'Did you have a delicious luncheon with the Sheikh?'

'I had no luncheon.' Mrs Pratt-Evans spat the words out. 'But luncheon was indeed had.'

Mary looked puzzled.

'Luncheon was partaken of not by me, nor even by the Sheikh, as you call him, though I call him a complete charlatan. Luncheon was partaken of by a foul, no doubt pestiferous, disgusting, diabolical, repellent, mouldering, cruel-eyed, savage, utterly ghastly bird. A bird of prey, to be precise. Or rather, the devil in avian form. The property of his hellish, filthy, accursed, be-nightgowned, utterly monstrous master, the Sheikh of Araby or Llandudno or wherever he is from.' Mrs Pratt-Evans paused in her tirade, searching for more excoriating adjectives to hurl at the bird and its owner.

Stunned by her client's vehemence, and still at a loss as to its cause, Mary persisted. 'But did the Sheikh not give you luncheon?'

Now near-hysterical, Mrs Pratt-Evans poured out the entire saga. Mary was shocked and at first disbelieving, but the lady was so emphatic, so precise in her descriptions, from the Sheikh's dirty nightie to the bloodstains on her frock, that eventually Mary came to believe her.

At last Mrs Pratt-Evans departed, leaving a depressed and deflated Mary to recount the hair-raising drama to her fellow match-maker. Heather was normally much more cavalier and contained than her feelingful friend, but the more she heard of the Sheikh the more concerned she became for the reputation of the Bureau. She wrote an appeasing letter to Mrs Pratt-Evans, explaining that the police had cleared the Sheikh, that she was very obliged to her valued client for bringing the matter to her attention, and would waive any After Marriage Fee that became due — as Heather hoped it would — from Mrs Pratt-Evans. She received a grudging but mollified reply.

Mary and Heather decided to erase the Sheikh from the books. So they were appalled when he appeared, without warning, in the Bureau. He looked as immaculate as on his previous appearance, sat down without a by-your-leave, frowned ferociously and lit a cigarette. Then, the veins in his neck bulging, the lilt in his voice submerged in an aggressive growl, he let off a furious volley: 'She is a fearful, ghastly female. She is unfashionably dressed — by D. H. Evans of your so frightful Oxford Street, a common department store, I am sure, or perhaps Marshall & Snelgrove which is a little superior but not good enough. Before I even met her she bored me to death with letters recounting innumerable dull anecdotes of life on a ranch in Uruguay and servant problems and bulls and her dogs and her dead husband. And she insisted that she loves all God's creatures, as she kept calling them. So I decided to invite her to my raptor's luncheon, and if she truly adored him, I would then take her to luncheon at my house, which is very beautiful, and not where I keep my birds. But I took an instant, vehement dislike to her, and she to my bird. And what is worse' — his voice rose to a higher note, his upper lip curling insolently as he blew a scornful cloud of smoke — 'she has *only one breast*!'

The Sheikh leaned back and, oblivious of Mary's coughing and choking, exhaled clouds of cigarette smoke as if blowing Mrs Pratt-Evans to the four winds. He raised his eyebrows, a look of contempt in his black-currant eyes. Imperiously, Heather returned his gaze. Without uttering a word she contrived to imply that she knew all about Mrs Pratt-Evans's breasts, both of them, but deemed them none of the Sheikh's business, and considered it odiously ill-bred of him to raise the subject. Mary was so incensed by his daring to come near the Bureau again that she remained mute with fury.

For a few seconds a silence of almost audible antagonism reigned. Then Heather stood up, towering over the Sheikh, and hissed with all the considerable venom she could muster, 'We are unable to assist you in your search for a wife. Kindly desist from any further contact with the Bureau. We shall refund your registration fee. That is all. Goodbye.'

The Sheikh knew he had gone too far. With an insubordinate sniff he stubbed his cigarette out on the desk, leered wolfishly at Mary, who was clutching a large sheaf of papers in front of her chest, sneered at Heather, and vanished down the stairs.

'I thought I'd better protect my breasts!' said Mary, putting her papers down on her desk. 'I didn't want him expanding his knowledge on me!'

7

Mary Transforms Myrtle

When Mary caught sight of Myrtle Glossop edging her way into the office, her hand flew to her heart and, as she screwed her eyes tight shut in fleeting horror, the words flashed through her mind, 'There but for the grace of God went I!'

After the long-dreaded announcement of war, with children and pregnant women hastily evacuated from cities, millions of gas masks issued, sandbags piled up outside buildings, and couples rushing to marry before the men were conscripted, nothing seriously warlike happened, and the panic soon lapsed into bemusement. Life became punctuated by inconveniences and restrictions, but not by violence, terror or death. Indeed, on 6 October 1939 Hitler offered peace. In this preternatural Phoney War calm, business in the Marriage Bureau continued apace. Myrtle Glossop was one of hundreds of anxious yet hopeful new clients.

It was to divine grace that Mary attributed the rebellious spirit which had enabled her to escape her destined role in life: childhood as a farmer's daughter on a windswept East Anglian farm, to be followed by womanhood as a farmer's wife on a similar farm. But poor Myrtle, scuttling through the Marriage Bureau's doorway like a little brown crab, had resignation written all over her. Though she was only twenty-six, her shoulders sagged, she drooped like an old lady and was dressed like one, in an all-enveloping greyish-brownish-greenish tweed coat. Her hat, pulled down over straggly brown hair, was in a thick matted beige felt, an amalgam of flower-pot, pudding basin and policeman's helmet. Her small face was devoid of make-up, the mouth turned down at the corners as if she was struggling to withhold tears. Her gloves and shabby handbag were of a matching muddy brown, her thick woollen stockings visibly darned, her feet encased in clumpy, old-fashioned lace-up shoes which gave the impression of being too big.

'*Quelle horreur!*' whispered fashion-loving Heather to Mary. But Mary's kind heart melted at the sight of the prematurely elderly girl, whom she took by the woolly arm and guided into the interview room.

Prompted by Mary, in a light, timorous voice Myrtle embarked on her tale of woe. She was the only child of elderly parents, long dead, whom she had hardly known. Her father, Horace Glossop, had been a civil engineer constructing dams and irrigation systems in India, so passionately consumed by his work that, though craving an heir, he was forty-five before he met and married the only female available, a thirty-eight-year-old Scottish missionary, who renounced the unequal task of converting the natives for her last chance of marriage and children.

After a protracted and agonizing labour, at forty-two Mrs Glossop gave birth to a daughter, only to hear the doctor's stern warning that another pregnancy would kill her. She blanched at the news, and at Horace's grim-faced reaction. He largely ignored his poor substitute for a son, but Mrs Glossop was overwhelmed with adoration of little Myrtle.

However, the wretched mother scarcely ever saw her beloved daughter. Mr Glossop insisted that Myrtle be cared for by native ayahs while her mother behaved like a lady of leisure, calling on local European bigwigs and holding polite tea parties and picnics. When Myrtle was nine, despite her mother's tearful entreaties, the child was dispatched to a prep school in Sussex, to be as properly educated as would have been Mr Glossop's son and heir.

In the unheated school Myrtle turned so blue with unaccustomed cold that she could scarcely speak, and when she did open her mouth, she was mercilessly mocked for her singsong tones, copied from her ayahs. She learned little either at school or in the holidays, spent with three devout, impoverished maiden aunts in their comfortless house on the Isle of Wight. They were kindly disposed to their little niece, and welcomed the pitiful sums of money sent from India for her keep; but Myrtle's life revolved round formal tea parties, wind-buffeted seaside walks, dutiful letter-writing to her unknown parents, stitching samplers, and lengthy church services, with no companions of her own age. Thousands of miles away her mother wept as she penned letter after tear-stained letter to her daughter.

After leaving India for Sussex, Myrtle had not seen her parents again until they came to Europe on leave, when she was fourteen. The family admired museums, opera houses, quaint ceremonies and ancient buildings, which they discussed in exhaustive detail over meals. Strangers, none of them knew how to talk personally to the others.

Seven years later Mr Glossop retired. He and his faithful weary wife, yearning to see the daughter she scarcely knew, were days away from sailing back to the Old Country when they succumbed to cholera and were swiftly cremated. The government pension, for which they had sacrificed all hopes of seeing their daughter, immediately expired.

The aunts had imperceptibly languished and died, one by one, so, aged twenty-one, with only a legacy of £300 a year, no job and no qualifications, Myrtle had had no choice but to accept the charitable offer of a home with Godmother Augusta. When she ventured up to London and the Marriage Bureau, Myrtle had been ensconced in Cornwall with this benign but parsimonious ninety-year-old for five tedious years.

'How do you spend your time?' enquired Mary, who could herself have given Myrtle's answer.

'Most days I walk my godmother's dog in the village, taking some soup to anyone who's sick. If it's raining I stay in and help the maid with the laundry — it's much easier folding the sheets with two people. Or I do some sewing — there are always clothes to be mended or altered. Or I read to my godmother — her eyesight's not very good. On Saturdays I pick flowers and take them to the church, and put them on the altar and on the grave of my godmother's husband. If the Rector's there he talks to me, which is lovely — he's very nice and not as old as everyone else. On Sundays I go to church with Godmother Augusta, and I help with the children at the Sunday School — they can be quite naughty, so I tell them to be quiet. The Rector helps too, which is very nice.'

Mary's assessment was that, lacking money, education, family and friends, poor Myrtle was imprisoned by poverty on all fronts. Immediately after the outbreak of war, excitement had briefly enlivened her humdrum life when a pregnant mother and her three-year-old identical boy twins were evacuated from the dangerous East End to the safety of Cornwall. An administrative cock-up had billeted this forlorn trio on Godmother Augusta, whose rambling house had enough empty rooms for a small army.

The cock-up led to disaster. Neither Godmother Augusta nor Myrtle had ever encountered any but clean, well-dressed, well-spoken, polite, lice-free, house-trained people. Godmother Augusta's cook, Mrs Castle, took one look at the dirty, unkempt, incomprehensibly cockney, blue-languaged, lice-ridden evacuees, and wasn't having any of that sort in her domain thank you very much, madam. The final revolting insult was that, in the absence of an outdoor privy, which they understood, the twins used their bedroom wall as their own private lavatory, competing over who could spray the wall the highest.

Mrs Castle waged a relentless war of attrition to rid the household of the despised and detested cockneys. She deferred not even to her employer, who was troubled by the tension. Mrs Castle forbade the family to enter her kitchen, fed them on the congealing leftovers from Godmother Augusta's meals, made sure that the boiler ran out of hot water just when the family were due to wash, and daily concocted new obstacles and humiliations.

After only a month Mrs Castle emerged triumphant. The mother came to view the East End, even with the prospect of Hitler's bombs, as a haven of delights compared to Godmother Augusta's hostile house and Mrs Castle's persecution. The cook flailed the air with her great rolling pin and hissed 'Good riddance!' as the heavily pregnant mother fled, cursing, dragging her distraught toddlers in her wake. Myrtle looked on in despair, for she had delighted in the rampageous little boys, running races with them in the orchard, binding up their wounds when they fell out of trees, teaching them to stand up straight and sing 'God Save the King', laughing at their incomprehensible jokes, feigning despair at not being able to tell them apart. She had never played with anyone before.

Mary listened with rapt attention. Myrtle had stumbled across the first person who had ever taken a real interest in her, asked her personal questions and examined the answers. Her soft voice grew more robust, her little heart-shaped face brightened. Myrtle reminded Mary of a baby mouse awakening from sleep, its whiskers twitching and its tail uncurling and frantically waving, as she grew ever more garrulous and animated.

'I came here six months ago,' confided Myrtle. 'Godmother Augusta comes to London once a year to make sure her solicitor and her stockbroker are doing the right thing. She's not very rich, you see, so she's careful about money. I came to help her, and she told me to collect a fur muff from the furrier downstairs here. I saw your Marriage Bureau sign, and when I came out of the furrier's the nice girl who had wrapped up the muff for me came out too, and she said, 'That's for people looking for a husband or a wife. Are you looking for one?' Well, I didn't know what to say, so I just walked down the stairs and back to the hotel, and the next day we went back to Cornwall. When we got home I thought and thought about the Marriage Bureau, and about the smart people wearing nice clothes in London. And I thought I'd like to get married, but I wouldn't find a husband in the village in a thousand years, especially not looking like this in these clothes.'

Myrtle glanced disconsolately down at the faded navy dress under her hideous coat. Mary judged it to be an ancient gymslip — the crease where it had been let down from schoolgirl length still showed. She was right: all Myrtle's adult life almost all her clothes had been either lengthened school uniforms or an aunt or godmother's cast-offs, taken in at the seams, shortened and clumsily restitched.

In London, Myrtle had felt a tidal wave of repulsion for her looks, and had resolved that when Godmother Augusta had accumulated some more city errands, she would offer to go to London for her. She would take £25 of her carefully hoarded savings, and buy herself some delicious new garments. Godmother Augusta's eyesight was now so dim that with luck she would never notice any difference. 'Only there are so many shops here I don't know where to start,' admitted Myrtle.

Mary beamed at the mournful young woman, leaned across the desk, patted her hand and, on the spur of the moment, enquired, 'Would you like me to come with you? I am not busy for the next hour or two, so we could have a little excursion!'

Cinders, Myrtle's fairy godmother, had tapped her on the shoulder with her magic wand and wafted her to heaven. Nobody had ever made such a suggestion. 'Oh yes!' she whispered. 'Yes, please! Now?'

So Mary steered Myrtle into Swan & Edgar, the large department store at Piccadilly Circus. In the changing room, she helped Myrtle to shed her matronly disguise, starting with the gymslip and a drab grey blouse, then a voluminous petticoat of coarse cotton, secured round Myrtle's dainty waist with heavy tape. An over-sized camisole — a Godmother Augusta cast-off, decided Mary — swamped the girl's chest, flattening her bosom, for she had never even heard of a bust bodice. Myrtle's slender body was laced into stout, peach-coloured stays reinforced with whalebone, beneath navy knickers made of thick wool, matted and scratchy from years of being washed in carbolic soap.

Soon, flushed and giggling with excitement, Myrtle pirouetted in front of the long mirror. It reflected a sweetly pretty girl wearing a becoming dress in a delicate blue, under a soft, light cardigan fastened with pink pearl buttons. Not visible, but known and felt and gloated over by Myrtle, was a set of silk underwear, including a lacy bust bodice adorned with a pink rose and blue satin bow, which she could hardly bear to conceal.

An hour later, complete with a blue coat, light-hearted hat, smart shoes and silk stockings, Myrtle emerged from her caterpillar carapace into Regent Street: an entrancing butterfly poised to spread her decorative wings and fly into a man's heart.

Back in the office Mary asked Myrtle for details: what kind of man would suit? What age, height, religion? Living in the country or in town? Or abroad? What about children? Divorce? Money?

Myrtle listened, but suddenly dropped her head to her chest, her hand clutching her neck as a rosy flush crept over her face. She was filled with a mixture of intoxicating anticipation and pure panic. Was she embarking on something terrible, even immoral? What would Godmother Augusta say? And the dear Rector — would he cast her out of his flock as a shameless hussy?

Mary perceived that transforming Myrtle's

attitude would be much more difficult than changing her appearance. Luckily the girl was by now happy to place her trust in her fairy godmother, who through gentle coaxing managed to persuade her that she was doing something wholly natural and normal.

Myrtle had to return to Cornwall straight away. She travelled in a daze, abruptly curtailed as she was greeted at the front door by Mrs Castle announcing that Godmother Augusta had tripped over her ancient dog and was in hospital, in a parlous state. Pausing only to hang her new clothes in her wardrobe, Myrtle seized her bicycle and pedalled to the rectory, from where the dear Rector drove her to the hospital.

For a month Myrtle shuttled to and from the hospital and London, from where she returned with Godmother Augusta's solicitor, summoned to the bedside. She read to the quailing, shrunken old lady, sang melodies in her small but tuneful voice, brought her little pots of Mrs Castle's blancmange, stroked her cold, wrinkled hands, entertained her with stories of village people and the evacuees.

But nothing could prevent Godmother Augusta from dying. Myrtle found herself in charge of organizing the funeral and, to her amazement, enjoyed the responsibility. She was even more flabbergasted when the solicitor announced that Godmother Augusta had bequeathed her house to the church, but a small fortune in stocks and shares to Myrtle.

Thunderstruck, Myrtle protested, 'But that is not possible! Godmother Augusta was poor!'

The solicitor gave a knowing little cough. 'Indeed, Miss Glossop, your godmother believed herself to be in financial straits, and ordered her life accordingly. She laboured under a misapprehension of her situation, of which I frequently attempted to disabuse her, but in vain. I assure you that a substantial amount is yours, and that I await your instructions.'

Completely bewildered, Myrtle's first thought was of her fairy godmother. She rushed up to 124 New Bond Street and poured out her miraculous tale to her astonished but delighted ally.

Myrtle and Mary worked out a plan. Myrtle would spend a few weeks in London, making necessary visits to the solicitor while staying in a quiet, eminently respectable hotel. From there she could meet some agreeable men, none of whom would have any idea she was an heiress. Mary would ensure that all of them had a more than adequate income of their own, and were not angling to marry for money.

Myrtle took to town life like a duck to water, revelling in her transformed looks, her freedom to spend money on clothes, make-up and scent, visits to the hairdresser and beauty parlour, singing and dancing lessons, and anything which took her newly released fancy. Cornwall faded into the misty past, along with Sussex and the Isle of Wight. She was joyfully preoccupied, oblivious to what was going on in the world — she was even amused by having to take her gas mask to the cinema in order to be allowed to buy a ticket. Despite the blackout she blundered excitedly around the West End, and steeled herself to go down the moving staircase to the underground train. Thrilled by her own courage, she promptly took the up staircase and descended again. She haunted the department stores, buying herself the first pretty blouse she had ever owned, dotted with rosebuds and daisies. She wore it with a delectable pink skirt when she met the first of 'Mary's Men', a kind, reliable civil servant who would, Mary felt, give her confidence in the male sex.

At 8.45 on the morning after this meeting Myrtle was waiting outside the Bureau's door when Mary arrived. Tearfully, she blurted out that the civil servant had kissed her! On her lips!! What should she do? Was he not a wicked man??

Mary realized that Myrtle's sheltered background had given her no inkling whatsoever of how men (other than the Rector) might behave to a woman. She was aching with anxiety to please a man, but had no idea what to expect from him. Mary sought advice from Heather.

'Myrtle is dying to do the right thing, but she is too eager — it's small wonder our nice civil servant kissed her first time. It's pitiful, like the way she used to arrange the church flowers, and then go to early morning communion *and* matins *and* evensong, *and* help with the Sunday School, hoping her adored Rector would notice. What shall I do, Heather?'

'Sit her down and go through a few simple facts about men,' advised Heather with her usual practicality. 'Myrtle's intelligent, though woefully ignorant. Persuade her to look at men more calmly — and keep calm yourself. I've been observing your Myrtle, and I am certain she will manage.'

Myrtle rented a flat in Kensington and met more of Mary's Men, not revealing to Mary whether they kissed her or not. But she gave her fairy godmother happy descriptions, such as of an evening in a dance hall, where the civil servant had introduced her to the Palais Glide. 'I've never danced before! I adored it!'

Myrtle and the civil servant liked one another, but neither envisaged a future together. Mary's Men included also an MP, a clergyman, a country solicitor, a naval officer and a businessman. Myrtle wrote Mary lengthy letters giving her views.

She heartily disliked the MP:

> He kept questioning me about politics and I did not know the answers. I am certain that he knew that I could not answer, and that he kept asking merely to make me feel embarrassed. His only concern is politics, which do not interest me a jot. He has a very good opinion of himself, but I found him badly wanting in good manners.

The clergyman irritated her:

> He is the most frightful fuddy-duddy, nothing like my old Rector, who was a dear. He sermonized and I was bored.

She was offended by the solicitor:

I am sure he was at least fifty-five, though he said forty-five (which was too old anyway). He took me to an afternoon tea dance, where tea in the ballroom cost 2s 9d, but at the entrance, only is 6d. He said that the ballroom was full, so we would have tea at the entrance. But there were hardly any couples dancing in the ball-room, it was just that he was too mean to pay. And he wore a toupee which kept slipping down his forehead.

She was attracted by the naval officer:

He is a very handsome man, and very pleasant too. We spent an enjoyable evening at the theatre and I should have liked to hear from him again.

The businessman's appearance did not have the same effect on her as hers on him:

He is not a cultured man but certainly successful — he informed me with great pride that his income is about £2,000 a year. But his suit was of purple checks and his waistcoat scarlet, he carried a black silk top hat which was unsuitable for the occasion, and his short socks revealed an expanse of pasty white lower leg which repelled me.

Myrtle assured Mary that she followed her advice by not behaving too eagerly, yet all the

men referred directly or indirectly to her advances.
The MP dismissed her out of hand:

> She is uneducated, ignorant and overbearingly flirtatious. Flightiness is most undesirable in a politician's wife.

The clergyman wrote:

> Her conversation was limited to clothes, which are of no concern to me, and dancing, which to me is an athletic activity verging on the pagan. She appears to regard her religion merely as a social activity.

The solicitor was disconcerted:

> She planted a large kiss on my unsuspecting lips as we were dancing, at our first (and only) meeting. In endeavouring strenuously to please, she fails to understand that she denies any man his role of seducer.

The naval officer was nervous:

> She is engaging and warm-hearted, but I fear that when her husband is at sea, such a gregarious soul would hanker after the company of other men. Her need of affection is touching in its transparency.

The businessman was not altogether negative:

> She dresses in a style of which any husband

would be proud, and her conversation has a girlish appeal. She combines an engaging youthfulness with a most tasteful and inviting appearance. She will make an ideal wife for a man who loves both the innocent girl and the uninhibited woman in her.

Mary sighed gustily as she read between the lines: Myrtle was frightening off any man she liked by making the running. Her little virgin was mutating into a man-eater. So when Roderick O'Rawe wrote from Ireland, Mary held her breath, for every line spoke the single word: *Myrtle*.

Roderick was thirty-six, the inheritor of a ramshackle Irish estate which he farmed single-handedly, despite bouts of asthma. He wanted a wife to contribute vivacity and gaiety to his solitary life. The local Catholic girls were too bashful, shy and provincial for his taste, unblessed with the zest and exuberance for which he hungered. He was coming on a quick visit to London next week: could the Bureau help?

Mary never forgot her joyous amazement at the turn of events. Rory and Myrtle met in London on Monday, Tuesday, Wednesday and Thursday. On Friday they married, Mary standing witness. On Saturday they set off for Ireland, from where Rory shortly wrote:

> She is enchanting, ravishing, so pretty in her dainty clothes, always smiling. Her joie de vivre lights up my life. She makes me happy

as a pig in muck! Myrtle too is tickled pink, she is helping me to plan improvements to the estate, which I can now afford. She is learning the lovely Irish songs and jigs, and she entertains me in the long evenings. Her singing and dancing transport me to realms of wonder and glory. She is also learning to play the darling Irish harp. I am in heaven, bewitched by my golden-haired angel. We shall remain grateful to you for ever and a day.

Rory's extravagant signature, all curls and flourishes, was followed in Myrtle's childish handwriting: 'PS I adore him! THANK YOU!!'

'Well done, dear Mary,' Heather applauded. 'I only hope that the magical enchantment will endure longer than the golden hair — which must benefit from an exceptional Irish hair-dresser, for it was surely a nondescript brown!'

8

The Mansion and the Mating

By the autumn of 1939 new applicants were visiting or writing to the Marriage Bureau hourly. The *Daily Mail* reported that 'among the businesses that are booming since the outbreak of war is the Marriage Bureau conducted by Miss Heather Jenner and Miss Mary Oliver in Bond Street. Last week eighty of their clients married — making, therefore, forty marriages.' Heather was quoted: 'There are so many young men wanting to marry before they go to the Front, or at any rate to have someone waiting for them when they return and to write to while they are away.' And women, remembering the dire shortage of men after the slaughter of the Great War, were anxious to secure a husband, even though he might be killed later.

Heather and Mary were becoming increasingly skilled at matching clients, and both were deeply committed to their work. But like everyone running a business, they were profoundly apprehensive about the likely effects of war. The certain prospect of bombing, which might destroy the office and all its records, brought them out in a cold sweat.

Stubbing out her cigarette, Mary shuddered. 'A single bomb could wipe us out. And I wouldn't put it past that Hitler fiend to drop a multitude of bombs on London.'

'You're right, he is the devil incarnate. And he could obliterate the Bureau as if it had never existed.'

'And us too.'

'Never mind us — we must do something about the Bureau. We should make copies of all our records and store them in a second office, in another street.'

'But that could easily be bombed too. Nowhere in London will be safe. Or in any other big city, come to that. But what about the country? We could have an office somewhere rural and quiet, somewhere unlikely to be a Hitler target.'

This sombre conversation took place as the two match-makers were driving from London to visit friends near Aldershot. Steering her precious Morris 8, Heather's eyes were fixed firmly on the road ahead while Mary looked out of the window, relishing the vistas of trees and green fields — until she turned to Heather, her eyes sparkling. 'What about near here? The Hun wouldn't waste his precious bombs on farmland, with hardly any buildings. Look, there, above that high wall, there's a house agent's board. Let's investigate!'

Heather drove through two huge, rusty, wrought-iron gates, propped open and leaning at a perilous angle across a gravelled drive which led to a Victorian red-brick mansion smothered in Virginia creeper. Tentacles of blood-red leaves crept across the windows, giving the impression of half-closed eyes in a building fallen asleep, with no doubt a somnolent princess reclining inside, waiting to be kissed awake by her resourceful prince.

Heather stretched out her fingers to grip the immense black knocker and rapped firmly on the front door. After a few minutes it creaked open, to reveal a buxom, middle-aged Mrs Tiggy-Winkle wearing a sober grey dress and starched white apron, who introduced herself rather frostily as Mrs Plum, the housekeeper.

Heather explained that she and Mary were looking for an office out of London. Unaware that Heather was using her increasingly well-honed interview techniques to extract information, Mrs Plum thawed and grew garrulous, telling Heather all she wanted to know.

While Heather and Mrs Plum chatted, Mary gazed at the imposing hall, crammed with velvet-upholstered chairs, dusty tables with tops and legs so thick it must have taken a small army to move them, and cabinets filled with military medals, tarnished silver snuffboxes, ancient coins and miniatures of women in powdered wigs and men lounging in poetic poses. The gentle wind outside stirred the Virginia creeper, causing the thin streaks of light which filtered in through the filthy windows to flicker as they played on the marble walls and fluted pillars.

Leaving Heather and Mrs Plum absorbed in conversation, Mary peered round a half-open door into a shadowy room in whose cobwebby recesses she glimpsed three once-glossy grand pianos. She stole across the parquet floor, scattered with fabulous Persian rugs, while from the panelled walls swarthy grandees, framed flamboyantly in gold, sneered down their cliff-edge noses at her. In the half-darkness, their haughty eyes, bejewelled silver swords, and arrow-shaped beards resting on stiff ruffs inspired in Mary a frisson of rapture and fear. She turned tail and escaped back into the hall.

'Ah, there you are, Mary. Mrs Plum tells me the house belongs to a foreign diplomat who has fled back to his country, where he imagines Hitler will not find him. It is to be let with all furniture, four servants, twenty-five bedrooms, about twenty bathrooms (nobody has counted them accurately) and twenty-three acres. I have agreed to take it for an initial three months. We must hurry now, or we shall be late for our friends. Come along!'

'But, but — ' Mary stammered as Heather strode to the door. 'Are you serious?'

'Yes, aren't you? I thought you'd love it, dear Mary, it's such a romantic place, exactly your style!'

Mary took a deep breath, and turned an ecstatic face to Heather. 'Yes, it's the most romantic house imaginable, magnificent and scary too. And there's pots of room for our records, and bedrooms for our newly married couples who loathe living with their parents but can't find anything else in wartime. And in Aldershot there are soldier husbands who don't like living in army quarters but have to be near. And — '

'And it's only twenty guineas a quarter! An

entire mansion and acres of grounds for far less than our minuscule office! Mrs Plum wanted twenty-two guineas, but I pointed out that it is far from spick and span, and persuaded her that she would never find such good and honest tenants as we.'

⋆ ⋆ ⋆

A week later, the two match-makers and two reluctant secretaries transported themselves, their clothes, and boxes of writing paper, airletters, envelopes, record cards, ledgers and registration forms to their new home.

Mrs Plum welcomed them in some amazement. 'Where are the servants?' she enquired. 'The house needs fifteen.'

'We have brought two secretaries,' replied Heather in her most authoritative manner, indicating the two girls, who were looking distinctly unenthusiastic.

But even just keeping the rooms clean was far too much for the Bond Street contingent plus the four servants included in the rent: Mrs Plum, a 'tweeny' housemaid who flicked her feather duster right, left and centre, gaily redistributing the dust, and two ancient sisters whose rheumatic joints (or was it gin?) confined them to the servants' wing. Heather and Mary spent their days cleaning, or typing out circulars extolling the glories of the mansion and the success of the Marriage Bureau, which they put in their bicycle baskets and distributed round Aldershot.

For days nothing happened. The match-makers were beginning to despair when an elderly admiral telephoned, gave his name and abruptly demanded the price of a room. But he immediately put the phone down, cutting Heather off before she could reply.

So it was a surprise when the next evening the Admiral marched up the drive, carrying a battered suitcase and tugging a drooping bloodhound with a hang-dog look in its bloodshot eyes. Uttering not a word, he barged past Mrs Plum and set off up the stairs. He aimed straight as an arrow for the largest of the immense ex-diplomatic bedrooms, where he sniffed and harrumphed at the expanse of four-poster bed draped in faded, moth-eaten velvet. Silently, he inspected the pink marble bathroom and the shelves of leather-bound books. Then he dumped his suitcase unceremoniously down on a fragile, exquisitely inlaid writing table, Heather squirming at the thought of the replacement cost, and gave voice. 'Used to live here myself. Wife's family built it in 1870. Wife died. Too expensive to run. Damn foreigner bought it off me for a song. Dog can sleep in the kitchen. What time's dinner?'

The meal was not a success. Neither Heather nor Mary had any culinary skills, and the secretaries, exhausted by the daily cleaning and typing, refused point blank even to enter the cavernous kitchen. The ancient mystery sisters both claimed via Mrs Plum that their joints and hearts were so dicky that they could not even walk, let alone cook, and Mrs Plum, usually cooperative, tartly advised Mary and Heather that cooking was no part of her duties. So they had advertised locally for a cook, and had had no choice but to employ the sole respondent, a slatternly woman with a cigarette hanging out of her mouth who claimed to be a good basic cook.

'She's gloriously basic,' groaned Mary, as the Admiral stomped furiously up the stairs after a dismal repast of cabbage so over-boiled it looked and tasted bleached, a scrawny boiling fowl and rock-hard grey potatoes, followed by a lumpy pink blancmange sprinkled with what looked suspiciously like cigarette ash.

'She'll have to go,' said Heather, who was beginning to regret her impetuousness in taking on the mansion.

At breakfast the next day Mrs Plum planted herself in front of Heather, arms akimbo.

'That vile dog has diarrhoea. All over my kitchen floor. It's more than flesh and blood can stand. I am not clearing it up.' Uttering a snort of disgust and scorn she turned sharply and stormed off.

At that very moment the Admiral banged his way downstairs, purple-faced, cursing and swearing as if castigating sailors, hitting the furniture with his suitcase, bellowing, 'Appalling! Ruddy bed collapsed! Didn't sleep a wink! Saw mice! Bath water muddy! Filthy food! Disgraceful! Not paying a penny! Out of my way! OUT OF MY WAY!' Hearing the familiar voice, the sickly dog slumped out from the kitchen, shooed violently by Mrs Plum, and slunk off with its master.

Although brought up on a farm, Mary had a horror of sick animals, and even the thought of canine diarrhoea made her retch. So it fell to Heather to clean up the kitchen, after which she downed three large gins. She listened as Mary sighed that they were losing clients in London, for whom Aldershot was too far, especially with petrol rationing.

'Nonsense,' retorted Heather. 'Chin up! It'll just take time. Anyway, it gives us a chance to get on with some mating. Come on.'

Mary had persuaded a local newspaper to take an advertisement under the heading 'MATRIMONY'. Giving the Bureau's address and telephone number, it stated that introductions were 'AVAILABLE FOR ALL CLASSES'. English society was very class-conscious, and clients almost invariably wanted to meet someone from their own background — 'Except for people like Cedric Thistleton,' observed Heather, 'who want to rise far above their own background by hitching themselves to a superior spouse!'

So Mary and Heather had developed a 'mating' system, based on the all-important distinctions of class. It assigned each client to one of these categories:

Lady and *Gent*
Upper class, not necessarily titled but definitely of superior breeding.

Gent For Here and *Lady For Here*
(GFH and *LFH)*
Upper middle class, public school educated

(*Here* being the office, i.e. *for our purposes*).

Near Gent and *Near Lady*
(or *Half Gent* and *Half Lady*)
Middle class, with a professional background.
Gentish and *Ladyish*
Lower middle or working class.

WC (Working Class)
Used in the very early days of the Bureau; soon replaced by *MBTM (Much Better Than Most)* and, a smidgeon lower, *MBTS (Much Better Than Some)*. Both could have an added *V*: *VMBTM (Very Much Better Than Most)*; or even a further addition, *GOOD*, creating *GOOD VMBTM*.

+, ++, or −
All categories could be modified with plus or minus signs which enabled the client to be introduced to the next category (up or down). For example, *Ladyish* ++ could meet *Near Gent* −. Similarly *Gent For Here* could be matched with *Near Lady* +.

Just
Another modification: a *Near Gent, just* could be introduced to a *Near Lady*, though probably not to a *Near Lady* ++.

A client in the *Gent For Here* category would almost invariably specify, 'She must be a lady.' The interviewer knew exactly what he meant, and immediately searched for a woman who had been to private or public school, spoke without any local accent, and moved in social circles similar to his. Similarly, a *Much Better Than Some* woman would ask for 'a plain ordinary working-class man', and be matched with a man categorized as *Much Better Than Some* or *Working Class*.

The interviewers recorded each client's name, religion, age, profession, income and place of residence in a volume called the Black Book. Each client's town was also entered alphabetically, since geography was a critical factor, especially with the difficulty of travelling in wartime. Index boxes contained a card for each client, recording his or her registration number, details about the client and about the type of person he or she wanted to marry. On the back of each card, the interviewer wrote the registration number of all that client's introductions, thereby avoiding the risk of sending the same introduction twice. There were so many clients that most letters of the alphabet needed two separate index boxes, one for men and one for women. Some smaller groups, of country or religion, such as clients living in India, or Jews, needed only one box for both men and women.

It was a very complicated set of records, 'but,' recalled Mary, 'finding the right husband or wife, in the right place, at the right time, was a complicated business. And the system worked!'

Doing some mating in the increasingly chilly mansion one autumnal day, the two matchmakers assessed the situation. Heather was huddled in her fur coat, Mary shivering despite wearing layers of underwear, vainly attempting to warm herself with cigarette after cigarette. Mrs Plum had just disclosed that in winter the fires burned a ton of coal a week, and the central heating about the same of coke. The diplomat had installed the newfangled system years ago when it was a daring innovation. According to the housekeeper, the diplomat's entourage and hangers-on had been greatly impressed, but even though the boiler was perpetually ravenous, the radiators remained tepid. As for the price of such a quantity of fuel, even in peacetime it was punitive, but wartime prices were rising daily to ever more astronomical heights.

As the match-makers glumly examined the newly delivered coal bill, a mangy cat stole into the room. Before she had even seen it Heather, who had a violent allergy to cats, sneezed uncontrollably, her eyes swelling up pink and puffily, tears ruining her make-up. As she struggled to stem the flow while aiming a kick at the offending creature, Mary answered the telephone.

'I must speak to Miss Jenner,' wailed the secretary left behind in Bond Street, so loudly that Heather heard too. 'I cannot cope any longer. There are far too many letters to answer, and I cannot manage them and answer the telephone too, and there are some nasty clients to deal with. I shall have to hand in my notice.'

'That's the very last straw!' exclaimed Heather. 'Come on, Mary, let's get packed. I'll tell Mrs Plum. We shall pay the rent as we are obliged to, but we are leaving today.'

* * *

Two heavily laden car trips later, back in Bond Street, Heather, Mary and the two secretaries swiftly and joyfully restored all the papers, listened to the incumbent secretary's tales of woe, and set about sorting the mountain of post. Mary stopped short at a long airletter, sent from Australia by a young man, Fred Adams.

Fred's story wrenched Mary's tender heart. He had been born in Suffolk, on a farm which he dimly remembered. By the age of three he was an orphan: his mother died in the ravaging Spanish flu pandemic of 1918, just after she'd heard that her husband had not survived the combination of gangrene contracted in the trenches and the consequent amputation of both his legs.

Fred was bundled off to a spinster aunt living on the next-door farm, who brought him up because it was her duty. Auntie Ellen did not love him: he was nothing but a nuisance to her, and she resented having to feed and clothe him. She was an old maid because her soldier fiancé had been shot as a deserter, and she was bitter to her bones about everything and everybody (not surprisingly, thought Mary). Fred wrote that Auntie Ellen had never had much love in her, but what little there was had been knocked right out of her. The fiancé was not in fact a deserter: he'd simply gone so mad after being gassed that he'd run away. The search party found him crouching in a ditch sobbing his heart out; though he didn't cry when they stood him up and shot him.

Mary paused to dry her eyes so that she could read on.

Fred decided life could only be better somewhere else. At fourteen he left school — which he had scarcely attended, since Auntie Ellen had always found jobs for him on the farm — and went out, steerage, to Australia. Auntie Ellen was glad to be rid of him, so she gave him a bit of money and a ticket on the ship. In Australia he did odd jobs and lived hand-to-mouth until he was fifteen, when he joined the Royal Australian Navy (lying about his age). He was now twenty-four. In September, when Australia joined the war, he had heard rumours that his ship would shortly be sent to England. He didn't know exactly when, but he did know that he wanted to marry an English girl because, though he liked Australia, he rated Australian girls flighty, hard-boiled and harsh-voiced. He had had a childhood sweetheart in Suffolk, Elsie, when he was a little boy of ten, whom he remembered as the dearest little thing.

'Oh, Heather, it's a most touching story, we must help!'

'It certainly is,' agreed Heather. 'But how did he know about the Bureau?'

'The article in that Queensland newspaper *The Morning Bulletin* in July, remember? The one that said the Bureau gets 300 letters a day, many from Australia, New Zealand and South Africa. It had the story of me chaperoning that glamorous Arabella Pickering to Paris to meet that wealthy businessman. And it said that half our female clients are mannequins, and we introduce them to eligible bachelors from the Dominions who want decorative wives. It quoted us as saying, 'We call ourselves Empire Builders!''

'As indeed we are! Yes, I remember now. You are very good with journalists, dear Mary. I doubt that half or even a quarter of our girls are mannequins, but no matter.'

Fred's letter told Mary so much about himself that she quickly formed a mental picture of the future Mrs Adams, and was overjoyed that it echoed Fred's description of his childhood sweetheart, who remained vivid in his mind: 'I want you to interduce me to a nice quiet affekshunate girl with dark flashy eyes,' wrote Fred.

> I remember elsies eyes they were big and dark brown they were allmost black and her hair the same colour and shiny and long all down her back. I want a girl who nos her way about and will help me to settle after ten years in australia I will feel out of things in England. elsie was a very kind harted little girl she used to slip biskits from her tea into her apron pokitt and give them to me the next day at scool because she new my arnt didnt give me much to eat. elsies parents were kind to but they were poor with not enuff money to feed themselves and 4 children. I am 5′ 6″ tall and please find me a girl shorter than that a dainty girl and a chased girl. I dont mind what religun

> she is or if shes forrin but not german or australian. Please send me some girls but please do not put marriage bureau on the letter or your name please put arnt mary I dont want navy officers to see.

Mary was completely won over. 'Poor lamb, his spelling's even worse than mine, but his heart's in the right place. I can think of three or four girls who might suit.'

On a plain airletter, including some misleading information about imaginary friends, and signed *Aunt Mary*, Mary sent Fred details about Nancy Patch, a shy, stuttering young woman who had rushed along to register with the Marriage Bureau in her half-hour break from working as a nippy at Lyons Corner House next to Charing Cross.

'It's ever so busy,' Nancy had panted, 'us waitresses have to be really n-n-nippy! There's lots of young m-m-men come in for a cup of tea and a bun, and they're lonely and want to chat, but we can't talk to them, only t-t-take their order and their money. I live in digs with my sister, she's shy like me so we don't nev-nev-never go out and we don't meet no young m-m-men. I'm twenty-three and my mum says I'm on the shelf, cos she was m-m-married at seventeen.'

Mary had assessed Nancy as *WC+*, and from his letter thought Fred was probably the same. She was a pretty, dark-eyed girl, her long hair coiled on top of her head 'so it don't fall in the customers' soup'. Mary imagined Fred feeling protective of this sweet young soul, who stood only five feet one inches tall. So she was dismayed when a few weeks later Nancy flew into the office, flushed from running, blushing apologetically as she broke her news.

'Oh, Miss O-O-Oliver, I'm ever so sorry, I'm in a pickle, you see I got a nice letter from Mr Adams but I've said I'll marry Trevor Potts that you sent me in J-J-June. He's ever so keen and he wants us to marry n-n-next month before he gets called up. But Mr Adams sounds ever such a nice gen-gen-gentleman and he sounds just right for my little sister Elsie. She's a ni-ni-nippy like me, she's like me in mostly everything, but she's only just started work, and she hasn't got enough m-m-money to join the Ma-Ma-Marriage Bureau. What ever shall I do?'

Mary's mind was in a whirl. Elsie. Could it — might it — no, it wasn't possible — but it might — yes — no — yes . . .

'Are you and Elsie from London?' she asked a startled Nancy.

'No, we come here to work because there weren't no jo-jo-jobs at home, we wasn't big and strong enough for farm work.'

'So where is home?' enquired Mary, her thoughts racing.

'We was born on a f-f-farm. It's not near anywhere, there's only f-f-farms.'

'Do you know which county?'

'Oh, yes, c-c-course I do, it's Suffolk.'

Mary was gripped by a wild hope. 'Well, I think we could change the rules a little. Your sister could pay us 2s 6d and I'll tell Mr Adams about her. If she marries him she'll have to pay the After Marriage Fee, though. Would that suit?'

'Oh, oh, oh, thank you ever so much, Miss O-O-Oliver. I've got a f-f-feeling about Elsie and Mr Adams. One of them feelings, you know.'

'Yes, I do know,' agreed Mary with fervour, adding to herself, 'and I hope and pray this one is right!'

9

Mary's Bones and Babies

'They're just children, babes,' sighed Mary after interviewing a succession of bashful but eager young men. 'They're still wet behind the ears, little puppy dogs fresh from being licked clean by their mother. I can almost sniff that soggy-doggy scent. They shouldn't be going off to fight, and nor should they be getting married.'

It was 1940 and, since the Nazis did not invade, many evacuees had returned to the cities, where they learned to pick their way with caution through pea-souper fogs along the blacked-out streets. People grew more casual about taking their gas masks everywhere; but everyone knew that savagery and anarchy were inevitable. The first to be called up for military service were fit and able men of twenty and twenty-one, the single before the married. Many rushed to the recruiting office, while more timorous young men hurried to the Marriage Bureau in hopes of putting off the evil hour.

'So what are you going to do about your puppy dogs?' demanded Heather.

'You know as well as I do: I'll look for some equally young and scared girls. The Black Book is full of them. I had such a nice child this morning — Ada Burn, a shy little elf with a voice so gentle I could hardly hear her. She's only eighteen, but she's been working as a milliner's assistant since she was fourteen, and she's living with her mother and a new stepfather who frightens her. He goes down the boozer, she says, and comes home drunk and bashes her mother. She's tried to help, but the woman insists that he hits her because he loves her, and she loves him. Daft. So poor Ada's longing to get away and marry some quiet, home-loving young man who's kind to people, that's her main consideration. 'Someone not too gay or too energetic,' she put on her registration form. 'Any decent type will do.''

Heather considered, and suggested Fred Adams, who would be over from Australia very soon. Mary agreed that he sounded the right sort, but that he would probably return to Australia after the war, while Ada wanted to stay in England — she'd never been further than Clacton in her life. In any case, Mary was anxious to see what happened with Fred and Elsie before trying anyone else for him. Elsie's protective sister Nancy had told Mary that Elsie and Fred were corresponding.

'I have a feeling about that pair,' mused Mary. 'My bones go a bit soft, as if I've had too many gin and limes.'

'Soft in the head, more like! You have the most speaking bones I've ever known! Ask them to tell you the name of some nice man for your Ada.'

Mary scoured the Black Book and the record cards, soon lighting on a young man who spoke to her bones: John Parker.

John was a cabinet maker of twenty-one,

working with his father in Bethnal Green. His mother had died giving birth to him, and his stepmother regarded him as an unwelcome intruder in her life. She had once whacked the enquiring toddler across the mouth for reaching up to her favourite vase and bringing it crashing to the floor. Little John had bled so profusely that for once his father had rounded on his wife and hit her. Since then she had hardly ever touched John, and spoke to him only when she couldn't avoid it.

But his grandmother and he had doted on one another. He had always loved old Mrs Zambrovsky's graphic stories of his lost mother — her favourite, forever-mourned daughter. Instead of playing outside with the children of the street, John had stayed in his nan's stuffy parlour listening enraptured as she told him rambling tales of his mother's talents and charm, and described her own childhood in Russia, and her arrival in bewildering London. She had stood in the street for hours to catch a glimpse of Queen Victoria — who had graciously waved directly at Mrs Zambrovsky! Picked her out in the seething mass and waved at her and her alone! The old woman's wrinkle-scored face always glowed at the memory, whose glory illuminated John too as he hugged his beloved nan.

In his grandmother's final harrowing illness, John had spent days and nights at her bedside holding her hand, listening, laughing, stroking, soothing, looking after her with an instinctive loving-kindness that baffled his father. 'It ain't natural, the way that boy carries on. It's woman's work wot 'e's doing.'

But John's stepmother wanted nothing to do with either her stepson or the drooling old Jewish woman. 'Shut yer mouth and let 'im get on wiv it, wontcher?' she screeched at her husband. 'Thank yer lucky stars you and me don't have to look after the old witch. I can't never understand wot she's saying, in that forrin voice of 'ers. She'll be gorn soon and good riddance I say!'

So John had quietly taken charge. To the chagrin of the family, his nan bequeathed him her tiny terraced house, so with deep relief he had moved round the corner and gradually mended the furniture and cleaned the rooms and washed the curtains until he had a very pleasant, comfortable, cosy bachelor home. He was horrified at the prospect of being called up to fight, for he was a gentle, domesticated soul who, since the death of the one person with whom he had known what it was to love and be loved, was happy only when absorbed in making a piece of furniture, or restoring a beautiful antique. He had heard of Conscientious Objectors, who were exempted from killing by doing war work such as driving ambulances. But he knew with what scorn and even violence his father and friends would treat him if he became a despised 'Conchie'; so the only tactic he could think of which would at least delay his call-up, was to marry.

'I think you and your bones may be right, dear Mary,' said Heather. 'Ada and John are well worth trying. I remember him: I interviewed him. Didn't he say he wanted to meet a quiet, homely girl, perhaps one who has helped old or sick people?'

'Yes, he did. And you liked him: you wrote on his card, 'Nice boy, working class, split lip, lovely hands, v. blue eyes, own house and furniture.' It's very unusual for such a young man to have his own home; it'll be an attraction.'

'It should be, though last month I wanted to introduce him to a girl who said she wouldn't even go near the East End, not for all the furniture in the world, not if you paid her, it's full of cockneys and Jews.'

'What a nasty little madam. John's well shot of her.'

Mary wrote about John to Ada, who replied that she would like to meet him, and sent him a letter giving the address of the milliner's shop where she worked rather than her home address, for fear that her stepfather might get wind of what she was doing and mete out the same viciousness to her as to her mother. Mary waited; but no news came.

* * *

'What in heaven's name is the matter?' cried Heather two weeks later, as she observed Mary clutching a flimsy air-letter while laughing and crying simultaneously.

Miraculously, Mary's bones had been right: Nancy Patch's little sister Elsie was the very girl Fred Adams in Australia had known all those years ago. They were going to meet as soon as he came to England; they were both overjoyed. So too was Mary, though the emotions overcoming her were mixed: 'Fred and Elsie are jumping up and down like jack-in-a-boxes and almost planning the great day and shall he bring some sultanas for the wedding cake and it's wonderful but I can't bear it because it's too fairy tale and I'm sure they'll take one look at each other and think 'Oh, NO!' and their golden dreams will go up in grey smoke and it'll be all my fault and — '

'Such nonsense!' Heather broke in. 'Really, Mary, you are taking off at as great a speed as if Hitler has dropped a bomb at your feet. Fate has played one of its tricks, aided and abetted by you — and by Elsie's sister too, let me remind you. If it ends happily ever after we shall all bless fate, and if it ends in tears we shall all curse fate. It's as simple as that. Now do brace up and let's get on with answering all these letters.'

Mary meekly picked up her letter opener, slit an innocuous-looking pale violet envelope, studied the violet-scented sheet of paper, and burst into peals of laughter. 'Oh, Heather, you won't believe this one! We are invited to judge a baby show!'

'What? Why? I don't know anything at all about babies, and neither do you. Who's the invitation from?'

'The Lady Chairman of the Women's Institute of some place I've never heard of, in Surrey. She read about that scheme we had for rewarding clients who had a baby.'

Heather grimaced, remembering the plan she and Mary had dreamed up to publicize the

Bureau at the same time as being patriotic. They had offered £50 for each baby born to a client, on three conditions:

1. Both parents must have married through the Bureau (no payment to a client who had married 'out', to someone who was not a client);
2. The father must be a member of the fighting forces;
3. The baby must be born within a year of the marriage.

The *Sunday Chronicle* had quoted Heather: 'It is essential that the population should be maintained at such a time, and we hope we will have to make many £50 payments.' Almost immediately, a recently married Colonel client had written to announce that, ten months after his wedding to his much-loved Bureau wife, with whom he was deliriously happy, he had become the proud father of twins. Biting her lip, Heather had sent the now even more crazily happy couple a congratulatory letter enclosing £100. Her very next letter was to the insurance company, adding to the Bureau's policy a codicil insuring against future twins, triplets, quadruplets and quintuplets.

The violet invitation to the match-makers was for a charity fête in aid of refugee children, mostly Jewish, whose parents had managed to get them out of Germany. When they arrived at a mainline railway station in London, with a label attached to their clothes and carrying only a small dented suitcase, the forlorn little mites were greeted in a strange language, in an alien country. They were then assigned to an unknown family who might welcome them, but equally might resent them and treat them shabbily. Mary and Heather were eager to help these pitiful lost souls.

So, on a boiling hot day a few weeks later, the two match-makers motored in the Morris to a Home Counties meadow, dressed in their very smartest white outfits complete with kid gloves, jaunty hats, dainty handbags and snow-white shoes, Mary nursing a deliciously delicate white lace parasol, a relic of her Assam trousseau. Drawing near, they were astonished to hear raucous music and shouting: 'Roll up! Roll up! Madam Arcati tells your fortune!' 'All the fun of the fair!' 'Roll up! Pin the moustache on Hitler! Roll up!'

As they rounded the last corner a great crowd of people hove into sight, garishly coloured paper hats balanced on their heads as they stuck greedy tongues into swirls of frothy pink candyfloss, spluttering, laughing and giggling, pushing and shoving. Roundabouts were whirling, swing-boats plunging and swaying, bumper cars bouncing off one another with alarming bangs, the drivers squealing with delight. Men, women and children were flinging balls at coconuts, aiming rifles at moving plastic ducks, trying their hand at hoopla, or thwacking a small sandbag resembling a rat as it hurtled down a chute. All were in high holiday mood, united in their determination to ignore the war and enjoy the sweltering afternoon to the full.

Following a sign pointing to 'BABY SHOW, 2 P.M.', Heather and Mary fought their way round the stalls, tottering through the crowds on their high heels in the rough grass, to a roped-off part of the field. All around was confusion and noise, since hundreds of mothers had in tow not only their babies, wailing in the uncomfortable heat, but also their other children, who were too young to be let loose in the fête field, but too old to be remotely interested in a baby show. So they grizzled and grumped, to the frustration and rising anger of their mothers (their fathers having long since escaped to a beer tent tucked away in a corner of the field).

The Lady Chairman bore down like a ship in full sail to greet them, a formidable figure encased in a gown of intricately pleated and folded scarlet satin, strained to splitting point by her redoubtable torso. She was immense, positively pneumatic and, as the match-makers shook her plump hand, they observed the sweat stains on her gloves and under her arms, visible despite a wreath of silver fox furs round her neck, the black reynard eyes glinting glassily in the sunlight. Her width was to some extent balanced by her height, which was increased by a froth of a hat, a confection composed of feathers and bows and artificial flowers perched on top of a cascade of auburn waves.

Mary and Heather were marched off to a series of competitions: the Baby With The Bluest Eyes, the Tallest Baby (impossible to judge with any accuracy as none of the cherubs could stand), the Best Dressed Baby ('but a nappy is a nappy, surely!' murmured Mary), the Happiest Baby ('meaning the one who cries the least,' whispered Heather), the Fattest Baby, the Thinnest, the Prettiest, the Ugliest, the Baby With Most Hair and many more.

The first competition was for the Most Healthy Baby. Perspiring in the heat of a large tent, Heather and Mary surveyed the hot, sticky, snivelling entrants, conferred, and decided that they all looked much the same.

'Pick them up and hold them in your arms,' encouraged the Lady Chairman, demonstrating by scooping up a podgy specimen who howled himself purple in the face. 'Like this. Then you'll get a good feel of their darling little bodies.'

The prospect of proximity to the dribbling infants horrified the two judges, so they hastily settled on the cleanest, declaring him most wonderfully healthy, a tribute to his mother and certain to become a highly desirable husband whom they would one day welcome to the Marriage Bureau with open arms.

'What do you mean, a desirable husband?' squawked the indignant mother. 'She's a *girl*!'

'In that case she'll be a beautiful bride to some very, very lucky man,' declared Heather decisively, flashing a crushing smile as she swept on to the next competition, leaving the prizewinner's mother muttering, 'Those two la-di-das don't know anything about babies, they're just posh friends of our Lady Chairman.'

For every new contest, Mary and Heather walked up and down the aisles, inspecting with their untrained eyes the squirming infants laid out like so many freshly caught fish on the slab. They cooed at the contestants, smiled consolingly at the anxious mothers whose precious babes failed to win, commented as intelligently as their ignorance permitted, until at last every competition had been judged. But the weary adjudicators still had to face the prize-giving, which was to take place on a temporary stage cunningly concealed by large white sheets dotted with potted plants of patriotic red, white and blue flowers.

The Chairman introduced Mary and Heather to the dignitaries on the stage, representing the Women's Institute, Child Welfare Committee, church and parish council, all seated on flimsy bentwood chairs. A reluctant little girl dressed like the Sugar Plum Fairy, with elaborate sausage curls tumbling to her waist, was shoved by her mother up to the stage. Her lips parted to reveal a hefty wire brace on her teeth as she scowled at Mary and Heather and thrust a bunch of wilting rambler roses at each of them.

'Oh, she was an evil child!' complained Heather later, as they motored home in the fading light. 'I am convinced she had stripped the thorns off the stalks where she held them, but left the rest on purposely so that we should get pricked. My gloves are pierced beyond repair. I could have slapped her then and there.'

'It's just as well you didn't. We were supposed to be representing the Marriage Bureau, advertising the civilized way we work. Walloping a child would have been truly frightful publicity.'

'Yes, yes, I know. But I really cannot imagine what good publicity we achieved. It was after all a fairly disastrous occasion.'

The disaster had been caused by the Lady Chairman's husband, a man as portly and as heat-struck as his wife, whose ample backside bulged over his modest-sized chair. As Madam Chairman rose, like a whale ascending out of the sea, to introduce her husband (whom everyone present except Heather and Mary already knew and heartily disliked), he had lurched in her backwash and lunged towards Mary, imprinting a sweaty palm on her pristine white skirt. He then steadied himself, stood, and staggered towards the front of the stage.

With a protesting groan, the over-burdened boards had yielded, tipping Lady Chairman, husband, dignitaries and guests into an undignified heap, spattered with small clods of earth and displaced flowers, horribly resembling disturbed graves. The chairs fell higgledy-piggledy, some of them disintegrating into broken flying sticks. The prizes and certificates, which had been proudly displayed on a rickety table, were torn and crushed in the mêlée.

The shrieks rending the summer air from the stage were as dozy murmurs compared to the hooting and yelling of the mothers, all ghoulishly rejoicing in the discomfiture of the Chairman's unloved husband. The babies bawled even louder than before, bursting their little lungs they knew not why, and the children, given licence to shout and boo, hollered their juvenile heads off while rushing hither and thither, dive-bombing one another in an ecstasy of unrestrainable pandemonium.

Nobody was injured except in their pride, but the show could not go on. The Chairman's husband heaved himself up and, wisely skipping his not-longed-for introductory speech, made a blessedly brief announcement that the prize-giving would be deferred to a more auspicious occasion. Exhausted, and politely declining rather lukewarm invitations to stay for tea, Heather and Mary had pleaded anxiety about driving in the blackout and stumbled back over the meadow to their car.

'I wasn't overly fond of babies before today,' groaned Heather, 'but now I never want to clap eyes on another one. My gorgeous white suit is ruined by infantile dribble, my shoes are covered in grass stains, which are impossible to get out, my gloves are spoiled, and my precious *chapeau* fell off and got squashed when that pathetic stage collapsed.'

'Well, at least your handbag's all right, unlike mine. And my pretty parasol, which Uncle George gave me for my trousseau when I was supposed to marry that dreary man in Assam, was trampled on and torn. But you must admit that the day had its moments. When we all fell like nine-pins I was stunned at first, then a great slippery gleaming mass rose and fell inches away, like a beached whale. And four wicked little jet eyes winked in a knowing kind of way at me, as if to say, 'How are the mighty fallen!' It was the Lady Chairman, of course, rolling around in all her satin and foxes!'

'She was truly as blubbery as any whale. She put me in mind of lots of little barrage balloons stacked on top of one another. And wasn't the face of the Ugliest Baby's mother a sight to behold? It was the most hideous fizzog, all huge hooter and mean piggy eyes. The wretched baby had just the same features — like mother, like daughter. I was longing to announce that the winner obviously took after her mother!'

'Oh, Heather!' hooted Mary, 'I thought you knew a lot about sex but you've got some really glaring gaps. The Ugliest Baby was a boy, not a girl!'

'You never can tell precisely at that age unless you unpin the nappy,' said Heather defensively. 'And I certainly wasn't going to do that!'

* * *

Two days later, Mary opened another violet-scented letter from the Lady Chairman, thanking them effusively for their gracious presence and their marvellous skill in judging the delicious little angels. 'And I wonder,' she concluded,

> if you would help a friend of mine, Etheldreda de Pomfret? She has been married three times, but, alas, her husbands did not survive, and so she was compelled to consign them to her past. She would so love to find a worthy husband, and I should so love to help her. I have given her your name and address and told her to write to you, or telephone. She will do as I say for she is a

most dear friend, a friend of my bosom, we are like two peas in a pod.

'Never mind peas in a pod, more like whales on a beach! Etheldreda sounds ghastly. Even her name is fearsome. I pity all three consigned husbands from my heart. What shall we do, Heather?'

Heather did not yet know. She was becoming increasingly aware of how odd and difficult some clients could be. Recently a Mrs Barnabas had telephoned demanding to speak to Miss Jenner and only Miss Jenner. She had read that Heather's birthday was, like hers, in February, and that Heather's eyes were green, like hers. This meant that they were in sympathy, and that Heather would indubitably find her a man born under Taurus, whose lucky colour was aquamarine and whose guiding number was eight. Mrs Barnabas accepted that Heather would not automatically know all the relevant facts about her clients, but if Miss Jenner would but present Mrs Barnabas with a selection of men, she herself would contact them all to ask if they satisfied her criteria. Heather had had great difficulty in shaking her off.

However, Heather did know, adamantly, that never again would they judge a baby show. Never. Not even if it were the most wonderful publicity in the world.

Mary nodded her agreement, only half-listening. She was already bending her mind to possible husbands for Mrs de Pomfret. Which of the clients might be persuaded to marry a woman the same age as the Lady Chairman and probably equally mountainous, who had somehow seen off three husbands. What on earth had happened to them? Had she poisoned them?

As Mary reached for the Black Book she noticed an unopened letter, the envelope addressed to her in uneven block capitals. She extracted a thin sheet of lined paper carrying a pencilled message: 'DEAR MISS OLIVER JOHN PARKER AND I ARE SUITED THANK YOU YOURS FAITHFULLY ADA BURNS MISS BUT SOON MRS.'

'Hooray!' Mary waved the letter in Heather's face. 'It worked!'

'And a special hooray for your sagacious speaking bones! Whatever will they tell you next?'

10

While Bombs Fall the Bureau Booms

The Phoney War came to a devastating end in the late afternoon of 7 September 1940, when more than 250 German aircraft dropped 625 tons of high-explosive bombs and thousands of incendiaries on London's docks and East End.

For the next eight months Londoners trod fearfully along blacked-out streets shrouded in dense fog, strewn with scorched bricks and wood, broken glass, twisted metal, shrapnel and forlorn remnants of people's lives. They breathed in the mortar-laden dust, smelled the acrid stink of high explosives, seeping gas and sewage, their ears attuned to the ghastly drone of approaching aircraft, the wailing of warning sirens and the heart-stopping whine of diving bombs. The living comforted the sick, wounded and homeless, and buried the dead, knowing that at any minute they too might die. Some despaired and chose death, committing suicide by cyanide; but many sought life and love. The Marriage Bureau was inundated with people in many states of mind, from the pitifully lonely and fearful to the determinedly optimistic and defiant.

'Three hundred applications today,' counted Heather. 'If this keeps up we shall have to employ another secretary, and that will be expensive.'

'But if a bomb razes us to the ground, as it very likely will,' countered Mary, 'we shan't have that or any other problem!'

'That's why we must think again of storing a second set of records somewhere safe.'

'But what about a second set of us?'

'*Courage, mon vieux* — or rather, *ma vieille et chère* Mary! We can but start with the records. I have arranged to see Humphrey and ask his advice.'

* * *

Humphrey listened attentively, as he always did to one of his favourite (and increasingly lucrative) clients. He told Heather that she would certainly be well advised to keep duplicates out of London, since the situation was looking far from good — indeed, in his candid opinion the prospects were diabolical. Heather and her Bureau had been fortunate so far, and their luck might hold; but as her legal adviser, and indeed her friend, he urged her as a matter of priority to seek a repository as safe as anyone could hope for.

'I foolishly thought that diplomat's mansion was safe,' admitted Heather, 'but I shall not repeat such a sorry mistake! I realize we had a lucky escape, for the mansion was not far from Aldershot. At the time we were optimistic and ignorant to the point of lunacy, but now we know a military centre is bound to be a target.'

Humphrey nodded sympathetically as a possibility struck him: the clerk of a solicitor friend in Maidenhead, a town he imagined to be as safe as anywhere, had been called up. There were therefore two office rooms to spare. Would Heather like Humphrey to enquire?

Heather agreed with enthusiasm; the friend proved willing; the rent was modest. So night after night the matchmakers laboriously copied their record cards, ledgers, registration forms, letters and press cuttings, writing in the smallest hand possible, since paper was beginning to be in short supply. Then, one bleak November day, they motored down to Maidenhead in the heavily laden Morris.

⋆ ⋆ ⋆

Several months later, Heather and Mary opened the Maidenhead office for two days every week. On the first afternoon, in glided a flawlessly chic designer, wearing a cape of American opossum over a perfectly cut two-piece of navy wool. She sat straight-backed, crossing her silk-stockinged legs, and explained that she had worked in Brook Street until a bomb had devastated her premises.

'Luckily it was December 27th,' explained Miss Easter to Heather, waving her ivory cigarette holder in a beautifully manicured hand, 'and when the bomb fell I was having a little Christmas break, safely at home in Knightsbridge, but all my work went up in flames. I decided to evacuate myself. And luck has struck again: I had been meaning to come and see you, since Brook Street is only just round the corner from Bond Street, and now here you are, two minutes from my digs! It must be fate!'

Miss Easter had lost her income and was living on savings and on rent from her flat, which she had let to a Free French officer 'who'll convert it into a Gallic love nest, I daresay, but he does pay the rent.' She was thirty-eight, and wanted to meet an older, settled, reliable gentleman of her own class: 'Public school of course. I don't mind if he's divorced, though I should prefer him to have been the plaintiff. Children are all right, but not babies. Probably over fifty; too old to be called up. Tall and well dressed. Not a country squire with grimy fingernails and addicted to dogs and shooting, but not a dedicated townie nightclubber either. Church of England preferably, or Roman Catholic if he doesn't expect me to go to church with him. And . . . ' Miss Easter hesitated, looking down momentarily and flicking her cigarette ash into the ashtray before continuing, softly but intensely, 'and he must have honourable intentions. I am sick to death of dishonourable men.'

Heather noted the sudden trembling of Miss Easter's scarlet lips and quickly assessed her abrupt lack of assurance. She had no doubt that a woman as well presented, charming and socially adept as Miss Easter had encountered numerous men with dubious intentions. But she reassured her that those who came to the Marriage Bureau were seeking a wife, not an *affaire* or a mistress (though some were certainly fleeing from such entanglements). The Bureau would introduce Miss Easter to no man who was not, as far as could possibly be ascertained, a gentleman in all senses of the word.

Only that very morning Heather had listened to the description of a woman uncannily resembling Miss Easter, by Colonel Champion, a fifty-four-year-old widower, educated at Eton and Sandhurst. He had fought with distinction in the Great War, but a limp from a bayonet wound had put paid to his army career. He had recently retired as a stockbroker to concentrate on charitable work for servicemen, and now wanted to marry a lady capable of providing social background for his 'rather exceptional' fifteen-year-old daughter.

'He is a very doting father!' smiled Heather. 'He's trying to make up for the girl losing her mother (in a car accident, sadly. She was driving). He's interesting and humorous, old school but sympathetic. He does not, however, want a wife who is too much of a cocktail drinker, nor a chain-smoker. How much do you smoke?'

'Oh, only five or so a day!' said Miss Easter, a little too airily, thought Heather, whose sensitive nose twitched at the aroma of cigarettes lurking below her client's lily of the valley scent. 'Perhaps a few more since the bombing started. A cigarette steadies my nerves. But now I'm out of London I'm sure I can cut down.' Miss Easter filled in her registration form and paid her five guineas.

To Heather's delight Miss Easter's first meeting with the Colonel was such a success that she joined him and his daughter when he collected her from her boarding school. But there was one fly in the Colonel's ointment. 'They cut me out!' he grumbled to Heather. 'Those two girls spent the whole time talking about clothes and fashion and make-up — they took not a blind bit of notice of me!'

'How perfectly dreadful!' murmured Heather with a total lack of sympathy, as they both burst out laughing, and Heather accepted the bouquet of lilies held out to her with a heartfelt, 'Thank you so much, m'dear, she's exactly the girl for me!'

* * *

Back in London, more and more people, particularly servicemen and -women, undeterred by the difficulties and anxieties of venturing into the West End, arrived at 124 New Bond Street. One who poured out his heart to Mary was a thin, gangly twenty-three-year-old who gazed at her with eyes of such an intense sea-greeny-blue that she felt as if she might drown: Tadeusz Nedza. 'The Scottish peoples call me Teddy. I am coming to you but not because I am sex-starved. I am luff-starved. I vant a vife to luff, and to luff me.'

Teddy had been born in the sad, beautiful Polish city of Krakow, to hotelier parents who wanted him to take over the family hotel. He dealt very pleasantly with the guests, including the foreign ones who were pleased that he spoke a smattering of their language. But in January 1939, with war threatening, he joined the Polish

Army, to be trained in Morse Code so that he could take down intercepted German messages. When the Germans invaded Poland eight months later, he was captured.

Teddy and a fellow soldier escaped, throwing the Germans off the scent by dodging and weaving through the city's maze of little alleys, which they knew intimately. He was recaptured days later, and an exploding hand grenade, which killed his captors, badly damaged his legs. A Red Cross doctor — ironically, a German — saved them from amputation.

'So you can see,' he insisted to Mary, banging his fist on the desk, 'I hate the German peoples, but one German I luff.'

Mary sat in silence, aghast, as Teddy continued his saga. Pronounced healthy and due to be sent to fight in Germany, he bluffed his way out of the hospital wearing a doctor's stolen coat and blessing his knowledge of German. He tricked a Gestapo officer who demanded his papers into falling to his death in an icy river. He outwitted slavering guard dogs, evaded wolves and survived sub-zero temperatures as he made his painful and lonely way to Hungary. There, he claimed to be a civilian, but his army haircut gave him away. Happily, friends came to the rescue with a ticket to a border river which he could cross into Serbia. From his breast pocket Teddy pulled a much-fingered ticket which he first kissed and then held out to Mary. 'Look, see, here is the ticket, my ticket to freedom. It is most precious to me, it is — how you say — my line of life. This ticket I luff.'

At last, emaciated from malnutrition and sea-sickness, Teddy had reached France on an overcrowded and leaking ship. In a decrepit car he and other soldiers set out for Brittany, but a bomb dropped by a German aeroplane killed the driver. None of the other soldiers could drive.

'They said, 'You haf been on driving courses — you must drive us,'' Teddy remembered, pointing his finger at Mary and fixing on her his brightest blue stare. 'I told to them, 'But I do not haf a permit to drive.' And they all laughed and shouted at me: 'Who is asking for your permit to drive? Is Hitler demanding to see it?!' So I drove. It was a terrible journey, the roads very bad and everywhere refugees pushing their carts with their old dying peoples, and animals starving and furnitures.'

At last, in June 1940, Teddy arrived in Liverpool, where he spent his first night in Britain fast asleep on a bench in the Anfield football ground, looked after by the Salvation Army. The next day he went by train to Scotland, where he joined the Polish Section of the British Army, had a glorious bath — 'Luffly hot water! And soap! And a *towel*!' — and set about taking down German messages and cracking the codes.

Teddy became more and more expert at his work, and was promoted to instructor. He spent some time in London, discovering in Piccadilly's American Hotel many other Poles eager to talk and drink and sing with him. Their convivial carousing left him feeling desolatingly lonely, homesick and lovesick. So when walking from the hotel to Oxford Street he saw the sign MARRIAGE BUREAU, on impulse he marched up the stairs.

'I was knocked sideways by his story,' recalled Mary. 'He was so young, and he looked so fragile, all bone and muscle, not an ounce of fat, and those luminous turquoise eyes which seemed to see into my soul. But he had killed and escaped and starved and dared more in his short life than almost everybody in their entire lives. How I wanted to help! I could think of lots of young women on the books who were loving and practical, which was what he asked for. But I wanted to find him a true match. I didn't quite envisage a young woman who had murdered an enemy, as Teddy had murdered his Gestapo man; but an equally strong girl who in the face of unspeakable odds would be courageous enough to do something equally nightmarish.'

Mary put Teddy in touch with several young women. He was delighted, particularly with a Hungarian nurse whose prescient parents had fled to England in 1936. Ilma worked in a military isolation hospital where, to Teddy's dismay, not long after meeting him she fell in love with a Hungarian patient, and sent a heartbreaking farewell letter to Teddy.

'I luffed Ilma and she luffed me, but not enough,' concluded Teddy, part angrily, part sadly, on a visit to London.

When Gertrude Hart appeared, Mary uttered silent cheers. 'I knew immediately, my bones told me, and you can't deny, Heather, that I was right. She had 'Mrs Nedza' written all over her. I was in a panic that after the interview she might not register, but thank heavens she did.'

On her registration form, Gertrude described herself as 'British, in the WRNS, age twenty-four, father a rancher in the Argentine (deceased), religiously tolerant.' 'British now,' Mary noted, 'but by birth a German Jewess, shy, quiet, strong, v. nice, v. difficult.'

In 1935, when she was nineteen, Gertrude's South American father had died suddenly from some ferocious local sickness. Her German mother had left the Argentine to return, with her daughter, to live with her frail parents, well-respected doctors, in Berlin, not realizing that it was the worst country in the world for Jews. On 9 November 1938, Kristallnacht (Night of Broken Glass), the Nazis attacked Jewish homes, businesses and synagogues in a sadistic orgy of destruction and plunder. Thugs smashed thousands of windows, including one which crashed onto Gertrude's grandmother. She died instantly, her head split wide open, spurting blood. When her grandfather bent to touch his wife, his heart failed and he dropped dead by her side.

Hearing her mother howling like a banshee over her grandparents' bodies, Gertrude seized a steel paperknife and rushed out of the house, brandishing it at the young Nazi standing outside the front door. He seized her wrist and, prodding her with his gun, pushed her back inside. There he released her, and whispered fiercely that he had been a medical student, a pupil of her grandfather's, forced against his will to join the Nazis, and had been on his way to warn the old couple. Gertrude and her mother must escape: they must not waste a moment: they must go to England *now*!

The two women took nothing, not even a suitcase, which would have advertised that they were leaving. All they had was the money for a train ticket to England. They arrived in London with no possessions, no home, no job, no friends, but were rescued by a Jewish charity and, after a spell in an internment camp, were cleared as 'friendly aliens'. It was all too much for Gertrude's mother, though, and her spirit flickered out, soon followed by her body.

Gertrude joined the Women's Royal Naval Service to serve the country to which she was endlessly grateful for taking her in. An orphan, she took pleasure in the familial comradeship of the navy and made friends with several other Wrens, but although no longer classed as an 'enemy alien' she felt herself to be a stranger. She was agonizingly lonely, longing to find a strong and loyal young man. She wrote on her registration form: 'He would have a love of life and a big wish to live it fully with a wife he respects and loves. A man with morals and courage and sense.'

Mary immediately put Teddy in touch with Gertrude, but as she was based in Portsmouth it was weeks before she could coincide with him in London. Mary was on tenterhooks, full of hope, but at the same time fearful that a meeting between a Pole and a German might prove disastrous. 'They should be enemies, but oh,

Heather, they are two of a kind, they will recognize each other, they will understand each other. I know, I simply *know*!'

'We shall see,' was all Heather would say. Privately, she placed great faith in Mary's 'bones'; but she was also learning that the most promising plans can go awry.

⋆ ⋆ ⋆

Bombs continued to rain down on London. Though both Heather and Mary developed some immunity to the remorseless terror, sharing the 'Blitz spirit' with other Londoners, the daily strain and the nightly lack of sleep were beginning to tell. Mary, living in a flat in Piccadilly, daily walked past scenes of hideous desolation, arriving at the Bureau in a jumpy and nervous state that no amount of cigarettes could calm. Heather, usually more resilient, had been shaken to the core in October 1940, when Curzon Street House, very near her flat, had been bombed. The 1930s block of flats was used by the War Office, so soldiers were among the thirteen killed and thirty wounded. Heather knew some of them by sight, and had waved at them on her way to and from the office.

Heather also had friends among the regulars of the Café de Paris, a favourite haunt for nightlife, and she was a fan of its charismatic black American bandleader, Ken 'Snakehips' Johnson. Being twenty feet below ground the famous Café was supposedly safe, but on 8 March 1941 a bomb whistled down a ventilation shaft and exploded in front of the band, blowing Snakehips' head off his shoulders, shearing off the legs of dancers, bursting the lungs of diners. Compounding the horror, looters were seen cutting off the fingers of the dead to steal their rings.

Bombs near home and bombs near the office: in April 1941 high explosive bombs fell in Brook Street and Woodstock Street, just round the corner. Immediately around New Bond Street, the Blitz hit Bruton Street, the Burlington Arcade, Conduit Street, Dover Street, Oxford Street (John Lewis almost entirely destroyed, Selfridge's severely damaged) and Old Bond Street. On the night of 16 April, a parachute bomb fell on Jermyn Street. The next day Mary and Heather held a small party in the office to celebrate the Marriage Bureau's second birthday.

The evening after the party, sitting in the office wondering gloomily how they could carry on, the match-makers perked up at the sound of a familiar voice.

'Blimey, you two girls didn't oughter be still here. It's late, you should've gone 'ome. You look done in, you could do wiv a nice cuppa an' some grub an' a gasper. Lucky I come round. I said to meself, I said, Alf, Jerry's bin payin' partickerly 'orrible visits this week, so just you drop in an' see your girls is all right!'

Always chirpy and concerned, Alf was a middle-aged Special Constable who had registered with the Bureau and then taken a proprietorial interest in the welfare of 'my marriage girls'. As he patrolled Bond Street and around, he dropped in frequently to check on them and regale them with stories.

'I bin 'avin' a terrible time,' Alf grinned. 'Down Shepherd Market there's an 'ole lot of prostitutes, poor girls. I'm sorry for 'em, they're that desperate, they ain't got no money an' they're daft with fright an' the spivs an' the pimps an' the black market boys an' the pick-pockets don't never stop cheatin' 'em. They 'ates 'itler for ruinin' their trade. The minute the siren starts it's my job ter get 'em off the streets to their 'ome or into a shelter, but they don't want ter go, they want ter keep tryin' for anuvver punter even when the bombs've started, you wouldn't credit it. So I have to chase 'em off. If they gets back ter their 'ome before I catch 'em they can't be persecuted, see. They're scrubby little things, but some of 'em can't half run. It's good exercise fer me, but — '

'Well, Alf,' interrupted Heather, 'you need exercise if we're going to find you the nice wife you want, because she'll be after some fit and healthy fellow who's handy in the house and the garden!'

'I know, I know. But you better 'urry up an' all an' find 'er cos I don't want ter keep running fer ever. There was a girl yesterday, can't 'ave bin more 'n fifteen, I'd say, skinny little madam, face made up to 'ell and falling out of 'er frock, if you know wot I mean, she had them high heels but she ran quick as a rabbit, till she caught 'er 'eel on a lump of rubble an' fell flat. I 'elped 'er up an' she'd twisted 'er ankle, so I 'eld 'er arm while she 'obbled to 'er 'ome. Effin' an' blindin' she was all the way — I was shocked, an' I've 'eard a fing or two, I can tell you. She nearly fell down the area steps, but I 'ung on to her an' left 'er in 'er 'orrible dirty room, stinkin' of cats an' cheap old perfume an' other nastier fings not for you girls' ears. She tried to get me ter come in, but I knew wot 'er game was and I was gone before you could say Jack Robinson!'

Alf poured cups of tea, handed round his cigarettes and was about to launch into another story when the office door opened and in slunk little Nancy Patch. The last time she had been in touch had been to announce her impending marriage to Trevor Potts, and to tell Mary that her sister Elsie was happily corresponding with Fred Adams in Australia; so Mary was startled as Nancy, cowering and trembling, opened her mouth to speak, but burst into violent tears which racked her slight frame.

'Oh, Nancy, what on earth is the matter? Has something gone wrong between you and Mr Potts?'

Gasping and straining to control her voice, Nancy closed her eyes, then opened them in a wild stare. 'He-he-he's dead. Trev's copped it. And Elsie too. We was all in the h-h-house and the siren went off and Trev and Elsie rushed out to the sh-sh-shelter up the road but they was too late and the b-b-bomb got them. Killed Trev straight off. I'd been and left my p-p-purse in the house so I was a bit behind and the b-b-bomb just missed me. They took Elsie to hospital and she die-die-died this afternoon.'

Heather sat frozen and mute, overwhelmed by a sudden memory of Sundays in the school chapel singing the words 'the sharpness of death'.

Mary rose shakily from her chair and wrapped her arms round Nancy. They stood, swaying, clinging tightly together, tears streaming down their faces.

Alf pulled the blackout screens down over the windows.

In the darkening room, the sound of infinite sobbing was drowned out by the ghoulish wail of falling bombs.

11

Sex, Tragedy, Success and Bust Bodices

In their first two years at the Marriage Bureau, Heather and Mary had learned when to ask a question and when to keep silent, when to give sympathy or advice or a warning, when to prompt a tongue-tied applicant and when to let her or him (usually a man) search for the words. Now, shocked and shaken themselves, they were at greater pains than ever to set their clients at ease, and found the difficulty was often not to persuade the hopefuls to relax, but rather to check the gush of words. The horrors of the bombing seemed to have toppled a great barricade of inhibitions. Clients now bent their interviewer's ears with intimate details, in startling contrast to the restrained, understated behaviour of a year or so earlier.

'Several wanted to talk about sex,' remembered Mary.

> I found that very difficult. I was twenty-seven but I'd never been married, and my mother had never mentioned the subject. My family didn't talk about anything interesting! So I didn't know what to say when a client brought up the subject. I used to sit there nodding sagely when it appeared that I was being asked a question. It wasn't

always a very direct question, more a slightly defensive half-statement, made with a meaningful look, asking for my approval, such as, 'I don't think it's wrong to have two boy-friends at the same time.' I used to look interested and thoughtful when they went rambling on, as though I was deeply knowledgeable and, with my vast store of experience, was weighing it all up in the most judicious manner. Heather was much better than I was about sex, so I tried to pass on to her any people I thought might want to wax on about it.

Heather's approach was matter of fact and practical, as she wrote later:

> Luckily, from the age of eight I went to a boarding school in Devonshire which was near the kennels of the local hunt, and the woman who taught me riding was the girl-friend of the huntsman. I learned to take a keen interest in the breeding of hounds and talked freely about coming on heat and periods of gestation. Many of my fellow pupils came from farming families, and under their influence my interest turned to horses and cows.
>
> Soon I could hold forth about slipping foals, mastitis and contagious abortion, but strangely enough I did not relate this to humans until I went to my public school, where I heard surprising stories about men and women which did not seem to relate to

what I knew were facts in animals. However, after much thought, and reading *Lady Chatterley's Lover* (a private edition which was passed round the dormitory so we all took turns reading it, under the bedclothes by torchlight) I got a fairly clear picture of what probably happened.

That was just as well, since my mother never talked about sex to me, and the only advice I recall her giving me was, 'Never trust a man with a small nose'! The term I left school I was a bit flummoxed when the headmistress asked me if I knew what was 'worse than death'. I didn't, but as my mind had flown to rape, which I did not feel I could possibly discuss with her, I mumbled 'Yes.'

Mary, of course, was a farmer's daughter, not the parson's daughter we said she was. I rather presumed that she would have acquired knowledge of sex in much the same way as I did, but she hated farm life, she had always escaped to London or Assam as much as she could, and she was squeamish, unlike me. She was wonderful with sick people, but animals, especially sick ones, made her feel quite ill herself. It was strange, but not important as long as I could deal with the clients who wanted to raise the subject. We didn't always manage to spot them in advance, and once poor Mary got stuck with a person who claimed to be both male and female, so could marry either sex! 'It' wanted to have children too!

Heather was being wooed by several hopeful men. Many male clients were startled to find a glamorous, rather aloof and astonishingly young woman facing them across the desk, and, thinking fast, wrote 'tall and blonde' and 'I would not mind my wife working' on their registration form. The bolder ones followed up with an invitation to lunch at the Berkeley or dinner and an evening of gaiety in a nightclub. Heather accepted most of the invitations, but kept her client suitors at a distance, assessing them dispassionately while she laid other plans for them.

Clients were far from the only admirers. Heather was never short of offers of one kind and another from the many men brought to London by the war: debonair Free French supporters of General de Gaulle; Poles who had fled their devastated country, joined the RAF and now flew on bombing missions with cavalier courage and panache; Australians and Canadians who had never travelled to another country, let alone another continent; Dutchmen, Czechs, Austrians, Belgians — men from all over the world who fetched up in a daily more ruined city, and were superficially ebullient, but in private petrifyingly lonely and hungering for love.

Even at home Heather had suitors. She lived in a small flat above the Mirabelle restaurant, in Curzon Street, Mayfair, a short walk from the New Bond Street office. In the flat above lived a dashing forty-five-year-old officer, Hugo, who was working on something ultra-secret for the

War Office. His wife and child had taken refuge from the bombing with her parents in Scotland, so he hardly ever saw them, but was determined nevertheless to enjoy female company.

In pursuit of Heather, Hugo used to open his window and, paying out a length of rope, let down a basket containing a bottle of champagne. Often, when Heather saw the basket swaying gently outside her window, she leaned out and took the bottle, whereupon Hugo, feeling the loss of weight, would haul up the basket and hurtle down the stairs. If she was about to go out, or was already entertaining, Heather would ignore the basket, which a disappointed Hugo would then haul back up again, and drink the champagne in grumpy solitude.

* * *

If, one sunny day, Heather had not been lunching at the Ritz with a flattering rubber planter for whom she was finding a wife, but who would gladly have whisked Heather herself off to Malaya, Mary would have asked her to interview a sad-faced young woman who drifted into the office. She radiated desolation, thought Mary. Her eyes were cast down, long eyelashes shading the livid bruises which discoloured the hollows below, her skin waxen and taut, her thin form disguised by a shapeless grey coat several sizes too large. She spoke softly in a slow, monotonous voice, as if reciting a roll call of the dead. 'I must find a man to marry me,' she implored, transfixing Mary with a penetrating stare from huge eyes as purple as the bruises. 'I must, I must! Please help.'

'But why must you?' asked Mary gently, sensing tragedy.

'Because I'm going to have a baby,' whispered the girl, hunching her shoulders and gripping her handbag in her small white hands, the nails bitten to the quick.

'You poor thing!' Mary burst out, before collecting herself and offering Martha a cigarette, which she accepted gratefully. Mary lit one for herself, then, bit by hesitant bit, drew out the sorry story.

Martha Webb lived with her parents in a quiet street in Westminster where, before the war, she had spent many happy evenings with her fiancé, Eustace, a civil servant of her own age (she was now twenty-five). She had been an editorial assistant and occasional translator in a publishing company, a job which suited her very well, as she was an avid and sharp-eyed reader and liked helping people to enjoy books as much as she did. But as paper became scarcer, she feared she would lose her job.

Then, on 29 December 1940, the Luftwaffe had destroyed everything surrounding St Paul's. Paternoster Row, home of booksellers and publishers, including the office of Martha's employer, was reduced to rubble. The numbness with which she gazed at the ghastly scene of burnt-out buildings, charred scraps of paper floating forlornly in the air, soon yielded to a furious desire to do what she could to retaliate. She was quickly recruited to become a postal censor, monitoring letters written by prisoners of war in French, German and Italian, eliminating any scrap of information which might help the enemy if it fell into the wrong hands. She also signed on as a volunteer Air Raid Precautions warden, spending her evenings checking that no windows or doors let any light out into the street, and rushing to the scene of an air raid to pull people out from the rubble, administer first aid and comfort the dying, the wounded and the dispossessed.

Equally patriotic, Eustace had joined up at the first opportunity, and their comfortable meetings had been reduced to occasional snatched weekends when he was on leave from the army. The last time Martha had seen Eustace was at the beginning of May, in a café near Victoria Station, when all he could tell her was that he was due to be sent abroad — where, he either did not know or could not say. Stricken with all-consuming fear for her beloved, and with his declarations of undying love glowing in her heart, Martha had experienced a passion to match Eustace's own. It obliterated the scruples of her Catholic beliefs, which forbade sexual relations outside marriage. Martha and Eustace had seized each other's hand, rushed into a small, dingy hotel, and consummated their love only just in time for Eustace to catch his appointed train.

A month later, Eustace's mother had accepted from the telegraph boy the dreaded telegram telling her that Eustace was dead. He had been shot through the heart: a swift and painless death.

Martha's grief paralysed her. But it also intensified her anger, so she refused to abandon her duties, and on the evening of 10 May she went out on ARP patrol as usual. She did not know that it was to be the worst night of the Blitz, and the final one. By the bright light of a full moon, 505 Luftwaffe bombers unloaded 711 tons of high explosive and 86,000 incendiaries on the already-stricken city, killing 1,436 Londoners, seriously injuring 2,000, and totally or partially destroying 10,000 buildings.

In the hellish inferno Martha heard screams coming from a half-destroyed terraced house, which through the murk she could just see was swaying precariously. She ran, but in the darkness tripped on a sandbag which had burst, spilling its contents onto the pavement. Flinging her arms wide to grab hold of a nearby railing, she lost her grip on her torch. Too anxious to stop and search for it, she followed the eerie howling down the imperilled house's outside steps, and then into the coal cellar under the pavement. There, in the dust-laden smoky darkness, she stumbled over a woman crouching against a wall, jabbering and whimpering incomprehensibly.

To Mary's unspoken question Martha replied, 'I grabbed her coat and pulled her up, and she could stand, so she hadn't broken a leg, so I pushed her up the steps. I was desperate to get her out before the house collapsed on top of her. She didn't make any sense, she was bleeding and crying, and choking on the plaster and coal dust, and vomiting, and when we got out onto the street I could only just make out that she was saying something about a baby. She hit me in the face, screaming at me to let her go back into the cellar, and I realized there might be a baby left down there; it had been too dark to see. Luckily another ARP warden came along and I shouted at him to look after the woman and I rushed back down the steps.

'Down in the cellar all I could do was to shuffle and flounder around, and feel with my hands. I couldn't see anything. But I thought I heard a noise, and I made out a big hole in the wall where the Council had knocked the cellar into next door, so that if one house was bombed people could escape from their cellar into the next one, and then the next — all the way along the terrace. And — ' Martha stopped abruptly. Her body curled in a profound shudder as a spine-chilling yowl of pain broke from her. Quivering, Mary took the cigarette from Martha's shaking fingers. Suddenly the girl jerked bolt upright and continued her story.

The noise Martha heard was made not by a baby but by a man, who shoved her violently through the opening into the next cellar and back against the wall, seizing her forehead in one hand and clamping the other across her mouth. In a rough voice with a strange guttural accent he ordered her to be silent or he would kill her. Then quickly and very calmly, without uttering a word, he ripped open the buttons of her trousers, yanked her panties down, raped her, and pushed her into the first cellar. He strode back to the steps, bounded up them and melted into the all-obliterating blackness, just as the remains of the house gave a great elegiac groan and disintegrated, hurling dust and bricks and glass and furniture in all directions. Martha staggered up to the street just in time and ran for her life, clutching her trousers, narrowly escaping a flying sideboard and a glittering shower of jagged glass. Retracing her steps with immense caution when she could see that there was nothing still standing, she almost tripped over the ARP warden, cradling the stricken woman in his arms.

Mary felt as if a bomb had landed on her heart. She sat in silence as Martha faced her, her eyes dry but huge with anguish. 'So you see, I am going to have a baby, but I do not know if the father is my dearest love or a crook — perhaps a deserter or a pimp or a looter, a black-marketeer or even a murderer. If there was a baby in the house whom I might have rescued, the man is certainly a murderer, for nobody could have survived when it collapsed. It is terrible for me and will be more terrible for my child, so I must find for him (or perhaps it will be a girl) some good man to be a father. My parents are fine people: they will help, even though they will be sick with shock. But they cannot find me a husband, so I appeal to you. One good man, a Roman Catholic, like me. I do not care about anything else at all.'

Mary had never faced such an impossible request, and was 99 per cent certain she would never, ever be able to produce anyone for Martha. In a profound quandary, all she could do was to stall: she told Martha that there was nobody suitable, but that new clients registered every day, so she would telephone the minute a possible man appeared.

Martha duly wrote her telephone number on the registration form, and gratefully accepted Mary's proposal that she should pay the registration fee only if an introduction were made.

As the door closed behind Martha, Mary burst into tears of commingled despair, pity and fear.

* * *

'Chin up, dear Mary! Here's a letter to rejoice your heart!' said Heather, glowing from a flirtatious lunch and placing a small close-written sheet in front of her friend. 'It's from Gertrude,' she added as she swept out to greet a good-looking new client.

As she read, Mary's spirits revived and rose and overflowed. Gertrude and Teddy had met and fallen headlong in love. As a token of his devotion he had given her his precious ticket to freedom — 'a gift which goes to my heart', wrote Gertrude,

> but I am so afraid that I can lose it. Really, I want to give it to him again, but he insists. Also he insists that if he is Polish and I German (and South American and above all British too, of course) it is of no matter, for now we are not citizens of one country or another country but all are citizens of the

world, only whether good or bad is of matter. Also, he insists that he loves me — he says 'luffs', which is so funny but I must not laugh for he is so serious! And my English is not perfect too! My heart says to me that I love him also. We are to marry and to have many children. So with my heart I thank you, Miss Oliver. I shall send you more news.

As Mary hastily wiped her eyes and beamed a searchlight smile, the raised voice of the receptionist reached her, apparently remonstrating with some visitor, insisting that Miss Oliver was occupied and not to be disturbed. She did not succeed, for Mary's door was flung open to reveal a slender young woman dressed in a black skirt and close-fitting dark red jacket. She paused just inside the door, striking a pose, her head tilted theatrically to one side, her back slightly arched, throwing her bosom forward.

'Greetings, greetings! Miss Oliver, I presume?' she enquired; rather coquettishly, decided Mary as she nodded at the unexpected visitor. She imagined her to be a potential client — but why would the receptionist have discouraged her?

'Miss Oliver,' the visitor gushed on, 'my name is Miss Bud. I have read about you and your magnificent Marriage Bureau with considerable interest, and am vastly admiring of your inestimably valuable skill in working matrimonial miracles. I have something to assist you in your labours, something which all your felicitous brides will long passionately to possess. I have the ideal bust bodice! Observe!'

To Mary's outraged astonishment Miss Bud swiftly unbuttoned her jacket to reveal two firm, young, naked breasts, the nipples hidden by two small circular pieces of what appeared to be adhesive plaster, the point of each nipple peeping shyly through a hole in the centre.

Mary was not so taken aback by this eye-opening revelation that she did not judge the visitor's breasts to be in no more need of support than a healthy stalk of Brussels sprouts. Her immediate inclination was to tell the visitor to do up her buttons and leave forthwith, but Miss Bud's recital of the virtues of her patent product — pronounced as if making a declaration of peace with honour — had a hypnotic effect on the match-maker. On swept Miss Bud. 'This avant garde bust bodice sustains all but the most matronly of bosoms, yet in no fashion does it confine those entrancing feminine curves in which men take such innocent, boyish delight. It is blessedly free of the clumsy shoulder straps of conventional bodices, which resemble the cumbersome harness used to control a horse. Such bindings frequently reveal themselves, to the detriment of the romantic picture which each one of your enchanting brides strives unceasingly to present to that perfect husband, to whom you have with such refulgent genius united her. It elevates any sad and weary breast which pines to sag. Do you ever experience a saggy bosom, Miss Oliver?'

This most impertinent of questions jerked Mary out of her trance to glare at Miss Bud.

'No! Never!' she snapped indignantly.

Aware that her sales patter might have missed its mark, Miss Bud hastily buttoned up her jacket and threw onto Mary's desk a card and a small packet. 'Try them yourself,' she said, retreating through the door. 'Then you will certainly recommend them to your clients. Farewell, farewell, Miss Oliver!'

The receptionist knocked and entered, apologizing for allowing Miss Bud in, for she had overheard the entire bizarre conversation. She was as nonplussed as Mary, who opened the packet and studied the bits of plaster, wondering if in some mystic way they might really have contributed to the undoubted robustness of Miss Bud's bosom.

* * *

At home that evening in her Piccadilly flat, curiosity overcame Mary's scepticism. She pressed the intriguing little circles to her far from saggy breasts. Surveying herself in the mirror, she discerned no visible difference, and tried to peel them off. They would not budge. Worse, in bed, woken from fitful sleep by the cacophony of anti-aircraft guns, bombs and droning Luftwaffe planes, Mary felt a tickle, which burgeoned into an itch, which made her scratch away at the plasters — but to no effect. They were as firmly attached to the most sensitive part of her anatomy as limpets to a rock.

In a panic, Mary telephoned the ever-practical Heather, who was sympathetic but crisp: 'I am staggered that you should have fallen for Miss Bud and her dubious bust bodices. She must be a first-class conwoman! Try lying in the bath to soak the little blighters off. Let me know what happens — but not this evening, I'm off to dinner with Hugo — he's so pressing. Must dash. Toodle pip!'

Mortified and dispirited, Mary put down the receiver. She always conscientiously bathed in only a few inches of water, and refused even to try lying face down in the tub. She slathered her breasts with Pond's cold cream, confident it would do the trick. When that proved useless, she mixed a handful of Lux soap flakes into a large bowl of warm water, placed it on a table, leaned forward and lowered her breasts into the bowl while gripping the top of a chair for balance. Ten minutes of this tricky pose made her twitch with such disabling cramp that the bowl overturned.

In desperation, over the next few days Mary tried every remedy she could think of, anointing herself with vinegar (horribly smelly), gin (awful waste), sewing machine oil (begged from the furrier below the Bureau), Brylcreem and even moustache wax, provided by a mystified boy-friend to whom Mary flatly refused to explain her request. As a last resort she spent an hour swimming up and down a nearby public pool. The plasters clung on.

Only weeks later did the valiant bust bodice give up the fight and, one evening, quietly fall to the floor. Wrapped in her dressing gown, weak with relief, Mary picked up the plasters and consigned them to the wastepaper basket, muttering, 'So much for 'innocent delight' and 'perfect husbands' and 'enchanting brides'! As for 'refulgent genius', 'simple idiocy' is more like it!'

12

A Sideline and Two Triumphs

When, in May 1941, Hitler stopped blitzing London to concentrate on invading Russia, nobody imagined that the end of the war was in sight. But the relief felt at not being under constant attack was profound. Mary and Heather, together with the population of London and other cities, started to recoup their strength. By the summer, the match-makers were getting more sleep, feeling more buoyant and widening their horizons. But they were still working extremely hard to keep up with the steady flow of clients: the nervous and the brash, the self-effacing and the arrogant, the domineering and the domineered, the delightful and the frankly ghastly. Heather often took clients' registration forms and the Black Book home with her, as her godmother discovered when she apologized for telephoning at nearly midnight and was reassured by a cheerful, 'Oh, don't worry, I'm in bed doing my mating!'

Wherever she lived, Heather always transformed her rooms. She was as concerned to live in a stylish environment as she was to look elegant, in clothes that perfectly suited her colouring, height and carriage. She had an instinct for shapes and colours and proportions, an unerring ability to create a harmonious room which was as aesthetically pleasing as it was comfortable. She was also an exceptionally efficient administrator, so it was a natural progression from finding the right spouse to helping to choose the bride's trousseau, organizing the couple's wedding, even arranging the honeymoon and, finally, furnishing the house of those lucky enough to have their own establishment in which to embark on married life.

'I do wish you'd been there, dear Mary!' yawned Heather as she dropped her handbag on her office desk one Monday morning. 'That wedding was exhausting. I certainly earned my fee.'

Heather had organized the wedding of Winifred, a wealthy girl of twenty-four whose grim-faced mother had frog-marched her only child to the Bureau, insistent that she should find a husband. Mrs Pinkerton-Hobbs had done her utmost to launch her unwilling and unprepossessing daughter into society, disbursing large sums to present her at Court and to ensure that she went to all the right deb dances, where she would surely meet and soon marry a suitable young man.

Far from grateful, Winifred had grown increasingly intransigent about being so overtly up for sale in the marriage market, and had been downright rude to several effete and penniless young 'debs' delights' who would have forgiven her plainness and lack of femininity for the sake of the fortune that she would inherit. Mrs Pinkerton-Hobbs drew even nearer to her wits' end when Winifred greeted the outbreak of war as a glorious opportunity to be something more than a tradeable commodity, joined the Women's Land Army, and was sent off to a run-down farm in distant Yorkshire.

For the first time in her life Winifred had a purpose. She hummed happily as, dressed in regulation fawn drill milking coat and dungarees, thick woollen socks and canvas gaiters, she obeyed the farmer's curt instructions: 'There's the bucket, there's the stool, there's the cow. Sit down and pull!'

Ignoring the dull ache in her arms and the blisters on her hands, Winifred learned fast. She went on duty at 6 a.m., did the morning milking, then cleaned out the milking shed, pushed clumsy wooden wheelbarrows of dung to the pile, milked again, and was usually sunk in a heap in bed by 7.30 in the evening. She also learned to drive, not through lessons, but by trial and error. There was nobody to transport the milk to the local town, so Winifred was detailed to take the wheel of the small lorry.

'That's the brake and that's the accelerator,' grunted the farmer, a man of very few words, most of them orders. 'Now, drive!'

Weaving downhill, with the milk sloshing around in the churns, altering the balance at every bump in the rough road, fearless Winifred was exhilarated as never before. She had always loathed sipping cocktails with urban sophisticates in tastefully decorated drawing rooms, but was at glorious ease in the company of her fellow Land Girls — a very mixed bag, from a former parlour maid to a millionaire's daughter as bolshie as herself. In the evenings they either darned their socks in the chilly farm kitchen, until there was so much darn and so little sock that they qualified for a new pair, or changed into the WLA walking-out uniform of greatcoat, green jersey and gabardine breeches and cycled off to the nearby Sergeants' Mess.

Mrs Pinkerton-Hobbs trembled at the hideous possibility of Winifred contracting marriage with some unsuitable working-class soldier, and wept internally as she surveyed her daughter's wind-reddened face, cracked lips, broken finger-nails and dirt-engrained hands. How was the wretched girl ever going to catch a suitable husband? Her father would not have stood such nonsense, and would have more or less discreetly bribed and bought a husband, with a lucrative job or even hard cash. But what could she, a widow, do with so uncooperative a daughter? Her friends eyed Mrs Pinkerton-Hobbs pityingly.

Fortunately, only the day after Winifred had unwillingly signed the Bureau's registration form under the eagle eye of her mother, there bounded up the stairs her destined man — for yes, it was destiny, Heather and Mary unanimously decided, destiny needing only a skilful little nudge.

Gyles Hopwood was a Lincolnshire landowner, producing quantities of grain and vegetables on the ancient family estate. '*Gent*,' Heather wrote on his record card: 'Merry twinkle. Fine big country type. Not the sharpest of tacks but nice. Knows his own mind.' Gyles's application to join the navy at the outbreak of war had been rejected on grounds that supplying vitally needed food for a nation certain to be increasingly deprived of imports was a reserved occupation. Disgruntled, for he was a man of spirit and of action, Gyles had returned to his farm to work flat out, helped only by three aged labourers, greatly missing the four young, fit ones who had all been called up to fight.

Living alone in an imposing farmhouse, Gyles was receptive to the suggestion of an old girl-friend that he try his luck with the Marriage Bureau. Within five minutes of meeting Winifred he decided that she would make him a fine wife. She was practical, fond of the simple life, unperturbed by hard work, unaffected, blunt in her opinions, a lady and — a quality so desirable that he had underlined it on his registration form — she wore no make-up and confessed to a horror of painting her fingernails.

Decision was translated into action at top speed: after two hours, Gyles asked Winifred if she would do him the honour of marrying him.

'Why not?' she retorted. 'I wouldn't have thought it possible, but now you ask, it sounds a jolly good idea!'

Mrs Pinkerton-Hobbs was shell-shocked but overjoyed. Heaven had answered her prayers (no doubt Mr Pinkerton-Hobbs had cunningly bribed an influential angel). She sent an ecstatic letter and great sheaves of hothouse flowers to the Marriage Bureau, and set about organizing an elaborate church wedding complete with six

Heather Jenner aged about twenty with her father, Brigadier Cyril ('Tiger') Lyon, in Ceylon, *c.*1934.

Heather and Mary Oliver relished 'doing the mating'. They searched the letters from potential and actual clients, the registration forms, index cards, Black Book and other records for suitable matches. Each took a proprietorial interest in the clients she had interviewed: 'No, you can't have my Mr Y for your Miss Z, I want him for my Mrs A!'

The Marriage Bureau expanded so quickly that it moved twice in its first few months, both times to offices very close to the original office, in New Bond Street.

From its outset in 1939, hundreds of letters poured into the Marriage Bureau every week, some addressed to the Bureau, others to Miss Heather Jenner or Miss Mary Oliver, whose names were fast becoming well known.

Most letters were legible, but Heather and Mary despaired of some scrawled and rambling epistles, which they handed over to the secretary, who soon became indispensable.

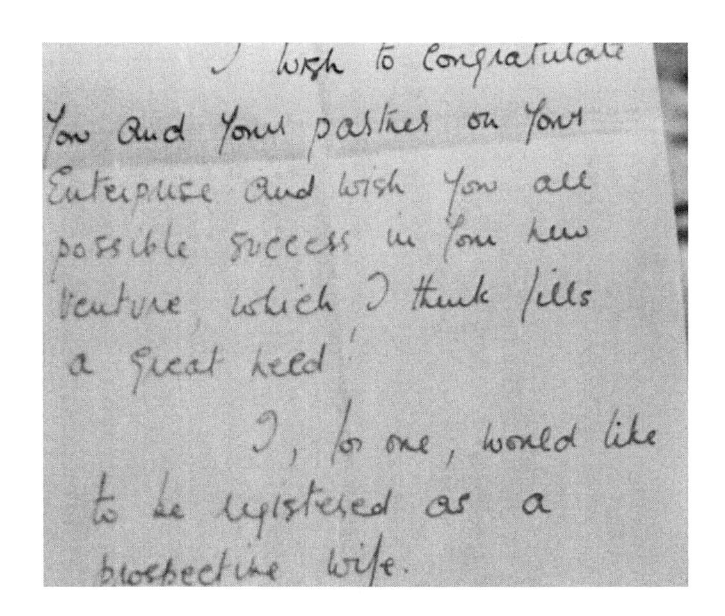

I wish to congratulate you and your partner on your enterprise and wish you all possible success in your new venture, which I think fills a great need.

I, for one, would like to be registered as a prospective wife.

GIRLS' "OLD MAID" PANIC STARTS MARRIAGE RUSH

MOST of the girls want to marry someone in the Royal Air Force. The Navy is still very popular, but the Air Force has outstripped them by a long way.

"In fact, ever since war began this has been our permanent headache because every other letter nowadays seems to have the phrase, 'I want to meet someone in the R.A.F.!'"

This statement appears in a most entertaining book published to-day, "Marriage Bureau," by Mary Oliver and Mary Benedetta, the two young women who established a successful marriage bureau in London three years ago.

They have between 9000 and 10,000 men and women on their books, including M.P.s, millionaires, and daughters of Peers, down to the very humble people who are also lonely.

The war brought them a deluge of clients. It was found the men wanted to get married so that when they went away to fight they had someone to come back to, and the women wanted to marry quickly because they were afraid of being left without a man at the end of the war.

"They did not say this in so many words, as, naturally, they did not want to look like chicken running after grain."

More men apparently want children in wartime, but fewer women want them which, Miss Oliver comments, is not surprising when they have to look after them alone in as much, if not more, danger than the husband, who is in the Army. Very few of the couples want to set up a home of their own in wartime.

Several men in the R.A.F. specifically asked to meet a girl who could go on living with her parents. "I suppose they feel happier about her if she is with somebody in case they get killed flying," says Miss Oliver

The bureau had applications from hundreds of Australian and Canadian soldiers who want to marry English girls, and the Australians, in particular, went like hot cakes. The girls were keen on the Australians because they found them sincere and because they want to go and live in Australia after the war.

In the case of the women who want R.A.F. men, it is generally sheer hero-worship. "These young men make wonderful husbands," says Miss Oliver, "not because of their deeds of bravery, of which the average pilot's wife says she hears little or nothing, but because of their outlook.

"Their emotions are fewer and finer, and they have the best sense of proportion in the world. You cannot fight 1941 air battles and have a mind for petty quarrels and disturbances."

Miss Oliver says she is afraid of two things in these hero-worshipping wives of men in the R.A.F. One is that the

The Marriage Bureau had been set up to find wives for expatriate men on leave in London from far-flung continents; but the outbreak of war in September 1939 brought very different clients, including servicemen and, increasingly, servicewomen.

IN SUBMITTING THIS APPLICATION NO LIABILITY IS INCURRED

55/

Strictly Private and Confidential. 24.7.44

THE

"MARRIAGE BUREAU"

(Proprietresses: Heather Jenner and Mary Oliver)

125 NEW BOND STREET LONDON, W.1

Telephone: MAYfair 9524 — Office Hours: 10 a.m.–5 p.m. Sats. 10 a.m.–12.30 p.m.

CLIENTS CAN BE INTERVIEWED AT THEIR OWN APARTMENT IF PREFERRED.

REQUIREMENTS:

Age 22 – 26 Religion R.C. Height 5'1" to 5'4"

Figure medium (not thin) Income £250 a year (or under) Nationality English, Scotch or French

Further particulars Colouring: brown. Social standing: unimportant.
Good looking rather than pretty. Education: good (particularly French language)
Must know how to cook (if income below £350). Character: well balanced, ...

DESCRIPTION OF APPLICANT:

Age 41 Religion R.C. Height 5'6"

Figure SLIM Income £700. P.A. Nationality English

State whether independent or in business ARMY.

If the latter, nature of business ARMY.

Interests and hobbies General interests country life

If married before NO Encumbrances if any NO

Home address

Business address

Name in full

Until Counsel had drawn up terms and conditions, the Marriage Bureau's registration form recorded only basic details. Registered in 1939, the fifty-fifth male client remained until July 1944. His requirements were discussed with the interviewer, who wrote them down. He had no 'encumbrances' (children or other dependants).

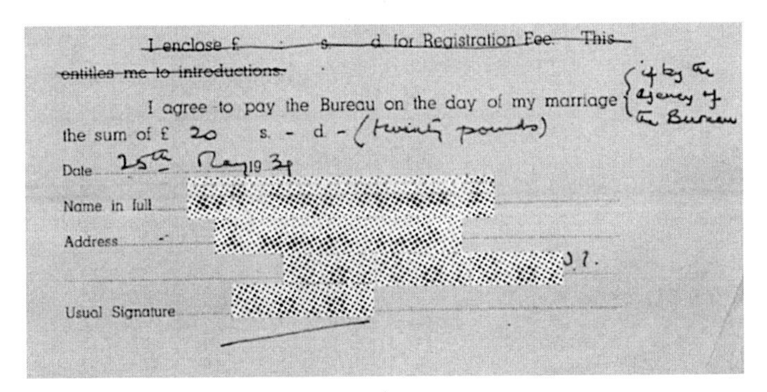

~~I enclose £ s. d. for Registration Fee. This entitles me to introductions.~~

I agree to pay the Bureau on the day of my marriage {if by the agency of the Bureau}
the sum of £ 20 s. – d. – (twenty pounds)

Date 25th May 1939

Name in full

Address

Usual Signature

While most clients were honest, some did their utmost to avoid paying the After Marriage Fee. Although happily married to a girl introduced to him by the Bureau, one client claimed that she did not comply with his stated requirements so he would not pay. Another did not immediately take to the woman he later married. He left the Bureau, met her again through friends a year later and refused to pay the AMF on the grounds that his friends had introduced them.

In her Curzon Street flat, Heather sorts through some index cards. The match-makers prided themselves on the efficiency of their elaborate systems for recording information, which were wonderfully backed up by their personal knowledge of clients.

The Bureau began without a secretary but almost immediately needed one, to transcribe information from each client's registration form onto an easily accessible index card.

Heather with her fiancé, Michael Cox, and beloved little dog, in 1942.

Heather posing for a 1943 *Tatler & Bystander* article about helping the war effort by growing food. She was living in Scotland with her landowner husband, Michael Cox, trying unsuccessfully to enjoy the country. If in colour, the photograph would reveal her uncountrified bright-red fingernails.

Heather's height, strong features, rich voice, authoritative bearing and sense of style made her a charismatic interviewer. Small wonder that many male clients wooed her.

Marriage Bureau

DURRANT'S PRESS CUTTINGS

29-39, Mount Pleasant, London, W.C.1

Telephone: CENTRAL 3149 (Two Lines).

Yorkshire Evening Post

Change Court, Albion Street, Leeds.

Cutting from issue dated 28

Advice from the marriage bureau expe

HEATHER JENNER (right), director of a West End marriage bureau, is pictured giving advice to actress Olga Edwards, at a rehearsal for the play, "Marriage Playground," the story of which centres on a marriage bureau. The play is being performed at the Q Theatre, London.

Marriage Bureau

DURRANT'S PRESS CUTTINGS

29-39, Mount Pleasant, London, W.C.1

Telephone: CENTRAL 3149 (Two Lines).

Evening News

Carmelite House, Carmelite Street, E.C.4.

Cutting from issue dated 27 SEP 1948

Marriage Bureau Play

SOME years ago when Kieran Tunney and Simon Wardell first thought of writing a play about a marriage bureau, they discussed the idea with Dame Lilian Braithwaite. She was enthusiastic, but her death ended the authors' interest.

Then they came back to it again, re-wrote it for a younger person. To-night, at the "Q" Theatre, it will appear under the title of "Marriage Playground." Playing the lead is Dame Lilian's daughter, Joyce Carey. This is

Joyce Carey.

Miss Carey's first stage appearance since she was in Noel Coward's "Present Laughter," at the Haymarket 18 months ago.

How It's Done

How, I have often wondered, do two people write a play? Corkborn Kieran Tunney tells me that he and Simon Wardell discuss the general idea and map out a rough synopsis. Then, still working together, they evolve a more detailed synopsis. From this Tunney does a first draft of the whole play. Wardell takes it over, amends and polishes. The two men then get together and go through the final version page by page.

Bureau

DURRANT'S PRESS CUTTINGS

29-39, Mount Pleasant, London, W.C.1

Telephone: CENTRAL 3149 (Two Lines).

Cavalcade

8, Temple Avenue, London, E.C.4.

Cutting from issue dated 8 OCT 1948

Honour Satisfied

A BRISK legal skirmish ending with honour satisfied all round preceded the opening of "Marriage Playground" at the Q Theatre last week.

The play deals with the activities of a marriage bureau, and Miss HEATHER JENNER, director of a well-known bureau, took action against the authors to prevent production.

The authors, KIERAN TUNNEY and SIMON WARDELL, have now agreed to make several alterations including changing the name of their fictitious bureau from the New Bond-street Marriage Bureau to the Mayfair.

Miss Jenner, accompanied by 50 of the couples she has brought together in marriage, then accepted the authors' invitation to attend the first night.

Bureau

D CUTTINGS

don, W.C.1

Two Lines).

ld

2.

Cut EP 1948

Daily Herald

IN LONDON LAST NIGHT

It's a funny business

Q THEATRE: Marriage Playground

TWO sisters, starting an agency for the promotion of wedlock, run a country guest-house to foster their clients' better acquaintance.

There is not much in this chirpy little comedy by two authors, Kieran Tunney and Simon Wardell, that is not easily foreseen.

But the characters amused me. This, I suspect, was mainly due to the experienced playing of Joyce Carey, Amaroscine Philpotts, Olga Edwardes, Percy Marmont and especially Irene Handl as a tart vulgarian.—P. L. MANNOCK.

In 1939, the press revelled in reporting on the extraordinary Marriage Bureau and its alluring founders, Heather Jenner and Mary Oliver. The Bureau remained a wonderful source of stories, as this page from the Bureau's 1948 press-cuttings book shows.

1095 NICE MAN. GENT. NICE LOOKING.
Duplicate. 17.11.47
No School teachers
C.of.E. 6'
Very Slim £1000 p.a. British
Headmaster. Literature, Arts & Crafts, Dk Golden
Agent to Late Ld. Hillingdon(F) Music. Blue
Plays, Dancing, Music Xxxxxx Country life.
REQ: Oxford No None
30-40 C.of.E. (Anglican) Not short
Not stout Adequate. British
Like partner to have enough income to make her completely independant for her own needs because of my entry into the church. Resources to be pooled.
4659. 4723.
4403. 2731. 4611. 4504. 4269. 4617. 4657.
1583. 3095. 3045. 2088. 4006. 2397. 4235. 268.

Leslie M, a tall, very slim, country-loving headmaster of forty-six who was about to be ordained, was registered in November 1947. He was classified as a ‘nice-looking Gent’, and met several young women before marrying Ruth W, a tall, slim, ‘nice-looking Lady’ of thirty-six, an almoner with private and earned income, daughter of a clergyman. He sought a wife aged between thirty and forty, who was not stout, had some income and was happy to pool resources.

Ruth W registered in February 1949. seeking a normal-sized, well-educated gentleman aged thirty-six to fifty. Leslie’s registration number, 1095, was written on her index card as a good introduction, and they married in September that year.

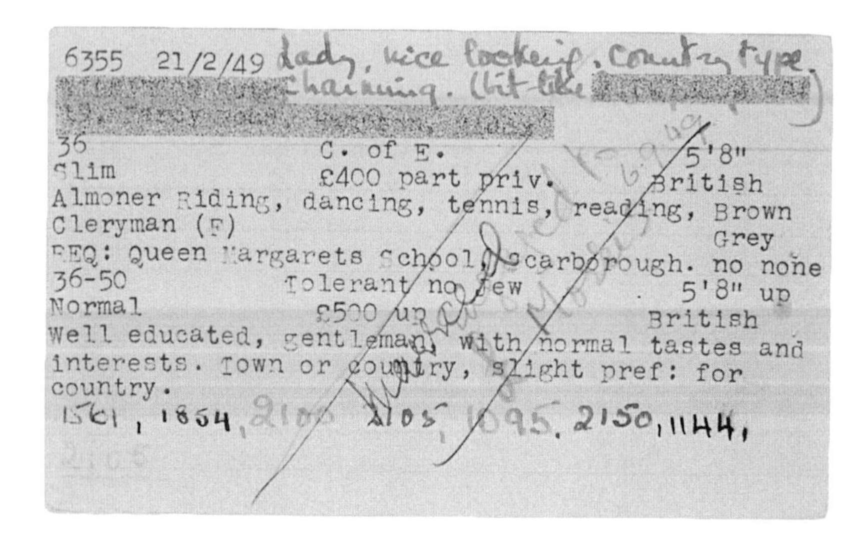
6355 21/2/49 Lady, nice looking, country type.
Charming.
36 C. of E. 5'8"
Slim £400 part priv. British
Almoner Riding, dancing, tennis, reading, Brown
Cleryman (F) Grey
REQ: Queen Margarets School, Scarborough. no none
36-50 Tolerant no Jew 5'8" up
Normal £500 up British
Well educated, gentleman, with normal tastes and interests. Town or country, slight pref: for country.
1561, 1854, 2105, 2105, 1095. 2150, 1144,

1289 working Class would like intros at once as he is leaving for Australia
Nov 24th
32 Protestant 5'7½"
Medium £15.p.m. British(Australian)
Merchant Navy Greaser. Cycling,swimming Brown
Labourer dec:(F) Home life,children Blue
No. No.
REQ Melbourne State School
25-30 Protestant 5'4"-5'7"
I want to have children. Must be some one willing to settle in Australia. Non dancer prefered.Blonde prefered,but not red hair.
4357 4312 2663 ·4503 ·1789 4757 5080

A thirty-two-year-old greaser in the Merchant Navy, Malcolm C's labourer father and housewife mother had emigrated to Australia when he was a child, probably soon after the First World War. Keen on family life, he sought a blonde wife willing to settle in Australia, have children and not want to go dancing. The interviewer classified him as 'Working Class' and immediately gave him introductions.

Doris G was earning a reasonable post-war salary working for the Control Commission in Germany. At the age of thirty she was getting too old to become a mother, and made it clear that a husband must want children. He should also earn at least twice as much as she, be of a similar religion, not more than ten years older, well made, perhaps a business man living far away from depressing England.

5336 P.T.O.
30 C.of. Scotland 5'7"
Slim £300p.a. Scottish
Control Commission. Swimming,Riding, Auburn
Commercial Agent(F)Dancing?Gardening.Brown
REQ: Glasgow High School No None
30-40 C.of.E. or C.of.S. over 5'9"
Well made Over £600 p.a. Immaterial
If possible I should like to meet a man who has business abroad.Sth Africa,Sth America.
ect: He must want children as I intend to have them.
1335 . 1704 ,1445 ·1829 ·

" Have you by any chance a nice coalman on your list? "

Unmarried herself, Dorothy Harbottle's mission in life was to find husbands and wives for others. Despite being an incurable chain-smoker, she lived into her eighties, remained unceasingly devoted to the Marriage Bureau, and entertained new secretaries and interviewers with stories of her match-making.

Post-war shortages of fuel affected rich and poor alike. Clients often asked for a spouse in possession of something they themselves lacked: a house, furniture, a car, enough money.

PRIVATE AND CONFIDENTIAL

"MARRIAGE BUREAU"

Established 1939

Proprietor
MARRIAGES LTD.

Directors
JENNER & OLIVER, LTD.

Manager
HEATHER JENNER

124, NEW BOND STREET,
LONDON, W.1

Telephone MAYfair 9634/5

Office Hours 10 a.m.–5 p.m. Sat. 10 a.m.–12 noon

The purpose of the Marriage Bureau is to introduce, with a view to marriage persons who desire to find matrimonial partners. Applicants are required to give full particulars of themselves and those particulars are then placed on the register of the Bureau. These particulars are then compared and whenever an introduction between two persons appear to be suitable the Bureau sends particulars of a client to the applicant with a view to them communicating with each other. The more difficult the applicant's case, the more limited the introductions will naturally be. The Bureau cannot, of course, do more than effect introductions nor hold themselves responsible for results, and does not vouch for the correctness of particulars thus passed on. These particulars should be verified by you.

DESCRIPTION OF APPLICANT

Age Height Religion Colour of Hair Eyes
Figure Income Nationality
State Source of Income and Occupation
Interests and hobbies

If married before, give present status Dependants, if any
Father's Profession Where educated
Home address
Business address
Name in full
Through what source did you hear of us?

I HAVE READ AND UNDERSTOOD THE ABOVE CONDITIONS OF REGISTRATION; AND I CONFIRM THAT I DESIRE INTRODUCTIONS THROUGH THE MARRIAGE BUREAU FOR THE PURPOSE OF MATRIMONY. I HAVE WELL AND TRULY FILLED IN THE ABOVE PARTICULARS OF MYSELF.

(*Signed*)

Date of Registration

So that the Bureau may be guided in arranging introductions applicants are requested to give some indication of the sort of person with whom an introduction is desired, as follows:

Age Religion Height
Figure Income Nationality
Further particulars

Clients can be interviewed at their own homes if preferred for a further fee.

Passport to Matrimony?

The standard form. By the time Pam has completed it, Heather Jenner has a pretty shrewd notion what she is like and what sort of husband may suit her.

As advised by Counsel, the Bureau's registration form became more detailed and formal. The newly formed company 'Marriages Ltd' was added. Applicants were asked to give their source of income, education and father's profession, and to sign a declaration. 'Requirements' remained basic.

A Marriage Has Been Arranged

Heather Jenner

IN AN INTERVIEW

It seemed a wild idea, in 1939 of all years, to start a Marriage Bureau with a tiny staff and a small but expensive office in Bond Street. But now, ten years after, with over three thousand successful marriages to its credit, the mad idea seems sane enough to be worth examination

BUT how does it work? I mean, how do people write to you, in the first place?"

"We insist on a personal interview."

"We" is Miss Heather Jenner (who is really Mrs. something else, very happily married herself, with two children). I can imagine, looking at her, that she is the perfect interviewer.

Stage One is the interview, a long and searching one. Stage Two is the First Matching Process, a comparison of files, to find the prospective husband or wife whose tastes match those of the new client most closely.

Here was the opportunity to put one of the most important questions in the world to someone well qualified to answer it.

"What *is* compatibility in marriage? What are the tastes which *must* be shared?"

There were so many things to remember, but in the end I managed to pare them down to a ten-point list, the essence of three thousand match-makings.

Here is the list of matching-point essentials in order of importance.

(1) Social position. (Includes upbringing, education, social ambitions or the lack of them. Women often show strong preference for certain professions—e.g. schoolmaster, doctor, business man, etc.)

(2) Income. (A close second.)

(3) Religion. (A bad third.)

(4) Nationality.

(5) Age. (From No. 5 onward, exceptions become more frequent. There are records on the books of exceptionally successful results where the man is considerably older than the woman. According to Miss Jenner, follow-up notes show that "the much older man should be either a very weak or a very strong character.")

(6) Type of personality. (Assessed at interview.)

(7) Health. (Outlook is unfavourable for two people who *neither* of them "enjoy very good health.")

(8) Interests. (Town *v.* country. Sport *v.* games. Social *v.* "liking to be alone". Outlook particularly bad if one client much more fond of going out and about than the other.)

(9) Choice of site of home.

(10) Readiness to accept the fact of a former marriage.

"And all these facts you get at your first interview?" I said. "Yes, but there is one danger, which only experience can overcome. The danger of the false answer."

"You mean clients don't tell the truth?"

"Far from it—but you will find that there are certain characteristics which not only my clients, but I myself, and you yourself, can never admit that we do not possess."

How You See Yourselves

Here was another list, more fascinating than the first.

The "what everyone believes themselves to be" list (in order of frequency).

Most people have an unshakeable conviction that they

(1) are capable of making a good husband or wife;

(2) are easy to get along with (companionable);

(3) are notable for their sense of humour;

(4) are willing to give and take;

(5) are home lovers;

(6) if not good looking have a certain charm if somebody will take trouble to discover it;

(7) have a certain amount of culture;

(8) are broadminded, *but* . . . (object to women smoking in the street, etc.);

(9) are good mixers;

(10) are good hosts or hostesses;

(11) are industrious. (Women, even obviously lazy ones, believe this more firmly than men.)

After the matching processes, comes the meeting (the men are encouraged to make the appointment). During the walking-out period, there are follow-up interviews, for advice.

It is sometimes possible to suggest, for instance, to the lady client that the clothes she wears are not perhaps quite perfectly suited to this new step she is taking in her life. "Not *quite* that hat, perhaps." ("It is amazing what you can say, without offence, from behind a desk," says Miss Jenner.)

What Is The Need?

Clients usually find themselves suited, after meeting on an average three, or four, prospective opposite numbers.

And why is it so successful? Why should there be a need for this sort of thing in these modern, free and easy democratic days, when everybody meets everybody?

But do they? What are the chances, in modern life, of meeting the right person?

Where are those Edwardian days of large families, when each of the half-dozen brothers had half a dozen friends for the sisters to meet? When the mothers spent three quarters of their lives in being marriage-bureau experts on their own account. When the weekly dance was a programme dance, and a girl was not stuck more or less to one dancing partner all the evening like a jujube, but had a chance, had the certainty, of being able to compare and contrast. It is because the business of marrying is no longer organised at home that there is room for the professional marriage-maker.

"But you mean successful marriages can really be arranged in this rather cold-blooded way? Marriages are made in Heaven."

"Maybe, but the divorce rate of marriages made in Heaven happens at the moment to be one in eight. Marriages made at the bureau work out at one divorce per fifteen hundred weddings."

S.P.

Of course, I know lots of girls. I could marry any day I wanted to. I don't need help from so-called experts. Still . . . it might be interesting. Very interesting. Perhaps I'll just drop in . . .

In this 1949 magazine article Heather listed her ten 'matching-point essentials', starting with: 1. Social position. (Includes upbringing, education, social ambitions or lack of them. Women often show strong preference for certain professions – e.g. schoolmaster, doctor, business man, etc.) 2. Income. (A close second.) 3. Religion. (A bad third.)

Passers-by in Bond Street could comfortably read the other signs at number 114 and slip up to the second floor without feeling conspicuous. A nervous person would quickly be reassured by the businesslike yet sympathetic manner of the interviewer. Here, Heather helps a tentative young woman fill in her registration form.

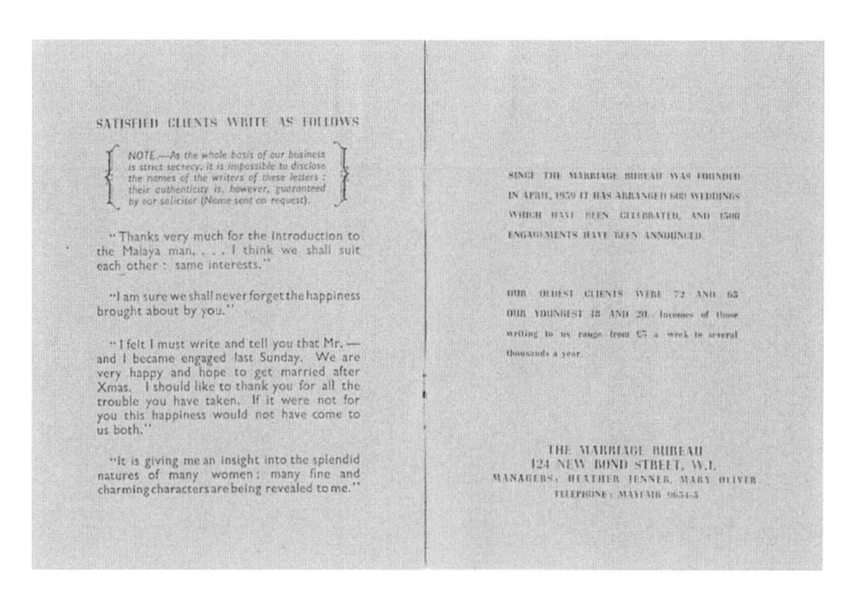

SATISFIED CLIENTS WRITE AS FOLLOWS

NOTE.—As the whole basis of our business is strict secrecy, it is impossible to disclose the names of the writers of these letters: their authenticity is, however, guaranteed by our solicitor (Name sent on request).

"Thanks very much for the introduction to the Malaya man. . . . I think we shall suit each other: same interests."

"I am sure we shall never forget the happiness brought about by you."

"I felt I must write and tell you that Mr. — and I became engaged last Sunday. We are very happy and hope to get married after Xmas. I should like to thank you for all the trouble you have taken. If it were not for you this happiness would not have come to us both."

"It is giving me an insight into the splendid natures of many women; many fine and charming characters are being revealed to me."

SINCE THE MARRIAGE BUREAU WAS FOUNDED IN APRIL, 1939 IT HAS ARRANGED 600 WEDDINGS WHICH HAVE BEEN CELEBRATED, AND 1500 ENGAGEMENTS HAVE BEEN ANNOUNCED.

OUR OLDEST CLIENTS WERE 72 AND 65 OUR YOUNGEST 18 AND 20. Incomes of those writing to us range from £5 a week to several thousands a year.

THE MARRIAGE BUREAU
124 NEW BOND STREET, W.1.
MANAGERS: HEATHER JENNER, MARY OLIVER
TELEPHONE: MAYFAIR 9654-5

The final pages of a small brochure compiled by Mary Oliver to explain the Marriage Bureau. The match-makers were always adamant that the Bureau's approach was practical but that 'their' marriages were based not only on sound principles but also on love.

The Bureau's card indexes were a vital source of information. When a couple were suited, their cards were firmly stapled together and filed separately. They were 'off' (though some returned after their Bureau husband or wife died).

matching bridesmaids and a choir of ten. Despite the limitations of rationing — food, clothes and petrol were all heavily restricted — her plans were lavish. In such a sublime cause she was prepared to turn a blind eye to the black market source of champagne and wedding cake. She made an appointment with her dressmaker to choose the wedding dress. Not for nothing had Mr Pinkerton-Hobbs made a fortune out of steel before he expired. Money was to be no object in making this remarkable, long-longed-for occasion one to make her the envy of her friends.

But Mrs Pinkerton-Hobbs had reckoned without Winifred's new-found confidence, with which she obstinately confounded her mother's plans.

'No, Mama, I don't want all that fuss and flummery, and neither does Gyles. We don't want to be some kind of sideshow, and I flatly refuse to look like a big white duck with a meringue on its head. We are going to be married in a register office with a good party afterwards. I can't wear slacks so I shall be in my green frock, you know the one. I haven't got time to organize anything — I'm full-time and more on the farm — so I've talked to Miss Jenner and she will sort it all out.'

Given a generous budget, Heather had done Gyles and Winifred proud, and had deflected a potential calamity when a doddery relative, clutching a bottle of champagne in each hand, had tried to reawaken his youth by demonstrating the whirling of dervishes he had so admired in Cairo. Swiftly assessing the damage which whirling bottles would inflict, and the risk of the ruddy-faced relative having a heart attack, Heather had smoothly de-bottled him, enticed him to a quiet corner, sat him down with a dish of cooling ice cream and questioned him with intensely flattering interest about his Egyptian soldiering days. Mrs Pinkerton-Hobbs had noticed this small pantomime, thanked her lucky stars and, brimming over with champagne and emotion, added a hefty 'thank-you' tip to Heather's account.

* * *

Mary listened and laughed as Heather described the wedding, then held out an opened letter: 'Now, here's another job right up your street! In fact, there are two jobs, this written one and one from a telephone call I've just answered. You'll never guess who it was.'

'In that case I'll start with the letter.'

A forty-five-year-old surgeon, Percival Gordon, living in Coventry, a widower who had just become engaged to Florence, a hospital almoner in London, had written to ask Heather if she would make his home more welcoming to his bride-to-be. The house, he wrote, was an ordinary one, but he was thankful to have anywhere at all to live since the Luftwaffe had flattened the city. Even before the war Coventry had been attacked: an IRA bomb had knocked Percival's pregnant wife Amelia to the ground with such force that five weeks later she died. 'As you know,' wrote Percival,

> I was aware when I came to see you six months ago that it might seem premature, indeed callous, to seek another wife scarcely a year after the death of Amelia and our unborn child. However, you listened sympathetically to me and I felt reassured that you understood how the circumstances of war alter everything. They bring all aspects of life into sharper focus, so that in a curious way they simplify matters. When you are acutely aware that you may well not exist tomorrow, you do today what before the war you might have contemplated for months before taking any action. Moreover, as a surgeon I frequently confronted death before the war, so that, although not immune to it, I have a greater familiarity with it, and can better accept it as an integral and inevitable part of life than can most people.
>
> In Florence you have found for me a perfect wife, not only because she is so loveable but also because through her work she too has much experience of death, and consequently an understanding of my situation (as well, I am happy to say, as a love for me which fills me with joy). We are jointly anticipating a new departure. After our wedding she will come and live with me here; but my house was made into a home by Amelia, and I want Florence to know that it is *her* home. I have very little time for

matters other than my work, since there are so many sick and injured in Coventry that the hospital is always at full throttle. In addition, it is difficult for me to know what may most strike a woman's eye. So I should be most appreciative if you could see your way to visiting me with the aim of making some changes, and advising me generally. I should of course pay your fees.

'Certainly I'll go,' said Heather, 'though, heaven knows, it will not be an easy journey to Coventry. It could take me all day after the appalling bomb damage to the railway lines. I'll write to him. Now, what about the telephone call, dear Mary? Who was the caller I'll never guess?'

'Mrs de Pomfret!' Mary burst out. 'Mrs Etheldreda de Pomfret! Dearest friend of the WI Lady Chairman at the baby show, remember? She's disposed of three husbands and wants victim number four! She spoke as if her mouth was full of sour grapes which she was trying to spit out at the same time as talking, and what she said was truly frightful. I told her the first step was to come in for an interview, and she made indignant exploding, swallowing, gurgling, spitting noises and let fly that she would do no such thing, who on earth did I think she was, only servants go for interviews! I bit my lip — you would have been proud of me, Heather — and with extreme calmness I explained to her that if, due to exceptional circumstances, someone was unable to come to the Bureau, you or I would, if convenient, visit the person at home, for an extra fee. She jibbed at the idea of paying, but I think she's desperate, since she agreed to an appointment with you next Monday.'

So when Heather rang Mrs de Pomfret's bell outside a solid Victorian block of mansion flats in Kensington, she was prepared for a haughty reception. However, staring up at Heather, Mrs de Pomfret knew that she had met her match. Heather was a good foot taller than Etheldreda, who could have been mistaken for a vividly painted talking doll. She greeted Heather warily, but in exactly the strangulated tones Mary had described, ushering her through a narrow hall into a spacious and gracious drawing room.

Heather caught her breath, raising her shoulders and drawing her elbows in close to her sides. The room was a veritable museum. On every horizontal surface lay arrayed a multitude of precious objects: bejewelled presentation cups jostled with ostrich-feather fans, ivory chess sets sat on boards of ebony and mother of pearl, dishes edged with turquoise and gold were piled with silver fob watches. Candelabra of pink Venetian glass shone down on the enamelled lids of tiny snuffboxes; a carved wooden monkey leered at a silver-framed photograph of an Edwardian patriarch.

The tops and shelves of the tables and cabinets bearing this dizzying collection were as invisible as the walls, which were concealed by a profusion of paintings, mirrors, light sconces, elephants' tusks, daggers and shields, the mantelpiece dominated by a manky but still intimidating tiger's head, mouth yawning open in a long-silenced yellow-fanged growl.

'It's my husbands, you understand,' drawled Mrs de Pomfret, clearly accustomed to the stupefaction of any newcomer and ready with the explanation. 'They were all connoisseurs, men of great taste and of course wealth too. All three were collectors, and they were all besotted with me, so in their memory I like to display all their treasures.'

With extreme caution, Heather threaded her way through the Aladdin's cave, only to stop dead in her tracks at sight of a large black cat which uncurled itself from a deep chair. Heather's cat allergy kicked straight in, she snorted and sneezed so energetically, bent almost double, and wept so copiously, that Mrs de Pomfret, understandably misunderstanding, exclaimed: 'Oh, please do not feel sorry for me, I am quite happy without my past husbands. It is most kind of you to sympathize so.'

Between sneezes Heather explained the cause of her suffering, whereupon Mrs de Pomfret led her into a small room. Recovering, Heather drew up sharply when faced with a stuffed brown bear, standing upright on its back legs. She put out a hand to steady herself, but jerked it back as she noticed a slight movement among the grizzly hairs.

Mrs de Pomfret launched into a potted history of her matrimonial life. She had married at eighteen, straight from her Swiss finishing school, a pleasant man but weak — she dismissed Clarence as if he were a cup of under-brewed Earl Grey. She had been so devastatingly pretty that weeks after Clarence was killed in the Great War, she had accepted the proposal of Leopold, on leave from his regiment.

Alas, Leopold proved no more bullet-proof than Clarence, and hours after his return to the fighting in France he was fatally shot. Once again Etheldreda donned her widow's weeds. Black suited her, especially black lace, and it was when wearing a particularly fetching Parisian *chapeau noir* with a spotted veil that her carriage had broken down in Hyde Park and Everard, taking his usual restorative morning promenade after a convivial evening, had rushed to the rescue. They had lived a life of content, with Etheldreda organizing all their activities, which admirably suited Everard's indolent and pleasure-seeking nature.

True to himself, Everard was knocking back whisky on a grouse moor when, conforming to the pattern of Etheldreda's husbands, he was felled by a fellow sportsman's stray bullet. Etheldreda shed tears of irritation and set about finding a husband who might break the pattern. But the few men who had crossed her path since 1938 had not been attracted by the fading looks and sharp tongue of a middle-aged shrew. Etheldreda had confided her troubles to her ever-helpful dearest friend the Lady Chairman.

As Heather walked back to the office, deep in thought, she felt a tickle on her wrist. As she scratched, the skin reddened, and more tickles expanded into itches, which started to throb. Looking closely she was horrified to recall her early knowledge of animals and to recognize the unmistakable signs. 'Fleas!' she yelped as she opened the office door. 'That appalling, snobbish, conceited, heartless female has a cat with fleas! And they hop about on the bear too! A dead bear,' she added hurriedly as Mary put a protective hand to her throat. 'Not as horrific as the Sheikh's live falcon, granted, but certainly enough to deter any suitor. It is imperative that we find her a husband or we'll never get shot of her.'

'What does she want?'

'Oh, the impossible: a public school man, well-off, a widower or bachelor, not a divorcee unless he was the plaintiff, no children cluttering up the place (even a docile child would wreck that mausoleum of hers), a man of title preferably, though a bishop would do — her grandfather was a bishop somewhere in Africa. He must be a social asset, a connoisseur of objets d'art and speak perfect French. Her most recent husband's ancestors were French nobility — though I'd be willing to bet that the *de* was not added to *Pomfret* before 1920. And if *Pomfret* is French, it must come from *pommes frites*, so she's really Mrs Chips! She says she's forty-two and wants the next Mr de Pomfret (because that's what he'll be, mark my words) to be from fifty to sixty, a mature man. But she's fifty if she's a day, though not badly preserved and wonderfully made-up. Her neck is shot, though, it's wrinkled like crêpe paper, and certainly half a century old! Oh, and just in case we were thinking of proposing any, no cads or bounders!'

Mary's mind flew to an amiable but rather feeble man who did something administrative for the Egyptian government. He was highly presentable but clueless; she had puzzled over how Egypt benefited from him. But she suddenly remembered that a colleague of his had written to tell them that he had been killed by some hotheads who had thrown a bomb into the English Club in Cairo, and fired guns through the windows.

'He might just as well have married Etheldreda!' remarked Heather. 'He sounds just her type!'

In the Black Book and their card indexes Mary and Heather found three living candidates: a fifty-five-year-old bachelor colonial officer just returned from Nigeria, a divorced London art dealer of fifty-nine and a widowed retired brigadier. All were pleasant, comfortably off, public school, Francophile, appreciative of the arts (except perhaps the Brigadier) and free from young children. And lonely.

Heather had noted that the colonial officer might be 'a bit queer', but judged that sex was not a high priority for Mrs de P. Like the art dealer, he was an agreeable rather than a forceful personality, likely to be happy to be bossed around. Not so the Brigadier, accustomed to controlling small armies of soldiers and dealing with the top brass of the War Office. But Mary wondered if he might not quite like a change, and enjoy being commanded rather than commanding.

First Heather sent the art dealer to Mrs de

Pomfret. He reported briefly:

> She has a firm view of the beauty and worth of her objects and of her own person. The former are, in my professional opinion, largely worthless. On the latter I shall not be so ungallant as to relate my conclusions. Suffice it to tell you that while Mrs de Pomfret is an impressive lady, I can no more imagine marrying her than I can finding a Rembrandt in the attic (though I should live to regret the former but should rejoice and again rejoice in the latter).

After his encounter with Mrs de Pomfret, the colonial officer walked directly to 124 New Bond Street to pour his tale into Heather's eager yet dispassionate ear: 'She reminded me of a Nigerian chieftain. I used to have to deal with large black male Mrs de Pomfrets, kitted out in beads and feathers and bones and war paint, resisting my authority all the way. She made it abundantly clear that she would preside as chieftain in our not-so-native hut and I would be a useful slave — provided of course that I minded my Ps and Qs, and did not break any of her relics. I am a mild man, Miss Jenner, but not sufficiently meek to be Etheldreda's lackey.'

Mary and Heather waited rather pessimistically for the Brigadier's reaction.

'Splendid female, Etheldreda!' he boomed, as if giving the order to charge into battle, his voice so loud that Heather feared the occupants of the waiting room would hear. 'Seen her a few times, just had a couple of gins and a good talk with her, and come straight round to tell you. She hesitated a bit at first, she's accustomed to ordering her husbands around and she's had a lot of practice with the fellers, but she soon hoisted in the fact that I shall be in command. Got some spirit, though, and I like that in a woman, reminds me of my Aunt Hortensia, you could never put anything past her! Lot of damn objects around the place, some of 'em will have to go, I told her so. That damn Bruno will be first, it's hopping with fleas from the damn cat!'

The Brigadier paused, reaching up his hand to scratch the back of his neck. 'Cat'll have to go too, can't abide feline creatures, told Etheldreda sharpish it's either Bruno and Felix or me. She looked a tad mutinous for a second or two, then she surrendered, said she'd part with 'em. Sensible little woman. I'm taking her up the aisle next month. So that's it. Most grateful to you two ladies. Here, brought you some gin.' The Brigadier plonked a bottle down on the desk, clicked his heels, saluted and marched down the stairs.

Astonished and relieved, Heather and Mary were reduced to whimpering with helpless laughter. Heather sloshed gin into two big glasses, while Mary leaned back in her chair, flung her arms wide and cried out: 'Another triumph! Quick, Heather, write and tell the Lady Chairman — no, don't write, she'll send us more Etheldredas. Have some more gin, but DON'T WRITE!'

13

Other Agendas, Pastures New

The more word of the Marriage Bureau spread, the more the office became not only a honeypot for spouse-seekers (including men pressing their suit on Heather and Mary), but also a Mecca for salespeople: bridal car chauffeurs, makers of wedding dresses and trousseaux, proprietors of honeymoon hotels, hairdressers, fortune tellers, caterers, photographers, manufacturers of babies' perambulators — anyone who saw in about-to-be brides and bridegrooms a ready market for their products and services.

'They descended on the office like vultures,' Heather recalled, 'without an appointment, very insistent. It was not always easy to get rid of them, even for me, and I had had a lot of practice in Indian bazaars. Some were pathetic, people who'd lost their job or their business in the Blitz and were desperate to turn an honest penny. Or servicemen who'd been badly wounded and so demobbed early, but couldn't get a proper job again in civvy street.

'I remember a doleful little chap, only about five foot one — the top of his head was level with my bosom. And it reached that far only because his hair stood up in an elaborate bird's nest of knitted or crocheted fuzz. I was quite mesmerized, staring down rather expecting to see a baby cuckoo or a squeaking little sparrow nestling in the middle of that extraordinary confection. It wasn't his own hair, he explained earnestly, as if I hadn't guessed, though it was made of real human hair, ingeniously woven into his own sparse thatch, and he was convinced that it made him look not only more hirsute but also taller. It didn't do the trick, rather the reverse, for it drew attention to the fact that he was almost completely bald and almost a dwarf. He pleaded with me to recommend his system to bald clients, who would surely be so transformed that they would attract a fleet of lovely ladies. I had to hedge, and accept his card, before he would leave.'

Male clients were acutely self-conscious about baldness: 'I have many interests,' wrote a very presentable young man:

> I play golf, dance (rather badly!), shoot, am very fond of an outdoor life, and have many other hobbies. I also possess a car, and am fond of foreign travel, when that is possible. All the above items sound quite good, but unfortunately I became bald at an early age, and I feel that I appear older than I am, and therefore no longer of interest to many girls.

A well-known scientist wrote: 'I enclose a picture which makes me look perfectly repulsive, but in real life I look far worse, for I have no hair left.' The photograph showed a perfectly pleasant face enlivened by an attractive smile, topped by a gleaming, hairless pate.

Unfortunately, female clients seldom wanted to meet a baldie. 'No fat men, bald men, redheads, Welshmen or parsons,' stipulated a young woman of thirty-two. An impoverished forty-eight-year-old widow, however, was happy to be introduced to any man, fat or thin, short or tall, hair or no hair, provided he was 'a wealthy gentleman who will help me realise my ambitions. I do not want to be a domestic drudge.' Heather thought she might like a very well-heeled and optimistic businessman, and be unconcerned by his admission that 'My hair is thin at the back but will probably grow again.'

Heather and Mary kept a sharp eye out for fortune-hunters of either sex. A key giveaway in a woman was a carefree unconcern about the age of a potential husband: if she was happy to accept someone twenty, thirty or even forty years her senior, warning bells rang in the interviewer's ears. The client would be only too happy if her darling dropped dead soon after marriage, since her main interest was in the money he would leave her.

Both match-makers became adept at asking innocent-sounding but searching questions to winkle out the truth from any client who made them feel uneasy, and developed a sixth sense for the outright lie: a man claiming to have an income of £5,000 who in reality had only £500, wanting to meet a woman with a matching £5,000. He would be vague about where he lived, muttering about being bombed out — ah, tragic! — and therefore living in his club, or with some relative, while in fact he lodged in a shoddy bedsitter. Very occasionally he would treat his intended victim to oysters and champagne at an expensive restaurant. As soon as he succeeded in ensnaring the hapless girl into matrimony, lunch out would be Spam or whale meat at a British Restaurant.

Some fortune-hunters were engagingly open: a beguilingly personable, intelligent and cultured Italian baron sent to the Bureau a cream-coloured envelope containing photographs of his undeniably good-looking self and his exquisite pillared palazzo, together with glowing references. The accompanying letter, on thick, deeply embossed writing paper, described his wondrous garden: acres of terraced hillside planted with peach and lemon trees, perfumed by jonquils and jasmine running riot among secluded benches and antique marble statues, where the *Barone* and his *Baronessa* would stroll under pergolas dripping with blossoms, listening to the singing of birds, the humming and chirping of busy insects, and the melodious plashing of rills and fountains. With disingenuous honesty he wrote:

> I was brought up in England as my mother was English, so after the war I should like to have an English wife, a young woman who adores beauty, who is calm and brave, not like an Italian girl who is too temperamental and passionate. My bride will have money in order to maintain my most beautiful palazzo and garden, and my family house in town. I should, of course, make her more ecstatically happy than any Englishman can.

'I have no doubt that he will lavish so much Continental charm on her that she will be captivated, positively euphoric,' sniffed Heather. 'All will be tickety-boo as long as she is too dazzled to perceive her flattering husband's priorities: himself and his palazzo joint *numero uno*, garden *numero due*, townhouse *numero tre*, wife round about *numero dieci*, after his mama, his mistress (you really can't believe that nonsense about temperament and passion), his car, his dogs and a clutch of cousins. I shall write to him explaining that as our lady clients look for security in marriage, a husband must have a decent income, so we cannot assist.'

'I suppose you're right,' agreed Mary wistfully. 'But it does sound so fantastically romantic, like a fragment of heaven that's come adrift from the celestial heights and hurtled down to this dark and savage world. I should adore to stand with the sun beating on my back, wearing a cotton frock and sandals, breathing in the scent of flowers, plucking a ripe peach from my very own tree, eating it, then dangling my sticky fingers in a cool fountain.'

Shaking her head at Mary's flight of fancy, Heather turned to welcome a fabulously pretty twenty-five-year-old, Mrs Rhoda Clarkson, who had divorced her fifty-year-old husband after only a few months of marriage.

'He'd always been generous to me before we were married,' she hissed, her voice distorted by bitterness. 'He gave me perfume and lovely dinners and a beautiful French silk negligée set, we went to swanky hotels and nightclubs, he paid me lavish compliments and sent huge bouquets. He had resolved to marry me, he wasn't going to take no for an answer. And I was an orphan, no family, and no job either because I'd been a high-class milliner, but ladies had no use for big hats when there were no garden parties or Ascot. I was nervous because he was so much older, and he'd been married twice, and divorced both times. But I needed money and somewhere to live; I only had a few savings. I quite liked him and he swore he adored me. And he was rich, that was the main thing. So I agreed.

'But after we were married he changed: he wasn't loving any more, he was like an animal. He wouldn't give me any money except after I'd slept with him. Then he'd sometimes give me £2, but sometimes only 2s 6d, or even less. It varied according to how much he'd enjoyed himself. He used to give me marks out of ten. It was horrible, horrible.

'One day I couldn't bear it any more. I packed my suitcase and walked out. He stood in the hall sneering, and I shouted at him, 'Next time, marry a prostitute!' In fact, that's probably what he did. He let me divorce him, because he wanted his friends to think him a gay dog having an affair, rather than being walked out on by an attractive young wife. So he paid a glamorous tart to go to a hotel with him, and a photographer to take a snap of them in bed together. I got the divorce on grounds of his adultery. Can you find me a nice man, please? But with some money too.'

Heather listened to Mrs Clarkson's dismal tale and picked out a few men for her to meet. Privately, she pondered on how dangerous marrying for money could prove to be. She herself was being pursued by several men, one of them, like Mr Clarkson, older, very rich, divorced, so persistent in his courtship that, far from responding, Heather was growing cooler and cooler.

* * *

Most of Heather's suitors were around forty, congenial, highly unlikely, she reflected, to behave like Mr Clarkson, or like the ex-husbands or fiancés of various other distressed female clients. But having married very young, and divorced, Heather was wary of serious romantic involvement. In 1940 she had become engaged to a thirty-seven-year-old Welshman, Emlyn Griffiths, well-known in the West End as a top theatrical manager. He was good-looking, six foot three, loquacious, polished and popular, and he and Heather made a striking couple. But whether because she got cold feet, or that he was called up and became a captain in the army, or another reason, the engagement was called off.

By chance, at the party of a close friend, Heather answered a knock at the door to find a nice-looking man asking for the party at number four. Realizing that he was looking for number four in the street, not flat four in the building, she redirected him, but not before a light-hearted conversation during which he recognized her from a newspaper photograph. Mr Cox was delighted to make her acquaintance.

Heather thought no more of him, until a few days later a note delivered to the Bureau invited her to a cocktail party given by Mr Douglas Cox. Ignoring the bottle of champagne her upstairs admirer Hugo dangled optimistically outside her window, Heather dressed in a little black frock and a precious pair of pre-war silk stockings, and took a taxi to Knightsbridge.

The cocktail party changed Heather's life. She met Douglas Cox's brother Michael, a land-owner living in Scotland. Michael could not take his eyes off Heather and, in the following months, courted her single-mindedly.

* * *

Mary too was being wooed, but she was more interested in a new project than in any potential husband. When she contacted the press just before the opening of the Marriage Bureau in 1939, she had met Mary Benedetta, a journalist who wrote an entertaining article about the startling new venture.

Mary B. was a kindred spirit. Like Mary O., she had decided that she wanted to do something more with her life than leave school and marry. She worked as a secretary, first for a disorganized American woman, then for a scary Austrian count, a large industrial firm and a yacht dealer. She became governess to an obnoxious girl whose American mother had had her psychoanalysed. She put a bold idea for publicity to an intrigued publisher, who hired her. She moved into journalism and films, writing about people with strange jobs, such as a man who constructed skeletons, and interviewing Marlene Dietrich, Marie Tempest, Boris Karloff, Alfred Hitchcock and Noël Coward. After writing books about London's street markets and her own experiences, she slid into script writing for the popular wireless programme *In Town Tonight* and, in 1936, for one of the BBC's first television programmes, *Picture Page*.

Mary B. and Mary O. rocked with laughter as they described their eccentric early jobs to each other. And Heather and Mary's audacious Marriage Bureau enterprise was right up Mary B.'s street, especially as she recalled another of her jobs, as a teacher of dancing. 'The best pupils,' she wrote,

> were young men home on leave from the colonies. They were pathetically anxious to get up to date. Nothing was too much trouble for them if we could save them from looking ridiculous. They worked conscientiously at everything we taught them, and though they were often very clumsy to begin with they usually learnt in the end.
>
> Another pathetic thing about them was that, having had all these dancing lessons, they knew nobody to take out. London was just a cold-hearted stranger to them, and I think the leave they had looked forward to for years often fell rather flat. They

sometimes asked us to go out dancing with them, but it was never allowed, and they had to go off hoping they would meet the girl of their dreams.

'How amazing!' exclaimed Mary O. 'You know precisely the kind of men we set out to help! You can see exactly why we started the Marriage Bureau!'

The two Marys struck up such a rapport that soon they decided to write a book. *Marriage Bureau*, published in 1942, brought yet more clients to 124 New Bond Street.

Secretaries, receptionists and interviewers came and went. Some were too fearful to keep working in the ravaged West End, others were called up, or left to cope with family disasters. Administering the Bureau was a juggling act for Mary and Heather, who were run ragged. Mary had an added reason for feeling exhausted: she was working with the American Red Cross. In December 1941 America declared war on Germany, and thousands of US servicemen and women were drafted and sent to England. In the same month the conscription of women became legal, and the first to be called up to do essential war work were single women aged twenty to thirty.

Perhaps the authorities considered the good work of the Bureau counted as a reserved occupation, exempting the match-makers from joining up. Perhaps Mary felt she should also be doing something more obviously essential. Whatever the reason, she spent less and less time in the Bureau, and more and more helping to organize facilities for American troops in London.

Several American servicemen and — women found their way to the Bureau. With regret, Mary and Heather had to turn away the girls, as the US government would not permit servicewomen to be put in touch with strangers. The men were deemed able to protect themselves, if necessary, from strange women.

'Most of us have never been anywhere far from home,' complained GI Brad, a melancholy young soldier who sat puffing his way through a packet of Lucky Strikes while Mary listened attentively. 'We sure didn't want to go all the way to England and fight a war. The goddam war's got nothing to do with us. It's not our war.'

Mary gave him her most winning smile, murmuring, 'But we are so grateful to you Americans for coming to help us!'

'Good of you to say so, ma'am. Sure, we don't like this Hitler guy, and we're sorry you folks are having such a goddam awful time with the bombing and all. But when we arrived here there was a bunch of limeys waiting for us, smiling like crocodiles. They didn't directly say it was about time we fetched up but boy, did we feel their resentment.'

Brad leaned back in the chair, angrily stubbing out his cigarette as he relived his chilly welcome to cold, wet, ravaged England. Anxious to soothe him, Mary smiled as she enquired, 'Do you know any English people at all?'

'No, ma'am, only you. It's lonesome here. All

the people on the streets are kinda nervous-looking, not friendly. I want a girl. I had a sweetheart, Sue, back home. But my mom wrote me last week that Sue's got fed up waiting for me, so she's going with another guy. That's what's happened to a lot of us here. Even wives have gotten fed up. They think we're going to get ourselves killed so they'd best find another man.'

'That's sad, I'm sorry. Well, let's fill in this form, and you can tell me more about the sort of English girl you'd like to meet.'

Brad reflected, puffing thoughtfully on his third cigarette, before replying: 'I've met a few English girls who liked me on account of they knew Americans can give them nice things like chocolate and nylons and cigarettes and food. I don't want a girl like that. I want a girl who wants me, not all the stuff I can get for her. Can you help me, ma'am? I'm a cheerful guy, but right now I'm real down.'

Brad's life improved dramatically when Mary introduced him to some friendly, ungrasping girls who welcomed his frank and open approach. He often used to drop into the Bureau, giving Mary news of his progress and telling her about his life in America and in London.

Wanting to help people like Brad, Mary volunteered to work on the development of an American Red Cross club which opened in 1942, Rainbow Corner, in Soho. It rapidly became the London home-from-home of Americans, where they could jitterbug with volunteer hostesses, drink proper coffee, guzzle doughnuts in the basement Dunker's Den, get spruced up with a hot shower, a visit to the barber and the valet service, play pool, listen to bands and singers, or select their own favourites on the jukebox. They might bump into Irving Berlin, James Stewart and other famous visitors, even General Eisenhower. Homesick Americans were comforted that despite the sign over the reception desk, 'NEW YORK 3271 MILES', their homeland was not lost to them.

'It's a wonderful place!' Mary told Heather. 'And it keeps the men off the streets, which is just as well because they're sex-starved and often very predatory. I've heard that rape is on the increase, and VD too — not all the fault of Americans, of course, but they're certainly not backward in coming forward!'

'Nor's them prostitutes neither!' broke in Special Constable and client Alf, who was paying one of his regular check-up visits to make sure 'my marriage girls' were all right. 'They don't half love that Rainbow Corner. I sees them tottering down Shaftesbury Avenue, two together for safety — but I reckon it's the Americans wot aren't safe with them tarts. One of their sergeants said to me, he said, it's suicide for a GI to go out in the evening, in the blackout, without a buddy. The girls are all over the place, outside the club is terrible, an' by the underground entrance they flash their torches on a Yankee soldier's ankles an' put their faces right up to 'is an' breathe at 'im, 'Hello, Yank, looking for a good time?''

'Oh, Alf, you do see some life that we don't!' laughed Mary.

'I do an' all. Just you keep away from that Rainbow Corner, especially at night, Miss Mary, an' you too, Miss Jenner. Them girls know them Yanks want sex, an' they know they might catch some 'orrible disease, or be up the spout, but they're desperate for money, an' them Yanks are flush. That American sergeant, he told me even just a private gets $3,000 a year — that's about £750 in our money — so he can lash out on a girl. But a poor ol' British private gets £100. It ain't right. No wonder our lads 'ates the Yanks.'

Mary heeded Alf's warning, but she was growing to like most of the Americans she came across enormously. Their positive attitude to life she found very refreshing, and in tune with her own. Being courted by more than one made her reflect on what her life would be after the war — whenever that might be.

She had deep discussions with Mary Benedetta, whose husband, unlike most married men, encouraged her to have a career, so that she was happily making documentary films for the Ministry of Information, the Ministry of Food and the British Council. From her own settled situation, Mary B. could see clearly that her conscientious and kindly friend was worn out by the effort of setting up and running the Bureau, working for the Americans, and living in the appalling conditions of war-stricken London. She understood that Mary needed a change.

The dilemma was resolved by the insistence of an American suitor bent on marrying Mary, combined with her longing for pastures new, particularly American pastures. She resolved to embark on a new adventure: living in America.

* * *

Heather was at first distraught at the likely effect of Mary's departure on the Bureau. But the whole situation had to be reappraised, for she too was on the verge of great change: she had accepted Michael Cox's proposal of marriage, and was going to live with him in Scotland.

So Mary and Heather sat down to plan the future, just as they had done when working out how to start the Marriage Bureau. Mary was helpful, but at the same time distant, her thoughts always drifting to the new life ahead. Three years with the Bureau had broken her previous pattern of change and uncertainty, when she had travelled, tried many jobs and nearly married twice. Now she was ready once again for a new departure.

Heather was sure that with a responsible person in the office, keeping in constant touch with her in Scotland, the Bureau could continue to run efficiently. She had her eye on an interviewer she had just trained — but the girl was only twenty-eight, and was conscripted to join the WRNS.

Fortunately, Picot Schooling, a friend since Heather's brief flirtation with the film world, was at a loose end. Passionately fond of the theatre, before the war Picot had acted in films and plays, and had been a casting director for a theatrical agency. But now that many theatres were closed, jobs were few and far between. Picot was over the calling-up age, a huge advantage for the Bureau; and she jumped at Heather's invitation.

Mary sold her shares in the Bureau to Heather and they took their farewell of each other, promising to keep in touch while knowing that at least until the war ended, communication between America and England would be difficult.

* * *

Picot came into the office to be shown the ropes.

'You need to keep a watch out for ear-nibblers,' instructed Heather. 'They can be quite harmless, but sometimes they turn out to be thorough-going wolves.'

'How do I pick them out before they start nibbling?' enquired Picot, looking perplexed.

'Oh, it's almost impossible!' laughed Heather. 'I thought I was rather good at spotting them, but I got caught once, by a suave client, Ralph, who complained that a gorgeous divorcée had turned him down, and that she and all the other girls I'd introduced him to were hard. Could I find him someone soft and feminine, if that kind still existed? And would I have dinner with him so he could explain better?

'I lunch with clients but rarely dine with them, but he was very persuasive, regretted he couldn't come into the office in the daytime because of his vital war work. So we had a very nice dinner in a quiet little restaurant. By then I'd heard from the divorcée, who didn't say much except that she found him rather forward. Well, over the oysters Ralph told me he had never in his life tried to kiss a girl unless she encouraged him. His handsome face and honest blue eyes, looking straight into mine, oozed sincerity. I partly believed him, and resolved that a sophisticated girl would be able to handle him.

'In the taxi going home I agreed to find him more introductions, but warned him firmly that if I had even one complaint he would have no more. He thanked me profusely and squeezed my hand gratefully — and then he pounced, grabbing my face and trying to give me a French kiss! I had to fight him off! When I managed to break free and sit back in the seat I was overcome by how funny it was, and was creased up with giggles — I snorted with laughter, I couldn't stop! Ralph was mortified, wounded in his manly pride, couldn't wait to dump me at my door and say a frosty good night! So there you are, Picot: you're an actress, you'll learn how to recognize the actors and play the right part yourself. Don't say you haven't been warned!'

14

Heather Chooses Mating over Chickens

For the next three years the Marriage Bureau prospered in spite of the total absence of Mary and the partial absence of Heather. Picot learned quickly, but as clients continued to flood in she needed help. She brought in two friends, both over calling-up age and overjoyed to be involved in such an original business. The new secretary worked quietly behind the scenes, answering the telephone, running errands, keeping the office supplied with essential writing paper, typewriter ribbons, registration forms and light bulbs. Dorothy, whose surname Harbottle inevitably led to her being called Bottle, found her niche as a sympathetic interviewer. Her diminutive size, wavy grey-white hair, cosy presence and welcoming manner endeared her to the more tentative clients.

Picot kept in regular touch with Heather, who was leading a very different life in Scotland. On Michael Cox's farm, in the spectacular countryside of Angus on the east coast of Scotland, the air was pure, the view stupendous, the star-filled night sky a miraculous wonder, especially after the murk and gloom of London. Baaing, mooing, whinnying, barking, squawking and birdsong replaced the wail of sirens, the scrunch of broken glass, the screams of terrified people and the blood-curdling whine and thud and crump and bang of bombs, anti-aircraft guns, aeroplanes and crashing buildings. The farmyard smells were sweet compared to the noxious putrid stench of blitzed London.

But gregarious Heather yearned for the city. She was nostalgic for parties, conversation, new friends and clients. 'I am nosey, you see,' she confessed. 'I enjoy people, I like to find out how they tick; it entrances me.' Heather blossomed in restaurants, offices, theatres, clubs, crowded streets, her beloved Marriage Bureau, whereas in Scotland, she recalled, 'The only social event of the week was when I packed parcels for the Red Cross in Perth. Apart from all my office work, I did cooking and housekeeping which, before I went to live in Scotland, I had never attempted, and I found it all quite revolutionary. I wasn't too bad at some dishes, but never mastered pastry and was pretty heavy-handed at puddings. Things like making jams left me cold in spirit but not in everything else, and my language in the bottling season, when I could not get the jars to seal, left nothing to the imagination. I felt that in wartime it was part of a married woman's job to work in the house, but I had not been brought up to be a cook, char or nursery maid, and I hated every minute when I had to be any of these things.'

Heather spent a week a month in the Bureau. In between visits, she relished her telephone conversations and letters exchanged with Picot. Telephoning was difficult, as a trunk call had to be put through by the operator, who either took a long time to make a connection, or failed to make it at all. So Picot wrote daily, with news and queries:

> Darling Heather
> A girl who looks exactly like Greta Garbo has just come in. We have had a spate of pretty ones lately, one was more a Vivien Leigh type, too beautiful for words. I was staggered that she didn't have queues of young men after her, she'll surely be snapped up fast.
>
> You asked me about Mr James, who said he was completely bald because of an explosion. I tried to find out more, but he was very tight-lipped and would not enlarge, so I'm afraid I can't enlighten you.
>
> I can't find your copy of registration cards for numbers 4079 and 4493. I've got our copy, so I'll make duplicates for you.
>
> A shy young man, Peter Coles, came in yesterday, twenty-seven, working class, very pleasant, neat, polite, must be brave as he's a fireman. I'll send you a copy of his registration card. He says that as he's illegitimate he would like to meet a similar young woman. Can you think of anyone?
> All love, Picot

Heather shut her eyes to the splendid Scottish view of open land and sky, to focus on searching her registration cards for a young woman to match with Peter Coles. She breathed a sigh of contentment as she picked out a card, took up her pen and replied:

Dearest Picot
For your Peter Coles, I suggest Miss Daisy Sharp, a naïve little thing who has a six-month-old baby. She was conned by a smooth-talking cad into believing she wouldn't get pregnant if they did it standing up. Can you credit it? (No answer required!) She herself is not illegitimate, though she might as well be because her parents threw her out. She was taken in by a married friend who'd lost her own baby and whose husband was away fighting. But I seem to remember the husband was wounded so is due to come back home, and wouldn't take kindly to a stray girl-friend and her howling infant in the house.

Daisy wants a man who loves children and would be a good father to her baby. She calls herself 'Mrs' and took the father's name by deed poll. He gives her about £2 per week (he's much more educated and richer than Daisy, but married, of course). She's only twenty and she'd like to have more children. I warned her that many young men will not meet an unmarried mother — or if they are willing they are unable because their parents raise a stink. I don't think you need to restrict yourself to illegitimate girls: your Peter probably means a girl who is in some way or another an outcast, maybe an orphan, or adopted.

There's also a girl who said she wanted to

meet someone who has known loneliness. I can't at the moment remember her name or other details, but you'll probably think of some others.

Thanks for duplicate cards, they are a great help. Mr James' explosion must remain a mystery!

I hope you are getting into the swim of the Bureau! Do tell me more about the very pretty girl. Have you got some good introductions in mind?

Love, Heather

Picot's reply came winging back, enclosing registration cards and more information:

Darling Heather

I asked the pretty girl, Dulcie Hope, why she was not hotly pursued, and she said that she doesn't get a great deal of time to meet people. She's a secretary in the office of a munitions factory, working from nine in the morning until six in the evening on weekdays, and till one o'clock on Saturdays. One evening a week she does First Aid, and another she sells Savings Certificates. Every other Saturday afternoon she helps in a Forces canteen. Every night she's an unofficial fire-watcher in the big house where she has a room. Last year she met a nice young man on the roof one night when they were both dousing incendiaries, he helped her when her stirrup pump got stuck, but then he rushed off. She almost wished there'd be more incendiaries so that she'd see him again! But I've introduced her to a very nice scientist, Clement Hill, who's doing some top secret research. He's stuck in a laboratory all day, and he too lives in digs and does lots of patriotic extras like fire-watching and emergency ambulance driving. He's a serious young man but with a lot of humour. He wrote on his form, 'I'd like a young woman willing to place happiness and lots of fun before loads of wealth. Honesty and beauty combined.' I'm really optimistic about these two, and I'll let you know how it goes.

Thanks for your suggestion of Daisy Sharp. I've put her in touch with Peter Coles, and I'll let you know.

You'll be glad to hear that that awful MP whom you married off to Lady M has got his heir: I saw the announcement of their son's birth in *The Times*. That was an excellent bit of mating! And Mr and Mrs Baldwin sent you a big bouquet of roses on their third wedding anniversary, with a sweet card saying 'Thank you always. We continue very happy. We trust you now have a perfect secretary!' Shall I post it to you?

I am getting into the swim, thank you, but need your advice about some tricky ones. There's a retired stockbroker, Mr Irving, said he's sixty but he's sixty-five if he's a day, very polished, said he was enquiring for a friend but that's a fib if ever I heard one. Claimed that he was a good husband but

that his wife left him without reason, so he divorced her. The more I talked to him the less I liked him, he was creepy though I couldn't put my finger on it. He insisted on registering so I helped him fill in his form. He didn't put down much apart from the usual 'Must be a lady'. To my surprise he didn't want a young girl, he's not a dirty old man. But yesterday he sent a letter stating that he wants introductions to ladies who are strong and healthy, and willing to wear male attire in the house and in public. I am at a loss. Advice, please!
All love, Picot
P.S. Could you possibly bring down some potatoes and onions next time? One of the typewriters needs mending, and there's a little man who'll do it in return for some veg — it's so difficult to get anything fresh in London. We have to do either barter or the black market. And if you could bring some bottled fruit too I could probably get you some real wax furniture polish.

Heather read this letter while standing in the huge farm kitchen, absent-mindedly stirring an increasingly lumpy sauce. Slowly the spoon slid out of her hand and into the pan as she mulled over Mr Irving's requirements. In the early days, she and Mary had been taken aback by clients with strange stipulations, but had learned to listen attentively while trying to elicit the reasons behind the words. She remembered recoiling from a man who had insisted that his bride should have only one leg — until he explained that his sister had lost a leg in a vicious bombing raid on Portsmouth. She had been sheltering in the cupboard under the stairs when the house was hit, and was lucky to survive. He looked after her, developing a huge sympathy with such victims, and wanted to help someone in similar distress.

Heather also cast her mind back to an immaculately dressed, wealthy man of fifty-five, Mr Scott-Gilmour, who had drifted into the office one day and, in languid, high-pitched tones, apprised her of the fact that he had never married, but that his mama's dying wish had been that he should find a wife. He had already filled in the registration form, which he placed with a theatrical flourish on Heather's desk. Mama had just expired, so he was obeying her, his life-long habit.

Expecting him to describe, as did most men of his age and class, a young woman in her twenties or thirties who would bear him an heir, Heather had been astonished to read that his chosen age range was fifty to sixty, and that she must be 'a sports type, strong, active, preferring sensible clothes, tailor made, jumpers, felt hats, flat-heeled walking shoes or brogues. Fair or dark hair, eyes blue, blue-grey or blue-green, hair bobbed square, forehead clear and open. Must be of good recognised family, top-drawer class.'

'Of course!' Heather had suddenly realized, 'He's queer — probably his father was too. He's lost without his mummy, and needs a replacement.'

Abandoning the unappetizingly blobby sauce and the pan of anaemic cauliflower which had been boiling for half an hour, Heather wrote immediately to Picot describing Mr Scott-Gilmour and continuing:

> And I am sure that your Mr Irving is the same. They both lack a manly person in their life, telling them what to do. They would really like a man, but because of the law — which in my view is even more asinine about homosexuality than about most subjects — they have to find a woman in a man's clothing. Luckily there are several lady clients, especially over about forty-five, who would be very content in that role: bossing all day and being blessedly sex-free all night — their idea of heaven! I'll look through my cards and send you some suggestions; and you keep your eye out for a *Lady* or perhaps a *Lady For Here* + of the masculine type: brown felt hat stuck with partridge feathers, clumpy lace-up shoes, shiny face, pudding-basin haircut and so on. You're an actress, you know all about looks and style, I'm sure you will easily recognise the signs!

Heather was overjoyed by news of the MP's heir, only hoping that the baby was healthy, since the MP had been so overbearing and dictatorial that if his child was less than the perfection he demanded, he would take it out on his luckless wife, Lady M. She was even more pleased, and touched, that the Baldwins, the very nicest of clients, were happy and grateful, and wished she were back in the office to see their roses.

* * *

Before leaving London for Scotland, Heather had prepared for life on a farm by buying a mackintosh and a pair of stout sensible shoes. She had never lived in the country, which she found a strange and far from agreeable place. There was scarcely any petrol for personal use, so her car remained on blocks in the garage while she sailed around, an imposing figure sitting bolt upright on an antique bicycle, practically a penny-farthing. She also had a sturdy little Welsh pony called Gwendoline who used to pull her along the narrow bumpy roads in a cart, with her darling dog Cupid by her side. So she had transport, of a kind; but nowhere particular to go.

Heather tried to do her bit, but farming held no more appeal than cooking. A journalist and photographer from the *Tatler & Bystander*, producing a feature entitled 'Down on the Farm Up North', photographed her engaged in utterly uncharacteristic activities: holding a squirming squealing piglet in each hand, she was captioned 'Mrs Michael Cox and Friends'. Squatting in a cow pen to hold out a handful of hay to a dribbling calf, she was 'Fattening up the Calf'. Equally unconvincing to anyone who knew Heather were photographs of her hoeing the weeds between rows of vegetables, building stooks of corn, unloading unruly sheep from a filthy lorry, digging potatoes and controlling a tank-like tractor, all bearing out the text, which ran:

> It has been said that 'farmers fatten most when famine reigns'. Be that as it may, during four years of war, with possible starvation staring us in the face, it is largely due to the magnificent efforts of landowners and farmers in Great Britain that we still enjoy such a high standard of living. Mr Michael Cox, laird of Easter Denoon, in Angus, works hard in the good cause, cultivating some 1,200 acres and raising a variety of livestock. Mrs Cox, a daughter of Brig-Gen. C. A. Lyon, gives her husband some very valuable help.

Heather recalled her relief as the journalist and photographer departed, leaving her to unlace her muddy shoes, wipe the calf slobber from her jacket, flick bits of hay out of her hair, and look with distaste at her earth-stained hands and chipped scarlet nail polish: 'The last straw was taking a photograph of me with the chickens. The photographer insisted I smile and scatter food for them. It was bad enough having to look after the smelly scruffy creatures every day: I loathed them and obviously the feeling was mutual as they always laid far fewer eggs when I was around than when I was away. But to be forced to smile at them was too much. I daresay that, stupid as they are, they could spot the malevolence in my forced grin, for I distinctly remember that they refused to lay a single egg the next day. Lord, how I needed a trip to London!'

Soon after, Heather made one of her monthly visitations to the Bureau. The train journey from Perth to Euston was long and tedious, but she was absorbed in her mating, and in anticipation of the buzz of the Bureau. On the luggage rack sat a suitcase full of accounts books and bills — for she continued to run the financial side of the Bureau — and a large holdall bulging with vegetables, meat and eggs for Picot's purposes.

Back at last in her office, Heather heaved a gusty sigh of happiness and took Picot out for a long, gossipy, updating lunch, leaving Dorothy Harbottle in charge.

* * *

About twice Mary Oliver's age, and very different in looks, Dorothy resembled her predecessor in the warmth of her sympathy, particularly for the less sophisticated and more troubled clients. Her deep concern for them produced such letters as:

> The minute I met Miss Harbottle I knew she would do all she could to help me. I felt as if she had wrapped me in a big woolly blanket where I would be warm and safe for ever. She made me feel like a much-loved puppy!

One of Dorothy's first clients was Cyril King, an RAF pilot who had been hideously burned when his plane was shot down early in the war. His face and much of his body had been partially reconstructed with skin grafts in Stoke Mandeville Hospital, but he did not look normal, and knew he never would. Undeterred, he was tenaciously making the very best of the life which he considered himself fortunate still to possess.

RAF pilots were much in demand. In the match-makers' experience, naval men were still very popular, but the air force had gradually overtaken the navy in the search for desirable husbands. Indeed, so many letters expressed a desire to meet an RAF man that the match-makers could not keep up with the demand. They realized that pilots were so sought-after as husbands because they had a highly developed sense of proportion: they knew what truly mattered. Reported in the press, the Bureau's assessment was: 'You cannot fight 1941 air battles and have a mind for petty quarrels and disturbances.'

When Cyril came into the office Dorothy pushed her cigarettes to the back of her drawer, feeling that the smell of smoke might unnerve him, despite his apparent confidence. Despite the popularity of pilots, Dorothy knew that many young women would be repelled by Cyril's appearance, so she wanted to find one with great insight and understanding. He thought a girl in the nursing profession might be sympathetic to his injuries. He also wanted her to be prepared to take the risk of going to a strange country and setting up a business of their own, as he hoped after the war to settle in one of the colonies, perhaps New Zealand, as he had friends there.

Dorothy assured him that quite a lot of young women were very keen on the idea of a new start, in a far-away place such as Australia, South Africa or Hong Kong. She understood his reasons for wanting a nurse, but thought there might well be girls of other professions who would suit. She asked him to tell her more and he continued, in his noticeably warm, humorous, well-modulated voice.

Cyril was an engineer, who before the war had worked in a steelworks in the Midlands. Then he got into what he really enjoyed: running a club for the Scottish lads employed in the factory, and who were a bit lost in a strange country, 'and England is strange when you've been brought up in Scotland!' He learned to fly because he could see war coming; but he had hardly had a chance to fight before being shot down.

Cyril's main aim was to meet a girl who, like him, had had some trouble in her life. Together they could build something worthwhile, for he loved life, and was certain that, with the right woman, he could really live again.

Dorothy was determined to help, but she had not been in the Bureau long enough to think immediately of a suitable introduction. So when Cyril had left she lit a thought-aiding cigarette and decided to consult Heather, who breezed in full of joie de vivre after a deeply interesting discussion with Picot.

* * *

But Dorothy was forestalled, for hot on Heather's heels came a tall, uniformed man, radiating good health and high spirits, who grabbed Heather round the waist, spun her round, planted a smacking kiss on each of her cheeks and whooped, 'Hiya, honey! Great to see you! How're you doing?'

Startled but overjoyed, Heather greeted one of her all-time favourite clients, Hank, an American pilot who had married another of Heather's special protégés, a bewitching sweetheart of an actress currently serving in the Women's Auxiliary Air Force. 'Hank the Yank' had become a friend and was always popping in to see Heather and give her bottles of perfume and bourbon whisky. Since she had gone to Scotland he had missed her, but had taken to bringing in packets of cigarettes for Dorothy, a heavy smoker for whom Lucky Strikes were manna from heaven. Everyone felt warmed and cheered by Hank's open-heartedness and generosity.

'Picot told me you were coming, so I've got a special gift for you,' Hank announced to Heather, picking up a large awkward-shaped object shrouded in brown paper, which he had dropped in order to kiss her. 'Guess it's something you wouldn't ever have thought of. Here!'

Heather untied the string and pulled off the paper, which Dorothy picked up, unknotted and smoothed out for future use.

There on Heather's desk sat a large, dented,

dirty, bent bit of grey metal. Baffled, she walked round to look at the other side, where she was appalled to see an enormous painted swastika.

'What on earth?' she yelped. 'What in heaven's name is this? Where did you get it?'

'Shot it down,' said Hank. 'Leastwise, my squadron shot it down. Got the bastards, thought we'd keep a few little souvenirs.'

Heather was lost for words, but rapidly found some as she perceived that, for all his breeziness, Hank was in an emotional state, giving her a present of huge personal significance. She thanked him profusely, diverted him with tales of life on the farm, and kissed him a fond farewell. As he closed the door, she turned to Dorothy and Picot, laughing and frowning simultaneously. 'Whatever are we going to do with it? It's a ghastly piece of junk — and it smells nasty too: some peculiar chemical, it must be the paint. We can't possibly have it in the office, and I'm certainly not carting it back to the farm on the train. I can't throw it away because Hank would be mortally offended. Any bright ideas welcomed!'

They puzzled and cogitated, until inspiration struck Dorothy: 'Let's hang it out of the window! Maybe the smell will dissipate. Nobody looks up this high, and if they do, they'll just think it's a bit which fell off a German plane during the Blitz.'

Heather sought help from Alf, who produced a length of strong wire, three stout nails and a hammer. Leaning out of the window he banged the nails into the wooden frame, ran one end of the wire tightly round the offending souvenir and the other round the nails, making a series of twists and turns of which any Boy Scout would have been inordinately proud.

Heather always meant to haul in the suspended token, to test the smell, but she never did. So there it remained, dangling above Bond Street for the rest of the war, noticed only by a triumphant Hank.

15

Picot and Dorothy Hold the Fort

Hundreds of miles away in Scotland, Heather listened anxiously to wireless broadcasts of renewed terror in London. In January 1944 the Luftwaffe launched a 'Little Blitz' of air raids, followed by their most deadly new weapons: V1s and V2s. The macabre drone of these pilot-less missiles, catapulted over the Channel from Europe, caused extreme panic. But the silence when the sound suddenly cut out was even more dreaded, for it presaged a ton of high explosive plummeting to the ground.

Heather feared for the safety of her staff, the building and her business. But surrounded by ever more unnerving death and destruction, Dorothy and Picot carried on, busily doing the mating, listening, advising and making introductions, swinging from sorrow for the troubles of some clients to rapture when a happy couple announced their engagement.

Picot's correspondence with Heather continued briskly. She stemmed her employer's anxiety by reassurances that, far from causing the Bureau to lose money, if anything the Luftwaffe had increased takings, which were in a healthy state:

Darling Heather
Back to a better week again. I wrote to you

last week that the returns were £64 10s. I have not had a reply from you so I hope you got that letter. The postal service is not always reliable, hardly surprisingly! I am glad to say that takings this week are £94 3s! We are very busy.

There is a huge contingent of Americans in town. I do not like them much, though I know you are fond of them. But I must say that they are very good with people when the bombs drop, partly I think because they practically talk a foreign language. As I was walking to the office I heard one say to a very plain old woman who I should think had been a Wilton Road prostitute, 'Say, lady, that's a lovely scrummie you've got!' He was referring to a very nasty cut on her forehead and cheek, but from her expression I think she thought he was paying her a compliment!

I went to see the new film *Love Story*, a romance, rather soppy and over-acted. Margaret Lockwood is a concert pianist who's dying of heart failure, and meets Stewart Granger, a former RAF pilot who's going blind. It reminded me of Bottle's latest coup, at least we all hope it's going to be a real coup. She's introduced that pilot with the horrible burns, Cyril King, to a lovely girl who was blind, Cora Church, you interviewed her so you may remember her.

This evening I am having dinner with my new friend Maurice and we shall reminisce about the theatre, which I always enjoy, I do

so miss that life. I must get home in time to cook — Spam fritters and cabbage, not exactly a gourmet meal! So I must stop this and write out some more introductions.
All love, Picot

Cigarette in hand, for she was an incorrigible chain-smoker, Bottle had thought long and hard about Cyril, thoroughly examining the Black Book and the card indexes until she lighted upon Cora Church.

Cora was one of the most enchanting clients the Bureau had ever known. All the staff shared the view of a man to whom Heather had introduced her: 'When Cora comes into the room, it's as if the sun has descended from the heavens and entered by her side. She radiates, she illuminates, she warms, she makes you feel glad to be alive, regardless of the bombs crashing outside.'

Each and every man who had met Cora had become her friend; but she was still looking for the right one to marry. Her life had been fraught with tragedy, for she had been completely blind for ten years, until a revolutionary operation had largely restored her sight. It had been ten more years before she could see clearly, a decade of difficulty which Cora treated as lightly as if it had been an endless round of frivolity and amusement. At the interview she told Heather that at first she had been able to see only in a haze. One day she had walked with a friend to post a letter and, thinking she saw a pillar box, was puzzled that it seemed to be moving. So she walked closer and, as the red box remained stationary, she asked her friend to give her the letter to post.

'But that's not a pillar box!' exclaimed the friend.

'Oh, but it looks like one,' said Cora. 'If it's not a pillar box, what is it?'

'It's a Chelsea pensioner! Wearing his best scarlet uniform. He was walking ahead of us, but now he's sitting on a bench. He doesn't want a letter in his mouth, or even in his pocket, so let's keep walking!'

Cora delighted not only in her new-found sight but in life itself. Her sense of gratitude, her humour and her enthusiasm were boundless and infectious. But how might she react, wondered Bottle, to a man as disfigured as Cyril? She asked Cora to come into the office to discuss the possibility.

At first Cora was doubtful. After so many years of blackness, then greyness, before at last achieving clarity, she now took immense pleasure in being able to see beauty. She was fearful that she might shrink from a scarred and distorted face. But the more Bottle talked about Cyril, the more Cora warmed to the idea of meeting him. After all, she was committing herself to no more than an hour or two with a man who had given and lost so much, yet who was resolutely rising from the abyss to start again, as she had done. So she agreed to be introduced.

Cyril and Cora met in the huge foyer of the Cumberland Hotel in Marble Arch. As usual, Cora wore a brightly coloured frock, for after so much time living in monochrome she relished colours. Cyril recognized her immediately, feeling the glow that seemed to emanate from her. Fearful that she might shy away in repugnance when she saw his face, he approached her boldly, holding out his hand as he announced: 'I am Cyril King and you must be Miss Cora Church. I am very pleased to meet you. Would you like to go to a very amusing show at the Players' Theatre? We can get a taxi cab and be there just in time, and we can eat during the performance. Have you ever been there? I think you will like it. Hattie Jacques is on tonight, a new star and extremely funny. It's Victorian music hall. What do you think? I've booked. Let's go!'

Startled by Cyril's masterful insistence, charmed by his melodious voice, and given no chance even to think let alone refuse (as indeed Cyril had intended), Cora hardly noticed his damaged face, but accepted his arm as they left the hotel, laughing and talking like old friends.

The Players' Theatre, nestling in a basement in Albemarle Street, not far from the Bureau, was a revelation to Cora. Cyril cleared the way for her to get through the queue of people waiting on the street hoping to get in. Downstairs, in a haze of cigarette and cigar smoke, a pot-pourri of people, many in uniform, some in dinner jackets accompanied by bejewelled women, were laughing and joking as they jostled their way to their seats in the tiny auditorium. With great solicitude Cyril ensured that Cora was seated before going to the bar, returning with bowls of soup and glasses of wine balanced precariously on an old tin tray.

A pretty girl twitched the bustle of her long satin Victorian dress to one side as she sat down at the piano and began to play familiar old songs. Some of the audience joined in, others went on joshing and teasing, in high spirits. Suddenly, to huge applause, an imposing man in full evening dress, complete with gleaming black silk top hat, scarlet-lined opera cape, silver-topped walking cane and red carnation in his buttonhole, swaggered onto the stage. He announced himself as the Chairman, lit the two candles standing on a small pink-velvet-covered table, banged his gavel and proposed a loyal toast: 'To Her Great and Glorious Majesty, Queen Victoria, God Bless Her!'

'Everything from now on happens in 1899,' whispered Cyril to a bemused Cora, as the audience rose and drank the toast. Then the first artiste appeared, singing a tragicomic ballad which reduced her to tears of laughter. Act after act followed: singers, mimics, jugglers, dancers, tellers of far-fetched hilarious stories and dramatic monologues. The Chairman wise-cracked with artistes and audience alike, calling out, 'You, sir — yes, you,' to a late arrival, a respectable-looking gentleman trying to shuffle in unobtrusively. 'No luck in Shepherd Market?'

'More fun here!' riposted the gent.

Cora and Cyril joined the rest of the audience in singing choruses, letting rip with 'My old man said 'Follow the van!'', 'Come into the garden, Maud' and a romantic ditty beginning,

I want to meet a good young man,
A model young man, a proper young man,
I want to meet a good young man,
Who never goes on the spree.

Cora became almost hysterical with laughter watching Hattie Jacques, constantly turning her radiant face to Cyril as she clapped and clapped.

At the end of the show, the audience stayed to drink and eat mushroom pie and dance on the stage. Cyril was a good dancer, guiding Cora with skill, quietly singing in her ear; and she fell silent for the first time that evening, wondering if she was imagining things.

'It was wonderful!' cried Cora, as they emerged into the dark street. 'I completely forgot about the war. I have never laughed so much for so long. Oh, please can we come again? We can, can't we?'

'Oh, I believe so,' agreed Cyril gravely, taking her arm and trying to quell the feeling of hope which was rising in him. 'It's a club, and I am a member, so although it is fantastically popular, if I book in advance we shall get in. It's a sort of home-from-home for me. And if we come on a bad night for bombs, they'll let us stay and sleep on the stage.'

Both Cora and Cyril reported back positively to Bottle, who felt torn between excited optimism and gloomy fear that one lucky evening might never lead anywhere, that anything further would be an unmagical comedown. Sighing, Bottle turned to the problems of another young woman, Martha Webb.

* * *

Martha, the young woman who had been raped during an air raid and become pregnant, had been devastated by Mary Oliver's departure from the Marriage Bureau. Although Mary had not found her a possible husband, she had listened to the distraught young woman with great sympathy, and had even had conversations with Mr and Mrs Webb. As Martha had predicted, her parents were willing to help, but had not the remotest idea of what they could do. The prospect of their much-loved unmarried daughter having an illegitimate baby by an unknown father was shattering to the devoutly Roman Catholic couple. They could not pluck up the courage to talk to their priest, fearing that he would condemn Martha and forbid her to take communion, so talking to Mary brought them much relief.

Martha knew that as soon as her pregnancy became apparent she would have to give up her job as a postal censor. So she had insisted on carrying on with her ARP work; until one black night when she was four months pregnant, feeling her way along the murky street by the feeble light of a small torch, she bumped into a lamp post and fell clumsily to the ground. Poor Martha knew immediately that something was very wrong. A woman passing by tried to help but, lying on the cold pavement, deafened by the drone of the V2s overhead, Martha miscarried.

Nobody dared say that it was a blessing in

heavy disguise. Martha spent months in a state of profound shock, throwing herself into her work as if her life depended on it — as indeed her parents feared it might. But walking down New Bond Street one Saturday she passed number 124 and, without thinking twice, turned back, walked up the stairs, and was greeted by Bottle.

Bottle had just said goodbye to a potential client of forty-two who had waltzed in without an appointment, and been so pleased with himself, so confident that he was the catch of the season — 'If not of the year or even of the decade,' muttered Bottle tetchily to herself — that she had firmly put him right. He had told her that as he was very well dressed and good-looking he required his future wife to be equally attractive and polished, as well as domesticated, and fond of gardening and country life (though he admitted that he lived in an uninspiring suburb). Bottle asked him if he liked an occasional theatre or dinner in London, but he said no, he worked in London and couldn't get out of the city fast enough. Every weekend, he said, he went sailing, and every evening too, when it was light enough, and invariably for holidays.

Puffing calmly on her cigarette Bottle heard him out, and as he paused for breath she announced, 'I am afraid that the Bureau cannot be of service. It would appear that you are so set in your ways that a wife would be a mere appendage. You have not for one moment considered her desires or needs. I suggest that you go away and think more deeply, and perhaps come back later.'

Stunned by this withering pronouncement by an apparently benign old lady, he gasped in shock and amazement, garbled an apology and scuttled down the stairs like a rabbit fleeing from a fox.

Bottle had been told Martha's sad story, and turned welcomingly to the tense, strained-looking young woman. 'Miss Webb! This is a pleasant surprise! Funnily enough, I was thinking about you earlier this morning. Do sit down. Would you like a cigarette?'

Martha refused the cigarette and sat, her shoulders tensed, gripping the edge of the desk, as she poured her hopes and fears into Bottle's receptive ear. She wanted to marry, she felt that Eustace, her dead fiancé, would have wanted her to find a husband, she longed to have a family; but would any good man consider her? She had been raped (she whispered the petrifying word), she had become pregnant and miscarried. Would not any decent man regard her as horribly damaged goods?

Bottle put down her cigarette, placed both her hands on top of Martha's bitten fingernails and gave her a smile of such luminosity that the unhappy girl could not resist returning it with a tentative twitch of her lips as she blinked back tears.

'My dear,' soothed Bottle, 'any man who thinks a young woman who has been visited by such tragedy as you is 'damaged goods' is not worth tuppence. Not even a ha'penny. He is beneath contempt. He is to be avoided at all costs. Now tell me what sort of man you would like to meet.'

Martha and Bottle went through the questions on the registration form. Martha's ideal husband was to be a Roman Catholic or, if Church of England, sympathetic to her religion and willing that any children be brought up as Catholics. He would be aged up to about forty-five, a bachelor or a widower, preferably living in London as travelling in wartime was difficult. He would not necessarily earn a great deal. He should allow his wife to have a job if she wanted, though she would be happy to stay at home and look after any children.

'If he were a widower and already had children, would you be prepared to take on the whole family?' queried Bottle.

Martha pondered only momentarily. 'Yes, provided that he is not looking only for a mother for them rather than a wife for himself. And provided that he wants to have more children, and also that he is not still hopelessly devoted to his dead wife.'

'And would you consider a man living abroad, say in South Africa, or Australia, or Singapore?'

Martha hesitated. 'I'm not sure. I don't want to leave my parents: I am an only child and they are ageing — the war is wearing them out, and my troubles are an added burden. But if there is a nice man working far away for only a limited time, and is coming back after the war, that would be different.'

Bottle leaned back in her chair and blew a

perfect smoke ring, which Martha's gaze followed as it drifted up to the ceiling. Bottle was visualizing a man she had never met, but whom she felt she knew well. Heather had often spoken about Frederick Joss, a client who had registered in May 1939, and Bottle had read the many letters he had subsequently written to the Bureau after his return to his Colonial Service job in Nigeria. He had met three young women before his home leave had ended, had liked them, but not enough for marriage. He had corresponded with another, and had written to Heather that he might meet her when he returned to England as he intended to do after the war. 'I cannot envisage living permanently in Nigeria,' wrote Frederick.

> I came here with high hopes, and in theory the life of an Administrative Officer is worthwhile, interesting, and comfortable enough on account of plenty of servants. Certainly I don't have to do much towards running the household — or rather, shackhold! — though the cook is a rascal, feeds his family better than me, and pretends he can't understand me (but I've heard him gabbling away in pidgin English).
>
> I am a Magistrate too (not properly qualified, but there was nobody else) and have to pass judgment on natives who simply don't think like us. Recently some villagers claimed they needed more land in a forest reserve for farming. In fact, food drops off the trees all round them and they

don't know what poverty means; but they do know that the British government will not hesitate to send an expedition costing £50 to make sure that the poor darlings have enough to eat, and will almost certainly give them more land. So the District Officer ordered me to travel through the foulest bit of forest imaginable, nothing but damp and mud and swamp, in the heat of the day, to listen to their claims and complaints. I wanted to help them, but while I sat in their filthy village they told me lies, contradicted themselves, deliberately showed me the wrong boundary, and laughed up their sleeves at how they had previously tricked the Government into giving them extra land.

On the way back a labourer said quite casually that there was a body with a lot of flies just off the track, so I went to investigate, and, indeed, there lay some bleached bones, most of the flesh eaten away — the local vultures — and a great grey cloud of wrathful flies buzzing furiously around. A woman, I think, judging by a few scraps of fabric held together by a safety pin.

I cannot ask a wife to live in this baleful place, and above all I want to marry and have children. Please would you put me in touch with a girl who would be prepared to exchange letters until I come home? From all we hear here the war cannot last much longer, and I have written to various friends with a view to finding a job. I am a good administrator, with a Cambridge degree in Modern Languages, so I think that I shall find a place helping the country's reconstruction, which will surely start soon.

Frederick was not a Roman Catholic, but had described himself on his registration form as 'Church of England — fairly high'. He had also, unexpectedly, said that he would meet an unmarried mother, confiding to Heather at the interview that his very favourite aunt had given birth to a daughter while her fiancé was fighting in the Great War in 1917. He was an open-minded man with high ideals who had hoped to do good in Nigeria and was saddened by his disillusionment.

Bottle got out Frederick's details and showed Martha his photograph: a tall, spare, fair-haired man standing outside a straw-thatched hut, wearing baggy shorts and an open shirt, his eyes slightly narrowed as he smiled broadly into the African sun. 'What do you think? Would you like me to put you in touch?'

Martha did not hesitate. She nodded, giving Bottle a real, heartfelt smile which transformed her taut face and rejoiced Bottle's heart. As soon as Martha had closed the office door behind her Bottle lit another cigarette, found a flimsy airletter form, and wrote to Frederick.

* * *

While Bottle was writing, Picot was ushering

into the office an elderly policeman who had panted up the stairs. When he had lowered himself into the chair she leaned across the desk and, sensing that the potential client was not at ease, asked tactfully whether he had brought his registration form.

'Yes, Miss, I've got a form, but it's not the one you're meaning, I think. I've been married for forty years and I'm staying that way. I'm here on duty, and I've come about a man who isn't married, I don't think, and now he never will be. He's had a bit of bad luck, you might say.'

The policeman paused and Picot enquired sympathetically: 'Oh dear, what has happened to him?'

'He's dead, Miss. Murdered. Very nastily and all, shot in the knees and in the head, and hidden under a great heap of rubble.'

'Oh, how horrible!' gasped Picot, shrinking back in her chair, horror-struck but also perplexed.

The policeman reached into one of his pockets. 'And in his coat pocket he had a bit of paper with your address written on it — here, look.' The policeman pushed across the desk a scrap apparently torn from a notebook. Sure enough, in scribbled but legible handwriting, was 'Marriage Bureau, 124 New Bond Street'.

'I can't imagine what this means!' exclaimed Picot in some distress. 'Who is this man? What is his name?'

'We don't know, Miss. The murderer must've taken his watch and his wallet and his identity card — that's if he ever had a card, of course.

There's a lot of foreigners around that don't have a proper card like they ought to. This man didn't look English, more Continental, if you know what I mean. Just middle-aged, shortish, dark hair. Do you get many foreigners coming along?'

'Yes, quite a few. I'll ask the secretary whether there have been any enquiries or appointments which might possibly fit, and I'll let you know.'

'Thank you, Miss.' The policeman lumbered off wearily. 'We'll try to find the murderer, but I'm not hopeful. There's a terrible lot of wickedness about these days.'

Picot rushed next door to tell Dorothy, who reached for another cigarette and gave one to Picot. 'Well, Picot, you're always complaining that you miss the drama of the stage. But there's infinitely more drama in the Marriage Bureau than ever there was in the theatre!'

16

Peacetime Problems

124 New Bond Street
London W1
9 May 1945

Darling Heather
The crowds in the West End yesterday were huge, everyone cheering, laughing, drinking, singing, dancing — Americans doing the conga and cockneys the Lambeth Walk — kissing, hugging, waving flags, bells ringing, some loonies lighting a bonfire. We'll never forget VE Day. I drove round after dinner to see the celebrations. But I felt nostalgic and thankful rather than gay and triumphant. The destruction is horrific. And a friend in Berlin tells me that the Continent is crawling with displaced persons, criminals, starving survivors, ex-POWs hunting their torturers — ghastly. Where on earth do we go from here?

There are plenty of clients, and plenty of problems I hope you can help with.

Problem 1: Reverend Hogg, remember him? A widower, sixty-six, we found him Mrs Joy, a nice respectable lady, just the wife he wanted, to stop him being pestered by all the parish widows. Mrs J. has been living in the rectory for over a year, and a friend of mine who lives in the next village says everyone calls her 'Mrs Hogg'. They're obviously living in sin. But when I asked him for the After Marriage Fee he wrote back that she's 'just my housekeeper'. He must think I was born yesterday! What shall I do?

Problem 2: Miss Thora Palmer, twenty-seven, you interviewed her last year. She wants a gent but not a snob because 'It is that kind with whom I have had so much trouble.' What does she mean? Do you recall?

Problem 3: Philip Baird, a new client who has no hands, due to an accident in an aircraft factory in the war. He is very confident and independent, says he can manage everything himself. He's working class but superior, forty-four, tall and nice. Does anyone who could cope come to your mind?

Problem 4: another new one, Mrs Lily Rose, forty, *Ladyish*, divorced because her husband got fed up with having her brother of forty-four and her elderly parents, now dead, in the house. The brother is mental but harmless, and useful in the bakery she inherited. She needs a man who'll be sympathetic and kind to him, not another stinker.

That's enough!

All love, Picot

Heather immediately replied:

Dearest Picot
1. Yes, I remember the Reverend Hogg. Of course he should pay the A.F.M., the dirty dog! He quite puts me off religion. I'm disappointed in Mrs Joy, too, though perhaps she believes he's paid. I shall write to him myself, politely, and if that doesn't do the trick I shall tell him we must put the matter in other hands. He won't like the idea of solicitors (nor shall we, of course, as it'll cost us). I may know his Bishop, I'll check.

2. Miss Palmer: As I recall, she's a *Near Lady* we introduced to a *Gentish* chap. They got on famously, but her mother thought him not good enough for her darling daughter so, feebly, Miss P. gave him up. It was not the man but the mother, an almighty snob, who caused the trouble. Miss P. is completely under her thumb, can't say boo to a goose. Find her a nice *Near Gent*.

3. Is the answer in Problem 4? Mrs Rose sounds like Mr Baird's cup of tea, and she his. They both need an understanding spouse. Try it!

You and Dorothy are doing a wonderful job, thank you so much. I can't wait to be able to help you more.

I enclose a photograph of Stella, a pretty little thing who does not cry much, thank goodness.

Love, Heather

In 1944 Heather had had a daughter, Stella,

and was now about to give birth to her son, but motherhood did not enthral her so she relied heavily on a nanny. Perhaps echoing her own mother's unhappy experience of motherhood (following Heather, a second baby had died at a few days old), Heather did not take kindly to domesticity, and was far happier devoting herself to the Bureau.

Dorothy, always meticulous, hit problems when Picot was away on holiday. Puffing on cigarette after cigarette, she wrote anxiously to Heather:

> Dear Mrs Cox
> I have been very unhappy and very uncomfortable. When Picot took her holiday she left me in charge. I asked her to give me the key of her writing table drawer, as I am sure you will agree that if one is responsible for any money one should be able to lock it up, but Picot told me I couldn't have it as it also locked something in her flat and she required it.
>
> Picot told me to get a little book to keep a record of the takings and an account of the Petty Cash, as she didn't wish me to enter anything in the office books. As the various registrations came in I was most particular to enter them at once and then put the cheque or notes into the little box in the writing table drawer, but at the end of the week, when I counted the takings, to my horror they were £5. 5. 0. short. My receipts showed £58. 13. 0. and I only had £53. 8. 0.
>
> I have searched every imaginable place

but have failed to find the money.

I am afraid I cannot make it up in one lump sum, for as you know I only draw £3.15. 0. each week. I felt I would rather write and tell you about this myself and ask you how you would like me to pay it back. I cannot tell you how upset I am, and it certainly is a mystery to me.

I do hope the new nanny is proving a success, it will be such a relief to you if she is.

Yours very sincerely
Dorothy Harbottle

Dorothy eventually discovered that a new secretary had refunded a client's registration fee and forgotten to enter it in the accounts book, but the incident added to Heather's craving to return to the Bureau, to be in charge again. Fortunately her husband, Michael, agreed that with the war over they should move from distant and lonely Scotland to Kent, from where Heather could commute to London. 'Michael went ahead in the car, with a lot of the luggage, following the furniture van,' Heather wrote later.

I left Perth by train with another mountain of suitcases, two children, a nanny, a nursery maid, my own maid and her husband, who was the farm mechanic and part-time chauffeur, their daughter and their niece. My little dog Cupid, one child and I shared a sleeper, nanny and the other child in an adjoining one. My maid, her husband,

> daughter and niece shared a four-berth compartment, and the nursery maid was in another, with the greyhound and two other passengers, who unfortunately had a cat. The greyhound was a well-known chaser of cats, so they all had a harassing night. I couldn't help, as the minute I even see a cat my face swells up like a balloon and my eyes become fountains. Added to this we were four hours late at Euston. But it is bliss to be back in civilization.

The new nanny was a success, so Heather started to spend three days a week in the Bureau. One of the first post-war clients left an indelible impression on her. She only caught a glimpse of John Paul when he came to be interviewed by Dorothy, but remembered 'a very nice-looking, spruce type, not very tall but with an upright bearing. He turned out to be by far the most difficult customer we ever had to suit. He was the bane of our lives for four years, during which we introduced him to forty-eight young women.'

Bottle had a particularly soft spot for widowers and was all sympathetic ears. In 1929, aged twenty-two, Mr Paul had married Anne, whose parents were very old friends of his parents. Both families were delighted (though unsurprised) when they got engaged. They were well suited and had an easy, comfortable life together until the birth of their daughter, Viola, when Anne developed TB. Five years later war broke out and Anne died.

While Mr Paul was soldiering in Italy he

dreamed of the war ending and seeing his daughter again. He survived unscathed and was now back in civvy street, working as an advertising executive. Viola was living with an aunt and about to go to boarding school. Her father wanted a home for her, and a wife for himself.

One Sunday Mr Paul, lunching with his sister, had glanced through a pile of her women's magazines, whose advertisements were of business interest to him. He noticed a piece about the Bond Street Marriage Bureau and the advantage of starting off without the usual illusions concerning one another. 'That made a lot of sense to me,' Mr Paul confided to Bottle, 'because I wanted companionship and a domesticated, adult type who, without being stodgy, was well over the starry-eyed stage.'

He mentioned the Bureau to two colleagues. 'Can't do that, old boy,' harrumphed one of them. 'Can't think of it. Can't buy romance like . . . like a new car or something!'

'Well, I don't know,' pondered the other. 'Matter of fact, we were talking about it the other day. Arranged marriages can be a good thing, don't you know. The chap doesn't feel he's being pushed into it, and the girl isn't marrying because she just has to.'

The next day Mr Paul walked down Bond Street, past the fashion shops and art galleries, and joined the queue by the sign marked 'MARRIAGE BUREAU. DIRECTOR, HEATHER JENNER. STRICTLY CONFIDENTIAL. SECOND FLOOR'. Suddenly he realized that everybody was waiting not for the Marriage Bureau but for lunch at the Lyons Teashop on the ground floor. He scurried past the dumpy, sallow waitress, with a napkin over her arm, who was gazing at him through the glass of the teashop door, no doubt smirking at the idea of an old geezer trying to fix himself a marriage. At the top of the stairs he entered a little room filled with great vases of roses and lilies and carnations.

'What immediately caught my eye,' recalled Mr Paul, 'hanging on the wall behind the door, was the usual Company Certificate such as one sees in any office. That reassured me, and I was wondering about the Articles governing a marriage bureau when a husky, gentle voice called out, 'Do come in — it's Mr Paul, isn't it? How nice. I was expecting you.' And Miss Harbottle took me in hand like a spoiling aunt.'

'Oh, I did like him,' remembered Bottle. 'He was a perfect pet! Definitely a *Gent For Here*. Such good manners, and he *listened*. Most men just talk at you, but he was interested in what *I* thought. He wanted to meet a young woman under thirty-five, not more than five foot three tall, single — not a widow, and certainly not an unmarried mother, nor a divorcee, not even a plaintiff, because although he himself was not very religious, his grandfather had been a bishop and his family did not hold with divorce. He preferred an upper-or upper-middle-class background, public school like himself, but said a penniless waif would do nicely! He had a private income and a high salary, and wasn't at all worried about the cost of keeping a wife. He didn't mind if she wanted to work after marriage, in any case he had a housekeeper, but his wife wouldn't need a job and he didn't imagine she would want one.'

Bottle assessed Mr Paul as a relaxed person who saw himself as cheerful and confident, easily able to establish good relations with all sorts of people. He admitted that he was inclined to manage, and to fuss about details that he felt only he could get right. But he insisted that he could laugh at himself, and that if Miss Harbottle could find him a young woman who was not 'grand or elaborate', but honest, loyal, reliable, calm, with a sense of humour and fun, who liked a basically fairly simple life in town, enjoying parties and theatres and an occasional ball at the Savoy, they would all have a wonderful laugh together.

A stream of young women flooded into Bottle's mind. She felt confident that she would very quickly get him off. 'But,' she remembered wryly, 'seldom have I been so wrong.'

It was rapidly brought home to the match-makers that Mr Paul did indeed desire to manage things. He was always writing to say that Miss Harbottle had got the wrong end of the stick: 'No, I am sorry, dear lady — but she is not what I am looking for.' He dismissed women in his own line of work as unattractive and hard-boiled even though lively and efficient. Others were too pitifully lonely, or excessively shy, or over-eager and embarrassingly demonstrative. 'Miss P. is too large and florid,' he wrote about an adorably pretty, plump, milk-maid type of girl with pink cheeks and a dear little dimple; and about a clever girl: 'Miss T. failed to stir my ossified emotions.'

Miss D. was no beauty, but quite presentable, and Bottle knew that her superior manner and slightly affected voice grated less as you got to know her. So Mr Paul's biting rejection — 'She sent cold shudders down my back' — was so exaggerated and unfair that in an uncharacteristic rage Bottle vowed to cross him off the books. But, sensing that he had gone too far, Mr Paul pressed the charm button and swept into the office bearing a bouquet of flowers and several packets of cigarettes, apologizing most humbly and smiling winningly until she could not resist, and was restored to her usual kindly and concerned self.

Mr Paul's ideal woman was to be a lady of taste and refinement, yet also soft, and not pushy. Looks were very important. Of Miss H. he wrote:

> She is most charming, but I do not think I shall ever feel matrimonially disposed towards her, though I hope to see her again, and I write this against my own feeling and only at your request — she is rather too tall, not pretty enough, rather too old in that she looks her age, walks badly, and her legs, though very passable, are not perfect. I know that this is a revolting physical catalogue, and mentally she is delightful. However, the physical is of vital importance also.

Bottle's irritation flared up again. 'Blast the smug, conceited dolt!' she ranted, waving her cigarette wildly in the air. 'Such odious, nauseating vanity!' Mr Paul, however, remained calm, confident that, having been so blessed with his first wife, one day he would make another happy marriage.

When he met a girl Mr Paul always gave her a double Martini, to help break the ice. The ice invariably melted as the girl launched into the sea of her troubles. He wrote to Dorothy:

> I should, if I may, advise any girl meeting a man with a view to marriage not to start off by telling him why she really must get married, for example because she can't stand living with the family any more, or doesn't get along with her mother or sister, or is too hard up, or dislikes her job. Whatever the reason, she should keep it to herself, at least for the time being, as it makes a bad impression on the man and makes him feel he may be used merely as an escape, which of course is only too often the case. Please pass this advice on to your clients, dear lady.

Bottle often relived her outraged reaction to this letter. 'As if I didn't know my job!' she spluttered, grinding her cigarette ferociously into the ashtray while aiming a sharp kick at the much-dented desk. 'If that blithering idiot hadn't generally been so pleasant and polite I would have struck him off then and there. He did at least behave well inasmuch as he met all the young women to whom I introduced him, so I never got, 'He never contacted me' complaints. Nor did he make passes at them. On the other hand, he had the usual tedious, stupid, clod-hopping male certainty that he would know at first sight if the girl was right for him or not, and if she wasn't, he immediately lost interest.'

Bottle gritted her teeth as she scoured the records for a Mrs Paul. Her delight when he met one girl three times was dissolved by the letter in all-too-familiar writing:

> She announced that of course she could marry dozens of men; thirty were in love with her and wanted to become engaged. She started to string off a list of names and, to my horror, she ended up with my own name. 'And now there's YOU!' she exclaimed triumphantly. That was the last she saw of me. So once more I am sorry, dear lady. Would you be so kind as to try again?

'You are a saint, dear Bottle,' purred Heather. 'I am sure you will get him off in the end.'

The next few young women got in first and turned Mr Paul down. One thought him too old — getting on for *forty*! — another that he was too highbrow. One very attractive and wealthy girl, living in a beautiful house off Park Lane, dined with him at his favourite little Continental restaurant in Soho, and reported, 'Such a queer place he took me to, so different. Usually I dine at Claridge's.'

Mr Paul complicated Dorothy's job further by changing his mind: from girls under five foot three inches to tall ones; from no mention of languages to a demand that she speak Spanish and French; from only single girls to widows, though none with more than one child.

Luckily, several lovely young war widows were registering, among them Angela Smith. Heather cherished the memory of interviewing Angela:

> She was awfully nice, an absolute poppet. Small and slim, pretty in an elfin way, with enormous blue eyes. Not a fashion plate but neatly dressed, in a red suit with a little hat just tipping over her fringe. A *Lady For Here* — probably would have become classic Home Counties if it hadn't been for the war. She was very concerned that a man should like her son, whom she doted on. She admitted that she used to think being tall, dark and handsome was everything in a man, but now didn't mind about his looks or his height, just wanted someone kind, reliable, good-tempered and trustworthy — and fun too. She rather liked the idea of a man who smoked a pipe.

After school Angela had taken a secretarial training. Her father thought it a waste of time and good money, but her mother persuaded him that modern girls should be trained, and able to do a job, because you never knew what might happen. Mrs Smith had married at eighteen, and pensively envied her daughter's life outside the home, and the money she earned.

Angela thrived as a secretary in a big City trading company, so different from her all-girls' boarding school and secretarial college. She proved to be an asset as she could speak French (the family always summered in Nice). Her boss, Pierre, was half French, clever, tall and good-looking. They had a lot in common, laughed and talked away nineteen to the dozen, and in 1935, when Angela was twenty-one, they were married. Company rules forbade her working in the same firm as him, but anyway she wanted to stay at home and look after the house and — three years later — their baby boy, Robert. They were very happy until the war, when Pierre joined the Resistance in France and was killed while blowing up a bridge.

Angela's parents begged their grieving daughter to come home and live with them, but she remained obdurate: she was an independent married woman, with her own house and child and a passionate resolve to combat Hitler. So her mother looked after Robert while Angela got a job in the War Office, working with some urbane and eligible men who often took her out, and became good friends. She enjoyed the camaraderie of the office, and felt that, despite the tragedy of losing her husband, her life had been a lot more interesting than her mother's. And she revelled in earning money.

When Robert was eight he went to boarding school, so Angela had time on her hands, and was clinging less fervently to Pierre's memory. A single girl-friend who wanted to join the Bureau, but was scared of doing so by herself, talked Angela into accompanying her to 124 New Bond Street.

Angela was greatly impressed by Heather, who pointed out in a matter-of-fact way that some men would shy away from a widow with a child, and might want to have children of their own. Angela responded that at thirty-five she was much too old for that, and didn't want to anyway, but she would happily take on an existing child. She didn't want to meet a Roman Catholic, because he might want to have children and because it would upset her father, who was convinced that the only church on God's earth was the Church of England.

Angela paid her registration fee and met a few pleasant men. But she was anxious, for she wanted to conceal what she was up to from her parents. They were pressing her to marry a family friend, James, whom Angela thought nice but dreadfully staid and boring. With some reluctance, she cancelled further introductions and concentrated on work.

A year later, resisting heavy pressure from James, Angela telephoned the Bureau. A sympathetic Bottle said that her membership had lapsed, but she didn't consider Angela had had her money's worth and she would send an introduction.

Mr Paul took one look at Angela, the forty-eighth young woman he'd met, and knew, definitely, assuredly, incontrovertibly and for ever, that she was the one. Angela reserved judgment a little longer, but was courted with such seductive conviction (not for nothing was Mr Paul in advertising) that she was won over.

Mr Paul sent Bottle the most enormous bouquet of her favourite carnations, and a gigantic box of cigarettes, with a letter which she clutched to her heart.

Dear Miss Harbottle
I feel that this letter written in great happiness will bring you real pleasure. I want you, dear lady, who have been so understanding, to be the first to know. Angela and I are engaged. She'll do!!

We grow more devoted every day, and after years of bitter disappointments and loneliness a new life has started at last, complete with a ready-made family. I think I must hold the record for your 'difficult people', and at last I can join the satisfied men in that black box marked 'MEN OFF' which I have so often envied.

Thank you again and again, and hang out the flags!

17

Loneliness and Heartbreak

Life in England in the aftermath of war was dreary. Despite high hopes of the new Labour government which had ousted Churchill, rationing continued — indeed, in 1946 bread, available in wartime (though a nasty colour and texture), became rationed. Housewives queued for hours outside shops which had very little to sell. Demobbed servicemen and POWs returned not to a heroes' welcome but to the indifference of bone-weary survivors in a haunted, pessimistic country. Families had changed beyond recognition: wives had developed a taste for independence; marriages were falling apart. Jobs were hard to find, housing was scarce, bitter loneliness prevailed. The war altered everything and everybody. But in 1947 the enchanting romance, engagement and marriage of Princess Elizabeth and Philip Mountbatten lifted people's spirits and prompted yet more to seek a spouse. The Bureau's stairs were rarely empty.

Some of the crowds of clients were heartbreakingly sad. Bottle sighed as she perused letters from women who, through no fault of their own, were in a desperate state. A widow of forty-four, whose husband had drowned when his ship was torpedoed by a U-boat, was being forced out of his house by the children of his first wife. Her only remedy was to marry again. The divorced wife of a fish-monger, who had beaten her black and blue when he discovered that she had spent two shillings on lipstick and face powder, now pathetically hoped for 'a man with enough income not to notice a lot stolen from the house-keeping money'. A schoolmistress who looked after her father, mentally unstable since the Great War, wanted 'a husband who is home only for the holidays, e.g. Merchant Navy, Royal Navy or similar'. A girl of thirty sought no more than a husband 'who would not mind that I am not pretty, and who would not be too critical of my faults'.

Sorrowfully, Bottle turned to letters from men, only to find more scarcely concealed sadness: an accountant demobbed from the army, whose job applications had all been rejected. He was living in a caravan on an isolated field, reliant on a small pension, theoretical compensation for a bad limp caused by bullets and barbed wire on the Normandy beaches. He needed a wife to help him build a house and start a fruit farm. Another letter came from an ex-POW who had returned to England full of optimism after four years languishing in a German camp, only to find his wife absorbed in the baby boy fathered by a German ex-POW who had been interned nearby. The resultant bitter fury, acrimony and violence had culminated in divorce.

Observing Bottle stubbing out cigarette after cigarette, growing more and more overwrought, Heather — who, while sympathetic, treated the horrors more dispassionately — set out to distract her invaluable but sometimes over-emotional helper. 'These stories are truly ghastly, dear Bottle. Picot's busy interviewing, and I need some help with my mating. Come and give me some advice. For a start, what about Miss Millicent Jessop? She is forty-two, *Ladyish*, never been married, frightfully neat and tidy. I remember her looking all scrubbed and shiny-faced and stiff, not a hair out of place, curiously lifeless. You could mistake her for a dummy in a shop window. She trained at Domestic Science College and teaches her subject at a girls' school. She wants a man who is 'particular about himself, looks as if he enjoys a daily bath.' Note the 'looks as if' — he doesn't have to have a bath a day as long as he *looks* clean! What do you think?'

'A man whose appearance is important to his daily life,' reasoned Dorothy. 'Perhaps a service-man, or other uniformed chap: one who has to dress immaculately all the time. What about a footman? A very smart one came in recently: *Gentish*, highly presentable, lives up in Stafford-shire, in a stately home. He has the advantage of good accommodation, which could be an attraction. No doubt it has a nice bathroom!'

'You're right, I remember him too. I'll look him out. And Miss Jessop is living in the school, but can't stay there if she marries, so the accom. would be a definite plus. Thank you, dear Bottle. Now, what about Miss Agnes Johns? She's *Much Better Than Most*, only nineteen, but she's been set on marrying since her father ran off with her mother's best friend before the war. She's quite sweet but not very bright, works as a comptometer operator and is completely stuck on films. She wants a man with dark hair, she wrote, 'the Orson Welles, James Mason, Stewart Granger type.''

'That's easy! I interviewed a young man yesterday, Henry Perkins. He's twenty-five, a film technician out at Pinewood, *Much Better Than Some*. He has almost black hair, slicked back and incredibly shiny, and looks like a film star. He wants a pretty, lively, affectionate girl.'

'Splendid! Just one more: a countess, very impressive, a *Lady*, fifty-eight, widowed, no children, clever, did something high-powered in the war but couldn't say what, wants a man of similar standing, a governor or a mayor or a Lord Lieutenant.'

'Difficult . . . ' Dorothy blew smoke rings as she concentrated. 'Would she consider a foreigner? There's that very clever and superior French baron, a publisher and writer, lives here and is completely anglicized.'

'A brainwave! Thank you, dear Bottle!'

* * *

After her absence in Scotland, Heather was rapidly getting back into the swing of the Bureau. Picot, however, could not wait to return to the world of the theatre, which she adored. But she had grown fascinated by the Bureau, so it was with some reluctance that she handed in her notice and departed, promising to come and see them often.

'Heather darling, you must tell me what becomes of Cyril and Cora, I am positively itching to know. And that murdered man with our address in his pocket. And some of the ones I've interviewed. I'll never be a fabulous match-maker like you or Dorothy, but I've got a taste for it now and I shall be practising on all my friends! Good luck with all your plots, darlings. And Dorothy, I specially hope that you'll get that sweet little Ivy off happily. Goodbye, dear ones! Or rather, *au revoir*!'

Ivy was a client for whom Bottle felt an almost maternal, protective affection: a winsomely pretty, trim young woman with entrancingly vivid though sorrowful green eyes. Her parents, grandmother, sister and many friends had been wiped out in an air raid which ravaged the entire street while Ivy was at work. At the age of twenty-two she had been robbed of family, friends and possessions. She earned a pittance as a nurse in an East End hospital which was swamped with casualties and which, when Ivy lost her home, found her a small room — more of a large cupboard — just off the wards. Since she was always on the premises, and there were always crises, she was called upon night and day. At times she could scarcely squeeze another word or force another step from her exhausted body.

By the end of the war Ivy was physically and mentally dead beat, worn to a frazzle by the physical demands of the job, the pity she felt for the patients, who tugged at her heart strings, and her terror of the strict nursing sisters and draconian matron. She exchanged the hospital for a menial but less taxing job fetching and carrying in a West End department store, Debenham & Freebody. By scrimping and scraping, she paid the rent of a room at the top of a semi-derelict bombed house in Notting Hill.

Being efficient, honest, well-spoken and tastefully dressed, Ivy quickly rose to become a saleslady in the Ladies' Fashion department, where she flourished. But after work and at weekends she was paralysingly lonely, spending most evenings in her cheerless room, eating tinned soup heated on an erratic gas ring. So when walking down Bond Street one Saturday she saw the Marriage Bureau's sign, like a homing pigeon she flew up the stairs into the metaphorical arms of Bottle, who took an instant liking to the lost soul she perceived, and resolved to help her at all costs.

Between 1945 and 1947 Bottle introduced Ivy to several young men, many of them recently demobbed from the army, navy or air force. Ivy did not jib at a man with some disability, for she had known plenty in the hospital who had been badly wounded, losing a leg, an eye or part of their face, but who were still essentially themselves. Ivy's wounded heart had warmed to them, giving them comfort and hope; but they were patients, not potential husbands, any more than the wealthy escorts of the ladies to whom she now sold expensive dresses. Sometimes these well-tailored, well-fed men lounged outside the changing room while their wives tried on a succession of clothes. Occasionally one of them winked suggestively or even attempted to put his arm round Ivy's waist, which she had to endure with a tight, hollow smile while turning away.

Ivy quite liked 'Bottle's Boys', though some she found rather forward, trying to kiss her when she scarcely knew them; and they reported to Bottle that Ivy was a bit shy, rather prim and proper, not much fun, not very modern. Ensconced in a double seat in the anonymous dark of the cinema they would put a hand on her knee, and were offended when she removed it and shrank back. Bottle listened to reports from Ivy and the men and scratched her white-haired head — until one day in 1947 Archibald inched his way up the stairs.

Archibald Bullin-Archer was so thin that he appeared taller than his five feet nine inches, dressed soberly in a quietly pin-striped suit, starched white shirt and sombre tie, clutching a pipe in one long-fingered hand. Taking in his pale, fine-featured face, the tentative smile, the anxious little frown, the slight stoop and the light, hesitant voice, Bottle immediately heard 'Ivy' in her head. She sat him down and talked calmly and comfortingly, gradually eliciting from him that he was thirty-eight, had gone from public school to university, and had a degree in his favourite subject, history, which he had taught at a boys' prep school in Hampshire until the outbreak of war. He had always been delicate, but was pronounced fit enough to join the army and be sent to India, where he had spent the war years in administrative jobs, organizing supplies of food to the troops. This had cut him off even more from his family, from whom he already felt separate: generations of well-off Surrey landowners and gentlemen farmers, the men tall, robust and noisy, the women hearty huntswomen and polished hostesses.

Archibald made it clear to Bottle that he was uncomfortable with his family and their friends. He had returned to England in a frail state, having contracted dysentery, which he had not managed to shake off fully, and he found the boisterous social bonhomie and physical activity — hunting, shooting, tennis — of weekends at his parents' home draining and alienating. He was not strong enough to return to teaching, but had a modest job subediting a history magazine, living in a small Bloomsbury flat which had been part of his mother's dowry. He was chronically, agonizingly lonely.

Archibald had virtually no experience of women, though he idolized them from afar. Cautiously he confessed to Bottle that he had had a crush on the matron at the prep school and, when rebuffed by her, had focused his dreams on the English mistress, who had promptly become engaged to the Scripture master. Archibald's heart had ached. In India, the few single English girls had been snowed under by the attentions of hordes of single soldiers, businessmen, tea planters, colonial servants, etc., all clamouring for a wife. Archibald hadn't stood a chance, and fled from the alternative of being inveigled into the bed of a predatory, disaffected wife. He would not have known what to do in bed anyway, suspected Bottle.

The longer she talked to Archibald, the more convinced Bottle grew that Ivy was the answer to his prayers. She categorized him as a *Gentleman For Here* or slightly lower who could meet a *Near Lady*, someone a bit lower class than him. He lacked the presence, the income, the poise, the tastes of a full-blown *GFH* — any *Lady For Here* would probably find him too shy, too lacking in ambition, living in too sparse a style in an unfashionable neighbourhood. Ivy, a *Near Lady*, had all the qualities poor Archibald needed, and Bottle was full of optimism as she arranged for them to meet.

Bottle was right. The first reports from both Ivy and Archibald were touchingly grateful, for they found in each other a kindred spirit: modest, self-effacing, unassuming, and giddy with the desire to love and be loved. They met in the evenings, went to concerts and plays and talks, and on weekend outings. Ivy visited his flat, and sent Bottle a glowing description of its cleanliness and tidiness — Archibald was a fastidious man — and of the pictures on the walls, mostly of Princess Margaret and Princess Elizabeth with her dashing fiancé Philip, for Archibald worshipped the royal family as well as women. And the day before the sublime wedding of Elizabeth and Philip, Archibald fell to his knees and, stammering with emotion, asked Ivy to be his wife.

A lyrical letter from Ivy rejoiced Bottle's heart. But only a week later her joy was smashed to smithereens by a ten-page letter, the ink blotched by tears. Bottle picked up the first page:

Dear Miss Harbottle
Perhaps you have seen in the newspaper that Archie is dead. I cannot believe it but I saw him lying in the police station. I know he is dead but I do not feel he is. I do not know what to do. We were so happy. We went to see his parents. We went to tell them we were engaged. I dressed ever so nicely, I wore a new suit, emerald-green because Archie says that matches my eyes, simple but nice, and a hat and gloves to match. And Archie always looks nice but he looked extra handsome in a new white shirt and a dark red tie and I bought a red carnation for his buttonhole, and we took some cheese sandwiches and a Thermos of tea in the car. It was a cold day being as it's November and Archie tucked me up in a big car-rug. He is always so kind and thoughtful to me. We stopped and had a picnic about half way, and talked about our wedding and where we would live afterwards. We just want a small wedding, in a Register Office. My parents wouldn't have liked it, they always wanted me to have a proper church wedding. But they're dead and it doesn't matter to Archie and me. He wants to marry me and I want to marry him, that's all. He's dead now but he isn't really you know.

Bottle paused, wiped away the tears beginning

to trickle down her face, and picked up the next pages.

We got to his parents' house, through some great black gates and then down a long drive. The house is very big and grand and four huge dogs came rushing out barking their heads off and nearly knocked Archie and me down the front steps. Archie's mother and father were having tea in an enormous room full of furniture and paintings and photographs and big silver cups. Mrs Bullin-Archer is taller than Archie and she was wearing a pair of riding trousers and a tweed jacket. She was warm but I was cold, it was freezing in the room with only one log fire.

Archie's father doesn't look anything like Archie, he's big and heavy and his face is red and he has great bushy eyebrows and a curly moustache though he's bald. In fact I didn't see how he could be Archie's father. Archie was getting very nervous, I could tell. His parents didn't smile at us, they just said, 'Good afternoon,' and, 'Well?' and they didn't say anything when Archie said, 'This is Ivy.' He went on, 'Ivy and I are engaged,' but they still didn't say anything, just shrugged their shoulders as if they were impatient, so he stopped. He hoped they would be pleased. But Mrs Bullin-Archer looked at Archie, very coldly. She didn't look at me. And she said, in a very crushing voice, 'And who IS Ivy?' Well I could feel

Archie getting more and more nervous, so I said, very quietly, 'I am Ivy.' Then Mrs Bullin-Archer turned and gave me such a terrible look, her mouth all pinched and her eyes half-closed, and she hissed like a snake, 'My dear girl, I can see that. But who are you? Who are your parents? Where did you go to school? How much money do you have? I want to know WHO YOU ARE!'

Appalled, Bottle fumbled with her cigarette packet but abandoned it as, transfixed with horror, she read on.

Archie was white and stammering and he could hardly get the words out but he did: 'Ivy is Ivy Bailey and her parents are dead and we love each other and we're engaged and we're going to get married, and . . . ' He couldn't go on because his father barged in in a big loud voice like a foghorn at the seaside: 'No. Your mother is right, we want to know who this young lady is. Now tell us. Or she can tell us.'

He turned to me and stuck his head forward like a turkey cock and raised his great eyebrows and gave me such a scornful look. I said: 'My name is Ivy Bailey and I live in London and I work in Debenham and Freebody and . . . ' I couldn't go on because Mrs Bullin-Archer interrupted in a voice as chilly as the room: 'You work in a department store? Do you mean you are a salesgirl?' 'Yes, she is,' said Archie, 'and a very good one too.' 'It is immaterial whether she is good at her job or bad,' snapped Mrs Bullin-Archer, 'it is quite impossible that a Bullin-Archer should marry a salesgirl. Now take her away, Archibald, and let us have no more of this nonsense.' 'Your mother is right,' Mr Bullin-Archer boomed, in a terrible exploding voice. 'The idea is ludicrous. I am sure that Miss Bailey will see sense, will you not, Miss Bailey?' He took a step towards me and I almost feared he would hit me. 'As your mother says,' he carried on to Archie, 'take her away and keep out of our sight until you have got over this stupid nonsense. Goodbye.'

Archie was white as a sheet and I thought he might faint. He stood still, in silence, like a statue, then he grabbed my hand and we walked out. We drove back to London and he didn't say a word all the way. I got out at my door and he still said nothing. He's dead but he was alive then and he was in hell. I was too.

Unable to control her tears, Bottle put the pages down, pulled her handkerchief out of her pocket to rub her eyes, tugged a cigarette from the packet and lit it with trembling hands.

I cried all night and at six o'clock in the morning my landlady banged on my door and said irritably, 'It's the police for you.' I put on my dressing gown and went downstairs and a young constable was there with an envelope with writing on it. I recognised the writing, it was Archie's, it said 'Miss Ivy Bailey is my love. PARK 4589 is her telephone number.' The constable asked, 'Are you Miss Ivy Bailey?' and of course I said yes, and he asked if I knew who had written my name on the envelope and I said 'Archie', and he said very kindly, 'I'm very sorry, Miss, I'm afraid Archie is dead.'

They had found him in the dark little alley next to his flat, hanging from a lamp-post. He had strangled himself with his new white shirt. He had cut it into strips, I saw it at the police station. It was beside his body. He looked calm and peaceful and he was dead. He is dead.

He did it because he knew I was his only hope of a happy life. He knew that if he disobeyed his parents they would destroy us, him and me too. He told me they had always terrified him, he told me that when he was alive. He told me when he told me about being strangled at school. The boys were only seven but they were all at a boarding school. He told me the parents didn't love their children so they sent them away. The boys were very cruel to each other and they had games to prove that they could stand up to things, only they weren't games. In one of them a new boy had to cut up his shirt and join the strips into a sort of rope, and the others wound it round his neck and pulled the ends hard until he almost choked to death. Then he had to pretend to the matron that he had eaten something nasty which made him feel sick, and he had to pretend that he'd somehow lost his shirt, and so he had to pay a fine for being careless.

Bottle's hands were quivering so violently that she dropped her cigarette into the ashtray. Half-blinded by tears, she lifted the remaining pages nearer her face.

Archie is dead so I can tell you. He hated his parents but he had to pretend to love them. And he hated his prep school and he hated his public school. At that school he told me he was a 'fag', a sort of servant of an older boy. He had to clean this boy's shoes and make him toast and run errands for him and do whatever the boy asked. And one day the boy asked him to touch his private parts and when Archie refused the boy beat him.

And he hated India, the heat and the flies and the sickness and the smells, and he hated the Army too. In the Army there was a young subaltern who was under Archie. They both slept in a big tent which was divided by a partition. Archie slept one side and the subaltern the other. The subaltern wanted to get promoted, so he asked Archie to recommend him, but Archie didn't think he was good enough so he said no. And in the middle of the night, when it was very hot, and Archie had only just got to sleep, he thought he heard a bump. He didn't do anything as there were always a lot of funny noises outside the tents. In the morning he called the subaltern, as usual, but there was no answer. So he pulled back the partition and saw the young man hanging from a high cross pole supporting the tent. He was dead. He had cut a shirt into strips and hanged himself.

My parents are dead, my sister and my granny are dead, most of my friends are dead, the subaltern's dead and Archie's dead. In the envelope in his pocket there was a bit of paper with 'Sorry' in his writing; and a beautiful little gold ring with an emerald. He always says my eyes are green like emeralds.

Bottle could bear no more. She dropped her head into her hands and howled. The cigarette smouldered, flickered, faltered and went out.

18

Mr Hedgehog, Journalists, a Tiny Baptist and Lies

As post-war supplies of paper gradually improved, and newspapers had more pages to fill, the press grew increasingly interested in the Marriage Bureau. Journalists reported Heather's succinct, authoritative views on the marital chances of ex-servicewomen, the cost of weddings and the foolishness of old men seeking young brides. Heather and her Marriage Bureau developed into a gold-mine from which newspapers could always extract a shiny nugget on the importance of family life and babies, the demands for equality of women who had done men's jobs in wartime, on loneliness, divorce and personal problems of all kinds.

The *Daily Express* published Heather's assessment of the post-war marriage market:

> Things have changed entirely since VE Day. Until then, most of the younger women who came to me wanted anything but English husbands. They favoured Americans particularly — seemed to think that if they got to America they would all live like Hedy Lamarr. Now, suddenly, they are clamouring for Englishmen again. Women aged between thirty-five and forty-two are the

most difficult to get fixed up. They try to be too coy and young. After about forty-two the job gets easier — I can get women of fifty-five off like shelling peas.

One pea who was not shelled with such confident ease was Miss Doris Burton. She had registered soon after the Bureau opened in 1939, saying that she was thirty-nine, though Mary Oliver had been convinced she was nearer forty-nine, and quite possibly a lesbian. Over the next few years Miss Burton had been introduced to several men but with no success, for they all found her off-puttingly businesslike, severe in her attitudes and in her somewhat mannish looks: 'I felt as if I was summoned to my bank manager to explain why I had exceeded my overdraft, and she disapproved of my jacket too,' was a typical reaction.

Miss Burton had cancelled her membership of the Bureau when she took up with a smooth talker who came into her tobacconist's shop in search of cigarettes. Mr Smooth was addicted to smoking but earned little from his intermittent job as a cosmetics salesman, and with cigarettes in very short supply he sometimes had to resort to the extortionate black market. He had immediately sensed Miss Burton's loneliness, and put himself out to be so irresistibly agreeable that she, unaccustomed to male admiration, sold him a packet she had kept under the counter for a favourite customer. Emboldened by this stroke of luck, Mr Smooth had ratcheted up the compliments, flattering

Miss Burton so fulsomely that one thing rapidly led to another and, shortly, to him moving into her small flat above the shop.

Convinced he had fallen on his feet, with no rent to pay and an unfailing supply of his favourite Players cigarettes to hand, Mr Smooth grew careless, helping himself to too many packets from Miss Burton's secreted hoard. She soon found him out, wrathfully brushed his compliments and pleadings aside, kicked him out, licked her wounds and devoted herself to her shop. Until one gloomy rainy day she thought again of the Bureau.

Heather calculated that, as Mary had judged Miss Burton to be nearly fifty, she must now be not far off sixty. She still wanted the same solid type, a man with no encumbrances such as children or dependent parents, and enough money for a home. However, since her unfortunate experience with Mr Smooth, and some other dishonest customers, she had grown disenchanted with running her tobacconist's, and resolved to leave town and live in the country. As a competent businesswoman she visualized herself helping her husband in some small enterprise. Having originally said a categorical NO to any pets, she now fondly imagined the pleasure of owning a dog, cat or other animals.

'It is only a pity,' reflected Heather, 'that Miss Burton is no more attractive a proposition than she was when younger. She still smokes like a chimney, which makes her skin so leathery — apologies, dear Bottle. But you seem to be lucky, all your smoking doesn't seem to affect your complexion!'

'Pure luck,' smiled Bottle, who knew very well that Heather abhorred her smoking, but tolerated it. 'What about Sidney Headley for Miss Burton? He's embarrassed about still being a bachelor so he says he's fifty, but I'm sure he's older. You can't tell properly because you can't see much of his face except his eyes, he's got such thick hair, and great bristly sideboards too, as well as a scrubby beard and a rather moth-eaten moustache. Hair everywhere, even sprouting from his ears! And he snuffles. I felt as if I was interviewing an over-sized hedgehog blowing its nose on a rather smelly handkerchief — it smelled of petrol.'

Mr Hedgehog was *Better Than Some*, had never married but lived with his parents on a decaying smallholding in Northamptonshire. Their death from pneumonia in their vast mouldering bed at last set him free to find a wife, but the few local girls had long since got married, or moved to a town to get a job during the war and not returned. He wanted an honest, practically-minded woman who would interest herself in his home, his work and his person: although not bad-looking he was scruffy, his jacket patched, his shoes scuffed, his teeth heavily tobacco-stained (though partially concealed by his moustache). He was a decent, steady type, a gauche 'set bachelor', as the Bureau termed such men. His conversation about his three cows and twenty chickens was stilted, but a torrent of words spilled out on the glorious subject of his petrol pump.

Mr Hedgehog's petrol pump was his pride and joy. After his parents died he had heaved the mildewed mattress off their bed to burn it, along with the filthy, torn, worn bedclothes, and had been flabbergasted to discover £1,000 tucked into the bed springs. Poor downtrodden Mr H. had never been allowed to go anywhere without his domineering mother's permission, nor to spend anything unless his magpie father agreed. So with this miraculous windfall he splashed out on the object he had long craved: a shiny silver petrol pump. He had shrewdly realized, even during the war, that more and more people would buy cars, and the cars would need petrol. His cows and chickens produced a modest income, but he lived on a small country road which was due to be widened, traffic would increase, so surely a petrol pump would make the Headley fortune.

Heather summed up: 'The future Mrs Hedgehog should be prepared to live on a busy country road, serving petrol and taking an interest in Buttercup, Daisy, Clover and chickens. How can anyone be interested in chickens? They are loathsome creatures, I detested mine (and they returned the sentiment). But now she's disposed towards animals, perhaps feathered clucking creatures will be just up Miss Burton's street!'

'You may not be able to understand how she can be interested in chickens, Heather,' commented Bottle, 'but she would be baffled by your interest in clothes. She favours the simple look:

plain, austere, sombre — though impeccably clean. I am sure she will have a beneficial effect on Mr Hedgehog.'

Bottle introduced Mr Hedgehog and Miss Burton. Several weeks later a knock on the office door preceded an unrecognizable Mr Hedgehog who, seeing the bewildered look on Bottle's face, burst out, 'Mr Headley, Sidney Headley. I've come to thank you.'

In a flash Bottle took in the transformation. Gone were the brown stains on his teeth, the sideboards, the patched jacket and scuffed shoes. Mr Hedgehog was dressed in a smart grey suit, polished black shoes, blindingly white shirt, pristine navy handkerchief (for show only) and navy-and-white-striped tie. The shaggy tangle of hair was reduced to a short, Brylcreemed back 'n' sides, the moustache to a close-clipped line, the beard to a neat equilateral triangle which lent him a jaunty, vaguely Continental air. His ears were hair-free. He looked dapper and only faintly self-conscious as Bottle, beaming in anticipation of the announcement of his engagement to Miss Burton, held out a congratulatory hand. 'Oh, Mr Headley! You look wonderful! Congra — '

She got no further as Mr Hedgehog interrupted. 'Thank you for sending me Miss Burton. She did me a power of good — cleaned me up a treat, she did. When I went into the garage in Kettering to look at their petrol pumps, the nice lady in the office, who's often talked to me, couldn't believe I was so different. We chatted as usual, and she showed me their new pumps, and I took her to the pictures, and we've been out dancing and now — you won't believe it, Miss Harbottle, but we're engaged!'

Poor Bottle struggled to look delighted as her heart sank under pity for Miss Burton, mingled with dismay at the fearsome prospect of trying once again to marry her off. Heather was annoyed at so narrowly missing an After Marriage Fee.

While Bottle disconsolately resorted to the records, Heather was ensconced with a journalist. She had long since lost her anxiety about the press: now she basked in their attention, as they featured not only her opinions but also her appearance: 'THOUSANDS WANT PARTNERS' proclaimed the *Star*.

> Stately, 6 feet tall, Miss Heather Jenner, who has been responsible for hundreds of happy marriages, left London Airport today to spend a fortnight's holiday in Portugal. Miss Jenner wore a flowered hat with a casual veil on top of her head, a two-piece grey suit and a smart Russian enamelled brooch as she waited to board her plane. She told me that she had the names of seven or eight thousand people on her books who were looking for life partners.

Many of the thousands of clients married: in December 1946 Heather announced that the Bureau had made nearly 2,000 marriages, an astonishing figure which eighteen months later rose to nearly 3,000. Many couples married within a few months, even a few weeks, of meeting; yet, despite this haste, Heather knew of only two couples who had 'come unstuck'.

Many non-bureau marriages did, however, flounder and fail, as spouses tried to readjust to married life after separation in wartime. One proposed remedy was that not only transport, major industries and medicine should be nationalized, but also marriage bureaux. Heather's scathing rejection was reported in the press:

> If a Bureau is to function satisfactorily, it needs to be organised on a fairly large scale, so that for each client there is a wide choice of 'possibles'. But Heaven forbid that it should be on a State scale with all that that implies, with all the unmarrieds tabulated and card-indexed and brought together on a national footing, rather like a national stud.
>
> *Hitler organised something on similar lines not many years ago. And if a nationalised Marriage Bureau came to Britain we should know that totalitarianism was really upon us.*

The humorous writer Patrick Campbell, who stuttered incurably, tested the Bureau. In the *Sunday Dispatch* he described how, posing as 'Sir Hubert', he enquired on behalf of an invented friend, 'George McKechnie', who was, he insisted, too shy to appear himself but happy that his trusty emissary would find out all the necessary facts.

The interviewer smelled a possible rat, but

comported herself as if the client was genuine, politely asking him to fill in a registration form on behalf of his bashful pal. 'Sir Hubert' filled in the details of 'George McKechnie': 'a chromium bathroom fitting salesman, earning £4 a week, aged forty-two, a Baptist, 5 feet 3 inches tall, slender, with reddish hair, living with his mother, sister and brother, interested in botany and club cycling.' The interviewer did not turn a hair at this improbable description, for she had seen many details which beggared belief but which were in fact entirely true. Politely she requested information about Mr McKechnie's requirements in a wife, adding that she supposed Sir Hubert knew what kind of person that would be?

'Certainly I kn-kn-know,' protested 'Sir Hubert', bridling at the faint implication that the interviewer suspected deceit. His friend, he asserted, was in search of 'a fellow Baptist, 5 feet 1 inches tall, with a private income of £250 a year, of a quiet and studious disposition, interested in botany and cycling.' 'Sir Hubert' leaned back in his chair and focused a challenging smile on the interviewer: 'Look, I kn-kn-kno-know this may be irregular, b-b-but I don't b-b-believe you've got a lady B-B-B-Baptist on your b-b-books, f-f-five feet high, who can ride a b-b-b-bicycle.'

The interviewer's eyes narrowed and glinted as she rose to the challenge: 'I can't tell you offhand, but I'm quite, quite sure we have.'

'Show me. Have a look through the f-f-files. Show me one tiny f-f-female B-B-Baptist on a b-b-b-bicycle.'

The interviewer's eyes contracted again until

they were little more than arrow-slits, through which she fired quivering visual darts at 'Sir Hubert'. 'Very well. But you must realize that our business is entirely confidential. I must conceal the name on the card. But I will show you the rest of it.' Whereupon she pressed the bell on her desk, summoning the receptionist, to whom she handed 'Mr McKechnie's registration form and whispered a few words which 'Sir Hubert', engrossed in smug satisfaction at the prospect of wrong-footing her, failed to hear.

For the next five minutes the interviewer busied herself with forms on her desk while her self-congratulating client lolled comfortably, humming 'Daisy, Daisy, Give me your answer do' as he conjured up a mental picture of 'George' and his bride freewheeling into a roseate sunset on a dwarf-sized honeymoon tandem.

The receptionist glided silently back in and, without a word, put a small pink card into her client's hand. His ebullient triumphalism quickly collapsed as he read the details of a 'Baptist, 5 foot 2 inches, school teacher, serious-minded, interested in classical music, children, dogs, cycling & botany.' The name of this wonder-woman was masked by a strip of paper pasted over it.

With shaking fingers 'Sir Hubert' passed the card back to the interviewer, whose overly bright, quelling smile stopped far short of her hooded eyes.

'Thank you,' he mumbled unconvincingly, 'I shall t-t-t-tell George that there is hope for him in your esteemed B-B-B-Bureau. I trust that he will f-f-f-find the courage to overcome his shyness sufficiently to v-v-v-visit you.' He slunk off, deeply impressed but chastened and discomfited, consoled only by the knowledge that he could now abandon 'Sir Hubert', breathe freely, and write up his adventure.

* * *

Patrick Campbell's article about his light-hearted deception gave Heather, Dorothy, the interviewers and the receptionist a good laugh (and brought in new clients). But graver deceit caused anger and pain. Looking back, Heather considered that the war had increased dishonesty, with desperate people turning to crime — forging coupons for extra rations of food, petrol and clothes, looting bombed properties, selling stolen goods on the black market, making false declarations to avoid conscription, drawing rations for dead people. More mountainous bureaucracy added to the problem, wrote Heather:

> The forms that the government made us fill in increased, for private people as well as for businesses. They became more and more complicated, so that more people had to go to already overworked accountants and pay enormous fees to have what should be a simple matter sorted out. Together with the effects of the war, which made us into a paternalistic state, this undermined people's

feelings of responsibility and honesty. In the Bureau we find that our clients are much more dishonest about paying their After Marriage Fees than they used to be, and this applies often to people with plenty of money rather than those with less.

Heather uncovered one of the most blatant examples of dishonesty when a woman rang up, spluttering with fury: 'How dare you introduce my son to a girl without him knowing she was a divorcee? We have never had any divorce in our family, but now he's married her, it's too late. How DARE you!'

'Would you be so kind as to tell me the names of your son and daughter-in-law?' asked Heather, shaken by the venom in the woman's voice but maintaining a glacial control.

The woman spat out two names, neither of which Heather recognized.

'Thank you,' she replied, icily polite. 'I shall check our files, and shall telephone you in half an hour. Would you be so kind as to give me your telephone number?'

'It is Welbeck 3267.' The woman banged the telephone down.

'Phew!' breathed Heather as Dorothy raised her eye-brows in enquiring sympathy. 'She is really spitting tacks! I don't know every single client's name, but it is beyond doubt that I would recollect a recent marriage. Help me, please, dear Dorothy. We must check every possible record.'

Heather and Dorothy searched the registration

forms, the record cards, the ledgers of new registrations, the accounts, the letters, the boxes of clients 'off' for one reason or another (courting, or ill, or going abroad, or just wanting a pause). They questioned the receptionist and the interviewers, all to no avail. Neither name was anywhere to be found.

Heather braced herself and telephoned the woman. 'I regret to inform you that we have no record of either your son or your daughter-in-law. Would you be so kind as to tell me when your son registered, and whether he paid his registration fee by cheque? And exactly when did he marry and pay his After Marriage Fee, and was that by cheque?'

There was a long pause. Heather could hear the woman's mind churning. 'I gave him the money to join your Bureau in cash, and the same for the After Marriage Fee. It was such a sudden marriage, too.'

The unfilial son had never been a client, but had found a devious and dishonest way of laying his hands on a quick bit of cash. He had probably met his divorcee before he accepted his mother's kindly given money for the Bureau's fees, and had spent both payments on a more lavish honeymoon than he could otherwise have afforded.

As the inescapable truth dawned on her, the wounded mother started to sob, first quietly then noisily. For once at a loss for words, Heather visualized the woman's face crumpling, the tears furrowing her make-up, her bosom heaving, her heart breaking.

'Oh the poor, poor woman,' sighed Dorothy, anger rising in her usually calm breast. 'What a wicked, cynical, cruel, unforgivable thing to do. I should like to thrash that evil son. He's an even more poisonous toad than the Reverend Hogg!'

For years that reverend clergyman had been living in sin with Mrs Joy, whom he had met through the Bureau, but was still maintaining that she was merely his housekeeper. He had failed to reply to Heather's latest letter, and she had failed to establish any connection with his bishop or other churchman of influence. However, the resourceful match-maker persuaded a theatrical friend of Picot's, who lived in the next village, to attend matins in the Reverend Hogg's church.

The cooperative friend duly shook the Rector's hand as she walked out of the church and complimented him on his sermon, enthusing until there was a small queue of villagers behind her. Then she announced in clear, carrying tones: 'I am so pleased to meet you as I believe we have a mutual friend, Miss Heather Jenner of the Marriage Bureau in New Bond Street. Isn't she marvellous? She has made so many wonderful marriages — her couples are always so happy and grateful. She has a God-given gift, don't you think?'

The Rector blanched and turned rapidly to greet the next person in the queue. Mrs Joy, at his side, seized the friend's hand and, on the pretext of urgently needing to show her the ancient lychgate, steered her firmly away from the crowd. Two days later, an envelope enclosing a cheque for two After Marriage Fees was delivered to the Bureau. The cheque was signed by the Reverend Hogg. There was no letter.

Heather did not reveal such unpleasant episodes to the press. The Bureau remained a source of positive, entertaining, helpful stories, headed eye-catchingly:

MIND OVER MARRIAGE
300 EX-SERVICEMEN SEEKING BRIDES
ARE YOU HAPPY?
BOGUS BLONDES NO MORE
MATRIMONY WITHOUT TEARS
700,000 WOMEN WANT A MIDDLE-AGED MAN!

The more the press wrote about her, both in the UK and in America, the more in demand Heather became. Much though she loved doing the mating and organizing the Bureau, she was ready and thrilled to spread her wings, and eagerly accepted an invitation to sit with a psychiatrist, an MP and the Governor of Holloway Jail on a public brains trust discussing marriage and divorce. The *News Chronicle* photograph showed Heather, beautifully dressed in a chic dark suit, seated with her elegant legs demurely crossed, looking thoughtful. Next she joined the Principal of Westfield College, film producer Herbert Wilcox, film star Anna Neagle, the President of the National Federation of Business and Professional Women's Clubs, two MPs and an Auxiliary Territorial Service Senior Commander, to advise on career opportunities for girls demobbed from the Services or the

Women's Land Army.

A newly acquired journalist friend, Eve Brent, backed Heather in another new venture: a Tell Us Your Troubles bureau. TUYT was open to enquiries by post or telephone, to be answered for five shillings by the Misses Jenner and Brent, aided by an advisory panel consisting of a solicitor, doctor, midwife, and experts on dress, travel, beauty, hair-dressing and cookery. A psychiatrist and adviser on domestic problems would be added.

TUYT rapidly led on to Heather's own advisory column: 'Tell Heather Jenner Your Troubles' in the *Metropolitan Times*, which ran the preface:

> We have much pleasure in introducing to our readers a columnist who is understanding and helpful with regard to all questions on marriage. Miss Heather Jenner is an authority on the subject and yet sophisticated.

The first letter sought help for a common post-war dilemma. Many men separated from their wives for years, in a foreign country, had inevitably found solace with another woman. Similarly wives, left to fend for themselves in the harsh and lonely conditions of wartime Great Britain, had lapped up the attention of foreign servicemen, especially Americans, and those prisoners of war who were allowed to help with such jobs as farm work (Italians were particularly popular POWs, considered more romantic than other nationalities, and better at singing). The letter ran:

> Serviceman Returns
>
> When I was in Italy during the war I had an affair with a girl who really meant nothing to me. Now that I am back in England I am engaged to a girl with whom I am very much in love and whom I have known since she was a child. She is a good deal younger than I am and very unsophisticated. Should I tell her about the girl in Italy?

Heather's solution was characteristically realistic and practical:

> Miss Jenner Answers . . .
>
> I don't think that it is necessary to tell her specifically about this girl. If she is young and unsophisticated she might be made unnecessarily unhappy. If the subject is mentioned at all I should explain tactfully that you are older than she and were living under different conditions owing to the war, but that nothing that you may have done in the past could in any way affect your love for her.

All letters were to be addressed not to the *Metropolitan Times* but to Heather Jenner at The Marriage Bureau, 124 New Bond Street, London W1. In yet another way, the press was putting the fascinating Heather Jenner and her marvellous Marriage Bureau ever more prominently on the map.

19

A Chapter of Accidents and Designs

In late 1940s Great Britain, austerity held crushing sway. In 1946 the meagre sweet ration was halved. Canned and dried fruit, chocolate biscuits, treacle, syrup, jellies and mincemeat remained rationed until 1950, tea until 1952. Petrol coupons allowed only ninety miles a month; clothes were limited to one new set per year. The ferocious winter of 1946–7 froze bodies and spirits. The National Health Service promised change but was in its infancy. The 1948 London Olympics raised morale, but only briefly.

No wonder that many dreamed of a new life in a sunnier, more optimistic continent. Europe was a disaster area, the Far East too far, the Middle East and most of Africa too alien. Female clients wanted a man living in Australia, New Zealand, South Africa or Canada, foreign but blessedly English-speaking, and home to troops who had helped us during the war. Sun, fun, food and security beckoned beguilingly.

In March 1949 an article in *Queen* magazine about why people want to get married concluded that in the current austere post-victory days people did not like living alone, but that 'with an agreeable companion even *snoek* may appear to be palatable'. However, for women the writer identified a more compelling reason than improving the taste of an unpleasantly oily and bony fish:

> Women, of course, as the more practical sex, look upon a man as security. That is quite natural, because not only do most women suffer from an inferiority complex, but they are well aware that though they may work as efficiently as two men, they'll be lucky to get the price of one. Besides, what happens when a woman gets old? Unless somebody leaves her legacies she must go on toiling until some kindly slave-driver of an employer advises her to seek refuge in the workhouse.

Many female clients of the Bureau felt as this one:

> I would like a man from South Africa, or perhaps Australia, or other warm climate. Not necesarily anyone English, although myself I am proud to be. He must have a comfortable income and a good job, to look after me.

Conveniently, plenty of men living abroad wanted an English wife. Heather and Dorothy put them in touch with women with whom they corresponded until they could meet. After exchanging several letters and photographs, one girl bought her ticket, sailed out to Kenya, met her correspondent on the dock, fell in instant, mutual love, and married two months later. Another girl allowed a generous American businessman, Austin, to foot the bill for her fare to New York and a hotel there. Hours after her feet touched American tarmac she met and soon married one of his friends, but did not suggest paying back any of the money. 'She had a great vacation,' a considerably resentful Austin wrote to Heather,

> and now she's gotten a great future, at my expense. And she pinched my best friend into the bargain. She could at least offer me some return. I reckon she's a tough cookie, and I'm best off without her — but gee am I sore!

Heather sympathized and immediately put Austin in touch with Mrs Phyllis Duke, the unmaterialistic young widow of Reginald, a returned POW.

Reginald's death had stunned and grieved Heather, since she had happy memories of introducing Phyllis and her army officer husband in 1943, and receiving euphoric reports of their whirlwind courtship. They had been model clients. Reginald had been bowled over by Phyllis, an alluring twenty-year-old art student, and had wanted to marry immediately, fearing that some honey-tongued American would sweep her away if he didn't pin her down fast. Phyllis was delighted to flirt with her many American suitors but adored Reginald, and one cold February day in 1944 they married in St

Mary le Strand, followed by a reception in the nearby Savoy Hotel. Two weeks after the wedding Phyllis brought minuscule slices of wedding cake into the Bureau, and told Heather and Dorothy the story.

Reginald had chosen London as the most convenient place for people with no petrol to get to the church by train, and there was a lull in the bombing. But the night before, V2 rockets suddenly renewed their deadly attacks. His deaf mother, reading stories to the four-year-old pageboy and bridesmaid in a hotel on the Strand, was blissfully unaware, and the children were happily excited by the din. But the rest of the party feared that neither the church nor they themselves might be standing the next day.

In fact, the only no-show was the organist, whose railway line was bombed, but fortunately Phyllis's former music teacher stepped in, managing the unfamiliar instrument with only a few false notes. Reginald's dispatch riders collected the cake from a Knightsbridge friend, whose well-connected cook had resourcefully located the ingredients, and a bouquet of freesias was conjured up by the florists Moyses Stevens. The bride enchanted the congregation in her grandmother's wedding dress, which fitted after she took out the bones in the bodice — even so, like her grandmother, she had to be laced into corsets underneath. A front panel of embroidered sateen was badly worn and couldn't be replaced, so Phyllis had bought some net, which did not need coupons, and fellow students at her art college stitched it invisibly into place.

Snow was falling heavily as the wedding party walked from the church to the Savoy. The sodden wedding dress wilted and clung to Phyllis's slight frame, Reginald's mother slipped and dropped her big black box of a hearing aid which squeaked and died, the pageboy hurled a snowball at the bridesmaid who burst into unquenchable tears. But in the hotel joy erupted like a genie from its bottle, and hours later Reginald and Phyllis, standing squashed together in a train crowded with troops, on their way to their honeymoon, were dizzy with delight.

A week later, Reginald was posted to Burma.

After his departure, Phyllis dropped into the Bureau occasionally, once accompanying her younger sister, whom she encouraged to register. But since the end of the war she had not appeared, so Heather was taken aback when one day in 1949 Phyllis poked her head nervously round the door, inched her way to Heather's desk and sat in the chair as if on a bed of nails. Gone was the pretty, smiling girl. Phyllis was unrecognizable: her clothes hanging from her bones, wan-faced, as if she had been dropped in a tub of bleach.

Haltingly, she explained. 'Reggie's dead. But he wasn't Reggie any more. I'll never know exactly what happened to him in Burma. He was captured the minute he got there, and put in some ghastly camp. The Colonel who visited me when Reggie came home after the war said he'd been tortured, beaten, starved, forced to do heavy labouring work in blazing sunshine. The prisoners regularly fell ill and were left to die. By the end of the war his mind was eaten away, the same as his body — he was a walking skeleton. He'd look at food, but he couldn't eat more than a morsel. Yet if I left anything on my plate, or put a bone with a bit of gristle into the bin, he'd fly into a fury and fish it out, wave it in my face and shriek, 'Don't waste! DON'T WASTE, do you hear?' Once there was a caterpillar in the salad so I pushed it to the side of my plate, and he went berserk, howling that I must cook it and eat it. He was shouting and sobbing all at the same time. I was terrified.

'He'd been home a year, but he was still crying and yelling in his sleep, twisting and jerking and thrashing his arms, suddenly sitting up and staring pop-eyed at me as if he'd seen the devil himself. He flinched if I reached out to touch him. I tried to talk to him about our wedding, and our home, but he just looked blank, then sprang up as if he'd been electrocuted and staggered out of the room, slamming the door so viciously the shelves all shook. He cursed and swore, couldn't bear to be indoors, so he used to go striding off. I never knew where he went or when he'd be back.'

One day in October Reggie hadn't come home. Nor the next day. Phyllis went to the police, who searched and searched in vain. People kept ringing up and telling her they'd seen him in the local town, or catching a bus, or waiting on the station platform. But they were all wrong, because in March, a man walking his dog in a field only a mile away found Reggie's body. He'd fallen into a deep ditch, and leaves and then snow and water had hidden him. The police estimated he'd been there for about six months, and that almost certainly he had died quickly. That was some relief to Phyllis, and would have been to his mother too, but she was so deaf she couldn't understand what her daughter-in-law was saying, and she'd lost most of her sight, so it wasn't any good writing down the fearful news.

Phyllis's sympathetic sister, now married to another of the Bureau's clients, had taken her into her new home and wrapped her in loving kindness until she revived, got a job as an art teacher, and felt able to go in quest of a future.

In 1949 Heather introduced Phyllis to some pleasant, untraumatized men who aided the revivifying process. When she started to correspond with Austin, she was almost back to her former happy self. Austin's letters were refreshingly straightforward and lively, and when he came over to London to do some business deals Phyllis felt she already knew and almost loved him. The day before he returned to New York, Phyllis stretched out her left hand to show the jubilant match-makers her sparkling sapphire and diamond engagement ring, while Austin thanked them for 'the best goddam deal I ever did!'

* * *

Being so often in the news, the Marriage Bureau inevitably inspired imitators, more and less scrupulous, giving the press a new storyline:

'WOMEN BEWARE! These Friendship Clubs can snare the lonely'. Undercover reporters investigated agencies which refused to reveal their fees, assessed a client's wealth and charged the maximum they could extract, made totally unsuitable introductions, or were even — a *Sunday Pictorial* reporter asserted — 'thinly veiled adjuncts to the vice trade'.

Such reports stirred public anxiety and indignation. The Marriage Guidance Council weighed in. Meetings were held with the three most reputable bureaux, two run by ex-army officers who wanted to establish a Marriage Agents Association. They proposed a code of conduct, one committee to settle disputes and another to decide the principles on which bureaux should operate, together with their policy in relation to new social trends. The colonels also sought a confidential blacklist of 'undesirables and moral perverts, who might seek to use a marriage bureau for improper purposes'.

'Good lord!' groaned Heather. 'There'll be no time to run the Bureau. We'll spend all day in blasted committees! And those high-minded but hidebound colonels won't let us bend a single rule — everything will conform to some sacred article in the holy Code of Conduct. We'll have solemn pow-wows about social trends, as if we're all earnest do-gooders, which I most certainly am not! And we'll be banned from taking on any moral perverts, who are much the most interesting of all the clients. I do so love a cosy little conflab with a nice moral pervert after a morning of melancholy moral high-grounders. Moral perverts have such an unusual take on life, so different from one's own dear family and friends!'

'Come now, Heather,' tut-tutted Dorothy, shocked even though she rather agreed with Heather's flippant views. 'The colonels mean very well, and it would certainly benefit us to stand out from the dubious agencies that are giving everybody a bad name.'

Despite the worthiness of the cause and the insistence of the colonels, the Marriage Agents Association never materialized. Before it foundered completely Heather pulled out, disagreeing with the recommended fee structure. The Bureau had always charged a modest registration fee, so that everybody could have a chance, and an After Marriage Fee payable only by those who were successful. Both Heather and Humphrey the solicitor thought this 'payment by results' structure much fairer than a flat fee for a number of introductions. It also gave the Bureau a strong incentive to find good matches, rather than dish out only superficially suitable introductions. Once again the press reported Heather's opinion:

> I am in complete agreement with the idea that a control of the undesirables is fundamentally sound, but I do not consider the proposed association is going the right way about it.
>
> Simply stated, my view is that essentially it should be to the advantage of a bureau to get people married rather than to benefit by

merely introducing men to women. Disagreement on that point led to my withdrawal from the proposed association, but I wish them every success so long as they do not claim a monopoly of respectability.

Outside the association there will be one bureau which for over ten years has employed 'methods and principles of the highest possible level' and provided for the public a bureau 'to which they can go without fear of embarrassment or exploitation'.

A project which did come to fruition was a play, *Marriage Playground*, produced in London's Q Theatre. It had been conceived in 1944 by Picot's friends, playwrights Simon Wardell and Kieran Tunney. While working at the Bureau, Picot had written to Heather in Scotland:

29 May 1944

Darling Heather
Simon and Kieran, the Boys who are writing 'our' play, have just left, and I think their idea is quite good. One set and eleven characters, tentative title *It Started in Bond Street* (mine. If you can think of a better one let us have it.)

Action takes place at the country house of Chichi Templeton who runs the Bureau, and who invites the clients for the weekend when things have gone well with them.

Characters: (This may not be quite accurate as it was told me over dinner and I did not make notes but the Boys are going to discuss it with me all the time.)

— A friend of Chichi's just back from America

— A glamour deb, based on Amelia Hutton

— An Irish girl who has come into a little money and wants to 'better' herself

— A Russian (based on your Princess Poppy who is a great friend of the Boys. For your ear alone she isn't and never has been a princess!)

— Chichi's housekeeper

— A South American who is rich and wants to marry a society girl and finally marries the housekeeper

— An American based on a man they know

— An intellectual (ditto)

I can't remember the other two.

The final curtain is Chichi's American friend saying he had no idea what a grand job she is doing, he would like to come on the books, and she having been vague and gay during the play suddenly becomes very official and says, 'Well, we give you a form to fill up,' etc!

I think it might work out quite well, and they will get it done in two months, and Bill Linnet has promised to read it and Peter Danbery has asked for first refusal of the

Boys' next play (which is this one) and Binkie is interested to read it, so if it is good it should get taken, and they are setting out to write an amusing play, but to stress that the Bureau is of social value, so I do hope it will come off. It should be done in time for a birthday treat for your son and heir!

I wish you were here to help.

All love, Picot

Marriage Playground was not performed until September 1948, and only after a legal dispute. Always ferociously protective of her Bureau's reputation, Heather objected to some scenes in the chirpy little comedy, and to the name of the fictitious bureau: she took action to prevent production unless *New Bond-Street Marriage Bureau* was changed to *Mayfair Marriage Bureau*. Recognizing that Heather was far too redoubtable to fight, Kieran Tunney and Simon Wardell yielded to her demands and made her requested alterations. Peace was declared, and Heather attended the first night accompanied by fifty of the married couples she had introduced.

The play was, wrote one critic, 'written in a vein of bright banter and youthful cynicism', and was remarkable only for some excellent performances, principally by Irene Handl, whose 'raucously overacted lady of uncouth mind and utterance reduced the rest of the company to dim helplessness whenever she appeared'. It rapidly vanished from the theatrical repertoire; but the Bureau's name had appeared yet again in the press, together with photographs of Heather, elegant as ever, pictured laughing as she dispensed advice to an actress at rehearsal.

Heather was further pleased by the publicity attracted to the Bureau by a film first shown in 1949. *Marry Me!*, produced by Betty E. Box, frolicked merrily through the adventures of four couples matched by two elderly spinsters running an eccentric but ethical marriage bureau.

* * *

When planning the Marriage Bureau in 1939, neither Heather nor Mary had had much idea of what making introductions would entail, and never imagined that they would be constantly called on for guidance. But the clients had soon disabused them of this fond ignorance: they regarded the match-makers as founts of wisdom and knowledge on how to assist their courtship. They telephoned and wrote letters, or even turned up in person in search of help. In her book *Marriage is my Business* Heather cast her mind back to those early days:

> In private life I am a coward. If I am asked to praise a new hat, I will rave about it even if I think it hideous. In my office, securely behind my desk and having heard from Mr X that he likes Miss Z but thinks that she is overdressed, I will look Miss Z straight in the eye and tell her to wear one less brooch, no flowers, and no eye-veil, if she is going to wear a flowered dress, fur, choker necklace

and long earrings. I will also tell Mr A that none of our clients like him because his manners are gauche, and suggest that he takes off his hat at the proper times and lets the lady through doors first, even holding them open for her rather than letting them swing back in her face. And when Miss A comes in to ask why she has heard no more from Mr Z, she can't understand it, she liked him so much and it was the same thing with Messrs U, V & W, what can the matter be? — then I have to tell her, because we have had similar reports of her from all the men she met, yes, they liked her, but she chases them up too hard. She frightens them to death.

Some clients were skilfully deflected from unrealistic aspirations. Heather's book again:

Although I never attempt to tell a client what I think would be the right kind of person for him, a little toning down or some good sound commonsense remarks may be necessary sometimes. One young man who had a salary of six hundred a year told me that he wanted to meet a girl who looked and dressed like Betty Grable. As in her last film she had worn little but a raffia skirt, I asked him to be more explicit, and also pointed out that it might be somewhat difficult to look like any film-star on his salary. We had a long talk and I told him I thought that it had better be Betty Grable or nobody for him at the moment, and a few months later he came back and said he'd be happy if he could meet a girl with a good skin and complexion and shapely legs.

And when another young man described his preference for 'a very sophisticated, much-travelled, elegantly dressed kind of woman,' I had to point out that she might not fit into his life as a clerk in an office in Worthing. He said, 'Perhaps you are right,' and married a very pleasant, if less spectacular, girl working in a bank in Brighton.

Dorothy too developed her innate knack for dealing with clients' problems and impossible ideals. Looking after her ageing parents had kept Dorothy at home, so she had never married; but her heart and soul were in marrying off others. Heather disliked Dorothy's chain-smoking, and worried about her hacking, bronchial cough; but she greatly admired her beautiful manners and her astuteness. Dorothy was cheerful and sympathetic without being sentimental, and if she thought that a client was asking for too much she would tell them so, kindly but insistently.

One day a woman came in who had divorced her husband after he ran off with his secretary. She was full of self-pity and had obviously let herself go, putting on weight which made her clothes — which needed a good brush — too tight. She had decided that the world was against her and become a thorough misery. Dorothy gave her a good ticking-off. Other people's husbands had left them, she admonished, and anyway who would want to marry her, looking as she did now? Before the Bureau would take her on she must pull herself together. The woman took the advice to heart and did just that.

Dorothy was exceptionally conscientious. Calling into the office one day just before going on holiday Heather found her sneezing and wheezing like a grampus. She waved a letter at Heather, looking anguished. 'Oh, Miss Jenner, I do hope I'm not going to have flu — and just while you're away too! What shall I do with this letter — it's from a man who's impotent and wants to join?'

'Tell him to come in for an interview. Then you'll find out if he's just trying to shock us. If he really is impotent, maybe he'll suit Miss Burton: she's got hardly a female bone in her body.'

'All right,' snuffled Dorothy. 'And how shall I reply to this woman?' She handed Heather another letter.

> Miss Jenner seemed bored when I told her about my holiday in Wales. This disappointed me, as I had an hour to spare before I caught my train, and I came in to the Bureau simply to have a cosy chat, nothing to do with business. Next time I would like to talk to Miss Harbottle.

'I am spared! Thank the Lord!' hooted Heather. 'I remember her maundering on and on about Wales — she extolled its virtues as if it were paradise. She even told me how much she loves leeks, and how to cook that insipid veg — you can imagine how that went down with me! You have a cosy chat with her, dear Bottle, and find her an excruciatingly dull Welshman who adores leek soup. So sorry to leave you with impotents and dullards, but I know you'll do beautifully, you always do. So over to you — I'm off! Toodle pip!'

20

Thanks to Uncle George

'CUPID'S FRIEND HAS BIRTHDAY' headlined the *Evening Standard*, above the information that 'The most deliberate client took very nearly the ten years' existence of Marriage Bureau to make up his mind, the quickest decided in two months.'

'Not true!' exclaimed Heather. 'Far more than one couple took far less than two months. The quickest decided the very first time they met, and one of the speediest sent us a telegram: 'MET AT LUNCH STOP ENGAGED AT DINNER STOP THANK YOU'.

Heather and Dorothy decided to give a party to celebrate the Bureau's tenth birthday. Since opening day, 17 April 1939, Great Britain had undergone startling changes, beginning with the war. A decade later, the demoralizing shortages of food, housing, money, petrol, jobs and gaiety were diminishing. The NHS was established, self-service stores appeared on the high street, the first West Indians trailblazed into London. The Kinsey Report exposed the country's buried sex life, the first Motor Show since the war pulled in thousands, and women were entranced by the full-skirted, feminine New Look, a sensational contrast to utility clothing.

In this atmosphere of burgeoning optimism,

Heather and Dorothy revelled in planning their party. They conferred at length about the invitation list. They omitted various difficult or unpleasant clients, including the Reverend Hogg, who had done his unchristian best to withhold the After Marriage Fee, and the critical MP, a very early client whom girls had greatly disliked for his arrogance and coldness. They also blacklisted the thrice-engaged Miss Jenkins, who had foolishly ignored Heather's strictures about having affairs and talking about them, and had embarked on a torrid liaison with a well-known married man. Others with a black mark were the Sheikh, from whom they had heard, blessedly, nothing since throwing him out, together with Mrs Dale-Pratt who, despite being splenetic about the Sheikh, still plagued the Bureau with incessant telephone calls pleading for an introduction.

They invited some clients whom they would dearly have loved to see, but who were too far away. Fred Adams, now married to Nancy, sister of his childhood sweetheart Elsie, whom she closely resembled, was back in Australia. John Parker and his wife Ada had left London as soon as the war ended, to set up a cabinet-making business in Cornwall. Myrtle and Rory seldom crossed the Irish Sea, but sent still-glowing letters telling of Myrtle's skill at singing and dancing, and enclosing snapshots from which it was impossible to judge the colour of her hair.

Airletters sent to Mary Oliver in America had not been answered since soon after the end of the war, so Heather did not know what had become of her friend. She posted an invitation to the party, but sadly, no reply came.

As they wrote in and crossed out names on the party list, Heather and Dorothy fell to reminiscing about some of the strange and wonderful clients who had walked up the Bureau's stairs.

'Do you remember that American, quite out of his depth in London, who never met the girl we introduced him to?'

'Oh yes, I didn't meet him, but Picot wrote to me about him when I was in Scotland. Picot wasn't particularly fond of Americans, I really can't imagine why, and she was very scathing, said he was completely humourless, the girl had told him he would recognize her because she would be carrying a penguin. He complained to Picot, said he was baffled, was this some goddam British custom? Did the girl have a zoo? What did Picot mean, a penguin was a book?'

'Yes,' reflected Dorothy, 'he did make rather a song and dance of it, and Picot was a bit crisp — but I think she had been very fond of an American actor who didn't reciprocate, that was the problem.'

'Ah, that would explain it. I remember some really funny ones: that trapeze artist who needed a woman to be both wife and partner in his act. I told him that if I were to ask a young woman if she would be prepared to wear scanty satin knickers and two stars on her nipples, and swing on a little bar from the top of a circus tent, she would probably walk straight out. Luckily, my reservations filled him with such indignation that *he* walked straight out! And almost immediately a very ordinary-looking suburban girl sidled in and announced that she was set on marrying a gypsy and going a-roaming with the Romanies. She hadn't told her parents, she explained with great seriousness, because she thought they might not like the idea: they wanted her to marry a nice solicitor from Surbiton. I told her the nearest thing to a gypsy we might have had on the books was the trapeze artist, but he hadn't registered. She looked glum and wandered out, so that was two impossible clients in succession!'

Once they got going, Heather and Dorothy spent an hour capping each other's stories. Dorothy described in dramatic detail the young man who flung into the office announcing that he would shoot himself unless the Bureau found him a wife, but who did not stay to find out whether such a life-saver could be found, turning abruptly to dive back down the stairs.

Heather particularly cherished the memory of a paralytically shy young woman, who had sat in the interview room blushing furiously, twisting her handkerchief, curling her legs under the chair, staring down at the desk, only just managing to stammer, scarcely audibly, that she wanted to meet a quiet, steady young man. Nobody party-loving or flash or noisy. Unhelpfully, in the presence of any male at all Miss Shy was so overcome that she could scarcely utter a word. So she took herself off to be treated by a psychologist, and returned to the Bureau released from all inhibitions and demanding a husband with an exciting, adventurous job. The

Bureau accordingly introduced her to a robust and intrepid explorer, who the next day appeared in the office a nervous wreck. Miss Shy-No-More had run him ragged with non-stop scintillating talk, wild dancing and traipsing from nightclub to nightclub. She had outraged him with suggestions verging on the lewd, and it had taken all Heather's diplomacy to soothe him, assuring him that Miss S-N-M was not typical of the Bureau's female clients.

Heather subjected the bruised explorer to her entire battery of cajolery and persuasion, until he agreed not to broadcast his unhappy experience, and to meet the adventurous but demure young lady she proposed. At last he departed, leaving her exhausted. Some weeks later she read with relief a letter from Miss Shy-No-More cancelling her registration since in a nudist camp she had met a Czechoslovakian doctor as uninhibited as she, and was now rapturously, nakedly, married.

'Miss Shy-No-More would certainly make the party go,' judged Heather, 'but she would be quite capable of turning up in the buff, and very likely with her Czech husband in tow, and equally stark-staring. We shall not invite them.'

* * *

On the Bureau's tenth birthday the office walls were covered in congratulatory telegrams, and great vases of flowers teetered on every horizontal surface, as crowds of well-wishers crammed the stairs and squeezed into the small rooms where Heather and Dorothy presided benignly.

'Remarkable, quite remarkable!' thundered Colonel Champion as he steered his bride of nine years, the former Miss Easter, towards Heather.

'We are so happy, and eternally grateful to you,' echoed Mrs Champion. 'You gave me not only a wonderful husband but also a beloved daughter. She is twenty-four now and quite the career girl, but if she is not married soon I shall send her to you!'

'Our two children are still too young, aren't they, darling?' joined in Angela Paul, smiling up at John Paul, who had chosen her after years of introductions. 'And they get on so well, John's daughter and my son, that I sometimes wonder if they might marry each other — it would be entirely legal.'

'Our baby is of such a beauty she vill always find men who luff her!' proclaimed Polish Teddy, his aquamarine eyes blazing with uncontainable pride. He was less skeletal than when he had come to the Bureau eight years previously, no longer haunted by the horrors he had suffered, but radiating contentment with his new-born daughter and his heart's delight, Gertrude, recovered from the trauma of Nazi Germany.

Standing regally in the middle of the interview room, whose desks had been evacuated to the furrier's shop downstairs, Heather welcomed clients from the very early days of the Bureau. Commanding monarch of her little kingdom, she accepted a huge bouquet of red roses from Mr and Mrs Baldwin — 'in memory of that diabolical secretary of yours!' winked Mr B. She greeted Percival and Florence, who had travelled from Coventry for the occasion, with real pleasure, remembering the complicated journey she had made to the war-ravaged city to advise Percival on furnishings for his new bride. She accepted their earnest invitation to come and see that her designs were still in place. Behind them she spotted Winifred and Gyles, who reduced her to sobs of laughter as they relived their wedding, at which Heather had saved the day by diplomatically taking an elderly drunken guest in hand.

Dorothy held court to the affectionately grateful clients who flocked to her side. 'Dorothy regards each and every client as her special charge,' Heather later wrote in her book *Marriage is my Business*:

> and to her, getting people married is a mission in life, and she even spends her days off visiting the couples she has introduced and are now wed. They write to her on their honeymoons, she acts as godmother to their babies, and never tires of listening to their problems. She is, indeed, the clients' confidante and fairy godmother. I am not like Dorothy. I regard my matchmaking as my job and my profession, while to her it is a vocation.

Dorothy was so lacking in inches that she was always lost in a crowd, so was receiving admirers from a tall chair. She was thrilled to talk to Cora and Cyril King, who had married a few months earlier. Skilful treatment was slowly restoring Cyril's scarily scarred face, which Cora could see almost 100 per cent clearly with her near-perfect eyes, now filled with tears as she thanked Dorothy for the nth time for bringing them together. Dorothy too was filled with emotion by the incandescent happiness which illuminated the couple, and mentally blessed her own good fortune in having come to work in the Bureau. The bitter loneliness after her mother died had made her able almost to smell the sadness in others; she had sometimes felt drawn to sorrow as a hound to the scent of a fox. There was no dearth of sadness among the clients, and when a successful introduction brought joy, Dorothy too rejoiced.

''Ere, come on, chin up!' chuckled a familiar voice. Alf tapped Dorothy on the shoulder. 'I thought you was going to turn on the waterworks!'

'Oh, no, dear Alf. It's just that I'm so happy! And I hope you are too?'

Alf had registered with the Bureau in 1939, and though he had had little success in finding a wife, he had adopted Heather, Mary, Picot, Dorothy and every other interviewer, receptionist and secretary, calling in frequently to check on 'my marriage girls' as he went on his Special Constable rounds. Alf was always ready with a joke and a practical solution to niggling problems: he mended the swivel chairs when they refused to turn, the filing cabinet drawer which stuck, the unstable coat stand, the faltering electric fire. He was now caretaker in a block of Mayfair flats, where every day he chatted with a spirited cockney, Doris Hudson, who came in to 'do' for a wealthy resident.

'I'll bring Doris in to see you one fine day, Miss Harbottle,' promised Alf. 'We got an understanding, if you know wot I mean. She's a very independent kind of a woman is Doris, but I'm working on 'er an' I'll wear 'er down soon. Now there's a whole lot more people wanting ter talk ter you, so I'll say cheerio!'

Alf made way for Ivy Bailey. After the shattering suicide of her soulmate Archie she had clung to the ever-responsive Dorothy, whose maternal heart bled for the stricken girl. They had spent many evenings away from the Bureau, Dorothy listening while artfully easing the pain of Ivy's past by dropping the merest of hints about a future. She discovered that Ivy loved music, took her to some concerts and surreptitiously inveigled her into joining a local choir. Nudged by Dorothy, Ivy moved from the bleak, decaying house where she knew nobody to a room in a girls' hostel, where she made friends with whom she went to the theatre, high up in the cheap seats in the gods. At a tortoise pace Ivy crawled towards stability, until one day she flung her arms round Dorothy.

'Oh Miss Harbottle! Oh! Oh! Such a nice man, a departmental manager in the store, has asked me to go out with him! He wants to take me to an opera — not Covent Garden, I mean, it's an opera he's singing in himself! He's called

Harold Winter and I've often noticed him in the store, and talked to him a bit, and thought he was ever so pleasant. Oh, Miss Harbottle, whatever shall I wear?'

Swelling the party numbers were friendly journalists who had followed the Bureau's prodigious progress, and were sharpening their pencils for the next instalment. Heather's theatrical friend Picot, who had helped to keep the Bureau alive in the worst of the war, visualized the dramatic scene as glamorous Rhoda Clarkson retold the story of how she had come to the Bureau after walking out on her loathsome husband. Picot then had her ear bent by Miss Burton, who had been both indignant and inconsolable when Mr Headley, whom she had transformed from a rustic ragamuffin into a presentable suitor, had gone off with a woman who shared his interest in petrol pumps. Petrol pumps!

Miss Blunt, the Bureau's ultra-efficient secretary until she was called up, was recognized with pleasure by Mr Gentle, the match-makers' splendidly helpful bank manager. Together they toasted the Bureau, he silently congratulating himself on not having been shocked by the eccentricity of the project laid before him a decade previously, when Heather had wandered casually into his bank and emptied out a brown paper bag of takings in front of the incredulous cashier. Another early stalwart, Heather's solicitor chum Humphrey, stood chatting to Miss Plunkett, who had 'married out' to an old boy-friend, but had remained a great admirer of the Bureau despite the shock of her first introduction to the obnoxious Cedric Thistleton.

Heather and Dorothy often wondered fearfully what had become of Cedric and his decisive bride, the Hon. Grizelda, and to her father, Lord W., and his new wife. They had sailed off to Malaya just as war broke out, and only two years later the Japanese had invaded and ravaged the state. It was highly likely that the quartet had been interned, in damnable conditions. Heather had tried to discover what had befallen them, but their fate remained a mystery. She could no more invite them than she could Martha Webb, who had met Frederick Joss when he returned from Nigeria after the war, had become engaged, moved with him 'to Ireland', she said — and disappeared off the face of the earth. Letters sent to her parents' home were returned marked 'Not known at this address', and enquiries about Frederick at the Colonial Office, for which he had worked in Nigeria, were politely rebuffed.

So to Dorothy's grief and anxiety, for she had taken the gravely damaged girl to her expansive heart, Martha and Frederick, together with Mr and the Hon. Mrs Thistleton, and Lord and Lady W., were consigned to the Bureau's 'Mystery' file. In it lay also Picot's account of her dealings with the police about the murdered man who had the Bureau's name and address in his pocket. The weary policeman had sweated up the stairs to question Picot a second time, but since no enquirer of thc Bureau seemed to fit the case, and nobody had reported such a person as missing, the victim's identity remained tantalizingly shrouded, and the verdict had been 'unlawful killing by person or persons unknown'.

Out of the corner of her eye Heather glimpsed a mountainous silver fox fur slinking its way towards her through the throng. Cocooned inside was the Lady Chairman of the baby show Heather and Mary Oliver had judged ten years previously.

'Did you not invite my dear friend Etheldreda?' enquired the Lady Chairman in ringing tones, as if giving a speech to a deaf audience in a packed hall.

'But of course,' purred Heather. 'But I believe she and the Brigadier had a previous engagement, so regrettably they cannot give us the pleasure of their company.'

Heather smiled to herself as she told this glib lie. She had indeed invited the former Mrs de Pomfret and her Brigadier but, though very happy with her fourth husband, Etheldreda could not bring herself to accept the manner in which she had met him. Introductions through a marriage bureau, like interviews, she considered fit only for servants. Heather doubted that the Brigadier would share this view and suspected that, although he believed himself in command, his formidable wife had kept the invitation card out of his sight.

As the last guests were leaving, and Alf was preparing to restore the furniture to the office, a boisterous 'Hiya, honey!' resounded up the stairs.

'Hank!' shouted Heather, clapping her hands

and rushing to hug the tall American striding through the door.

'Hank the Yank!' echoed Dorothy, immediately remembering the favourite client whom Heather had married off during the war, and who had always kept in touch. 'You're the man who gave Heather that piece of a German plane!'

'That's right, ma'am,' acknowledged Hank.

'It was me wot 'ung it outside the window,' interpolated Alf. 'I fixed it good an' strong, but it rusted a bit, an' every now an' again I seed it was a bit smaller. An' one day I seed it wasn't there no more, so I reckon that like them Nazis it just give up. I should — '

Alf was interrupted by an eerily sepulchral sound which seemed to be echoing up the stairs, growing gradually louder.

'Twit, twoo! Twit, twoo!'

Heather's face lit up. 'It's Miss Owl! Wonders never cease!'

The office door was pushed open to reveal a pretty, laughing young woman who rushed into Heather's welcoming arms. Operator Wireless and Line Margaret Fox, trained in the war to send and receive Morse Code and to operate wireless sets, field telephones and switchboards, had become a Bureau favourite. She had been plucked out of the Women's Land Army, where her technical ability was wasted, and blossomed into a highly skilled OWL, working such long hours that she had no time to find a husband. So immediately after the war she had registered with the Bureau, and in 1947 had married Patrick Badger, provoking innumerable jokes about animals scenting one another.

Patrick, a lawyer, worked in Germany on the grisly job of trying Nazi war criminals, and Heather had heard very little since their honeymoon, graphically described by Margaret. In the Dolomites, just north of Lake Como, her new husband had woken her every day at 4 a.m. to don her shorts and Land Girl shoes (all she had) and climb a mountain. They took salami, some hard grey bread and a bottle of strong red wine, and had to reach the top by midday in order to get back down before all-obliterating darkness fell. With luck, they returned to their primitive hut, more bread and sausage, and a more or less sleepful night huddled on the unyielding wooden slats of their bunk beds.

Margaret dined out on her Horror Honeymoon, gaily blaming it all on Heather. Now she was back in England, waiting for Patrick to join her. The couple had been invited to the party but the invitation had not reached them, so she had simply taken a chance on turning up at the Bureau.

'What a coincidence!' Heather rejoiced. 'You couldn't have picked a better moment!'

'Lucky for me,' rejoined Margaret. 'Another lucky day, like the one when I came here in 1945, and was introduced to Patrick. You really did start something, Heather, all those years ago. You've made so many people wonderfully happy!'

'Hear, hear!' said Hank. 'I'm another lucky one.'

'And so am I!' came a small but firm voice.

Heather, Hank, Alf and Margaret all turned to look at Dorothy, who returned their gaze as she went on, 'It's the staff too. I don't know what on earth would have become of me if I hadn't had the luck to find the Bureau. It saved my life, and I love it.'

Heather's customary coolness was vanishing. She raised her glass, her voice faltering slightly as she addressed her small audience: 'The Bureau was not my idea. It came from Mary Oliver, my first partner, who was given it by her Uncle George. I've never met Uncle George, but we are all indebted to him. So on this auspicious occasion I give you a toast: Uncle George, thank you!'

'UNCLE GEORGE!'

Appendix

Requirements of female clients 1939–c.1949

* A real pal and friend, who is willing to share the good and evil of life with equal cheerfulness.
* Australian, New Zealander or Canadian with job abroad or in country (not Australia). Not too serious as I am shallow emotionally.
* Broad-minded. Should drink, smoke and be capable of swearing.
* Serviceman, but must have a commission.
* Dark, not very good-looking. Large poultry farmer, accountant, civil engineer, solicitor or other good profession.
* Someone interested in doing good in the world. Connected with church, schools, children etc.
* Nobody who wants me to help him in his business.
* Someone who loves children and would be a good father to my baby. I took the name of my baby's father by D.P. [Deed Poll] I will provide for my baby's education etc. Her father allows me £2 per week at present.
* A bon viveur who likes his coffee and liqueur, give me a man, a connoisseur, then he should be alright. NICE HANDS rather important.
* Dutch or Dutch interests or partly Dutch.

* A homely man with just a theatre or cinema now and again.
* Clean living, fastidious but not faddy. Not a schoolmaster, clerk or parson.
* Must not be deaf.
* Someone interlectual [*sic*], not effeminate type.
* Sensible but not stodgy. Not living in or near Southport.
* Must be a gent, never let you down.
* With creative talent, who understands something of art; a well-stocked mind and charming personality rather than just good looks.
* No working man or shopkeeper.
* Only tender-hearted.
* Full understanding of world problems.
* An idealist. Someone with vision. I have £1,000 capital and will inherit a third of my father-in-law's business at his death. (*She aged 34*.)
* I don't mind how ugly.
* Not working class. Not one who works with his hands, as I like well-kept hands because I have been a film artist.
* Must be a gentleman by birth, preferably a clergyman (if broad-minded) or at any rate a believing Christian, not too worldly.
* Introductions in Johannesburg or as near as possible.
* Straight and honourable. A man, not a 'pansy'.
* If in politics, must be 'progressive'. An unsociable man slightly preferred.
* If age is nearly forty, his figure must be well

preserved and independent.

* Fresh and good to look at.
* A gentleman of respectability as I am very lonely.
* Not too portly, not helpless, not a recluse.
* Gently bred.
* Educated. Good looking. Self-assured. Mechanically minded. Handy round the house. Must have wavy hair.
* Engineers preferred but any really well-educated man except actors or theologists.
* Interested in travel and post-war reconstruction.
* Don't mind where I settle, preferably British Empire. I don't want a 'good time' but I do want a really nice home and to be able to give any children I might have every possible chance in life.
* Wanting a companionable wife rather than a super-domesticated one. Able to appreciate the artistic temperament and an original turn of mind.
* Not a Communist or Socialist.
* Someone who has known loneliness.
* In the Army or RAF from overseas. I would be content with usual allowance during war.
* Above all, a man who will talk to me.
* He must have enough income to make a settlement of about £400, and be able to keep me in comfort and perhaps travel after the war.
* I am secretary to a Duke. Any man must be of my own standing.
* Someone with a title who has travelled and likes sport.

- ★ No racial hatred.
- ★ One who has or would adopt a child. I will inherit £400–£600 per annum in a few years.
- ★ Refinement essential. My late husband was secretary (F.I.S.A.) of a public company.
- ★ Would like to meet just an ordinary man.
- ★ A Roman Catholic or willing to become Roman Catholic.
- ★ No-one with false teeth.
- ★ If a civil servant, must not have an official mind. Minimum wage £6 per week.
- ★ No dropped 'H's, please.
- ★ If possible I would like a man in a reserved trade. If not, I do not mind a sailor or a Canadian soldier.
- ★ Who looks on marriage as a serious partnership.
- ★ Brainy. Nice teeth. Interested in housely hobbies more than dances etc. Civilian preferred.
- ★ Someone who wants looking after, either in England or abroad.
- ★ Man of character. I do not mind if he is a war wreck.
- ★ Not the rough common type.
- ★ I have an open mind. Would like to meet different types of professional men: artisans, missionaries, tea planters, businessmen etc.
- ★ If in Forces, not Bomber Command.
- ★ Ambitious man (medical or missionary).
- ★ Not amorous.
- ★ Preferably heavy, 15 stone or over. (*She only 5 feet 5 inches*.)
- ★ Not the boisterous type.

* One who believes marriage is not all give.
* A divorced man if it was not his fault.
* A nice type of person, a Freemason or golf enthusiast.
* If Englishman must not be prejudiced against Irish.
* Not bald. Must have savoir faire, not mind girl who smokes, likes a drink and wants a motorcycle.
* I am an ex-WAAF. If possible, a man interested in cars and car mechanism.
* Who speaks the King's English.
* Someone born in February or May.
* A man whose early life was not too easy, but who has overcome such difficulties. Not a mother's boy or anyone with artistic temperament.
* Someone who is wounded and alone would do, or someone over 60. *(She is 48.)*
* With knowledge of building repair, fruit growing and poultry.
* Someone willing to marry an unmarried mother.
* If a widower, definitely no children though I do not dislike children.
* I do not like anyone called Longstaff.
* No trace of neurotic trouble.
* Not an ardent member of any political party.
* Prefer with a Welsh background, lawyer or in a clerical position providing he has a sound religious basis, with knowledge of Welsh life and a country house.
* Not too corpulent. Well mannered, not conceited. Bonhomie essential.

★ Someone who will be a pal in every sense of the word.
★ I would not object to a disabled man.
★ Dominant but not dominating.
★ Must have sense of humour but I hate 'life and soul of the party' types. Must have good skin. No R.C. or Jew and he must not marry just to get a housekeeper.
★ Man who will cherish a large woman.
★ A publican in a small business or a working man who would be interested in the business of a publican.
★ Just a friendly sort of person.
★ Not a gambler (to a great degree).
★ Not a Red or Labour. Believe in God and go to church sometimes.
★ Any professional and well-educated man whose interests are connected with the Colonies — Africa, the East, West Indies, not Australia.
★ Personal cleanliness important.
★ No encumbrances, fine character, no doctors.
★ Not too sophisticated but not too dumb. Fond of country but also fond of comfort.
★ Good prospects after the war.
★ Someone in Sussex who is not too keen on dancing as I am not very keen.
★ Man in a safe position — schoolmaster, bank clerk, police officer, accountant or medical profession. Not Jewish.
★ Gent or behaving like one.
★ Alone in the world or with not many relations.
★ Someone in the Services, say Navy, without home or roots, who will be retiring in a few

years and appreciative of a comfortable home and easy to live with partner. *(She is 44.)*

★ My husband was killed serving as captain in the Royal Artillery in North Africa. Would like another.
★ Not hearty, perhaps absent-minded, fond of fishing or quiet pastimes.
★ Patient, not more selfish than most men.
★ I am rather shy so not anyone too gay or too energetic. Preferably good looks, golden hair and blue eyes. If not available, any decent type will do.
★ One who would appreciate a nice comfortable home, which I possess, and have refinement.
★ Progressive, socialistic in outlook.
★ A Naval Officer, Clergyman (C. of E.), Doctor, Barrister or a (Westminster) Bank man or Schoolmaster who is fond of the sea.
★ Not above 65. *(She is 24.)*
★ Must be a Socialist and supporter of present Labour government.
★ Man who was disabled through war injuries and needs some care and help.
★ I divorced my husband who was a teacher. Not another teacher.
★ Who will have an established position in peacetime.
★ Anything but Chapel or coloured.
★ Since my husband's death I have had P.G.s [Paying Guests] and would be willing to continue and glad of help on the business side.
★ Similar to Church of England. If you had a Catholic Apostolic Church member we should have I think much in common. Not R.C.

* Tolerant outlook towards other people and their affairs, keen on his work, more than two weeks' leave annually, know his way about town, in peacetime run a car.
* I like a man who is somebody, works hard and doesn't lead a monotonous life.
* Do not mind divorced but the widowers I have met have an ideal it is difficult to come up to.
* Don't mind anyone slightly solitary. Cannot bear 'good mixers'.
* Interested in ballet or opera or both but not the Bloomsbury type that haunts both. Not a clergyman or Conscientious Objector.
* No man who has been in India for long.
* Able to manage income tax papers etc. but not too clever.
* A sportsman and not unfamiliar with trouble.
* Not a Welshman or anyone with a Northern Accent except Scottish.
* Not a marriage in the ordinary sense, but purely for social reasons & to ward off well-meaning match-makers.
* A gentleman by birth or has acquired these instincts.
* Character more than looks, a Sahib.
* Physical attraction in some small degree.
* Widower, a man you can lean on.
* A normal human being who believes in the Golden Rule no matter what his religion may be.
* Averse to intoxicants, moral.
* I am not a very strict Catholic but I would prefer a Catholic, otherwise I'm usually very easy to please.

★ No bridge, pub crawling, golf, passion for The Club, or Americans.
★ A car if possible because I can help him pay for it. If in business it doesn't matter.
★ Preference for a member of the Metropolitan Police force, if you have one with similar ideas (interest in literature, philosophy & psychology).
★ Not resident in Kensington as I know so many people there.
★ I like a quiet man, especially a sailor. Providing he has enough for the necessities of life with a little over for a few luxuries I should be satisfied.
★ Preferably an admirer of routine and orderliness.
★ Not too gay as I am quiet.
★ Man who desires children and can hope to employ domestic help.
★ Religion immaterial, but a sense of honour or duty required.
★ Above all clean & wholesome in appearance, fairly fastidious but not fussy.
★ Someone interested in progressive farming and who would allow me to remain at business because of supporting my mother who is all I have.
★ Someone untidy, careless, with sense of humour, keen on moving around.
★ Up to date in all ways.
★ My boy was killed during the war. If I can find through you someone like or as near as possible to what he was I should be very grateful.

* Pref. one who can darn his own socks.
* Must not expect me to sit in a pub. I drink but not like the English. *(She is half French.)*
* Without too great an interest in money and without a talent for accuracy. People of Irish blood are always acceptable.
* Not anyone who thinks that quiet shades of brown & grey are worn by respectable women as I love colour.
* Someone liking a 'good time' & the artificial things of life.
* With cheer, courage and tact.

Requirements of male clients 1939–c.1949

* Prepared to accept my sons and treat them kindly.
* Someone who could stand loneliness and be able to make her own pleasures. *(Colonial servant, Nigeria.)*
* Must be pretty or attractive facially and the only essential qualification: must have only one leg.
* No clinging vines.
* Looks and voice of a Shakespearean heroine.
* Not a nurse or woman doctor. Not vulgar.
* I would like to meet with a wealthy ambitious lady, who apreciates [*sic*] my attainments and will help me to the top. A titled lady or American. *(Consulting physician, age 45.)*
* Beautiful girl with a big breast and lovely legs. Not had any men friends, not been married before.
* Prefer a widow without relations.
* Some nice girl who would be willing to come over and marry me. *(New Yorker, 5 feet 2 inches.)*
* Would like a wife to go to Australia by liner and meet me there. *(Captain, Merchant Navy.)*
* Attractive and chaste.
* Tall with excellent legs & feet & attractive

bust. Colouring immaterial but must be feminine & virile.

★ Perhaps one like myself who has lived in digs.
★ Willing if passage is paid to join me here for the purpose of matrimony, and to make S. Rhodesia her permanent home.
★ Not a large nose nor flat chest or too talkative.
★ Must be prepared to spend considerable time in British Colonies, probably Gambia, which is the favourite colony in Brit. West Africa.
★ She must have a good income as I would wish her to be attractively dressed.
★ I would consider it my duty to support the person I married but should she wish to continue earning her own living and was happy in her job I would not interfere in this or any other matter.
★ Someone who has not a large number of relations.
★ Not a 'fast type'.
★ Waitress, usherette, factory worker — nice looking. Someone who has helped old age pensioners or the sick.
★ In these days of lack of help for domestic purposes an introduction is desired to some person who is very active both in the house and outside & fond of outdoor pursuits. I have no house and no desire to remain in Birmingham. (*Solicitor, 62, wants woman, 35–40.*)
★ A nice stylish girl, not too brainy, with the appearance of a West End mannequin. No objection to a rich widow. Someone who likes living and is human.

* Greer Garson type as opposed to Ginger Rogers type.
* Must not chew gum.
* Just so long as not too common I would prefer a girl in domestic service although this isn't important.
* Income not critical providing it is not high enough to overshadow mine.
* A good churchwoman preferably with a home of her own within 100 miles of Charing Cross. (*Retired clergyman*.)
* A slim figure — by slim I mean not fat.
* She must be a plain working-class girl.
* Good cook and homely (I am only home on Sunday).
* Keen on golf would be a great asset. No one of higher social standing. (*Clerk earning £450 p.a.*)
* Prefer spinster without encumbrances. (*i.e. without children, dependent parents etc*.)
* A nice quiet girl who likes music and doesn't dance a lot as I can't dance.
* I am serving another three years, then hope to retire into business. I had in mind marrying someone who is in business or with a little capital with similar ideas. I have registered with a licensed house in the West Country. (*Army officer*.)
* Respectable person.
* Dancing partner only (divorce not started yet).
* One who wants to be a schoolmaster's wife and can act the part.
* Young playmate would be pleasant.

* Necessary wife have some private income as my income from dairy farm is settled on daughter and stepson.
* No dancing or jazz or racing or cards. Not T.T. [teetotal], prefer single but consider widow or plaintiff.
* Preferably English, stage or model, and who realises I am in the Navy until 1954.
* No hysteria, no gold diggers; like mountaineering.
* Non-smoker, little make-up, tidy appearance, prefer non-driver.
* Who plays tennis as a game.
* Constance Spry touch with flowers.
* Able to play a portable instrument (string or woodwind) well. Rather a prairie than a hothouse flower.
* Reserved rather than forward disposition. Not too expensive tastes.
* Domesticated. Not Jewish. Have had bad experiences with gold diggers, am very credulous.
* Neither working class nor hard-boiled night clubber. Who would like me and marry me for myself not for my income.
* Someone not dependent on externals for happiness.
* Keen on public affairs e.g. local government, housing. Not sophisticated or 'county' or merely dull.
* Must be interested in sex.
* Keenly interested in land work as I am endeavouring to start a small farm.
* Not a film actress.

★ My reasons for wishing a wife are to get a home of my own. I am in lodgings at the moment.
★ Someone willing to have children, a theatrical girl if possible. I would not mind an unmarried mother.
★ Christian real faith but not R.C. & not a giant, not a dwarf, not American.
★ Must be domesticated and full of exuberance.
★ Fond of home life — Army life has made me appreciate such.
★ I require primarily a mother for my children & therefore a genuine fondness and sympathy with the young is essential. No one used to or wishing for the gaieties of town life.
★ I don't like them made up to hell.
★ Preferably working on her own account, who would like to continue after marriage as I think this makes for better relationship than when one of the partners is confined to the home with no career.
★ Bright, good sport, will take the bad with the good. Above all, faithful.
★ A girl who knows her way about as after four years in the East I feel out of things.
★ Not lazy or bored, near to Epsom if possible.
★ Being illegitimate I would like to meet someone who is the same.
★ Charm, sound sense of the absurd. I emphatically have no money. (*Economist, 28, earning £1,000 p.a. c.1943.*)
★ Someone of my own class, the working class, who would be content with the simple things of life and who cares for children.

* Someone who doesn't expect too much.
* A dainty girl. I do not mind if she has earned her own living.
* Not a glamour girl, just someone to help an ex POW settle down to a quiet life. (*Carpenter age 26.*)
* I like Germans, Austrians and French.
* Wide interests, not bounded by local cinema and dance hall.
* I am a slight diabetic, a nurse might be suitable, a good companion who will be kind and considerate and look after me. Prefer someone in the North. (*He died shortly after, aged 54.*)
* Genuine, sincere type of girl, willing to wait until I return from overseas. This will not be for two years. On this account we can only become acquainted through correspondence. (*Regular in RAF, 1949.*)
* Not ultra-New Look type, or widow or divorcee.
* I should prefer a Jewish girl but if no-one suitable any other will do.
* Average-plumpish preferred. One who speaks the 'Mother' tongue.
* Cool temperament, radiant disposition.
* Pref. not in services, but if so, pref. Land Army. With science degree if possible.
* South Welsh (not North Welsh, not avowed intellectual or frequenter of art schools and communist parties).
* Not particularly prudish.
* Better to be fond of music, there will be much made here. (*Music master.*)

* NOT bossy, impatient or Socialist, NO bridge players. I hate 'rows' and sarcasm.
* Genuine lady prepared to take her place as mistress of fairly large country house.
* In a position to put me in touch with suitable employment.
* Must have sex appeal.
* Sound girl with capital and ability — I want a farm.
* Passionate and loving nature.
* No objection to blood test or medical exam — also applies to myself.
* Go to church now and again.
* No children but if really very nice, a child overlooked.
* Her income not important, the larger the better.
* Good teeth essential.
* Not masculine, dominating or slovenly.
* Knowledge of King's English.
* Nobody who has been left on the shelf.
* Any reasonable young woman.
* Person who has lost her husband would be suitable.
* I am hoping to have a commission in future, would like someone who can conduct herself with reasonable assurance with other officers' wives.
* Someone who, like myself, comes from the East End of London, who is 'down to earth' and has no 'airs or graces'.
* Woman capable of bossing and showing authority.
* Similar family background (my grandparents

doctor and parson), not too athletic or mannish.

* She <u>must</u> have a little girl (about six). No spinsters.
* I have suffered serious losses and would like someone with private means.
* Willing to go in for poultry farming on smallholding.
* Not Christian Scientist.
* Divorcee if innocent party.
* Child no bar but cannot be educated in Curaçao.
* Someone with furniture would be an advantage.
* She must live on gravel. (*He has arthritis, wears surgical collar.*)
* May wear glasses or be lame rather than the butterfly type.
* A kind hearter, not too modern.
* Not too old, not too fat.
* Agreeable to my continuing to fly after the war.
* Well educated and suitable to be hostess at political gatherings etc. (*He is an MP.*)
* Her belief in the Christian God must be the predominant feature in her life. Willing to help me along the road to recovery.
* Must be willing to finance building or buying of modest home in or near Glasgow.
* Not frightened of becoming a mother.
* Proud of her figure and legs and likes wearing high-heeled shoes.
* Not thick ankles or short podgy fingers.
* Blonde (not esential [*sic*]), no prejudice

against debutantes.
* A working-class girl of refinement.
* Servant or nanny type.
* Matter-of-fact, not slushy or sentimental. Names disliked: Gertrude, Emily, Lucy, Eleanor. Names liked: Mary, Elizabeth, Anne, Jean, Jane, Sheila.
* Not a Jewess, not German, Australian, South African, Japanese or Italian but otherwise any nationality.
* Intelligent but uninformed in national affairs, must have beautiful hands.
* Congenial companion, would be an asset to promotion. Income not essential but would help to increase wife's comfort.
* Fairly sentimental and if possible a brunette.
* Natural, willing to pose occasionally. Can be invited to a Public Dance. (*Artist*.)
* No objection to painted finger nails, scent or a dowry.
* Not an only child unless an orphan.
* Ordinary working-class lady, fairly tall, slim with fair or light brown hair. Nothing else matters.
* Ready to make a home for my father as well.
* Dark, not bossy or Irish.
* Able to drive Talbot car.
* She must have something out of the ordinary — money or a title.
* Prefer her to be of the 'Business Girl' type, one who is unassuming, moderate in habits, and to whom the hectic life favoured by so many does not appeal.
* If possible, not liable for war service.

* Must be good cook, able to make jam, dress poultry and rabbits. Must reside Yorkshire.
* I should prefer a War Widow.
* Right disposition and character, affectionate nature, not only to men but to the world at large, cripples, animals, etc.
* Younger the better. Modern to a limit.
* Able to run six- or seven-roomed house, good plain cook.
* A home-loving girl who does not want to go out every evening but would enjoy a theatre trip and picture show weekly.
* Must not frequent public houses.
* No freckles.
* Neat breasts. Up to £400 p.a. Of gentlefolk.
* Peace and happiness main things.
* No permed hair.
* Able to take things on the chin in rough times.
* Able to stand my hours of railway duties.
* Ability to type and take shorthand an advantage and willingness to learn a language — Esperanto.
* Able to entertain and impress people.
* Suitable to be a Headmaster's wife.
* No objection to glasses as I wear them myself.
* With sufficient character to stand up to the vicissitudes of the RAF & acceptable in an officers' mess.
* Medium slim with good bust. Honesty and beauty combined.
* Refined and well educated, of what is called the 'upper middle class'. (*1950.*)
* No sulking. Living near Wembley or Pinner.
* Girl without parents or who has been in

trouble not objected to, provided she is sincere about this.

★ Marilyn Monroe with homely ways.
★ Gentle birth, flair for dress, no illusions about life in wide open spaces.
★ Not Irish, Scotch or a civil servant.
★ Not snobbish as I do not believe in class distinction too much. With job of some sort. Of middle-class family.
★ British or French. Some intellectual interests and no aversion to a prospect of a life of perpetual poverty. *(Lecturer, £500 p.a., 1948.)*
★ I don't mind a little make-up but not a painted doll.
★ Someone I can fall in love with. I am very lonely.
★ Able to keep and look after a working man.
★ Someone with a loving and understanding nature, fond of children, who trusts and believes in human nature and the fundamental goodness of life. In other words someone with a Hedonist outlook tempered with a Christian philosophy and who is well disposed towards her fellow creatures.
★ Her parents must be happily married.
★ Dolicocephalic [having a relatively long skull, typically with the breadth less than 75 or 80 per cent of the length] small nose tip-tilted or straight, small teeth. Qualities in order of importance: figure and nose; femininity and brain. Vivien Leigh, Jessica Tandy for figure and nose, Rebecca West for femininity and brain.

* I like a person with a pleasing personality, kind (I am very kind myself), not jealous.
* A wealthy lady preferred.
* Someone I can trust.
* Preferably officer in ATS, WRNS or WAAFS.
* Warmly affectionate and desiring full reciprocation and understanding to the extent of idolisation.
* I am desirous of settling down with a hope of a child or children. Waste to introduce me to elderly ladies. *(Schoolmaster, aged 52, wants woman, 20–30.)*
* Pref. Italian. I spent the greater part of the war in Italy and have become very fond of the country and its people.
* Evident good birth and family (fewer the better). Disciplined upbringing.
* If she is respectable and healthy I am not particular.
* An equal who can share thoughts, problems, pleasures and difficulties.
* Must be able to live in a hot climate. *(Zanzibar.)*
* Not frigid.
* Nobody called Florence.
* Not a member of the Society of Friends or Peace Pledge Union.
* God-loving, placid, possessive but not unreasonably jealous; fond of curry and other rich or savoury food, able and willing to bear and rear at least two children.
* She must be prepared for possible moves from one part of the Empire to another during marriage.

* Preference for blue eyes as the word 'British' could mean peoople [*sic*] who could be termed coloured, definatly [*sic*] not coloured or of such linage [*sic*].
* A fair type with some philosophical bias.
* My wife will have to spend a large part of her life in Africa and must be perpared [*sic*] to mix with Africans of all classes.
* Providing she has a good heart and is sincere I don't care if she comes from the slums of London, New York or Bombay.
* Must be able to produce a doctor's cetificate [*sic*] of good health and preferably have been to a finishing school.
* Capable of driving or learning to drive a car, no Communist connection (I work on official secrets), well read (not a black and white personality), not too witty, able to increase one's morale.
* I do not like Lady Teachers or Nurses either in active service or retired.
* She will be required to live in East Africa, but in one of the best climates in the world. Not too brainy, but intelligent, who does not mind a fairly lonely life with all modern conveniences but who can enjoy dancing etc. when available.
* Independent means or dowry.
* Not a 'yes' woman.
* Somebody who would like my baby so I can give him a good home he is 5 months old. *(Father, 31.)*
* Essentially out of top drawer, sound in wind & limb, fairly easy on the eye, willing to produce

a family of non-Catholics.

* Interested in outside things but not necessarily a gadabout.
* I most admire wit and a generous outlook towards others.
* If the person is a widow, no male children, and if there is a girl she must be at least 8 years old.
* Not a member of the Forces.
* Widow of pharmacist particularly suitable.
* Lady interested in a business e.g. poultry farming.
* Best summed up in Lancashire expresion [*sic*] as 'Januk'.
* Must be non-smoker, non-drinker and non-dancer, also must not use cosmetics. *(He 32, an 'amusement worker' in a seaside resort.)*
* Above all, a real pal with a beautiful soul.
* I would like to meet someone with a few hundred pounds likely to become interested in farming.
* A girl who is serving with HM Forces or engaged in War Work (eg Land Army, Munitions).
* I do like to feel that other people (men) look enviously.
* Unselfish yet not saintly.
* Unoccupied daughter of well-to-do parents.
* A clean appearance.
* Able to save money.
* An asset if she can drive.
* Should be able to cook and mend.
* Voice is most important physical factor — standard Southern English with trace of

Scots or Irish preferable.

* Attitude towards physical relationship in marriage natural as well as idealistic.
* Able to fit into naval society which is somewhat 'public school'.
* Orphan preferred.
* Attractive and chaste.
* Prefer emigrant or D.P. [Displaced Person] or orphan. Need have very little education but be kind and gentle.
* Small feet and ankles.
* Lady who is sophisticated and matured. Perhaps someone who has been married before and able to understand the difficulties of married life when one was younger and whose past experience would be beneficial at the present.
* The lady should have some interest in other people's welfare but may be quite unorthodox in religion or politics.
* Either a sophisticated bohemian sort preferably with some secretarial experience in literary work, or else a country girl, good at baking.
* Someone who can be an equal and share thoughts, problems, pleasures and difficulties, if any. No nurses. *(He cancelled registration, decided not to marry after all.)*
* Sufficiently educated to make a fair success of a *Times* crossword puzzle.
* I am not particular if she is respectable and healthy.
* Young lady possessing considerable capital or property, willing to assist re-establish pre-war business (Furniture Manufacture).

Interviewers' comments 1939–c.1949

MEN

* Very Irish and definitely Working Class.
* Talk a donkey's hind legs off.
* Nice smile, like Laurence Olivier.
* Fine big man, well turned out, might have touch of tar brush.
* *Gentish*, rather big red nose, beard but sweet.
* Rather an old woman. Thick glasses.
* Absolute poppet, lovely country voice.
* Not bad-looking but no Adonis.
* Not a gent. Common, noisy.
* Scar on face.
* Nice little man, v. sensitive about being bald.
* Should think he is queer. Gent. Lovely hands.
* A gent but very superior.
* Not aggressively Jewish-looking.
* Like John Mills.
* Terrible head of hair.
* POW, lost a leg.
* Dear old boy, looks so clean.
* Gent, mad, amiable rotter, beard.
* Looks older than he says, awful voice, very rich.
* Nice manners but deaf and a few teeth missing. BTS. (*Better Than Some*.)
* Stupid and slow.

- Always mention crippled leg on intro.
- Common little man. Has paralysed hand.
- Full of his own importance.
- Slightly lame owing to war wound. Sounds better on phone than on paper.
- In a hurry. Returning Nigeria 10 July.
- Nr Gent. Lost an eye.
- Belgian. Awful.
- *Gentish*, quite mad, out for money.
- Working class. Very quiet. Seems a bit dotty.
- Lost an eye and arm.
- Dull. Likes young girls.
- Gent. Charming but impotent. (*Age 33*.)
- Very nice honest-to-goodness superior working class.
- Not a gent, v. nice, has artificial leg.
- Not a gent (thinks he is), quite nice. Be careful.
- Dear little man. Working class, v. blue eyes. Saved up to come here.
- Very difficult and fussy, well dressed, Hitler moustache.
- Terrible. Mad stare. Looks like hell.
- Scarecrow, spectre, long thin face and body, glasses. But pleasant.
- Very hirsute.
- Sheer hell. Quite batty. Goggling eyes. Smells.
- Very nice man, diabetic.
- Typically business man. No fool.
- Sticking-out ears. So dull. Verbose.
- Shy, untidy hair, boffin type, nice boy, ambitious.
- White eyelashes.

★ Has lost both hands but can do everything for himself.
★ Nice hearing aid but v. deaf.
★ Bestially stupid, didactic, drums fingers on desk, quite good-looking, v. lower middle class.
★ Nice, Gent (not *Debrett*), inoffensive-looking, well dressed.
★ Cheque bounced.
★ Scruffy, smells, full of self-pity. Might be made into something.
★ Died. (*Aged 32, been registered two months*.)
★ Nice-looking. Speaks English well. (*Polish man*.)

WOMEN

★ Rather superior but thaws out in time.
★ Usual old body. (*Woman, age 41*.)
★ Mother is pure suburban.
★ Dainty, well dressed, dyed hair, not like a teacher.
★ Could be nice looking, hair wants perming.
★ Ladylike, soignée, infuriating.
★ Rather lumpy, not bad looking, Manchester accent.
★ Better than usual but oh, so fat, bad legs, dark fuzzy hair. Pleasant, plain.
★ Lady, v. nice, cast in left eye otherwise not bad looking.
★ Long face, better without hat.
★ Dreary, usual, very ‘prism’.
★ Lady, not top drawer, arthritis.
★ Good looking, gushing, genteel.

★ Paralysed — goitre, bad breath, terrible.
★ Can't read. Print address.
★ Frightful false teeth.
★ Very dirty (tatty).
★ Illiterate.
★ Good eyes, a lot of teeth & moustache. (*Woman*.)
★ Duck's bottom, divided teeth, not bad looking, unpleasing.
★ Dotty!!
★ Common, barmaid type.
★ Long horse's face. Loves herself.
★ Typical spinster.
★ Shy mouse, pretty in elfin way, lives SW3, likes men from the North.
★ Came with one daughter, v. well behaved. Pink cheeks, awfully nice, short hair, rather tearful.
★ Plumpish, red outfit, glasses (false eye hardly shows), *MBTM + (Much Better Than Most +, i.e. almost VMBTM — Very Much Better Than Most*.)
★ Pretty little girl, v. neatly dressed, v. nice speaking voice, is Dutch — obviously Sinhalese, denies being coloured.
★ Leopardskin hat and scarf. Rather toothy. Sweet and friendly.
★ Awful cheap scent.
★ Lady, v. nice, plain, might be a lezzie.
★ Tiresome bitch.
★ Full of her own importance and breeding.
★ Lovely eyes. Liked a Jamaican.
★ Rather like a ferret, though friends of the Coxes.
★ Plain, shows all her gums.

* Usual. Says she's sex-starved.
* Spotty & awful.
* Pleasant, faded.
* Not bad. Legs badly burned in Blitz.
* Typical country parson's daughter.
* Intelligent — too bloody bright.
* CAREFUL MISS J'S FRIEND.
* Silly neurotic little thing, no chin.
* Ordinary, faded, only child of old parents. (*Girl, 26.*)
* Better education than most but seems an ass.
* Scotch and rather nice-looking but bad false teeth. (*Girl, 30.*)
* No lady — but a snob! Smells like a polecat. Says she has £5,000 p.a.
* Very refeened [*sic*]. Rabbit teeth.
* Large, fat, cheerful, quite hideous.
* Nice child. Quiet. Had nervous breakdown.
* Dumpy. Plain. Nice. Dull. Neat. Plum-bottling type.
* BTM (*Better Than Most*). Could meet better. Nice little thing, pretty (chocolate-box type).
* Shows her underteeth. Ugly, pleasant.
* Touch of the tar brush.
* BATS!
* Says she's v. highly educated, seems stupid.
* Unattractive but superior.
* V. direct, rather lesbian. Has had insides out.
* Was staying at Claridge's with her boy-friend — likes racy!
* Lovely hair, real little cockney.
* Droop eye. Fat. Lady.
* Protruding teeth. Rather intense.
* Enormous ears. Common. Pleasant enough.

★ Looks like the back of a cab.
★ Dull. Goody-goody. Ordinary.
★ Has her own grand piano, will inherit £40,000 when her parents die. (*She is 34.*)
★ Filthy hands and badly made-up mouth.
★ Paid only £1. 1s. HELL!
★ Rather like Nellie Wallace. Very Baptist.
★ Like a caricature of Bea Lillie.
★ Scotch. Intelligent, quite attractive, not top drawer, introduced by May Carr (bitch).
★ Lady. V. nice, rather nut-crackery, fine eyes.
★ Completely early Victorian.
★ At school with Heather. Like a horse.
★ Was in a convent for 28 years.
★ Very nice type. Had child (dead) by POW who walked out on her.
★ All correspondence to be sent to Mr W. B. (*father of 31-year-old client*).
★ Coat and skirt type. Ladyish.

Acknowledgements

Heather Jenner always wanted to write: '*In my teens, rather as some people become compulsive drinkers, I became a compulsive writer. First I wrote short stories that nobody wanted, and then a novel that nobody wanted either. The literary agent I sent the novel to did say in a polite note that, although he had been unable to place it, the dialogue was good and I should keep on trying. I didn't keep on trying because I started the Marriage Bureau.*'

Fortunately, Heather's compulsion was not quenched: her reminiscences and views became the basis of her first book, *Marriage is My Business* (1953), and of her decades-long flow of articles. I am hugely indebted to Heather's daughter, Stella Sykes, for preserving her mother's copious archive, and for stories galore, and contacts, especially with Heather's god-daughter, Sarah Hamilton.

Heather's later books, *Men and Marriage* and *Marriages Are Made on Earth* were invaluable, as too was the vivid 1942 account of the Bureau's first two years in *Marriage Bureau*, by Mary Oliver and Mary Benedetta. The latter's *A Girl in Print: Experiences as a Journalist* (1937) was also informative. Further contemporary detail came from my inspiring aunt, Jean Reddaway, and equally redoubtable Patricia Dean, together with archives, principally Westminster's *West End at*

War, the BBC's *WW2 People's War*, the *American War Brides Experience*, the *Lady's* incomparable store, Companies House, the *British Newspaper Archive*, and the letters, diaries and photographs of friends and relations. Visual sources included films, particularly *Perfect Strangers, Marry Me!* (thanks to Steve Tollervey of the British Film Institute) and footage of the Bureau made by British Pathé.

Key to the existence of this book are Jane Bidder and Beverly Davies, organizers of the Freelance Media Group, where I heard Tara Cook speak. I am most grateful, since Tara's enthusiasm for the story of the Marriage Bureau set in train the events which, aided and abetted by Katie James (Heather's step-granddaughter, publicist at Pan Macmillan, and friend), resulted in the book which I have long wanted to write. The idea was born years ago in conjunction with Anne Moir, who with other friends informed, questioned, advised and heartened: my thanks to Peter Ellis, Thomas Gibson, Denise Goss, Xandria Horton, Prue Keely Davies, Pat Morgan, Linda Newbigging, John Parsons, Joy Parsons, Andrew Roberts, Ed Rubin, Howard Slatter, Gillian Spickernell, Kathy Stimson and Maureen Watson. Lynette Ellis patiently researched obscure American newspapers, Anna Raeburn brought vivacity through her reading. Throughout, Bill has encouraged, strengthened, and mastered the technology: a human rock, backed up by the indispensable Lorraine Laguerre.

Professional confidence and competence completed the picture: advice from the Society of

Authors, positive action from my agent, Clare Alexander, and terrific input from my publisher, George Morley who, with editing from Graham Coster and Laura Carr, has shaped the book.

A comprehensive THANK YOU to one and all.

Picture Acknowledgements

All photographs are courtesy of the author, with the exception of the following:
Page 1 top courtesy of the estate of Daphne Wace
Page 1 bottom, page 3 top and bottom, page 6 bottom footage supplied by British Pathé
Page 6 top, page 7 top, page 8 and page 16 bottom courtesy of Stella Sykes
Page 12 top and page 15 bottom © Daniel Farson/Picture Post/Getty Images
Page 15 top © Daniel Farson/Stringer

Other titles published by Ulverscroft:

FULL MARKS FOR TRYING

Brigid Keenan

From her early beginnings — a colourful childhood in India brought to an abrupt end by independence and partition, a return to dreary post-war England, and on to a finishing school in Paris — Brigid Keenan was never destined to lead a normal life. When, as a ten-year-old, she overheard herself described as 'desperately plain', she decided to rely on something different: glamour, eccentricity, character, a career — anything so as not to end up at the bottom of the pile. And in classic Brigid style, she somehow ended up with them all. In the swinging sixties, she came into her own: working with David Bailey and Jean Shrimpton; labelled a 'Young Meteor' by the press; turning up to report on the Vietnam War in a miniskirt . . .

WE'LL ALWAYS HAVE PARIS

Emma Beddington

As a bored, moody teenager, Emma Beddington came across a copy of French *Elle* in the library of her austere Yorkshire school. As she turned the pages, full of philosophy, sex and lipstick, she realized that her life had one purpose only: she needed to be French. And so she did a French exchange — albeit in Casablanca; and she studied French history at university, spending the holidays in France with her French boyfriend. Eventually, after a family tragedy, she found herself living in Paris with the same French boyfriend and two half-French children. Her dream had come true — but would reality match up? Gradually Emma realized that she might have found Paris, but what she really needed to find was home . . .

AND ON THAT BOMBSHELL

Richard Porter

For 13 years, 22 series and 175 shows, Richard Porter was script editor of *Top Gear*, from the first faltering pilot episode in 2002 until the very last show presented by Jeremy Clarkson, Richard Hammond and James May in 2015. Along the way, they destroyed cars, sparked diplomatic incidents, set fire to caravans, almost killed one of the presenters, and somehow transformed *Top Gear* from a shabby BBC Two motoring show into an Emmy-winning, record-breaking, planet-straddling behemoth. From driving monkeys to flying cars, Richard Porter provides a unique insight into how the programmes were made, revealing behind-the-scenes disasters more comical than anything seen on screen, and explaining what it was really like to work inside the self-professed 'poky motoring show' that accidentally became a global phenomenon.

PRIVATE VIEW

Alexandra Connor

Behind universally admired works of art — *The Laughing Cavalier* by Hals, *The Birth of Venus* by Botticelli, *The Thinker* by Rodin, and many more — are the artists themselves, whose lesser-known eccentricities are revealed in *Private View*. Here is Fra Filippo Lippi, a friar who had to be locked in a room by the Pope in order to keep him at the easel and away from the bedroom. William Blake, who talked to the dead — and Théodore Géricault, who brought the dead home with him to use as unpaid models. Here is Rembrandt, who not only owned a monkey himself, but once painted a similar creature into a patron's family portrait. And of course the swaggering Michelangelo, who as a child recommended his 'perfect' services 'in all humility' to the Duke of Milan . . .

GOODBYE EAST END

David Merron

As Hitler's bombs threatened London during the Second World War, eight-year-old David Merron was evacuated from his family and the close-knit Jewish community in the East End to the safety of the English countryside. Placed in the care of strangers, this new life was sometimes unpredictable and lonely. But, with time, the great outdoors became an exciting adventure playground in which he flourished. Set against a dramatic wartime backdrop, this is the story of a conflict between a boy's unexpected love of the countryside and his guilt about not missing home as much as he might, and of the childhood experiences that changed his life forever.

AS GREEN AS GRASS

Emma Smith

Uprooted from her beloved Great Western Beach, Emma Smith and her family move from Newquay to the Devonshire village of Crapstone. Tragedy strikes when Emma's father suffers a catastrophic breakdown and, in 1939, war becomes a reality. Determined to make a difference to the war effort, Emma chooses to work on canal boats, where she must learn to deal with hard manual labour, a sinking vessel, and buckets instead of toilets. When the war finally ends, Emma's new-found adventurous spirit takes her all over the world: to literary London, where she meets Laurie Lee; to India to film a love story; to France, where she falls helplessly in love. This is the story of an unusual woman determined, against a backdrop of enormous social change, to be a writer, come what may.